PAROLE ET PENSÉE

INTRODUCTION AU FRANÇAIS D'AUJOURD'HUI

DEUXIÈME ÉDITION

PAROLE ET PENSÉE

INTRODUCTION AU FRANÇAIS D'AUJOURD'HUI

DEUXIÈME ÉDITION

Yvone Lenard

California State College, Dominguez Hills

Color photography by Wayne Rowe

HARPER & ROW, PUBLISHERS
New York, Evanston, San Francisco, London

A Marguerite Dedieu-Delavallade

qui a tant et si bien enseigné.

Avec reconnaissance.

Couverture: Vitrail moderne de résine acrylique et béton, par Théo Kerg
(photo Wayne Rowe)

LIST OF ILLUSTRATIONS

PAROLE ET PENSÉE: Introduction au français d'aujourd'hui, Deuxième édition
Copyright © 1965, 1971 by Yvone Lenard

Standard Book Number: 06-043961-0
LIBRARY OF CONGRESS CATALOG CARD NUMBER: 75-141174

Contents

ACKNOWLEDGMENTS

This edition is indebted to Dr. Danielle Chavy Cooper, Head of the French Program, Monterey Institute of Foreign Studies, for her excellent suggestions and distinguished assistance, especially with the vocabulary charts; to Claude Bessy, who worked hard and competently on many of the exacting tasks involved in the production of this program.

It is also, and to no small degree, indebted to the numerous colleagues, all over the country, and elsewhere in the world, who have used the First Edition and made known to me their comments and suggestions. I hope that each one of them finds here the expression of my appreciation.

Last, but not least, I want to thank at the house of Harper & Row, foreign language editors, Charles Woodford and Rochelle Leszczynski, who edited and coordinated the project, as well as designer Rita Naughton, who designed the book and its cover. Working with them is a privilege.

Preface
TO THE SECOND EDITION

WHO LEARNS FROM A TEXTBOOK? THE AUTHOR, FOR ONE. Writing this book, living with it over the past five years while writing other books, has been a most educative process. This Second Edition embodies the hope that this author has benefited from the experience.

While few of the basic ideas have changed, many have evolved into clearer concepts, and I especially hope to have refined my techniques of lesson writing, and to have incorporated some practical elements that will make the book easier to use. In particular, you will find in this edition a vastly increased number of exercises, with two groups for each lesson: *oral exercises* to practice the new structure, and *written exercises** following the reading, to incorporate the new vocabulary to the structure.

WHAT IS A LANGUAGE?

The conviction that language teaching must be based upon a definition of language, and that such a definition must necessarily underlie every method, could hardly have changed. There is no doubt that grammar and translation methods can only satisfy those who, in increasingly small numbers, believe that "Language is a graphic cipher." No doubt, either, that memorizing dialogues can only satisfy those who believe that "Language is imitative behavior." On the other hand, more and more teachers are becoming convinced that *"Language is invention, re-discovery of the world in terms of that language,"* only many are now wording it differently: *"Language is generative."*

The method I proposed and called Verbal-Active, applied here in a more refined form than that of the First Edition, is therefore based upon this last definition of language, and treats language as the uniquely human process it is, totally different in nature from the way a bird learns to mimic sounds. It draws upon the ability to infer and correlate—the intelligence—the imagination, the personality of both the student and the instructor. It offers a wide range of acceptable results. IT KEEPS LIFE IN THE LIVING LANGUAGE.

PRINCIPLE OF MULTIPLE APPROACH

It is obvious that language must first be *heard* and *understood*, then spoken. Habits and mechanisms of comprehension and speech are formed that way. Learning how to *write* and *read*—in this order—far from being a hindrance, will act as strong

---

*These can also be done orally, at the discretion of the instructor.

reinforcement to speaking.* The failure of strictly oral methods is proof enough that sound and symbol complement each other. More: If writing is taught as a separate skill, before reading, it will sharpen the listening skills. We therefore use the multiple approach, and in this order: HEAR / SPEAK / WRITE / READ. How this is done in the classroom is explained in detail in the preface *To the Teacher* and in the *Teacher's Guide.*

PRINCIPLE OF SINGLE EMPHASIS

Single emphasis consists in teaching one thing at a time, and only one thing, and then incorporating it with that which has previously been learned, thus building an ever increasing skill. This is, of course, the basic principle of programmed instruction. In this book, each lesson is built around one specific point, itself often an element of a complexity. Each lesson is short, and the structure is always taught first, without the introduction of new vocabulary. Only after the structure has been internalized, is new vocabulary introduced through the **lecture.**

THE NECESSITY OF CLEARLY STATED OBJECTIVES

You will see, in the *Teacher's Guide,* that objectives are clearly stated for each lesson, and divided into two categories. First, the *specific objectives,* or desired behavioral response to given specific stimuli; next, *general proficiency objectives* that will indicate the desired response to questions testing fluency of speech and ability to communicate freely in the foreign language.

ACQUISITION OF AUTOMATISMS

We are very much indebted to the science of linguistics for the invaluable facts it has taught us about language and its acquisition. For instance, linguists have shown the necessity of acquiring reflexes, automatisms, habits of speech—"Language is more something you do than something you know." (And many linguists deplore the misuse of this very sound idea in the memorized dialogue of recent and ill-fated audio-lingual methods.) I am convinced that the essential automatism to be acquired is that of the verb in its question/answer form: **êtes-vous?** / **je suis** for instance, or **avez-vous?** / **j'ai**, etc. This is true for all verbs, not only in the present, but in all tenses, since the answer is usually in the same tense as the question. The verb is the core; the sentence arranges itself around it; and the verb is the central point, the only element that requires anything like memorization.

*An objection has often been raised, that the oral and the written forms of language are two entirely distinct processes as evidenced by the fact that many languages never had a written form, and that many illiterate people can speak one or more languages, but cannot read or write any. I will answer that, of course, this is true, but that we are not dealing with such generalities. We are, instead, specifically concerned with teaching a modern European language which *does* have a written form, and teaching it to American students who have reached a high degree of literacy, and who have further been conditioned, through their years of schooling, to rely on the written word as reinforcement and verification of the oral.

TEACH IN FRENCH

Instruction can, and must, be carried out in the foreign language, provided the instructor uses it wisely, with clarity and simplicity from the first day. We all know of the success obtained by those instructors who faithfully speak French in class. This does not mean that one must be dogmatic to a fault and ignore the plight of an uncomprehending student: an English word, spoken *sotto voce,* may occasionally help without interrupting the flow of French. But explaining in English that we must speak French is obviously self-defeating, and speaking English during the first semester will not make proficient second-semester speakers. Time gained speaking English is actually time lost.

THE *VERBAL-ACTIVE METHOD* IS NOT A DIRECT METHOD

Though the foreign language is used as means of instruction, this method is not to be confused with the so-called "direct" methods. IT IS NOT A DIRECT METHOD. It is, instead, a highly systematized programming, going from the simplest unit of language to the most complex in carefully calculated steps. Yet it gives the student a feeling of freedom, of endless possibility of expression and experimentation within an orderly framework.

LEARNING A LANGUAGE IS A PROCESS COMPARABLE TO THAT OF ORGANIC GROWTH

Learning a language, of all educational processes, is perhaps the most truly educational, in the literal sense of *educere,* to bring out, to draw forth. Far from being a random process, it is, on the contrary, a rigorous one, subjected to laws not unlike those which govern organic growth. I have often compared it to the growth of a tree, with roots and branches seen as structures—means of support for leaves and flowers, even as sentence structure supports vocabulary. In this view, lists of disconnected words, recitation of verb forms, memorization of dialogues, are no more viable than leaves, heaped on the ground in the hope of producing a tree. These would soon wither and no growth would take place. If instead, from a single but firm root a few healthy branches grow, these can support a few leaves. No matter how small, the tree will grow if it is viable. Thus, as basic structures are established, they become roots and branches capable of supporting a constantly growing and differentiating vocabulary. At all phases of learning there is a strong, healthy organism, systematically building upon itself. Language is alive, it possesses all the qualities of life itself, and its learning can only be a process of combined order and dynamism.

Yvone Lenard
1971

To the Teacher*

This book is intended as an aid in teaching beginning students how to understand, speak, write, and read French. *Listening, understanding, and speaking are of primary importance, and writing must never be allowed to come first.* We want our students to be able to write what they can understand and what they can say. We do not want them to write instead of speaking.

Since a book, by its very nature, cannot be audio-lingual, however earnest the intentions of its author, *it rests upon the teacher to bring to life the written word in the classroom.* To this effect, I suggest the following procedures.

PREPARING YOUR CLASS

Prepare your class with the aid of the *Teacher's Guide.* Study carefully the point of structure you are going to introduce. Prepare a few simple statements, drawn from the **phrases modèles** in the **introduction** and/or similar to them, making quite clear the new point you want to teach. Prepare also a number of questions (two or three per student) stressing that point, plus a number of questions in which that point is incorporated to what has been learned previously. Do not introduce new vocabulary when introducing a new structure. Introduce new words only after the structure itself no longer presents any difficulty.

SPEAK FRENCH IN CLASS

Students are anxious to hear and to speak the foreign language. You need say very little at first outside of the actual words of the lesson. Choose your words carefully at first, use cognates, make simple statements. **"Excellent! Correct! Horrible! C'est une classe de français,"** etc., need no translation. Stylize your reactions: enthusiastic approval, serious doubt, horrified surprise. The point is to establish communication, without English, and with *a little* French. Avoid using words or structures the students cannot possibly understand. *This is always possible* and there is always another, simpler way to say what you mean.

DO NOT ALLOW STUDENTS TO USE ENGLISH

This is very important. They may, at first, be a little self-conscious, or insecure, and try to translate "to make sure." We all know that if they went to live in France,

*You will find in the new *Teacher's Guide* the subject and objectives of each lesson, suggested procedures for each class, as well as the answers to all the exercises.

they would learn French, yet there would be no translation. Be good-natured and pleasant about it, but very firm. The success of the whole term depends on those first few days.

INTRODUCING A NEW STRUCTURE

Suppose you want to introduce the negation. Your students already know "C'est un . . . c'est une. . . ." Pick up a book, for instance, and ask: "Qu'est-ce que c'est?" The class will answer: "C'est un livre." Next, pick up an object which they cannot name yet in French, a key, for instance, and ask: "Qu'est-ce que c'est?" You will have no answer. So, you wait a second, and, with the dramatic manner which you reserve for the introduction of a new element, a manner which the class has already learned to recognize and to identify with "something new to learn," you say: "Ce n'est pas un livre." Have the class repeat. You ask them, "Est-ce un livre?" and the class will answer, "Non, ce n'est pas un livre." Then, going fast, pick up or point to various objects, asking: "Est-ce une fenêtre? Est-ce une chaise? Est-ce une auto? etc. . . . " all requiring negative answers. Then, with a slight dramatic pause and your "Now, be careful!" look, start mixing questions which require positive and negative answers: "Est-ce une jeune fille? Non, ce n'est pas . . . , Est-ce un jeune homme? Oui, c'est . . ." etc.

Besides the choral responses which you want at the introduction of a new point, make sure that everyone in the class has spoken individually as often as possible. Choral responses mean little as far as individual participation is concerned. Then, send a student to the board to write what he has just said. Have the class watch, check, correct, if necessary, by explaining to him, *in French*, what his errors are. You, the teacher, will do a minimum of writing on the board. Instead, send the students to write what they have just said or what someone else has just said; never let them write, though, instead of speaking.

LEARNING HOW TO WRITE

If you follow closely the procedure I am about to describe, your students will learn how to *write by ear*, before having *seen.* This is, of course, the most fruitful way to learn. You will start after a few days of class, as soon as greetings and basics such as **C'est un, c'est une . . . ,** etc. have been established (see text in book).

First, pronounce the vowels: a e i o u. Have the class repeat them a few times. Then, write them on the board. Ask the students to name them. Erase the board. Send students to the board to write: e* i o u a i a e, etc. This will take a few minutes. Then ask students to call out vowels while another writes them on the board.

---

*e. To make sure students understand this is a mute e sound and not an é, show them it is the sound you make when you are breathing hard, with expiration of air through the mouth (a panting sound), then bring the sound to a true e as eu in jeune.

Next come the consonants, that is to say, now you announce l'alphabet, and recite slowly the whole alphabet distinctly, the class repeating after you. Then, follow the same procedure as for vowels. Write the whole alphabet on the board, have the students associate the letter with its French sound, point to letters at random. Then erase. Send a student to write: c j* g x y w l e i j i g a, etc. Ask students in the class to call out their initials, or their telephone prefix. You can easily make them understand what you want by giving *your own* initials (write your name on a corner of the board, underline your initials, etc.) or *your* phone prefix. This "personal" information has an advantage: the speaker will tolerate no error on the part of the writer, and will insist until the all-important facts concerning him are written correctly.

The next step is the syllable. Do not write anything yourself on the board at this point. Ask a student to write l and to write e. Then ask him to write le. Then ask him to write l and a and then la; then li, lu, lo. Ask another student to write me, ma, mu, du, de, te, tu, etc. You realize, of course, the importance of this exercise. Keep at it with a fast moving of students to and from the board.

After the syllable comes the word. Students at the board will write: la porte, la table, le livre, le stylo (you spell that one), la note, la robe, la jupe, etc.

On the following day, start the class with a brief review. Then, introduce *one* letter-grouped-sound: eau for instance. Write it on the board, circle it, have students repeat it. Then, showing the board, ask: "Qu'est-ce que c'est?" and ask a volunteer to write it on the board ("Pas de volontaire? Alors, une victime!"). Ask him to write le tableau, use the same procedure with le bureau and words like le chapeau, le drapeau, etc.

Then *you* write C'est un
              C'est une

and ask students to come to the board and write, C'est un drapeau, C'est un chapeau, etc., and also C'est le chapeau, C'est le drapeau, etc. After a few moments of this, ask: "Est-ce qu'un mot avec la terminaison *eau* est masculin ou féminin?" The class will answer: "Masculin." If time allows, introduce other letter group-sounds: ai—la *maison*, la *craie*, la *chaise*. On the word *chaise*, point out that s is pronounced z *between 2 vowels*. Have students write: la *raison*, la *saison*, etc. (spell on if necessary).

Other sounds to learn to hear and write from sound include:

> oi—*moi*, une *fois* (you say: "avec s"), le *toit* (you say: "avec t"), etc.
>
> ou—le livre est *sous* la table, *où* est la *cour?*, etc. Immediately distinguish ou from u—*sous* et *sur*, *pour* et *pur*, *rue* et *roue*.
>
> in or ain or im—students will learn how to write it in *américain, demain,*

---

*j. It may help your students in not confusing j and g if you point out that i and j follow each other, both have a dot, and rhyme.

la *main.* Show that it is exactly the same sound in *matin, demain,* and *impossible.*

an or **en**—students will learn it in *présent, absent, étudiant,* etc.

Proceed in a similar fashion for **on, un, ill, gn, eu,** etc.

Forget about the subtleties of advanced phonetics. Of course, you cannot teach your students how to spell **Les yeux bleus des boeufs,** by themselves at this point, but then you don't need to. You are establishing, in their minds, *a relationship between what they hear, what they say and what they see. And there is enough logic to the spelling of French to make this relationship very useful.*

After a few days, students are beginning to guess at spelling, not always correctly, but then you are here to guide them. And, most important, to show them how to make useful associations. The student who cannot write **demain** is told to write **de** and **main** and then **demain,** for instance. *Always use what has been learned to infer what needs to be learned.*

Teach the accents according to a similar procedure. It is clear that if **e** is a mute **e** and you hear **é,** you need something to modify the sound: **le téléphone, la télévision, un éléphant, un étudiant,** etc. Next, the grave accent. I show it, in the beginning, in the combination: **è** + *consonne* + **e** as in **père, mère, nièce, derrière, première,** etc., and insist that when this combination occurs, you have to have an **è.** Then have students write: **élève, Thérèse, Hélène,** etc. (This helps later when you come to verbs like **acheter, préférer,** etc.) I do not teach the circumflex and the cedilla at that point as a system (it would be meaningless) but as something which goes on or under certain words: **français, garçon** are the only ones they know at the time that require a cedilla.

On another day, you will show that **ss** between two vowel sounds "s": **la classe, la tasse;** but remember: **la chose, la rose, la chaise.**

On another day, show that **e** before a double consonant sounds like **e** but does not take an accent: **elle, par terre, derrière,** etc.

In teaching how to write in this way, you involve the student; he is constantly called upon to perform, to act, to think and correlate. It is not a process of memorizing, it is true learning.

A FEW WORDS OF WARNING

—do not try to go too far and involve concepts students cannot grasp, or which you could not make perfectly clear in French;

—do not be afraid to add ("**toit avec *t* final**"), or to spell what the student could not figure out by himself (**le temps, ce n'est pas, vingt**);

—make it clear that being sent to the board is not a *test* of what the student knows. He probably does not know, but he is going to learn—that's what we are here for;

—never fear to take a few minutes of class time to give an explanation of an important point when a student has difficulty writing his sentence on the board. Then, always be sure you involve the whole class.

TEACHING OF VOCABULARY

Isolated words are, of course, of no interest, and vocabulary must always be taught in context. How can one teach new vocabulary without using English? In the first few lessons, you can either show **une jeune fille, un tableau, une fenêtre**, etc. (show a picture or draw a quick sketch), **un chien, un chat, une maison, un arbre**, etc. or rely on the resemblance between the French and the English word: **un professeur, un appartement, une auto, un téléphone, un restaurant**, etc. A little later—the vocabulary has been carefully selected from vocabulary frequency lists and arranged—you can explain the new word from words students already know: **un immeuble**, for instance. "**Un immeuble est un bâtiment avec beaucoup d'appartements.**" Sometimes, a quick sketch confirms the students' impression that they had understood. Many words are cognates, which makes them, except in a few cases (**actuellement, audience**) easily understandable, or they can be explained by means of a cognate (**la réclame, c'est la publicité**); often they can be explained as "**le contraire de quelque chose**," particularly in the case of adjectives ("**facile est le contraire de difficile**," "**laid est le contraire de beau, ou de joli**"). In many cases, your ingenuity will be tested, and in others you will be delighted to hear some of your students' own definitions. You can often call on the students who have understood your definition to give their own to those who have not. Give many examples of use of the words you consider important, send students to write those sentences on the board, etc. Do not waste too much time on cognates ; they will be easily learned.

Isn't this quite a waste of time, since it would be so much faster to translate? Most emphatically not. *You want your students to discover reality in terms of the French language* and the object to take on a new identity in terms of its French expression. (We all know, as one of my students pointed out, that **une algue** does not bring to mind the same picture as *seaweed*.) Besides, throughout all this so-called "waste of time," *you are communicating and conversing with your students in French,* using all they have previously learned to learn more. Is there any sounder pedagogical exercise?

TEACHING VS "COVERING OF MATERIALS"

A language class is not a speed contest. What matters, in the final analysis, is what your students know, and I mean by this, *how well they can use what they have been taught* and not how much material they have covered. My suggestions for the use of the book would be as follows:

In universities, colleges, and junior colleges, if on the semester system, and with five class hours a week, supplemented, but not replaced by, one or more hours of lab, Part I is adequate material for the first semester, Part II for the second. Additional reading may be introduced during the second semester, not during the first. If on the quarter system, or on the three-hour a week schedule, then Parts I and II would represent an adequate amount of material for three quarters or three semesters, as the case may be. Some schools on the quarter system may prefer to use the text for a full four quarters, supplementing it with adequate readings after the second quarter.

TEXTBOOK AND THE CLASSROOM

The class should be conducted with books closed. Discourage the taking of notes in class, unless there seems to be a special reason (you are introducing vocabulary which is not in the lesson, or you are giving examples which do not appear in the book). And absolutely forbid the use of the dictionary. We will come back to this point later.

The text, in the book, should not be turned into the "thing" to know. It is intended only to show students how the structures they are learning will combine and form French expressions. Emphasis should be placed on the fact that it is what the student can do with what he has learned from the text which interests us. Studying the book is a means, not an end.

ORAL COMPOSITION

It is a very important factor in the success you will obtain with this method. There are usually one or several subjects to choose from. You may replace them with, or add any that seem particularly appropriate to your specific class. Ask students to prepare in writing. The composition should be short—a few lines at first, then a paragraph, a page at the most later on. In class, you will ask some students (for instance, the girls) to prepare questions to ask others (the boys) on what they will hear when a composition is given. Then have the student speak loudly and clearly, without looking at his preparation (or perhaps, just an occasional glance—you be the judge). *Insist on imaginative and personal use of what has been learned, be extremely stern with those who have been looking up words in the dictionary.* We all know what disastrous results this brings! Next, ask for questions and answers so that everyone is involved. Have as many students as possible speak as often and as much as possible.

This exercise is easily the most important part of your class, and to devote two class hours out of every five to it would not be excessive.

WRITTEN COMPOSITION

Written composition should have the same qualities as the oral, but it can and should be longer after the first few weeks. Do not grade solely on the number of mistakes. You might discourage inventive attempts. Take into account originality, range of vocabulary and structures, complexity of thought, etc.

Show students how, if they are attentive when the teacher corrects errors or makes comments during the oral compostion, they will learn a great deal that they can incorporate into their written composition the next day.

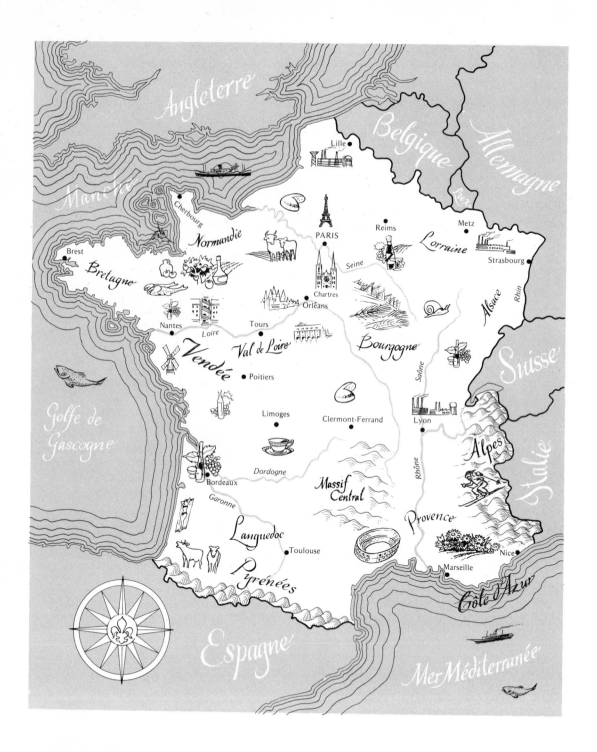

Angleterre

Belgique

Allemagne

Manche

Lux.

Lille

Cherbourg

Normandie

Metz

Reims

Lorraine

Brest

PARIS

Strasbourg

Bretagne

Seine

Rhin

Chartres

Alsace

Orléans

Chartres

Nantes

Tours

Loire

Bourgogne

Saône

Vendée

Val de Loire

Poitiers

Suisse

Golfe de
Gascogne

Limoges

Clermont-Ferrand

Lyon

Alpes

Dordogne

Rhône

Bordeaux

Massif
Central

Italie

Garonne

Provence

Languedoc

Toulouse

Nice

Pyrénées

Marseille

Côte d'Azur

Espagne

Mer Méditerranée

PREMIÈRE PARTIE
La réalité immédiate

HENRI MATISSE, *Fenêtre à Nice*

Comme cette fenêtre ouverte sur la mer, le français va vous ouvrir un nouvel horizon.

LEÇON PRÉLIMINAIRE
Le premier jour de classe

Le professeur: Bonjour Monsieur, bonjour Madame, bonjour Mademoiselle !
La classe: Bonjour Monsieur !
Le professeur: Comment vous appelez-vous, Monsieur ?
L'étudiant: Je m'appelle Henri Brun.
Le professeur: Comment vous appelez-vous, Mademoiselle ?
L'étudiante: Je m'appelle Suzanne Masson.
Le professeur: Comment allez-vous ?
La classe: Très bien, merci. Et vous-même ?
Le professeur: Très bien aussi, merci.

L'appel

Monsieur Brun ?
      Présent.
Mademoiselle Masson ?
      Présente.
Mademoiselle Martin ?
      Absente.
Monsieur Bernard ?
      Absent.

La classe est finie

Le professeur: Au revoir Monsieur, au revoir Madame, au revoir Mademoiselle.
    A demain !
La classe: Au revoir Monsieur. A demain !

PRONONCIATION

madame ma/dam
mademoiselle mad/mwa/zel
monsieur me/cieu (monsieur)

VINCENT VAN GOGH, *Le restaurant*

C'est une chaise
C'est une table
　　et c'est un restaurant.

LEÇON 1 (PREMIÈRE PARTIE)
C'est une personne, c'est un objet

LA DÉFINITION

La définition d'un objet : **Qu'est-ce que c'est ?**
La définition d'une personne : **Qui est-ce ?**

Qu'est-ce que c'est ?   C'est **un** livre.   C'est un tableau.
                                 C'est un stylo.   C'est un drapeau. *drah Poh (flag)*
                                 C'est un crayon.   C'est un bureau.

                                 C'est un cahier. *kah Yay*   C'est un restaurant.   *Masculin*
                                 C'est un papier.   C'est un appartement.
                                 C'est un alphabet.   C'est un compliment.

                                       C'est **un autre** livre. *ohtr (other)*
                                       C'est un autre cahier.
                                       C'est un autre drapeau.
                                       C'est un autre restaurant.

Qu'est-ce que c'est ?   C'est **une** chaise.   C'est une addition.
                                 C'est une table.   C'est une soustraction.   *féminin*
                                 C'est une porte.   C'est une composition.
                                 C'est une fenêtre.
                                 C'est une lampe.
                                 C'est une carte.
                                 C'est une classe.
                                 C'est une enveloppe.
                                 C'est une adresse.
                                 C'est une auto.

                                       C'est **une autre** chaise.
                                       C'est une autre addition.

Qui est-ce ?   C'est monsieur Brun.
                      C'est un monsieur.
                      C'est un jeune homme. *ZHUH UMM*
                      C'est un étudiant.

Qui est-ce ?   C'est mademoiselle Masson.
                      C'est une jeune fille. *ZHUH Fee*
                      C'est une étudiante.

Qui est-ce ?   C'est madame Duval.
                C'est une dame.

Qui est-ce ?   C'est André.
                C'est Suzanne.
                C'est moi, c'est lui, c'est elle, c'est vous.

PRONONCIATION

c'est un / c'est une

C'est un appartement. C'est une adresse. C'est une autre adresse.

EXPLICATIONS

I.   La définition d'un objet

            Qu'est-ce que c'est ?   C'est **un** livre.
                                     C'est **une** table.

      La question est : **Qu'est-ce que c'est ?**
      La réponse est :   **C'est un...**
                         C'est une...

II.   Le genre : masculin et féminin

            C'est **un livre.**
            C'est **un cahier.**

      livre est masculin, **cahier** est masculin : **un** livre, **un** cahier
      un : article indéfini masculin

            C'est **une table.**
            C'est **une classe.**

      table est féminin, **classe** est féminin : **une** table, **une** classe
      une : article indéfini féminin
      En français, un nom est masculin ou féminin.

III. Le genre et la terminaison*

REMARQUEZ :

            un pap**ier**
            un cah**ier**
            un alphab**et** *masculin* (un pan**ier**, un ball**et**, un paqu**et**, etc.)
            un n**ez**
            un pi**ed**

      Un nom avec la terminaison **-ier, -ez, -ed, -et** est masculin.

---

* *The ending of a noun does not necessarily reflect its gender, but some endings, like the ones indicated above, do indicate, with only a few exceptions, a masculine or a feminine noun.*

un tableau
un bureau } *masculin* (un chapeau, un gâteau, un oiseau, etc.)
un drapeau

Un nom avec la terminaison **-eau** est généralement masculin.

un étudiant
un restaurant } *masculin* (un compliment, un savant, etc.)*
un appartement

Un nom avec la terminaison **-nt** est masculin.

IV. La définition d'une personne

Qui est-ce? C'est monsieur Brun.   C'est un monsieur.
C'est madame Brun.   C'est une dame.
C'est mademoiselle Brun. C'est une jeune fille.

C'est André.
C'est Suzanne.
C'est moi, c'est lui, c'est elle, c'est vous.

La question est: **Qui est-ce?**
La réponse est: **C'est** + *le nom de la personne*
ou:
C'est un... / C'est une...

EXERCICES ORAUX

I. *Complétez la phrase par* **un/une.**

Exemple: C'est *une* action.

1. C'est __une__ étudiante.
2. C'est __un__ étudiant.
3. C'est __une__ négation.
4. C'est __une__ affirmation.
5. C'est __une__ question.
6. C'est __une__ dame.
7. C'est __un__ monsieur.
8. C'est __un__ papier.
9. C'est __une__ chaise.
10. C'est __un__ stylo.
11. C'est __une__ auto.
12. C'est __une__ sensation.
13. C'est __un__ drapeau.
14. C'est __une__ porte. *fem*
15. C'est __un__ nez.
16. C'est __un__ ballet.
17. C'est __une__ classe.
18. C'est __une__ adresse.
19. C'est __une__ enveloppe.
20. C'est __un__ appartement.

II. *Quelle est la question?*

Exemple: C'est une porte.   C'est Bill.
Qu'est-ce que c'est?   *Qui est-ce?*

* This is only part of the broader rule that nouns ending with two consonants are masculine: le respect,
un canard, un banc, le temps, un doigt.

- 1. C'est un monsieur.
- 2. C'est une auto.
- 3. C'est une question.
- 4. C'est une fenêtre.
- 5. C'est un professeur.
- 6. C'est une adresse.
- 7. C'est un stylo.
- 8. C'est une dame.
- 9. C'est un chapeau.
- 10. C'est une jeune fille.
- 11. C'est un crayon.
- 12. C'est un jeune homme.

III. *Répondez à la question par:* **C'est un monsieur, c'est une dame, c'est un jeune homme, c'est une jeune fille.**

Exemple :   Madame Brun, qui est-ce ?
            C'est une dame.

1. Bill Smith, qui est-ce ?
2. Suzanne Masson, qui est-ce ?
3. Monsieur Brun, qui est-ce ?
4. Madame Bernard, qui est-ce ?
5. Anne Berger, qui est-ce ?
6. Bob Bertrand, qui est-ce ?
7. Monsieur Arnaud, qui est-ce ?
8. Madame Arnaud, qui est-ce ?

LEÇON 1 (DEUXIÈME PARTIE)
C'est une personne, c'est un objet

LA DÉFINITION (*suite*)

Qu'est-ce que c'est ?   C'est le... /C'est la... /C'est l'...

Introduction

QUESTION	RÉPONSE
Qu'est-ce que c'est ?	C'est **un** livre. C'est **le** livre de M. Brun (monsieur).
Qu'est-ce que c'est ?	C'est **un** stylo. C'est **le** stylo de Mlle Masson (mademoiselle).
Qu'est-ce que c'est ?	C'est **un** crayon. C'est **le** crayon de Mme Martin (madame).
Qu'est-ce que c'est ?	C'est **une** chaise. C'est **la** chaise de M. Bernard.
Qu'est-ce que c'est ?	C'est **une** carte. C'est **la** carte de Mlle Masson.
Qu'est-ce que c'est ?	C'est **une** classe. C'est **la** classe de français.
Qu'est-ce que c'est ?	C'est **un** appartement. C'est **l'**appartement de M. et Mme Martin.
Qu'est-ce que c'est ?	C'est **une** auto. C'est **l'**auto de M. Petit.
Qu'est-ce que c'est ?	C'est **une** enveloppe. C'est **l'**enveloppe de M. Brun.
Qu'est-ce que c'est ?	C'est **une** adresse. C'est **l'**adresse de M. et Mme Martin.

PRONONCIATION

C'est un crayon   C'est le crayon de Robert
C'est une chaise   C'est la chaise de Robert
C'est une adresse   C'est l'adresse de Robert

EXPLICATIONS

I.   L'article défini le/la

C'est un professeur.   C'est **le** professeur.
                             C'est **le** professeur de français.
                             C'est **le** professeur de M. Brun.

le : article défini masculin : **le** professeur, **le** livre, **le** cahier

C'est une chaise.   C'est **la** chaise.
                       C'est **la** chaise de M. Brun.

la : article défini féminin : **la** chaise, **la** table, **la** classe

II.   L'élision de le/la : l'

C'est un appartement.   C'est l'appartement.
C'est une auto.   C'est l'auto.

l' : l'article le/la est **l'** devant une voyelle ou un **h** muet (élision).

EXERCICES ORAUX

I. *Complétez par l'article correct.*

Exemple :   C'est *une* chaise. C'est *la* chaise de M. Brun.

1. C'est _____ crayon. C'est _____ crayon de M. Arnaud.
2. C'est _____ stylo. C'est _____ stylo de Jacques.
3. C'est _____ papier. C'est _____ papier de Suzanne.
4. C'est _____ chapeau. C'est _____ chapeau de M. Lefranc.
5. C'est _____ étudiant. C'est _____ étudiant de M. Laval.
6. C'est _____ étudiante. C'est _____ étudiante de M. Laval.
7. C'est _____ appartement. C'est _____ appartement de M. et Mme Martin.
8. C'est _____ restaurant. C'est _____ restaurant de Van Gogh.
9. C'est _____ enveloppe. C'est _____ enveloppe de Mlle Martin.
10. C'est _____ cahier. C'est _____ cahier de Bob.
11. C'est _____ adresse. C'est _____ adresse de Jacqueline.
12. C'est _____ auto. C'est _____ auto de M. Martin.

LEÇON 2
Quelle est la date aujourd'hui?

LA DATE   ~~spell & write~~

COMPTEZ, ÉPELEZ ET ÉCRIVEZ
~~Kohn Tay ayPlay ay Kree~~

I. LA DATE

Quelle est la date **aujourd'hui**? ~~oh-zhoor-DUEE =(today)~~
    Aujourd'hui, c'est lundi 10 septembre.

~~week = sumay~~

Quelle est la date **demain**?
    Demain, c'est mardi 11 septembre.

Lundi, c'est **un jour**.
    Lundi, mardi, mercredi, jeudi, vendredi, samedi et dimanche, c'est **la semaine**. ~~week~~

Septembre, c'est **un mois**. L'année, c'est 12 (douze) mois: janvier, février, mars, avril, mai, juin, juillet, août, septembre, octobre, novembre et décembre.

II. LES CHIFFRES DE 1 A 30

Comptez:

1	un	11	onze	21	vingt et un ~~van tay un~~
2	deux	12	douze	22	vingt-deux ~~vant~~
3	trois	13	treize	23	vingt-trois
4	quatre	14	quatorze	24	vingt-quatre
5	cinq	15	quinze ~~Kans~~	25	vingt-cinq
6	six	16	seize	26	vingt-six
7	sept	17	dix-sept	27	vingt-sept
8	huit	18	dix-huit	28	vingt-huit
9	neuf	19	dix-neuf	29	vingt-neuf
10	dix	20	vingt ~~Vang~~	30	trente ~~trahnt~~

III. L'ALPHABET

A. Répétez:

    a e i o u
    a b c d e f g h i j k l m
    n o p q r s t u v w x y z

Une lettre: l'alphabet est la liste de 26 (vingt-six) lettres.
Une voyelle: **a** est une voyelle; **e** est une autre voyelle; **i, o, u** aussi.
Une consonne: **b** est une consonne; **c** est une autre consonne; **d, f, g** aussi.

~~A est une majuscule.~~
~~a est une minuscule.~~
~~B.B. B est une initiale~~
~~B est une autre initiale~~

FERNAND LEGER, *Horloge*   The Solomon R. Guggenheim Museum, New York

Quelle heure est-il dans la confusion mécanique de l'Horloge de Léger?

B. Allez au tableau, s'il vous plaît.

Ecrivez:

   a i e u o

Ecrivez:

   j g w y z

Très bien. Maintenant, écrivez:

le	la	lu	li	lo
du	de	di	do	da
ma	me	mu	mi	mo

Très bien. Maintenant, écrivez:

la table le livre la porte la classe la tasse
mardi samedi *etc*.

Très bien, merci. Asseyez-vous.

IV. L'ACCENT: aigu (´), grave (`) et circonflexe (^)

Epelez:

la clé: l, a, c, l, e accent aigu
é accent aigu: la clé, la beauté, la charité, la générosité, le téléphone, la télévision, l'étudiant

Epelez:

l'élève: l apostrophe, e accent aigu, l, e accent grave, v, e
è accent grave: l'élève, la pièce, Thérèse, Hélène, première

Remarquez la règle de terminaison:

è + *consonne* + e
-ère, -èce, -ève, -ène, -èse

Remarquez l'accent grave sur une autre voyelle:

voilà, à, où

Epelez:

la fenêtre: l, a, f, e, n, e accent circonflexe, t, r, e
ê accent circonflexe: la fenêtre, même, la forêt, la tête

Remarquez aussi l'accent circonflexe sur une autre voyelle, généralement devant un **t**:

gâteau, côte, sûr*

---

* *For other French diacritical marks, see Appendix A.*

EXERCICES ORAUX

I. *Complétez la liste suivante.*

Exemple : un, deux, *trois*, *quatre*, cinq

1. six, sept, _____, dix
2. trois, quatre, _____, sept
3. dix, onze, _____, quatorze
4. treize, quatorze, _____, dix-sept
5. vingt, vingt et un, _____, vingt-quatre
6. dix-huit, dix-neuf, _____, vingt-deux

II. *Complétez par le jour correct.*

Exemple : lundi, *mardi*, mercredi

1. mardi, _____, jeudi
2. samedi, _____, lundi
3. vendredi, _____, dimanche
4. jeudi, _____, samedi
5. mercredi, _____, vendredi
6. dimanche, _____, mardi
7. lundi, _____, mercredi

III. *Additions*

Exemple : deux plus deux font *quatre*

1. trois plus trois font _____
2. cinq plus cinq font _____
3. six plus six font _____
4. sept plus sept font _____
5. dix plus dix font _____
6. quinze plus quinze font _____
7. douze plus sept font _____
8. treize plus cinq font _____
9. sept plus quatre font _____
10. dix plus six font _____
11. neuf plus sept font _____
12. vingt plus huit font _____

IV. *Soustractions*

Exemple : trois moins deux font *un*

1. cinq moins trois font _____
2. dix moins deux font _____
3. sept moins quatre font _____
4. quinze moins sept font _____
5. vingt moins dix font _____
6. trente moins quinze font _____
7. vingt-cinq moins cinq font _____
8. douze moins deux font _____
9. seize moins six font _____
10. quatorze moins huit font _____
11. dix-sept moins trois font _____
12. vingt moins quinze font _____

V. *Quel est le mois qui suit?* *what   that follows*

> Exemple : Quel est le mois qui suit janvier ?
> *Le mois qui suit janvier, c'est février.*

1. Quel est le mois qui suit mars ?
2. Quel est le mois qui suit novembre ?
3. Quel est le mois qui suit juillet ?
4. Quel est le mois qui suit avril ?
5. Quel est le mois qui suit décembre ?
6. Quel est le mois qui suit septembre ?
7. Quel est le mois qui suit février ?
8. Quel est le mois qui suit octobre ?
9. Quel est le mois qui suit janvier ?
10. Quel est le mois qui suit août ?
11. Quel est le mois qui suit juin ?
12. Quel est le mois qui suit mai ?

VI. *Quel jour est... ?*

> Exemple : Quel jour est votre anniversaire ? *your*
> *Mon anniversaire est le* <u>douze avril.</u> *my*

1. votre anniversaire ?
2. l'anniversaire du professeur ?
3. Noël ?
4. le premier jour de l'année ? *first   grade-school*
5. le dernier jour de l'année ? *last*
6. la fête nationale (*Independence Day*) ? *festival*
7. la fête nationale de la France (*Bastille Day*) ? *July 14*
8. le dernier jour de classe de la semaine ?

VII. *Quelle est la date en français ?*

> Exemple : Monday, March 20th
> *lundi , 20 mars*

Laele = date ?

> Exemple : The 20th of March
> *le 20 mars*

1. Monday, November 15th
2. Sunday, April 4th
3. Wednesday, October 14th
4. Friday, January 13th
5. Thursday, August 30th
6. Tuesday, May 1st
7. Saturday, July 1st
8. the 1st of December
9. the 2nd of March
10. the 21st of June
11. the 30th of October
12. the 16th of February
13. the 6th of September
14. the 1st of May

VIII. *Placez l'accent* (´ aigu, ` grave, ^ circonflexe) *et épelez.*

une élève   une fenêtre   la générosité   le téléphone   l'étudiant
la télévision   le télégraphe   la télépathie   la clé   la répétition
le gâteau   Thérèse   Hélène   la forêt   très bien   repêtez
écrivez   la mère   s'il vous plaît   la pièce   le résident   voilà

LEÇON 3
Voilà l'auto du jeune homme

Montrez-moi... Voilà (Voici)...
de la, du, de l'

Introduction

DÉCLARATION ET QUESTION | RÉPONSE

Montrez-moi le tableau.
Voilà (voici) le tableau.

Montrez-moi un étudiant.
Voilà un étudiant.

Montrez-moi une étudiante.
Voilà une étudiante.

Montrez-moi la porte.
Voilà la porte.

Est-ce la porte ?
Oui, Monsieur, c'est la porte.

Est-ce la porte **de la** classe ?
Oui, c'est la porte **de la** classe.

Montrez-moi le professeur.
Voilà le professeur.

Montrez-moi le bureau **du** professeur.
Voilà le bureau **du** professeur.

Voilà un étudiant. Un étudiant est un jeune homme. Montrez-moi un autre jeune homme.
Voilà un jeune homme.
Voilà un autre jeune homme.

Montrez-moi le crayon **du** jeune homme.
Voilà le crayon **du** jeune homme.

Voilà une étudiante. Une étudiante est une jeune fille. Montrez-moi une autre jeune fille.
Voilà une jeune fille.
Voilà une autre jeune fille.

Montrez-moi la chaise **de la** jeune fille.
Voilà la chaise **de la** jeune fille.

Voilà une clé. C'est la clé **de l'**auto de M. Martin. Qu'est-ce que c'est ?
C'est la clé **de l'**auto de M. Martin.

Voilà une autre clé. C'est la clé **de** l'appartement de M. Martin. Qu'est-ce que c'est ?
C'est la clé **de l'**appartement de M. Martin.

Qu'est-ce que c'est ?
C'est une enveloppe.

Montrez-moi l'enveloppe **de la** lettre.
Voilà l'enveloppe **de la** lettre.

PRONONCIATION

de du

ROGER DE LA FRESNAYE, *La conquête de l'air*   Collection, The Museum of Modern Art, New York. Mrs. Simon Guggenheim Fund

Voilà un jeune homme et voilà un autre jeune homme . . .
Le reste est une suggestion pour votre imagination.

ABRÉVIATIONS

Comparez:

> M. Martin. Bonjour, Monsieur.
> Mme Martin. Oui, Madame.
> Mlle Martin. Merci, Mademoiselle.

L'abréviation de **monsieur, madame, mademoiselle** est possible *devant le nom* de la personne.*

EXPLICATIONS

> Voilà la chaise **de la** jeune fille.
> C'est la clé **de la** jeune fille. } **de la**

de la : devant un nom commun féminin.

> Montrez-moi l'auto **du** professeur.
> Voilà le stylo **du** jeune homme. } **du**

du : contraction de **de le** devant un nom commun masculin.

> C'est la clé **de l'**appartement.
> Voilà l'adresse **de l'**étudiant.
> Voilà l'adresse **de l'**étudiante. } **de l'**

de l' : devant un nom commun (masculin ou féminin) qui commence par une voyelle (ou un **h** muet).

REMARQUEZ :

> C'est la clé de l'appartement **de** M. Martin.
> Voilà le crayon **de** Françoise. } **de**

before noun

de : devant un nom propre.

EXERCICES ORAUX

I. *Répondez à la question.*

> Exemple : Montrez-moi une chaise.
> *Voilà une chaise.*
>
> Qu'est-ce que c'est ?
> *C'est une chaise.*

1. Montrez-moi un stylo.
   Qu'est-ce que c'est ?

2. Montrez-moi la fenêtre.
   Qu'est-ce que c'est ?

---

* Monsieur, madame, mademoiselle *are capitalized when used as a form of address:* **Bonjour Monsieur.** *Their abbreviation is also capitalized. They are* not *capitalized when followed by the name of the person:* **Voilà monsieur (madame, mademoiselle) Martin.** *When used as a common noun,* monsieur *is not capitalized :* **C'est un monsieur.**

3. Montrez-moi une enveloppe.
   Qu'est-ce que c'est ?

4. Montrez-moi un étudiant.
   Qui est-ce ?

5. Montrez-moi une étudiante.
   Qui est-ce ?

6. Montrez-moi la clé de l'auto.
   Qu'est-ce que c'est ?

7. Montrez-moi la chaise du jeune homme.
   Qu'est-ce que c'est ?

8. Montrez-moi la chaise de l'étudiante.
   Qu'est-ce que c'est ?

9. Montrez-moi la porte de la classe.
   Qu'est-ce que c'est ?

10. Montrez-moi l'enveloppe de la lettre.
    Qu'est-ce que c'est ?

II. *Complétez la phrase.*

   Exemple :   Voilà *le* livre *du* professeur.

   1. Voilà ___*la*___ fenêtre *de la* classe.
   2. Montrez-moi ___*l'*___ appartement *de* André.
   3. C'est ___*la*___ composition *de l'* étudiante.
   4. C'est ___*l'*___ auto *du* professeur.
   5. Voilà ___*la*___ clé *de l'* auto *du* jeune homme.
   6. C'est ___*le*___ cahier *de la* jeune fille.
   7. Voilà ___*l'*___ adresse *de la* dame.
   8. Voilà ___*l'*___ adresse *du* monsieur.
   9. Montrez-moi ___*la*___ solution *de la* soustraction.
   10. Voilà ___*la*___ solution *de la* addition.
   11. C'est ___*l'*___ enveloppe *de la* lettre (*fém.*).
   12. Voilà ___*l'*___ adresse *de l'* appartement ___*du*___ jeune homme
       de la classe de français.

III. *Comment dit-on en français ?*

   Exemple :   *the girl's address*
                l'adresse de la jeune fille

   1. *the lady's car*
   2. *Bill's apartment*
   3. *M. Martin's address*
   4. *the door of the class*
   5. *the day of the week*
   6. *the month of the year*
   7. *the car key*
   8. *the student's (m.) notebook*

9. *the window of the apartment*
10. *the solution of the problem*
    (**problème**, *m.*)

11. *André's chair*
12. *the young man's address*

VOCABULAIRE

NOMS

Noms masculins

l'appartement	le jeune homme	le professeur
le cahier	le laboratoire	le stylo
le crayon	le monsieur	le tableau
l'étudiant	le problème	

Noms féminins

l'addition	la composition	la jeune fille
l'adresse	la conquête	la lettre
l'auto	l'enveloppe	la porte
la chaise	l'étudiante	la solution
la classe	la fenêtre	la soustraction
la clé	l'imagination	la suggestion

DIVERS

montrez-moi	qu'est-ce que c'est?	voilà
		vous dites *you say*

LEÇON 4
Une classe brillante

LA SITUATION

where

Où est-il? Il est...   Où est-elle? Elle est...

sur, sous, dans, devant, derrière, entre, à côté de, par terre

on under in front behind between next to floor

Introduction

DÉCLARATION ET QUESTION	RÉPONSE
Le livre est **sur** la table. La serviette briefcase est sur la table aussi.	
Où est **le** livre? **Où est-il?**	**Le** livre est sur la table. **Il est** sur la table.
Où est **la** serviette? **Où est-elle?**	**La** serviette est sur la table aussi. **Elle est** sur la table aussi.
Le tableau est sur le mur. wall	
Où est **le** tableau? **Où est-il?**	**Il est** sur le mur.
Où est l'autre tableau?	Il est sur le mur aussi.

Le chien est **sous** la table. Où est-il? *dog*	Il est **sous** la table.
Le chat est sous la table. Où est-il? *cat*	Il est sous la table aussi.
Où est la craie?	Elle est **par terre.**
Où est le papier?	Il est par terre, sous la chaise.
La photo est **dans** l'album. Où est-elle?	Elle est **dans** l'album.
Et l'album, où est-il?	Il est sur la table, avec la lampe.
Et l'autre photo, où est-elle?	Elle est dans l'album aussi.
L'auto est **devant** la maison.	
Où est-elle?	Elle est **devant** la maison.
Qui est devant Mlle Legrand?	M. Petit est devant Mlle Legrand.
Qui est devant vous? you	Le professeur est devant moi. me
Mlle Legrand est **derrière** M. Petit.	
Où est-elle?	Elle est **derrière** M. Petit.
Qui est derrière vous? Est-ce que M. Duval est derrière vous?	M. Duval est derrière moi.

Voilà M. Petit. Il est **entre** un étudiant et une étudiante. Où est-il ?

Il est **entre** un étudiant et une étudiante.

Où est la fenêtre ?

Elle est entre la porte et le tableau.

Le livre est **à côté du** stylo. Où est-il ?

Il est **à côté du** stylo.

L'appartement est **à côté de l'**autre appartement. Où est-il ?

Il est **à côté de l'**autre appartement.

Le monsieur est **à côté de la** dame. Où est-il ?

Il est **à côté de la** dame.

Et la dame, où est-elle ?

Elle est à côté du monsieur.

Mettez la clé dans l'enveloppe. Où est-elle ?

Elle est dans l'enveloppe.

Show me

Montrez-moi une serviette.

Here

Voilà une serviette.

Mettez la serviette **par terre,** entre la table et la chaise de l'autre étudiant. Où est-elle ?

Elle est **par terre,** entre la table et la chaise de l'autre étudiant.

Maintenant, mettez le stylo dans la serviette. Où est-il maintenant ?

Maintenant, il est dans la serviette, avec le livre, l'autre livre et le cahier.

EXERCICES ORAUX

I. *Remplacez le nom de l'objet par* **il** *ou* **elle**.

elle → F
il → M

Exemple : Où est la lampe ?
Où est-elle ?

1. Où est la photo ? F
2. Où est l'album ? M
3. Où est le vase ? M
4. Où est la dame ? F
5. Où est le monsieur ? M
6. Où est le chien ? M
7. Où est le chat ? M
8. Où est la réponse ? F

9. Où est la craie ? F
10. Où est l'auto ? F
11. Où est l'enveloppe ? F
12. Où est la clé ? F
13. Où est l'adresse ? F
14. Où est l'appartement ? M
15. Où est l'étudiant ? M
16. Où est l'étudiante ? F

II. *Remplacez le nom de la personne par* **il** *ou* **elle**.

Exemple : Où est Georges ?
Où est-il ?

1. Où est André ? M
2. Où est Yvonne ? F
3. Où est Robert ? M
4. Où est Jean ? M

5. Où est Jeanne ? F
6. Où est Jean-Pierre ? M
7. Où est Jacques ? M
8. Où est Jacqueline ? F

9. Où est M. Duval ? *M*
10. Où est Mlle Arnaud ? *F*
11. Où est Mme Masson ? *F*
12. Où est Yvette ? *F*

13. Où est Yves ? *M*
14. Où est Etienne ? *M*
15. Où est Michel ? *M*
16. Où est Michèle ? *F*

III. *Composez une phrase complète.*

Exemple : (photo)   dans   (album)
La photo est dans l'album.

La 1. (dame)   devant   *la* (maison)
La 2. (table)   à côté de   *l'* (autre table)
Le 3. (chien)   derrière   *la* (chaise)
Le 4. (chat)   sous   *la* (maison)
L' 5. (appartement) à côté de   *l'* (autre appartement)
L' 6. (adresse)   sur   *l'* (enveloppe)
L' 7. (auto)   devant   *la* (porte)
Le 8. (stylo)   sous   *le* (papier)
La 9. (serviette)   entre   *la* (chaise, autre chaise)
L' 10. (orange)   dans   *la* (corbeille)

LECTURE

parce que = because
avec = ?
et = and

Une classe brillante *→now*

Aujourd'hui, c'est lundi. M. Nelson est dans la classe de français, parce qu'il est étudiant. Maintenant, il est sur une chaise, devant un autre étudiant et une étudiante. Il est à côté d'une jeune fille.

M. Nelson : Bonjour Mademoiselle. Je m'appelle Robert Nelson. Comment vous appelez-vous ?

La jeune fille : Je m'appelle Suzanne Petit... Chut ! Voilà le professeur.

(Maintenant, le professeur est devant la classe.)

Le professeur : M. Nelson, allez au tableau. Voilà la craie.

M. Nelson : Merci, Monsieur.

Le professeur : Il n'y a pas de quoi. Maintenant, écrivez : « Le livre de français est dans la serviette, avec le cahier, le stylo et le crayon ».

M. Nelson : Voilà, Monsieur.

Le professeur : C'est très bien. Maintenant, lisez la phrase.

M. Nelson : Le livre de français est dans la serviette, avec le cahier, le stylo et le crayon.

Le professeur : C'est très bien. Epelez le mot « serviette », Mlle Petit.

Mlle Petit : Monsieur, qu'est-ce que c'est, « le mot » ?

Le professeur : Voilà une excellente question. Eh bien, par exemple, « épelez » est un mot ; « un » est un mot ; « le » est un mot ; « classe » est un mot. « Le mot » est un terme général. « Le nom » est spécifique. M. Duncan, montrez-moi un « mot » dans la phrase de M. Nelson.

M. Duncan : « Dans » est un mot. « Livre » est un autre mot, et c'est aussi un nom.

Le professeur : C'est très bien, Monsieur. Maintenant, Mlle Petit, épelez le mot « serviette ».

Mlle Petit : S, E, R, V, I, E, deux T, E.

Le professeur : Correct, M. Nelson, est-ce un nom masculin ou féminin ?

M. Nelson : Féminin, Monsieur. C'est « la » serviette. *sit down*

Le professeur : C'est très bien, Monsieur. Asseyez-vous. Mlle Daly, allez au tableau, s'il vous plaît. Ecrivez le mot « trompette » sous le mot « serviette ».

VINCENT VAN GOGH, *Nature morte*   Collection particulière, photographe Giraudon, Paris

Un livre, un autre livre, un autre livre . . . une pile de livres sur une table et une rose dans un vase . . .

C'est un instrument de musique. Bien. Maintenant, écrivez le mot « clarinette ». C'est un autre instrument de musique. Mlle Daly, est-ce que « trompette » est probablement masculin ou féminin ?

Mlle Daly : Probablement féminin, Monsieur.

Le professeur : Pourquoi ?

Mlle Daly : Parce que la fin du mot est « -ette ». C'est « la serviette ». C'est probablement « la trompette » et « la clarinette ».

Le professeur : Très bien, Mademoiselle, excellent ! Asseyez-vous.

Un étudiant : Pardon, Monsieur. En français, le nom d'un objet est masculin ou féminin. Pourquoi ?

Le professeur : C'est une autre excellente question. En français, le nom d'un objet est masculin ou féminin parce que le français est d'origine latine, et en latin, le nom d'un objet est masculin ou féminin.

because

PRONONCIATION

il est   elle est
Où est-il ? Où est-elle ?

QUESTIONS SUR LA LECTURE

1. Qui est M. Nelson ?
2. Où est-il ?
3. Est-ce que M. Nelson est à côté d'une jeune fille ?
4. Est-ce que « devant » est un mot ?
5. Est-ce que « serviette » est masculin ou féminin ?
6. Est-ce que le français est d'origine latine ?
7. Est-ce que la classe est brillante ?

EXPLICATIONS

I. Le pronom **il** et **elle**

Où est M. Brun ? Où est-**il** ?   **Il** est dans la classe.
Où est le livre ? Où est-**il** ?   **Il** est sur la table.

il remplace un nom masculin.

Où est Mme Martin ? Où est-**elle** ?   **Elle** est dans l'auto.
Où est la chaise ? Où est-**elle** ?   **Elle** est dans la classe.

elle remplace un nom féminin.

II. La préposition de situation

1. **sur**
   Le livre est **sur** la table.

2. **sous**
   Le chat est **sous** la table.

3. **dans**
   La photo est **dans** l'album.

4. **devant**
   L'auto est **devant** la maison.

5. **derrière**
   Le garage est **derrière** la maison.

6. **entre**

Suzanne est **entre** André et Roger.

7. **à côté de**

Il est **à côté du** radiateur.

III. L'expression de situation : **par terre**

La serviette est **par terre**.

Elle est **par terre** avec le sac.

EXERCICES ÉCRITS et/ou ORAUX

I. *Où est probablement...*

Exemple : le chat ?
Il est sous la table.

Elle 1. la photo ? dans
il 2. le livre ? sur
elle 3. la craie ? devant le tableau
elle 4. l'auto ? devant la maison
il 5. M. Petit ? àcôté de la Mme
il 6. le stylo ? sur le papier
elle 7. la fenêtre ? a côté de la porte
il 8. le chien ? par terre

elle 9. Mlle Legrand ? entre M et Mme Legrand.
il 10. le monsieur ? derrière la dame
il 11. l'album ? dans le bureau.
elle 12. la serviette ? sous la table
13. le garage ?
elle 14. la clé ?
15. le chat ?
16. le papier ?

II. *Complétez logiquement.*

1. L'auto est probablement _____ le garage.
2. Le professeur est _____ la classe.
3. L'étudiant est _____ la chaise.
4. L'appartement est _____ d'un autre appartement identique.
5. La clé est _____ la porte.

6. Jeudi est _____ mercredi et vendredi.
7. La lampe est _____ la table.
8. Le garage est _____ la maison.
9. L'antenne de télévision est _____ la maison.
10. Mars est _____ février et avril.
11. Le sandwich est _____ le sac en papier.
12. La fleur est _____ le vase, et le vase est _____ le bureau, _____ moi.

III. *Quelle est la question : **où est-il ? où est-elle ?***

Exemple : Il est dans le garage.
Où est-il ?

1. La solution est dans le problème.
2. Le chat est sur le bureau.
3. L'adresse est sur l'enveloppe.
4. L'auto est devant la maison.
5. L'appartement est à côté d'un autre appartement identique.
6. L'enveloppe est dans la serviette.
7. Jacques est devant moi.
8. Suzanne est derrière vous.

IV. *Quelle est la question ? (Révision)*

Exemple : C'est un livre.
Qu'est-ce que c'est ?

1. C'est un chat.
2. C'est une dame.
3. C'est Jacques.
4. C'est un monsieur.
5. C'est mardi 5 octobre.
6. Très bien, merci, et vous-même ?
7. Je m'appelle André Brun.
8. Voilà un tableau.
9. Il est dans la classe.
10. L'autre tableau est dans la classe aussi.
11. Oui, il est sur le mur.

COMPOSITION

Préparez une composition (5–10 lignes).

Une description de la classe de français.

VOCABULAIRE

NOMS

Noms masculins

l'album	l'instrument (de musique)	le radiateur
le bureau	le mot – word	le sac
le chat	le mur	le terme
le chien	l'objet	le vase
le garage	le papier	

Noms féminins

la clarinette	la montre	la réponse
la corbeille	la musique	la rose
la craie	l'orange	la serviette
la dame	l'origine	la situation
la fin	la photo	la table
la lampe	la phrase	la trompette
la maison	la pile	la victime

ADJECTIFS

brillant (-e)	excellent (-e)	latin (-e)
correct (-e)	général (-e)	spécifique

ADVERBES

aujourd'hui	maintenant	par terre
aussi	où ?	probablement

PRÉPOSITIONS

à côté de (à côté du)	derrière ≠ devant*	sous ≠ sur
dans	entre	

DIVERS

allez	épelez	merci
asseyez-vous	il n'y a pas de quoi	pardon
composez	je m'appelle...	relisez
écrivez	lisez	

* ≠ = contraire : **derrière** est le contraire de **devant.**

ou → or
Comment → how

LEÇON 5
Un groupe sympathique

LA DESCRIPTION

Le masculin et le féminin de l'adjectif : **c'est** et **il est/elle est**
La négation : **ce n'est pas** et **il n'est pas/elle n'est pas**

Introduction

DÉCLARATION ET QUESTION	RÉPONSE
Voilà un jeune homme. Comment **est-il** ?	**Il est grand.**
C'est un jeune homme. **Est-ce un** grand jeune **homme** ?	Oui, **c'est un** grand jeune **homme.**
Voilà une jeune fille. Comment **est-elle** ?	**Elle est grande.**
C'est une jeune fille. **Est-ce une** grande jeune **fille** ?	Oui, **c'est une** grande jeune **fille.**
Un jeune homme est **beau.** Une jeune fille est **belle** ou **jolie.** *Pretty ou nice* Comment est la jeune fille devant vous ?	Elle est **jolie.** C'est une jolie jeune fille.

Voilà un **bon** exercice. «A» est une **bonne** note. Est-ce que «B» est une **bonne** note aussi ? *grade*	Oui, c'est une **bonne** note aussi.
Voilà un **petit** problème : une auto française est-elle généralement **petite** ou **grande** ?	Elle est généralement **petite.**
Le mur est **vert.** De quelle couleur est la porte ? Qu'est-ce que c'est ?	Elle est **verte** aussi. **C'est un mur** vert, **c'est une porte** verte.
Le tableau est **noir.** De quelle couleur est la serviette ?	Elle est **noire** aussi.

pas → no

Le papier est **blanc.** De quelle couleur est la craie ?

Elle est **blanche** aussi.

Voilà un autre mur **gris.** De quelle couleur est la maison ?

Elle est **grise** aussi.

Le pantalon de M. Duval est **bleu.** De quelle couleur est la chemise de M. Duval ?

Elle est **bleue** aussi.

De quelle couleur est le tricot de Mlle Masson ?

Il est **rouge, jaune** et **beige.**

Et la robe de Mlle Masson ?
Qu'est-ce que c'est ?

Elle est **beige.**
C'est une robe beige.

Est-ce que M. Duval est **français** ?
Et Mme Duval ?

Oui, il est **français.**
Elle est **française** aussi.

Est-ce que M. Smith est **américain** ?
Et Mme Smith ?

Oui, il est **américain.**
Elle est **américaine** aussi.

Est-ce que le livre est **ouvert** _open_ en classe ?

Non, **il n'est pas** ouvert. (Il est **fermé.**)

Est-ce que la porte est **ouverte** ?

Non, **elle n'est pas** ouverte. (Elle est **fermée.**)

Est-ce une classe d'anglais ?

Non, **ce n'est pas** une classe d'anglais. (C'est une classe de français.)

Est-ce une bonne classe ?

Oui, c'est une bonne classe.

EXERCICES ORAUX

I.   _Le masculin et le féminin de l'adjectif._

Exemple :   C'est un livre bleu. C'est une porte _bleue_.

1. C'est un mur gris. C'est une maison grise.
2. C'est un beau jeune homme. C'est une belle jeune fille.
3. C'est un crayon noir. C'est une serviette noire.
4. C'est une maison verte. C'est un tricot vert.
5. C'est un pantalon blanc. C'est une robe blanche.
6. C'est une bonne note. C'est un bon étudiant.
7. C'est un livre ouvert. C'est une porte ouverte.
8. C'est une page blanche. C'est un papier blanc.
9. C'est un monsieur français. C'est une dame française
10. C'est une dame américaine. C'est un monsieur américain

II. c'est *et* il est/elle est.

> Exemple : *C'est* un exercice. *Il est* simple.
>
> *C'est* un exercice simple.

1. *C'est* une auto. *Elle est* petite. *C'est* une petite auto française.
2. *C'est* une dame. *Elle est* française. *C'est* une dame française.
3. *C'est* un mur. *Il est* blanc. *C'est* un grand mur blanc.
4. Voilà Suzanne. *Elle est* américaine. *Elle est* grande et jolie. *C'est* une jeune fille de la classe de français.
5. Voilà Bob. *C'est* un grand jeune homme. *Il est* grand et beau. *C'est* un jeune homme américain.

III. *Quelle est la négation ?*

> Exemple : C'est un livre. Il est ouvert.
>
> *Ce n'est pas un livre. Il n'est pas ouvert.*

1. C'est une porte. Elle est fermée.
2. C'est un mur. Il est gris.
3. C'est un jeune homme. Il est français.
4. C'est un papier. Il est blanc.
5. C'est une robe. Elle est beige.
6. C'est une leçon. Elle est simple.
7. C'est un exercice. Il est bon.
8. C'est une note. Elle est bonne.
9. C'est un monsieur. Il est américain.
10. C'est un mot. Il est masculin.

[handwritten notes: mais → but / comment → how / parce que → because / ou → or / pour → for / par → by]

Un groupe sympathique

Voilà Barbara ; c'est une jeune fille américaine. Elle est blonde, elle est grande et elle est très jolie. Elle est étudiante de français. Le costume de Barbara est simple et pratique : une blouse bleue parce que le bleu est joli pour une blonde, une jupe beige et un tricot beige aussi.

Barbara est avec une autre jeune fille, Carol. Carol est l'amie de Barbara. Elle n'est pas grande, elle n'est pas blonde. Elle est petite et rousse. Elle est jolie aussi, mais c'est un autre type. Le costume de Carol est simple aussi, mais élégant : une robe orange avec une petite jaquette marron* et un grand sac marron.

Voilà Bob et André. Bob est un jeune homme américain et il est dans la classe de Barbara. Il est blond aussi, comme Barbara, mais il est très, très grand. Il est beau, sportif et sympathique. Le costume de Bob est pratique pour l'université : un pantalon bleu, une chemise de sport grise et un tricot gris. André, l'ami (le copain) de Bob, est différent de Bob. Il est français et il n'est pas très grand. Il est brun et sympathique aussi. Il n'est pas dans la classe de français de Bob et de Barbara, naturellement! Il est dans une classe de sciences politiques.

L'auto de Bob n'est pas dans le parking aujourd'hui. Elle est dans le garage de la maison de Bob. Bob est dans l'auto d'André. C'est une Renault noire. Elle n'est pas grande, mais elle est économique et confortable. L'auto de Carol est à côté de l'auto d'André. C'est une Ford. Elle est verte et elle est grande.

Maintenant, voilà Barbara et Carol devant la Ford de Carol et voilà aussi Bob et André. Grande conversation entre Barbara et Bob, Carol et André : Où est l'auto de Barbara ? Est-ce que la classe de sciences politiques est difficile ? Est-ce que la Renault est une bonne voiture (=auto) ?

Quelle est la conclusion de la conversation ? Maintenant, l'adresse de Barbara est dans le carnet noir dans la poche de la chemise de Bob et l'adresse de Carol est dans le carnet rouge dans la poche du veston d'André. Le numéro de téléphone est aussi dans le carnet parce qu'il est important.

---

*Marron est invariable. C'est en réalité : couleur de marron (*chestnut color*). Remarquez : marron (*brown*) et brun (*dark-haired, dark-complected*).

PABLO PICASSO, *Jeunesse*

L'interprétation de Picasso de la rencontre d'un jeune homme et d'une jeune fille...

PRONONCIATION

grand / grande   blanc / blanche   brun / brune
petit / petite   blond / blonde   gris / grise
français / française   américain / américaine   ouvert / ouverte

QUESTIONS SUR LA LECTURE

1. Comment est Barbara ?
2. Comment est le costume de Barbara ?
3. Est-ce que le bleu est joli pour une blonde ?
4. Est-ce que le beige est une couleur pratique ?
5. Comment est Carol ?
6. Est-elle différente de Barbara ?
7. Comment est le costume de Carol ?
8. Est-ce que Bob est brun ?
9. Est-ce qu'André est américain ?
10. Est-il étudiant de sciences politiques ?
11. Où est l'auto de Bob aujourd'hui ?
12. Comment est l'auto d'André ?
13. Comment est l'auto de Carol ?
14. Où est la voiture de Carol ?
15. Est-ce que l'adresse de Barbara est dans le carnet d'André ?
16. Où est-elle ?
17. Est-ce que le numéro de téléphone est important ?
18. Où est le numéro de téléphone de Carol ?

EXPLICATIONS

I. L'adjectif

    A. Avec un nom féminin, l'adjectif est féminin.

        Bob est **grand**, **Barbara** est **grande**.
        André est **petit**, **Carol** est **petite**.

    B. Formez le féminin de l'adjectif avec **e**.

        joli, jolie   bleu, bleue
        vert, verte   noir, noire

    C. L'adjectif avec la terminaison **e** pour le masculin est invariable au féminin.

        un livre rouge, **une** robe rouge
        un sac jaune, **une** auto jaune
        une classe difficile, **un** exercice difficile

D. Remarquez le féminin de :

bon   un **bon** livre, une **bonne** note

blanc   un papier **blanc**, une robe **blanche**

E. Place de l'adjectif

une **grande** classe, une **petite** auto

une **jeune** fille, une **jolie jeune** fille

un **beau** bâtiment, un **beau jeune** homme

L'adjectif : **grand, petit, joli, beau, jeune** est **devant** le nom.

une robe **rouge**, un pantalon **bleu**

un étudiant **américain**, un jeune homme **français**

un costume **pratique**, une auto **économique**

L'adjectif de couleur, de nationalité, de description est en général **après** (derrière) le nom.

II. c'est et il est/elle est

A. c'est + *un nom*

Qu'est-ce que c'est ?   C'est un livre.

C'est une auto.

C'est l'ami de Bob.

B. il est/elle est + *un adjectif*

Voilà Bob. Comment est-il ? Il est beau, il est grand.

Voilà Barbara. Elle est américaine.

C'est un livre. Il est bleu.

C. c'est + *un nom qualifié*

C'est une jeune fille.

C'est une jolie jeune fille.

C'est la petite auto noire d'André.

III. La négation

A. La négation de **c'est**: ce n'est pas

C'est une classe de français. **Ce n'est pas** une classe d'espagnol.

B. La négation de **il est**: il n'est pas et **elle est**: elle n'est pas

Bob est américain. Il est grand.

André n'est pas américain. Il n'est pas grand.

Barbara est blonde. Elle est grande.

Carol n'est pas blonde. Elle n'est pas grande.

La négation est **ne... pas.**

ne est devant le verbe, **pas** est après (= derrière) le verbe.

ne est **n'** devant une voyelle.

EXERCICES ÉCRITS et/ou ORAUX

I. *Mettez l'adjectif à la forme correcte et à la place correcte aussi.*

> Exemple : (noir)   C'est un stylo.
> *C'est un stylo noir.*

1. (bon)   Voilà un livre.
2. (joli)   C'est une robe.
3. (petit)   C'est une auto.
4. (grand)   Voilà le jeune homme.
5. (gris)   C'est une auto.
6. (bleu et jaune)   Voilà un cahier.
7. (rouge et vert)   Voilà une chemise.
8. (beau, blond)   C'est un jeune homme.
9. (pratique, petit)   C'est une robe.
10. (joli, simple)   C'est un costume.

II. *Mettez au négatif.*

1. Voilà Suzanne : **c'est** une jeune fille américaine. **Elle est** blonde, **elle est** grande. **Elle est** étudiante de français. Le costume de Suzanne **est** pratique : une robe blanche et un tricot blanc aussi, parce que le blanc **est** pratique pour l'université.
2. Voilà la voiture de Bob. **C'est** une Renault, **elle est** petite et économique. Aujourd'hui, **elle est** dans le parking.

III. *Complétez les phrases suivantes avec* **c'est, il est/elle est** *ou* **ce n'est pas, il n'est pas/elle n'est pas.**

> Exemple : *C'est* une petite voiture. *Elle est* pratique. + negation

1. _C'est_ un appartement confortable.
2. _C'est_ une bonne composition.
3. « A », _C'est_ une bonne note.
4. _C'est_ une robe rouge. _Elle est_ pratique et simple.
5. _C'est_ une petite voiture. _Elle est_ grande.
6. _il est_ l'ami de Bob. _il est_ français, et _il est_ américain.
7. L'amie de Barbara, _elle est_ Carol. _Elle est_ rousse et _elle est_ jolie.
8. _Elle est_ française.
9. _C'est_ un grand mur. _il est_ gris.

IV. *Vocabulaire de la lecture. Complétez la phrase par un mot de la liste.*

une voiture, un copain, une amie, un carnet, un numéro de téléphone, un pantalon, une chemise, une poche

1. Un autre nom pour une auto, c'est _une voiture_
2. André est _un copain_ de Bob.
3. Une _chemise_ de sport est pratique pour l'université.
4. Le _numéro_ d'une jolie jeune fille est important.
5. Carol est _une amie_ de Barbara.
6. La clé de l'auto est dans _une poche_ du pantalon d'André.
7. _un carnet_ de notes du professeur est important. _Un carnet_ noir de Bob est important aussi.
8. Le costume d'un jeune homme, c'est une chemise et _un pantalon_.

VOCABULAIRE

NOMS

Noms masculins

l'ami	l'exercice	le sport
le bâtiment	le groupe	le tricot
le carnet	le numéro (de téléphone)	le veston
le copain	le pantalon	
le costume	le parking	

Noms féminins

l'amie	la jaquette	la position
la blouse	la jeunesse	la rencontre
la chemise	la jupe	la robe
la chemise de sport	la leçon	les sciences politiques (*pl.*)
la conclusion	la liste	la terminaison
la conversation	la nationalité	l'université
la couleur	la négation	la voiture (la Renault,
la description	la note	la Ford, etc.)
l'interprétation	la poche	

ADJECTIFS

américain (-e)	élégant (-e)	nerveux, nerveuse *nervous*
anglais (-e)	fermé (-e) ≠ ouvert (-e)	noir (-e)
beau, belle	français (-e)	orange
beige	grand (-e) ≠ petit (-e)	pratique
blanc, blanche	gris (-e)	qualifié (-e)
bleu (-e)	important (-e)	rouge _ red
blond (-e)	intelligent (-e)	roux, rousse - russet . redheaded
bon, bonne	invariable	simple
brun (-e)	jaune	sportif, sportive
confortable ≠ inconfortable	jeune	sympathique
difficile ≠ facile	joli (-e)	typique
économique	marron (*inv.*)	vert (-e)

rose - pink

ADVERBE

naturellement

PRÉPOSITION

après

LEÇON 6
Quelle vie!

être ou **ne pas être** : le verbe **être** (affirmatif, interrogatif, négatif)
Quelle heure est-il ?
à et à la/à l'/au

Introduction

DÉCLARATION ET QUESTION	RÉPONSE
M. Duval **est-il** professeur ? (*ou* : **Est-ce que** M. Duval est professeur ?)	Oui, **il est** professeur.
Suis-je devant vous ? (*ou* : **Est-ce que** je suis devant vous ?)	Oui, **vous êtes** devant nous.
Etes-vous français ? (*ou* : **Est-ce que** vous êtes français ?)	Oui, **je suis** français. Non, je ne suis pas français.
Vous êtes dans la classe avec moi : **nous sommes** dans la classe. **Sommes-nous** dans la classe ? (*ou* : **Est-ce que** nous sommes dans la classe ?)	Oui, **nous sommes** dans la classe.
Bob et André **sont-ils** amis ? (*ou* : **Est-ce que** Bob et André sont amis ?)	Oui, **ils sont** amis.
Barbara et Carol **sont-elles** à l'université ? (*ou* : **Est-ce que** Barbara et Carol sont à l'université ?)	Oui, **elles sont** à l'université.

QUELLE HEURE EST-IL ?	
Quelle heure est-il ?	**Il est** une heure, **il est** deux heures, **il est** trois heures, etc.
A **quelle heure** est la classe de français ?	**Elle est** à onze heures **du matin**.
Où êtes-vous à onze heures et demie ?	**Je suis** en classe.

When

Quand êtes-vous à la maison ?

Kah

A quelle heure êtes-vous devant la télévision ?

Où êtes-vous à midi ?

Où êtes-vous à minuit ?

we

Je suis à la maison à cinq heures de l'après-midi.

Ker

Je suis devant la télévision à dix heures **du soir.**

zer

Je suis **au restaurant.**

swa *a le*

Je suis **au lit.**

so *o*

Lee bed

EXERCICES ORAUX

I. *Quelle est la forme du verbe pour la réponse (affirmative et négative) ?*

Exemple :   êtes-vous ?
je suis / je ne suis pas

1. êtes-vous ?
2. est-il ?
3. sommes-nous ?
4. est-ce ?
5. es-tu ?
6. sont-ils ?
7. sont-elles ?
8. suis-je ?
9. est-elle ?

II. *Quelle est l'autre forme interrogative ?*

Exemple :   est-il ?
est-ce qu'il est ?

1. êtes-vous ?
2. sommes-nous ?
3. suis-je ?
4. est-elle ?
5. est-il ?
6. est-ce ?
7. sont-ils ?
8. sont-elles ?

Exemple :   Où êtes-vous à huit heures ?   (la maison)
A huit heures je suis à la maison.

1. Où êtes-vous à midi ?   (le restaurant)
2. Où êtes-vous à dix heures ?   (le laboratoire)
3. Où êtes-vous à minuit ?   (le lit)
4. Où êtes-vous à sept heures du soir ?   (le restaurant)
5. Où êtes-vous le samedi soir ?   (le cinéma)
6. Où êtes-vous le dimanche après-midi ?   (le parc)
7. Où êtes-vous avant un examen ?   (la bibliothèque)
8. Où est la voiture ?   (le garage)
9. Où est votre mère ?   (le supermarché)
10. Où est Carol à huit heures du soir ?   (le téléphone)

LECTURE

Quelle vie!

Je m'appelle Robert, je suis étudiant. Ce n'est pas une occupation idéale, hélas! Comment est la vie d'un étudiant? Elle n'est pas très compliquée, mais elle est toujours occupée.

Le lundi, le mercredi et le vendredi, la première classe est à huit heures du matin. C'est une heure horrible, particulièrement le lundi. Je ne suis pas toujours à l'heure... Quelquefois, je suis en retard: cinq minutes... dix minutes... et quelquefois un quart d'heure! Le professeur n'est pas en retard. A huit heures, il est derrière le bureau. C'est une classe de sciences politiques et elle est intéressante si je ne suis pas fatigué.

Le mardi et le jeudi, la première classe est à dix heures. C'est une classe de sciences et la conférence du professeur est généralement difficile. Pour moi, une classe de sciences, de mathématiques ou de physique est toujours difficile.

Mais chaque jour, la classe de français est à onze heures. C'est ma classe favorite. Elle est très intéressante, parce qu'elle est entièrement en français. Le français est une jolie langue. Il est utile et il n'est pas difficile. Il est aussi—c'est l'opinion du professeur—simple, clair et logique.

L'examen est généralement le vendredi, qui est le dernier jour de la semaine. Ce n'est pas un bon moment pour le pauvre étudiant! Mais quelquefois, le lundi, je suis content, parce que la note de l'examen de français est bonne. «A», «B»... vive la classe de français! «C», «D»... le français est horrible!

Après la dernière classe, je suis à la maison ou à la bibliothèque. Mais le vendredi soir, je ne suis pas à la maison ou à la bibliothèque. Je suis au restaurant, au cinéma, au théâtre, à la piscine ou à la maison d'un ami. Pourquoi? Parce que la semaine de classe est finie!

MARC CHAGALL, *Le temps n'a point de rive*   Collection, The Museum of Modern Art, New York

Un poisson ailé, une main et un violon, un village et une rivière . . . Quelle heure est-il?

QUESTIONS SUR LA LECTURE

1. Etes-vous étudiant?
2. Est-ce une occupation idéale?
3. Est-ce que la vie d'un étudiant est compliquée? Comment est-elle?
4. A quelle heure est la première classe de Robert?
5. Est-ce que huit heures est une bonne heure pour une classe?
6. Robert est-il toujours à l'heure?
7. Est-ce que le professeur est en retard?
8. A quelle heure est-il derrière le bureau?
9. A quelle heure est la classe de sciences?
10. Comment est la conférence du professeur?
11. Est-ce que Robert est un bon étudiant de sciences? Etes-vous un bon étudiant de sciences?
12. Quelle est la classe favorite de Robert? A quelle heure est-elle?
13. Comment est-elle?
14. Comment est le français?
15. Quel jour est l'examen?

EXPLICATIONS

I. Le verbe **être**

A. être est l'infinitif du verbe. Voilà la conjugaison:

je suis	nous sommes
tu es*	vous êtes
il est, elle est	ils sont, elles sont
(c'est)	(ce sont)**

I am — je suis

he, she is, it is — il est, elle est

we are

you are

they are

they are

B. La forme interrogative du verbe **être**

1. Deux (2) formes possibles:

est-ce que je suis?	suis-je?
est-ce que tu es?	es-tu?
est-ce qu'il (elle) est?	est-il? est-elle?
(est-ce que c'est?)	(est-ce?)
est-ce que nous sommes?	sommes-nous?
est-ce que vous êtes?	êtes-vous?
est-ce qu'ils (elles) sont?	sont-ils? sont-elles?
(est-ce que c'est?)	(est-ce?)

ou

* **Tu es** est la forme d'adresse familière.

** Remarquez le pluriel de **c'est** : **ce sont**. Il n'y a pas de pluriel pour la forme interrogative de **ce sont** :
Qui **est-ce**? **Ce sont** M. et Mme Bertrand.

2. La construction de la question avec le nom de la personne ou de l'objet :

Carol est-elle dans la voiture ? (*ou* : Est-ce que Carol est dans la voiture ?)
L'adresse est-elle dans le carnet ? (*ou* : Est-ce que l'adresse est dans le carnet ?)

Le nom de la personne ou de l'objet est au commencement de la phrase.

C. La forme négative du verbe **être**

> je ne suis pas
> tu n'es pas
> il n'est pas, elle n'est pas, ce n'est pas
> nous ne sommes pas
> vous n'êtes pas
> ils ne sont pas, elles ne sont pas, ce ne sont pas

D. Le verbe **être** avec le nom d'une profession

Je suis professeur.
Mon père est docteur.
Vous êtes étudiant.
Il n'est pas architecte.

(Il n'est pas correct de dire : *Je suis un étudiant, il est un docteur.*)

Je suis étudiant.⎫
Il est docteur. ⎬ Voilà la forme correcte. *
⎭

II. **à la / à l' / au**

Je suis **à l'**université.
Carol n'est pas **à l'**adresse qui est dans le livre du téléphone.
A midi, je suis **au** restaurant. A huit heures, je suis **au** cinéma.
Est-ce que M. Duval est **à la** maison ? Non, il est **au** restaurant.

au est la contraction de **à le** :

au tableau   **au** bureau   **au** restaurant

III. La préposition **à** devant le nom d'une ville

Le président est **à** Washington.
Le Vatican est **à** Rome.
Je suis **à** Los Angeles, **à** Paris, **à** Rome, **à** Madrid, **à** Bordeaux, etc.

Employez **à** devant le nom d'une ville.

---

* **Je suis étudiant** : *mais*, Je suis **un** étudiant américain.
                          Je suis **un** excellent étudiant.
parce que le nom est qualifié.

IV.   Quelle heure est-il ?

Il est midi.

Il est minuit.

Il est une heure.

Il est deux heures.

Il est trois heures.

Il est une heure cinq.

Il est une heure et quart.

Il est une heure et demie.

Il est deux heures moins
vingt-cinq.

Il est deux heures moins
le quart.

Il est deux heures moins
cinq.

La classe de français est à huit heures, à neuf heures, à dix heures, à onze
heures **du matin** (du matin = *AM*).

De deux heures à cinq heures **de l'après-midi**, le dimanche, c'est la
matinée au cinéma (de l'après-midi = *PM for the afternoon hours*).

Le dîner est à sept heures **du soir**. Un bon programme de télévision est
généralement à huit ou neuf heures **du soir** (du soir = *PM for the
evening hours*).

V. L'expression **être à l'heure** ou **être en retard**

Le contraire de **être à l'heure**, c'est **être en retard**.

Etes-vous toujours **à l'heure** ?

Quelquefois, je suis **en retard** pour la classe de huit heures.

Etes-vous **en retard** pour un rendez-vous important ?

Non, je suis toujours **à l'heure** pour un rendez-vous important.

EXERCICES ÉCRITS et/ou ORAUX

I. *Mettez à la forme négative.*

1. Je suis président.
2. C'est une occupation idéale.
3. Nous sommes à Rome.
4. Une robe blanche est pratique.
5. Mademoiselle Masson est étudiante.
6. La vie d'un étudiant est compliquée.
7. Vous êtes en retard pour la classe.
8. La Cadillac est économique.

II. *Mettez à la forme interrogative.*

Exemple :   Bob est étudiant.
            Bob est-il étudiant ?

1. Frank Sinatra est acteur.
2. Carol est américaine.
3. La chemise de Bob est blanche.
4. Je suis content.
5. Ils sont au cinéma.
6. Vous êtes fatigué.
7. Il est à la maison.
8. Nous sommes à la plage le samedi.
9. La classe est finie.
10. Un architecte est un monsieur important.

III. *Répondez par une phrase complète.*

Exemple :   Où est le président ?
            Il est à Washington.

Tokyo, Paris, Londres, Québec, Washington, Rome, Berlin, San Francisco, New York, Reims

1. l'université Laval ?
2. le Pape ?
3. la Reine Elisabeth ?
4. le bon champagne ?
5. la Porte d'Or ?
6. la Cinquième Avenue ?
7. la Tour Eiffel ?
8. le Palais Impérial ?
9. le gouvernement américain ?
10. un mur célèbre ?

IV. *Complétez (à la/à l'/au).*

1. Il n'est pas ___à l'___ adresse du livre de téléphone.
2. Je ne suis pas ___au___ cinéma le jour de l'examen !
3. Quelquefois, nous sommes ___au___ tableau vingt minutes.

4. Il n'est pas en retard _au_ théâtre.
5. La voiture est _au_ garage.
6. Le dimanche, elle est _à la_ plage.

V. *Répondez à chaque question par une phrase complète.*

1. Est-ce que la vie d'un étudiant est intéressante ? Oui.
2. Où êtes-vous à neuf heures du matin ? Je suis à la maison
3. Etes-vous à la piscine maintenant ? Je ne suis pas a la
4. A quelle heure est la matinée au cinéma ?
5. A quelle heure est un bon programme à la télévision ? Comment s'appelle le programme ?
6. Où êtes-vous généralement à onze heures du soir ? Etes-vous dans la classe ?
7. Sommes-nous dans la classe de français à midi ?

COMPOSITION

Composition orale et écrite.

La vie d'un étudiant typique : le lundi, par exemple (ou un autre jour).

VOCABULAIRE

NOMS

Noms masculins

l'acteur	le général	le président
l'Arc de Triomphe	le gouvernement	le programme
l'architecte	le jour	le quart d'heure ¼
le champagne	le laboratoire	le rendez-vous
le cinéma (au cinéma)	le lit (au lit)	le restaurant
le dîner	le matin AM	le soir PM
le docteur	le moment	le supermarché
l'espagnol Spanish	le palais palace	le téléphone
l'examen	le pape	le volontaire
le français	le parc	

Noms féminins

l'après-midi	l'heure	la piscine pool
l'avenue	la main hand	la plage beach
la bibliothèque	les mathématiques (*pl.*)	la profession
la chimie chemistry	la matinée AM - all AM	la reine queen
la conférence	la minute	la semaine
la conjugaison	l'occupation	la télévision
la construction	l'opinion	la tour tower
la contraction	la personne	la vie life
la forme	la physique	la ville town

ADJECTIFS

célèbre
chaque
clair (-e)
compliqué (-e)
content (-e)
dernier, dernière
exceptionnel,
   exceptionnelle

familier, familière
fatigué (-e)
favori, favorite
fini (-e)
horrible
idéal (-e)
impérial (-e)
intéressant (-e)

logique
naturel, naturelle
occupé (-e)
pauvre
premier, première
quel ? quelle ?
utile

ADVERBES

entièrement
généralement

particulièrement
quelquefois

toujours

DIVERS

bonsoir
d'or
Hélas !
Je suis à l'heure.

Je suis en retard.
midi
minuit
moins

par exemple
Pourquoi ? Parce que...
Regardez !
Vive la classe de français !

LEÇON 7
Ma maison et ma famille

il y a
LA POSSESSION : l'adjectif possessif **mon/ma, son/sa, notre, votre**

Introduction

DÉCLARATION ET QUESTION	RÉPONSE
Dans la classe, **il y a** un tableau sur le mur.	
Y a-t-il (*ou* : **Est-ce qu'il y a**) un livre sur le bureau ?	Oui, **il y a** un livre sur le bureau.
Y a-t-il un chien dans la classe ?	Non, **il n'y a pas de** chien dans la classe. **Il n'y a** généralement **pas** d'animal dans une école.
Qu'est-ce qu'il y a dans votre poche, Monsieur ?	**Il y a** un crayon, un stylo et un carnet.
Je m'appelle M. Duval. Voilà **le** livre de M. Duval. C'est **mon** livre. Mademoiselle, montrez-moi **votre** livre.	Voilà **mon** livre.
Monsieur, de quelle couleur est **votre** chemise ?	**Ma** chemise est bleue.
Et **votre** pantalon ? Où est **votre** maison ? Comment est **votre** rue ?	**Mon** pantalon est gris. **Ma** maison est au coin de la rue. **Ma** rue est tranquille. Il n'y a pas beaucoup de circulation.
Où est **notre** classe ?	**Notre** classe est dans un grand bâtiment.
Voilà Bob et **son** copain André. Voilà Barbara et **son** amie Carol. Où est **votre** amie, aujourd'hui, Mademoiselle ?	**Mon** amie n'est pas à l'école. Elle est probablement à la maison.
Où est la maison de **votre** amie ?	**Sa** maison est à la plage.
Où est **votre** autre amie ?	**Mon** autre amie est au laboratoire maintenant.

EXERCICES ORAUX

I. *Répondez à la question.*

   A. *Affirmativement.*

   Exemple : Y a-t-il un tableau sur le mur ?
   Oui, il y a un tableau sur le mur.

   1. Y a-t-il un crayon dans la poche de Bob ?
   2. Y a-t-il un numéro de téléphone important dans le carnet ?
   3. Y a-t-il un animal féroce dans le zoo ?
   4. Y a-t-il une classe à huit heures ?
   5. Y a-t-il un bon film à la télévision ?
   6. Est-ce qu'il y a une réunion (*meeting*) politique à trois heures ?
   7. Est-ce qu'il y a une bonne conférence aujourd'hui ?
   8. Y a-t-il une personne spéciale dans votre vie ?
   9. Est-ce qu'il y a un monument historique dans votre ville ?
   10. Y a-t-il une idée très importante pour vous ?

   B. *Négativement.*

   Exemple : Y a-t-il un chien dans la classe ?
   Non, il n'y a pas de chien dans la classe.

   1. Y a-t-il un téléphone dans la classe ?
   2. Y a-t-il un animal dans la classe ?
   3. Y a-t-il un autre exercice ?
   4. Y a-t-il un autre élève devant vous ?
   5. Est-ce qu'il y a une rose dans le vase ?
   6. Est-ce qu'il y a un aquarium dans votre maison ?
   7. Est-ce qu'il y a une enveloppe dans votre poche ?
   8. Y a-t-il un grand problème dans votre vie ?
   9. Est-ce qu'il y a une conférence à onze heures du soir ?
   10. Est-ce qu'il y a une auto devant la porte ?

II. *L'adjectif possessif*

   A. *Remplacez* le/la/l' *par l'adjectif possessif.*

   (mon/ma)

   1. le chien
   2. la maison
   3. la poche
   4. l'adresse
   5. l'amie
   6. la rue
   7. l'examen
   8. la chemise
   9. le tricot
   10. l'ami
   11. l'auto
   12. l'imagination

   (son/sa)

   1. le crayon
   2. le numéro
   3. la conférence
   4. la ville
   5. l'aquarium
   6. l'adresse
   7. le livre
   8. le problème
   9. la question
   10. l'ami
   11. l'amie
   12. la voiture

B. *Complétez par l'adjectif possessif.*

(mon/ma)

1. cahier
2. classe
3. question
4. tableau
5. composition
6. exercice
7. oncle
8. conférence
9. restaurant
10. animal
11. orange
12. idée

(son/sa)

1. sac
2. robe
3. chemise
4. tricot
5. pantalon
6. jupe
7. auto
8. autre ami
9. autre amie
10. imagination
11. papier
12. château

RENÉ MAGRITTE, *Empire de la lumière II*   Collection, The Museum of Modern Art, New York. Gift of Mr. and Mrs. John de Menil

Une maison paisible dans une rue tranquille, le soir...

LECTURE

Ma maison et ma famille

Ma maison est au coin d'une petite rue tranquille et d'une autre rue. L'autre rue est importante, mais ma rue est agréable, parce qu'il n'y a pas de circulation. Sur ma maison, il y a un toit, naturellement, et une antenne de télévision sur le toit. Il y a aussi une cheminée.

Il y a généralement une auto devant la maison. C'est mon auto (ou : ma voiture). Mais aujourd'hui, il n'y a pas d'auto, parce que ma voiture est au garage.

La façade de ma maison est ordinaire : il y a une porte, avec une fenêtre de chaque côté de la porte. Devant, entre la maison et la rue, il y a une pelouse verte. Derrière la maison, il y a une autre pelouse. Il n'y a pas de piscine derrière ma maison. Mais il y a une piscine derrière la maison de mon ami Maurice, parce que sa famille est riche.

Ma famille est à la maison, excepté mon père qui est au bureau maintenant, parce qu'il est docteur. Ma mère est debout devant le réfrigérateur. Ma sœur est assise avec son amie Lucie devant la télévision. Mon petit frère est dans le jardin avec le chat. Mon petit frère est jeune, il est élève à l'école primaire. Il s'appelle Pierrot. Le chat s'appelle Minet ; c'est un nom ordinaire de chat, comme *Kitty* en anglais.

Mon chien s'appelle Médor. Il est gentil avec moi, mais il est féroce avec le reste de l'humanité. Il est comme ma sœur : elle est méchante avec tout le monde, mais elle est toujours gentille avec un jeune homme au téléphone.

Mon père est souvent fatigué. Il est au bureau de neuf heures du matin à cinq heures du soir. Ma mère est gentille, mais elle est très occupée.

Je ne suis pas marié, parce que je suis étudiant, et ma sœur n'est pas mariée. Il n'y a pas de beau-frère ou de belle-sœur dans notre maison.

Naturellement, il y a aussi mon grand-père et ma grand-mère, qui sont le père et la mère de ma mère. Mon grand-père n'est pas jeune, il est âgé. Mon autre grand-père est mort, et ma grand-mère est morte aussi.

Ma tante est la sœur de ma mère et c'est la femme de mon oncle. Mon autre tante est la sœur de mon père. Le mari de ma tante, c'est mon oncle. Il y a aussi mon cousin et ma cousine. Ma cousine est une petite fille. C'est la fille de mon autre oncle et de mon autre tante.

Voilà notre famille. Naturellement, toute la famille n'est pas dans notre maison ! Dans notre maison, il y a mon père, ma mère, ma sœur, mon frère et moi. Le reste de notre famille est à San Francisco, à New York et à Chicago.

PRONONCIATION

il y a   il n'y a pas de

ma sœur (=seur)   la femme (=fam)   le fils (=fiss)   la fille (=fiy)

gentil / gentille

QUESTIONS SUR LA LECTURE

1. Où est la maison du jeune homme ? Est-ce une rue agréable ? Pourquoi ?
2. Qu'est-ce qu'il y a sur le toit ? Pourquoi ?
3. Qu'est-ce qu'il y a entre sa maison et la rue ? Qu'est-ce qu'il y a dans la rue, devant sa maison ?
4. Est-ce que votre maison est au coin d'une rue, ou dans une rue ? Est-ce que votre rue est tranquille, ou importante et animée ?
5. Qu'est-ce qu'il y a derrière la maison du jeune homme ? Y a-t-il une piscine ? Y a-t-il une piscine derrière votre maison ?
6. Quelle est la profession du père du jeune homme ? Est-ce aussi la profession de votre père ?
7. Où est la sœur du jeune homme ? Où est son amie ? Est-ce que son petit frère est à l'université ? Où est-il élève ?
8. Y a-t-il un chat dans la maison du jeune homme ? Comment s'appelle-t-il ?
9. Y a-t-il un chien ? Comment s'appelle-t-il ? Comment est-il ?
10. Comment est la sœur du jeune homme ? Est-elle toujours gentille ?
11. Est-ce que votre père est souvent fatigué ? Etes-vous fatigué maintenant ? Pourquoi ?
12. Votre grand-père est le père de votre mère. Qui est votre oncle ? votre tante ? votre grand-mère ?
13. Voilà M. et Mme Dubois, Georges et Suzanne Dubois.
    M. Dubois est le mari de Mme Dubois, c'est le père de Georges et de Suzanne. Qui est Mme Dubois ? Georges ? Suzanne ?

14. Si une personne n'est pas vivante, elle est... ? Est-ce que votre grand-mère est vivante ? Et votre autre grand-mère ?
15. Qui y a-t-il dans votre famille, dans votre maison ?

du = do

EXPLICATIONS

I. **il y a** (*there is, there are*)

il y a est invariable :

> Il y a une antenne de télévision sur le toit. *roof*
> Dans ma famille, **il y a** mon père, ma mère, ma sœur et moi.

A. Forme interrogative

Deux formes possibles : **Y a-t-il... ?** *ou* : **Est-ce qu'il y a... ?**

> **Y a-t-il** un chien   *ou* :   **Est-ce qu'il y a** un chien dans la
> dans la maison ?   maison ?

B. Forme négative *des*

> Il n'y a pas de chien dans la maison.
> Il n'y a pas d'auto devant la porte.

une
un

La négation de **il y a** (**un/une, mon/ma**, etc.) est **il n'y a pas d(e)**.

C. **Qu'est-ce qu'il y a... ?** (*What is there... ?*)

> **Qu'est-ce qu'il y a** dans votre sac ?
> Dans mon sac, **il y a** ma clé, mon carnet et un dollar.
> **Il n'y a pas** d'enveloppe.

II. L'adjectif possessif

Bob : Voilà **ma** chemise, **mon** stylo, **ma** serviette, **mon** pantalon, **ma** cravate.
Barbara : Voilà **ma** robe, **ma** jupe, **mon** sac, **mon** tricot.
Bob et Barbara : Voilà **notre** professeur, **notre** classe, **notre** ami André, **notre** amie
        Carol.

mon			ma		
son	devant un nom masculin		sa	devant un nom féminin	
ton			ta		

notre
votre } devant un nom masculin ou féminin

ATTENTION

>**mon** ami (*masc.*) et **mon** amie (*fém.*) ~~sister~~
>**ma** sœur (*fém.*) et **mon** autre sœur

Pourquoi?

Devant un mot qui commence par une voyelle, employez **mon** et **son** (ou **ton**) à la place de **ma** et **sa** (ou **ta**).

une adresse	**mon, son, (ton)** adresse
une enveloppe	**mon, son, (ton)** enveloppe
une auto	**mon, son, (ton)** auto
une amie	**mon, son, (ton)** amie

III. L'expression **tout le monde** (*everybody*)

Le professeur: Bonjour, **tout le monde**!
La classe: Bonjour, Monsieur!
Le professeur: Est-ce que **tout le monde** est présent?
La classe: Non, **tout le monde** n'est pas présent. Il y a un absent.

REMARQUEZ: L'expression **tout le monde** est au singulier:

Tout le monde est présent.

EXERCICES ÉCRITS et/ou ORAUX

I.   *Répondez à la question.*

Exemple: Y a-t-il un chat dans votre maison?
Oui, il y a un chat dans ma maison.
ou:
Non, il n'y a pas de chat dans ma maison.

1. Y a-t-il une voiture dans votre garage? Oui, …
2. Y a-t-il un président dans la Maison-Blanche? Oui, …
3. Est-ce qu'il y a un excellent restaurant dans votre rue? Non, …
4. Est-ce qu'il y a une antenne sur le toit de votre garage? Non, …
5. Y a-t-il une jolie jeune fille dans la classe? Oui, …
6. Est-ce qu'il y a un examen demain? Non, …
7. Y a-t-il une occasion spéciale aujourd'hui? Non, …
8. Est-ce qu'il y a un jardin devant votre maison? Oui, …
9. Est-ce qu'il y a un autre jardin derrière votre maison? Non, … ~~garden~~
10. Y a-t-il une avenue tranquille devant votre université? Non, …

de

II. *Complétez par l'adjectif possessif correct.*

(mon/ma)

1. chat
2. bureau
3. clé
4. auto
5. oncle
6. cousin
7. cousine
8. femme — woman / wife
9. mari — Husband
10. sœur et autre sœur

(son/sa)

1. piscine
2. antenne
3. toit
4. cheminée
5. façade
6. jardin
7. pelouse — lawn
8. grand-père — father
9. grand-mère — mother
10. cousine et autre cousine

fils → s
fille → dam

III. *Complétez par l'adjectif possessif correct* (**mon/ma, son/sa**).

Bob : 1. Voilà mon auto. Elle est devant la porte de ma maison. C'est ma bicyclette qui est à côté de ma voiture. La bicyclette de mon frère (brother) est dans le garage. ..Mon autre frère est marié, il est dans son appartement, avec sa femme et son fils, son qui est son neveu. nephew

2. La femme de mon frère, c'est ma belle-sœur. Ma sœur Suzanne est mariée aussi, et son mari, c'est mon beau-frère.

3. Mon autre sœur, Monique, est fiancée. Son fiancé s'appelle Maurice. Il est architecte : c'est son occupation, ou sa profession.

IV. *Répondez à la question avec un adjectif possessif et une phrase complète.*

Exemple : Comment est votre classe de français ?

Ma classe de français est intéressante (ou: horrible, difficile, etc.)

How
1. Comment est votre maison ?
2. Comment est votre vie ?
3. Comment est votre dimanche, généralement ?
4. Comment est votre professeur de français ?
5. A quelle heure est votre première classe aujourd'hui ? → last
6. A quelle heure est votre dernière classe aujourd'hui ?
7. Quel est votre moment favori de la semaine (jour et heure) ? — what
8. Qu'est-ce qu'il y a dans votre serviette ?
9. Qu'est-ce qu'il y a à la télévision à sept heures du soir ? — what is there
10. Où est probablement votre père maintenant ? Et votre mère ? Pourquoi ? — why

à la
Qu
à l'

V. *Questions sur le vocabulaire de la lecture.*

Répondez à chaque question par une phrase complète, avec deux ou trois adjectifs possessifs.

each

Exemple : Qui est votre oncle ?

Mon oncle est le frère de ma mère ou de mon père.

who
1. Qui est votre cousin ? Votre cousine ?

Qu

2. Qui est votre beau-frère ? Votre belle-sœur ?
3. Comment s'appelle la mère de votre tante ? (C'est ma...)
4. Qui est votre nièce ?
5. Comment est votre rue ? Pourquoi ? Qu'est-ce qu'il y a devant votre maison ?
6. Où est votre père de neuf heures à cinq heures ?
7. Où êtes-vous quand vous n'êtes pas à la maison ?
8. Quand votre mère est-elle fatiguée ?

COMPOSITION

Composition orale et/ou écrite.

Votre famille.

Qu'est-ce qu'il y a dans votre famille ? (« Dans ma famille, il y a..., il n'y a pas de... ») Comment est chaque membre de votre famille ?

VOCABULAIRE

NOMS

Noms masculins

l'aquarium	le fils	le neveu
le beau-frère	le frère	l'oncle
le coin (au coin)	le grand-père	le père
le cousin	le jardin	le réfrigérateur
le dollar	le mari	le reste
l'élève	le membre (de la famille)	le toit
le film	le monument	

Noms féminins

l'antenne	la famille	la pelouse
la belle-sœur	la femme	la possession
la bicyclette	la fille	la profession
la cheminée	la grand-mère	la rue
la circulation	l'humanité	la sœur
la cousine	la manifestation	la tante
l'école	la mère	la voiture de sport
l'élève	la nièce	
la façade	l'occasion	

ADJECTIFS

âgé (-e) ≠ jeune	complet, complète	mort (-e) ≠ vivant (-e)
agréable	fiancé (-e)	possessif, possessive
amusant (-e)	gentil, gentille ≠ méchant (-e)	possible ≠ impossible
animé (-e) ≠ tranquille	historique	primaire
assis (-e) ≠ debout (*inv.*)	marié (-e)	riche ≠ pauvre

ADVERBES

affirmativement ≠ négativement

DIVERS

Allô, allô !	excepté	tout le monde
à votre service		

LEÇON 8
Je n'ai pas de serpent à sonnettes!

LA POSSESSION (*suite*)

Le verbe **avoir** : **Avez-vous un...** ?
Oui, j'ai un...   Non, je n'ai pas de...

Introduction

DÉCLARATION ET QUESTION	RÉPONSE
Voilà ma famille : mon père, ma mère, ma sœur et moi. **J'ai une** sœur, mais **je n'ai pas de** frère.	
Avez-vous un frère ? (*ou* : **Est-ce que vous avez** un frère ?)	Oui, **j'ai un** frère, mais **je n'ai pas de** sœur.
Voilà Jean-Pierre. **A-t-il** une sœur ? (*ou* : Est-ce qu'il a une sœur ?)	Oui, **il a** une sœur.
Voilà Barbara. **Elle a** une voiture, n'est-ce pas ?	Oui, **elle a** une voiture.
A-t-elle une voiture de sport ? (*ou* : Est-ce qu'elle a une voiture de sport ?)	Non, **elle n'a pas de** voiture de sport.
Barbara et moi, **nous avons** une classe à huit heures. **Avons-nous** un examen aujourd'hui ? (*ou* : Est-ce que nous avons un examen aujourd'hui ?)	Non, **nous n'avons pas d'**examen aujourd'hui.
Bob et André **ont** l'adresse de Carol et de Barbara. **Ont-ils** aussi le numéro de téléphone ? (*ou* : Est-ce qu'ils ont le numéro de téléphone ?)	Oui, **ils ont** le numéro de téléphone.
Avez-vous **la** composition pour aujourd'hui ?	Non, **je n'ai pas la** composition pour aujourd'hui.
Avez-vous **votre** serviette ?	Non, **je n'ai pas ma** serviette ; elle est dans ma voiture.

Avez-vous **beaucoup de travail** ?

Oui, j'ai **beaucoup de travail.**

Avez-vous **beaucoup de bonnes notes** ?

Non, je n'ai pas **beaucoup de bonnes notes.**

EXERCICES ORAUX

I. *La forme du verbe.*

A. *Répondez par la forme correcte du verbe* **avoir.**

Exemple : a-t-il ?

il a

1. a-t-il ? *il a*
2. ai-je ? *j'ai*
3. est-ce que vous avez ? *nous avons*
4. avons-nous ? *nous avons*
5. avez-vous ? *nous avons*
6. est-ce que nous avons ? *nous avons*

7. est-ce qu'elle a ? *elle a*
8. ont-elles ? *elles ont*
9. est-ce que j'ai ? *j'ai*
10. as-tu ? *tu as*
11. est-ce qu'il a ? *il a*
12. est-ce que tu as ? *tu as*

B. *Répondez par la forme correcte du verbe* **être** *ou du verbe* **avoir.**

1. avez-vous ? *nous avons*
2. êtes-vous ? *nous sommes*
3. est-il ? *il est*
4. a-t-il ? *il a*
5. sont-ils ? *ils sont*
6. ont-elles ? *elles ont*
7. sommes-nous ? *nous sommes*

8. avons-nous ? *nous avons*
9. est-ce ? *c'est*
10. est-ce que j'ai ? *j'ai*
11. est-ce que vous avez ? *nous avons*
12. est-ce que vous êtes ? *nous sommes*
13. est-ce qu'il a ? *il a*
14. est-ce qu'il est ? *il est*

II. *Répondez à la question.*

Exemple : Avez-vous un grand-père ?
Oui, j'ai un grand-père.
ou:
Non, je n'ai pas de grand-père.

1. Avez-vous un chat ? Oui, ... *j'ai*
2. Avez-vous une grenouille ? Non, ... *je n'ai pas de*
3. Bob a-t-il l'adresse de Carol ? Non, ... *il n'a pas de*
4. Jean-Pierre a-t-il un serpent à sonnettes ? Non, ... *il n'a pas de*
5. Avez-vous l'heure ? Oui, ... *j'ai*
6. Avez-vous une chemise rouge ? Non, ... *je n'ai pas de*
7. Avons-nous un examen aujourd'hui ? Non, ... *nous n'avons pas de*
8. Votre grand-père et votre grand-mère ont-ils une maison ? Oui, ... *ils ont*
9. Avez-vous une conviction politique ? Oui, ... *j'ai*
10. Avez-vous une idée intéressante aujourd'hui ? Non, ... *je n'ai pas (ou) nous n'avons pas*

III. *Voilà la réponse. Quelle est la question probable?*

Exemple : Non, je n'ai pas de belle-sœur.
Avez-vous une belle-sœur?

1. Non, je n'ai pas de voiture. ~~Avez-vous~~
2. Non, je n'ai pas ma voiture aujourd'hui. ~~as-tu~~
3. Barbara est belle parce qu'elle a sa jolie robe aujourd'hui. ~~Pour quoi~~
4. J'ai un problème parce que je n'ai pas d'imagination.
5. Nous n'avons pas de maison, nous avons un appartement.
6. Il n'y a pas de bon restaurant dans ma rue.
7. Je suis en retard quand j'ai une classe à huit heures.
8. Ma sœur est jolie, mais elle a mauvais caractère. ~~Bad temper~~

LECTURE

gentil(le) → méchant(e)

Je n'ai pas de serpent à sonnettes!

Nous n'avons pas de maison, dit Jean-Pierre, nous avons seulement only un appartement. Mon grand-père et ma grand-mère ont une maison à la campagne, mais la campagne n'est pas pratique pour nous, parce que mon père est ingénieur et ma mère est dans la mode. Alors, nous sommes en ville.

Notre appartement est moderne et assez grand, mais il n'y a pas de place pour un animal comme un chien, par exemple. C'est dommage, n'est-ce pas? Et je n'ai pas de chat parce qu'il n'y a pas de souris dans un immeuble moderne. Mais j'ai une petite ménagerie dans ma chambre. C'est une surprise? Eh bien, regardez!

Dans le coin, il y a un petit animal avec un nez rose. Il est dans sa cage, avec une carotte. Qu'est-ce que c'est? C'est un lapin. Il a l'air content, n'est-ce pas? Quelquefois, il est sur mon lit, ou sous mon lit, ou… dans ma serviette! C'est mon ami. Il s'appelle Anatole.

A côté de la fenêtre, voilà mon aquarium. Je n'ai pas de poisson rare ou exotique. Mais j'ai beaucoup de poissons rouges ordinaires. Regardez! Voilà Zozo. Il est au fond de l'aquarium maintenant. Il n'a pas l'air très intelligent, c'est un fait, mais il a si bon caractère! La discussion est impossible avec lui, mais sa compagnie est très agréable quand je suis fatigué. Le petit animal vert dans l'aquarium avec lui, c'est une grenouille. Elle n'a pas de nom. Avez-vous une bonne idée pour un joli nom de grenouille? Véronique? Ah, Ah! Ce n'est pas une bonne idée, en fait, c'est une mauvaise idée. Pourquoi? Parce que Véronique, c'est le nom de ma sœur, et ma sœur n'a pas bon caractère. Elle a mauvais caractère.

Dans la cage suspendue devant la fenêtre, voilà mon animal favori: c'est un perroquet. Il est vert, alors, il s'appelle Vert-Vert. Allez à côté de lui. Il a l'air méchant, mais il est gentil. Aujourd'hui, il est timide, parce que vous êtes devant sa cage, mais quand il est seul avec moi, il est bavard et il a un vocabulaire considérable.

Voilà ma ménagerie. J'ai beaucoup d'animaux, mais hélas! elle n'est pas complète. Je n'ai pas de cobaye, pas de tortue, pas de rat blanc ou de souris blanche, pas de serpent à sonnettes. Mais peut-être, un jour:…

HENRI ROUSSEAU, *Jungle au soleil couchant*   Kunstsammlung, Basel

Une jungle imaginaire ou il y a probablement beaucoup d'animaux féroces ou exotiques. Il y a peut-être un serpent à sonnettes...

PRONONCIATION

j'ai   il a   elle a   ils ont   elles ont

Comparez la prononciation de :

je / j'ai   il a / elle a   ils ont / elles ont

il a, elle a / il est, elle est

ils ont, elles ont / ils sont, elles sont

QUESTIONS SUR LA LECTURE

1. Est-ce que la famille de Jean-Pierre a une maison ?
2. Est-ce que son grand-père et sa grand-mère ont un appartement ? Où sont-ils ?
3. La famille de Jean-Pierre est en ville. Pourquoi ?
4. Quelle est la profession du père de Jean-Pierre ? Et la profession de sa mère ? Quelle est probablement l'occupation de Jean-Pierre ? Quelle est votre occupation ?
5. Jean-Pierre a-t-il un chien ? Pourquoi ?
6. Qu'est-ce qu'il a dans sa chambre ?
7. De quelle couleur est un lapin ? Est-ce qu'Anatole est toujours dans sa cage ?
8. Qu'est-ce qu'il y a dans l'aquarium ? Avez-vous un aquarium ?
9. Petite description de Zozo : de quelle couleur est-il ? Quelle est sa personnalité ? Est-il seul dans l'aquarium ?
10. Est-ce que Véronique est un bon nom pour la grenouille ? Pourquoi ?
11. Est-ce que la sœur de Jean-Pierre est toujours gentille ? Pourquoi ? Comment s'appelle-t-elle ?
12. Est-ce que le perroquet a l'air gentil ? Est-il méchant ? Est-il timide quand il est seul avec Jean-Pierre ? Quand êtes-vous le plus timide ?
13. Avez-vous un serpent à sonnettes dans votre chambre ? Est-ce un animal désirable ?
14. Avez-vous un animal favori dans votre maison ? Qu'est-ce que c'est ? Comment est-il ? Comment s'appelle-t-il ?

EXPLICATIONS

I.   Le verbe **avoir**   have

avoir est l'infinitif du verbe. Le verbe **avoir** exprime la possession :

> **J'ai** un frère et une sœur.
> **Il a** bon caractère. **Elle a** mauvais caractère.
> **Nous avons** un appartement.
> **Vous avez** un chien.
> **Ils ont** une maison à la campagne. **Elles ont** (ma sœur et mon autre sœur) beaucoup d'admirateurs.

(handwritten: il a?(ah)   il est (Ā))

A. Forme affirmative

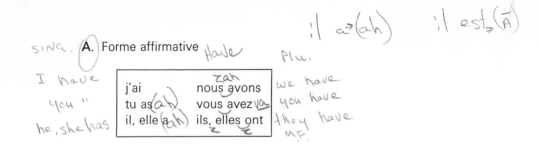

(handwritten annotations around box: SING. Have Plu.)
(I have / you " / he, she has)
(zan)
(we have / you have / they have M.F.)

j'ai	nous avons
tu as	vous avez
il, elle a	ils, elles ont

B. Forme interrogative

Il y a deux formes possibles :

(handwritten: have I / have you / has she, he / have we / have you / have they)

ai-je ?	est-ce que j'ai ?
as-tu ?	est-ce que tu as ?
a-t-il ? a-t-elle ?	est-ce qu'il, elle a ?
avons-nous ?	est-ce que nous avons ?
avez-vous ?	est-ce que vous avez ?
ont-ils ? ont-elles ?	est-ce qu'ils, elles ont ?

(handwritten: ou j'ai)

Construction de la question

Voilà dix exemples de questions :

1. Avez-vous une voiture ?
2. Suzanne est-elle dans la classe ?
3. Y a-t-il un examen demain ?
4. Quand y a-t-il un examen ?
5. Pourquoi Jean-Pierre a-t-il une ménagerie ?
6. Pourquoi Jean-Pierre n'a-t-il pas de ménagerie ?
7. Le lapin a-t-il une carotte ?
8. Votre mère est-elle dans la mode ?
9. Pourquoi votre mère est-elle dans la mode ?
10. Où y a-t-il une autre classe de français ?

Maintenant, voilà la décomposition de la construction. Remarquez l'ordre fixe.

	Nom de la		
Adverbe interrogatif	personne ou de l'objet	Verbe interrogatif	Reste de la phrase
1. _____	_____	Avez-vous	une voiture ?
2. _____	Suzanne	est-elle	dans la classe ?
3. _____	_____	Y a-t-il	un examen demain ?
4. Quand	_____	y a-t-il	un examen ?
5. Pourquoi	Jean-Pierre	a-t-il	une ménagerie ?
6. Pourquoi	Jean-Pierre	n'a-t-il pas de	ménagerie ?
7. _____	Le lapin	a-t-il	une carotte ?
8. _____	Votre mère	est-elle	dans la mode ?
9. Pourquoi	votre mère	est-elle	dans la mode ?
10. Où	_____	y a-t-il	une autre classe de français ?

C. Forme négative

Jean-Pierre dit : « J'ai un perroquet ; je n'ai pas de chien. Nous avons un appartement ; nous n'avons pas de maison. »

La négation de **j'ai un/une** est **je n'ai pas de (d')**.
(Comparez avec **il y a un/une** et **il n'y a pas de (d')**.)

Mais la négation de **j'ai le/la** ou **j'ai mon/ma** (etc.) est **je n'ai pas le/la** ou **je n'ai pas mon/ma**. Par exemple :

Carol a-t-elle une voiture ? Non, elle n'a pas de voiture.
mais :
André a-t-il **sa** voiture aujourd'hui ? Non, il n'a pas **sa** voiture.
Avez-vous **le** numéro de Barbara ? Non, je n'ai pas **son** numéro.

je n'ai pas (de)	nous n'avons pas (de)
tu n'as pas (de)	vous n'avez pas (de)
il, elle n'a pas (de)	ils, elles n'ont pas (de)

n'a pas l'air content

D. L'expression **avoir l'air** (*to look, seem*)

Vous avez l'air fatigué.
Le lapin a l'air content.

avoir l'air + *un adjectif*

Barbara a l'air d'une star de cinéma.
Ma sœur a l'air d'un tigre !

avoir l'air de + *un nom*

II. Introduction au pluriel

A. beaucoup de...

C'est une expression de quantité.

Singulier : (*much, a great deal, a lot*)
J'ai beaucoup de travail.
Avez-vous beaucoup d'imagination ?

Pluriel : (*many, lots*)
J'ai beaucoup d'ami**s** gentil**s**.
Il y a beaucoup d'étudiant**s** brillant**s** dans la classe.

Quand le nom est pluriel, il y a un **s** final. Quand il y a un adjectif, l'adjectif a aussi un **s** final.

B. Le pluriel d'un mot (nom ou adjectif) en -al

un anim**al**, beaucoup d'anim**aux**
un journ**al**, beaucoup de journ**aux**
un examen or**al**, beaucoup d'examens or**aux**

Le pluriel d'un nom ou d'un adjectif en **-al** est **-aux**.

REMARQUEZ : une composition orale, beaucoup de compositions orales (voir table de terminaison des adjectifs, page 111).

EXERCICES ÉCRITS et/ou ORAUX

I. *Répondez à la question.*

Exemple : Avez-vous votre tricot ?
Oui, j'ai mon tricot.
ou:
Non, je n'ai pas mon tricot.

1. Avez-vous une voiture ? Oui, . . .
2. Avez-vous votre voiture ? Non, . . .
3. Avez-vous le téléphone ? Oui, . . .
4. Avez-vous un téléphone dans votre voiture ? Non, . . .
5. Etes-vous parfait ? Oui, . . .
6. Etes-vous toujours à l'heure ? Non, . . .
7. Sommes-nous dans une période de prospérité ? Oui, . . . (*ou:* Non, . . .)
8. Est-ce qu'une maison est dans un immeuble ? Non, . . .
9. Est-ce qu'il y a un bon programme à la télévision aujourd'hui ? Non, . . .
10. Y a-t-il un serpent à sonnettes dans votre serviette ? Non, . . .

what (handwritten)

Quel } what
Quelle }
Qui → who
Pourquoi → why
(handwritten, top right)

II. *Voilà la réponse. Quelle est la question probable ?*

Exemple : J'ai une bicyclette.
Avez-vous une bicyclette ?

1. La maison de Bob est au coin de la rue. *Où* (handwritten)
2. La grenouille est au fond de l'aquarium. *Où* (handwritten)
3. Le poisson rouge s'appelle Zozo. *Comment s'appelle le poisson* (handwritten)
4. Ma sœur a mauvais caractère parce que je ne suis pas gentil avec elle. *Pourquoi* (handwritten)
5. Mon petit cousin est insupportable parce qu'il est gâté (spoiled). *unbearable* (handwritten)
6. Je n'ai pas de ménagerie dans ma chambre.
7. J'ai l'air fatigué parce que l'exercice est long !
8. Non, je n'ai pas beaucoup d'imagination.
9. Barbara a beaucoup d'amis parce qu'elle est si gentille. *so* (handwritten)
10. Il y a un bon restaurant au coin de la rue et du boulevard.

III. *L'accord avec le pluriel.*

Exemple : Dans le zoo, il y a beaucoup d'anim*aux* féroce*s*.

1. Dans un aquarium, il y a beaucoup de poisson_____ rouge_____.
2. Votre sœur a beaucoup d'amie_____ très gentil_____ et très joli_____.
3. Je n'ai pas beaucoup de problème_____ important_____.
4. Y a-t-il beaucoup de journ_____ intéressant_____ dans votre ville ?
5. Sur le mur, il y a deux tableau_____ noir_____.
6. Nous n'avons pas beaucoup d'idée_____ origina_____.
7. Il y a beaucoup de voiture_____ français_____ qui sont pratique_____ et économique_____.
8. Carol et Barbara sont intelligent_____ et sympathique_____.
9. Avez-vous beaucoup d'examen_____ ora_____ et de composition ora_____.
10. Sommes-nous beau_____, riche_____ et brillant_____ ?

IV. *Exercices sur le vocabulaire.*

A. *Quel est le contraire ?*

Exemple : Quel est le contraire de ... grand ?   *petit*

1. jeune ?
2. gentil ?
3. bon ?
4. content ?
5. intelligent ?
6. incomplet ?
7. facile ?
8. commun ?

B. *Complétez la phrase par un des termes suivants.*

a) un immeuble, un ingénieur, la mode, à la campagne, en ville

1. Nous avons un petit appartement ~~immeuble,~~ sur un grand boulevard.
2. Pour une jeune fille, la mode est importante, et change souvent.
3. Dans un grand _____ il y a beaucoup d'appartements.
4. Si vous êtes ingénieur, votre bureau est probablement dans une grande usine (*plant*).
5. Ma tante a une grande maison à la campagne, avec un jardin immense.

b) pas de place, n'est-ce pas ?, avoir l'air, au fond, en retard

1. Dans un petit appartement, il n'y a _____ 1 _____ pour une grande famille.
2. Voilà un « A ». C'est une bonne surprise, __ 2 __ ?
3. Vous __ 3 __ furieux. Pourquoi ?
4. Pourquoi êtes-vous __ 4 __ de la classe ? Il y a une place devant.
5. Bob est __ 5 __ quand sa voiture est au garage.

c) bavard, gentil, occupé, fatigué, méchant

1. Vous êtes fatigué quand vous êtes très occupé, avec beaucoup de problèmes.
2. Si une jeune fille est gentille, elle a probablement beaucoup d'amis.
3. Le poisson n'est pas bavard, mais une jeune fille est souvent bavarde !
4. En France, il y a souvent une pancarte (*sign*) « Attention, chien méchant ! »
5. Excusez-moi, je suis très occupé. Pas de rendez-vous samedi !

COMPOSITION

Composition orale et/ou écrite.

A. Avez-vous un animal favori ? Qu'est-ce que c'est ? Comment est-il ? Pourquoi est-ce votre animal favori ?

B. Vous avez certainement un objet intéressant et remarquable. Qu'est-ce que c'est ? (Description et explication.)

C. Votre personnalité. Avez-vous bon ou mauvais caractère ? Expliquez, avec beaucoup d'exemples.

VOCABULAIRE

NOMS

Noms masculins

l'admirateur	l'ingénieur	le rat
l'animal, les animaux (*pl.*)	le journal, les journaux (*pl.*)	le serpent à sonnettes
le caractère	le lapin	le vocabulaire

le cobaye
le fait
le fond (au fond)
l'immeuble

Noms féminins

la cage
la campagne
la carotte
la chambre
la compagnie
la conviction
la décomposition

l'ordre
le perroquet
le poisson rouge
le pluriel

la discussion
l'eau
la grenouille
l'idée
la ménagerie
la mode
la pancarte

le tigre
le zoo

la période
la personnalité
la prospérité
la souris
la surprise
la tortue
l'usine

ADJECTIFS

bavard (-e)
commun (-e)
considérable
désagréable ≠ agréable
désirable

exotique
gâté (-e)
mauvais (-e) ≠ bon, bonne
moderne
oral (-e)

probable ≠ improbable
rare
remarquable
seul (-e)
suspendu (-e)
timide

ADVERBES

assez

peut-être

DIVERS

beaucoup de
C'est dommage !
en fait

il a bon caractère ≠ il a
    mauvais caractère
il a l'air (+ *adj.*)

il n'y a pas de place (pour)
je voudrais bien
Remarquez !

LEÇON 9
Un déjeuner au restaurant

*QUELQUES EXPRESSIONS UTILES AVEC LE VERBE **AVOIR***

Quel âge avez-vous?   J'ai 18 ans.

avoir faim, avoir soif, avoir sommeil, avoir froid, avoir chaud, avoir besoin de, avoir peur de, avoir tort, avoir raison, avoir mal à

Chiffres de **30** à l'infini

Introduction

DÉCLARATION ET QUESTION	RÉPONSE
J'ai trente ans. **Quel âge avez-vous?**	**J'ai dix-huit ans.**
Mon anniversaire est le 1ᵉʳ mars. Quel jour est votre anniversaire?	Mon anniversaire est le 2 avril.
Je suis né(-e) le 1ᵉʳ mars. Quel jour êtes-vous né(-e)?	Je suis né(-e) le 2 avril.
Je suis né(-e) à Paris. Où êtes-vous né(-e)?	Je suis né(-e) à Chicago.
A midi, **j'ai faim.** Avez-vous faim?	Oui, j'ai faim à midi. J'ai faim aussi à six heures.
Avez-vous faim pendant la classe?	Non, je n'ai pas faim pendant la classe.
J'ai soif. Je voudrais bien un verre d'eau. Avez-vous soif?	Oui, j'ai soif. Je voudrais bien un verre d'eau aussi.
A minuit, je n'ai pas faim, je n'ai pas soif. Je suis fatigué et **j'ai sommeil.** Et vous?	Moi aussi. Et j'ai souvent sommeil pendant la classe. Mais je n'ai pas sommeil maintenant.
Pourquoi avez-vous froid?	**J'ai froid** parce que la fenêtre est ouverte. Quand la fenêtre est fermée, je n'ai pas froid.
Mettez votre chaise devant le radiateur. Avez-vous chaud maintenant?	Oui, **j'ai chaud.**

Quand vous avez chaud, vous n'avez pas besoin de votre tricot. Avez-vous besoin de votre tricot ?

Non, **je n'ai pas besoin de** mon tricot. Mais **j'ai besoin de** mon stylo et de mon cahier.

Je n'ai pas de serpent à sonnettes, parce que **j'ai peur d'**un serpent à sonnettes. Avez-vous peur d'un serpent ?

Non, je n'ai pas peur d'un serpent. Mais j'ai peur de l'examen.

Vous avez peur du professeur ? **Vous avez tort** ! Il est très gentil.

Non, je n'ai pas tort. Il est gentil, mais son examen est toujours difficile.

Vous avez raison. J'ai peur aussi d'un examen difficile.

Oui, **j'ai raison.** Mais je n'ai pas souvent raison. En fait, j'ai souvent tort.

Quand **avez-vous mal à** la tête ?

J'ai mal à la tête quand j'ai beaucoup de travail.

EXERCICES ORAUX

I. *Répondez à la question.*

Exemple : Quand avez-vous faim ? (vous êtes au restaurant)
J'ai faim quand je suis au restaurant.

1. Quand avez-vous peur ? *afraid* (vous êtes en danger) — *pur*
2. Quand avez-vous froid ? *cold* (vous êtes devant une fenêtre ouverte)
3. Quand avez-vous soif ? *thirsty* (vous avez fini [*finished*] un match de tennis)
4. Quand avez-vous chaud ? *hot* (vous êtes à côté du radiateur)
5. Quand avez-vous besoin de patience ? *Need* (vous êtes avec votre petit frère)
6. Quand avez-vous sommeil ? *sleepy* (vous êtes dans une classe monotone) — *so,mã*
7. Quand avez-vous tort ? *wrong* (vous êtes méchant avec tout le monde)
8. Pourquoi avez-vous souvent raison ? *right* (vous êtes très, très intelligent !)
9. Pourquoi avez-vous peur d'un examen ? *afraid* (vous n'êtes pas très bien préparé)
10. Qui a besoin d'imagination ? *who need* (un étudiant, pour sa composition de français)
11. Qui a souvent tort ? *wrong* (une personne stupide)
12. Qui a toujours faim ? *hungry* (votre frère, qui a quatorze ans)

ROGER DE LA FRESNAYE, *La Madelon* Philadelphia Museum of Art. A. E. Gallatin Collection

Un groupe d'amis autour d'une table et un verre de vin. « A votre santé ! »

LECTURE

le vin — wine

Un déjeuner au restaurant

Il est midi et demi, c'est l'heure du déjeuner. Nous sommes au restaurant à côté de l'université. Carol, Barbara, Véronique, Bob et André sont assis autour d'une grande table. Par terre, à côté de la chaise de Barbara, il y a une boîte blanche.

Sur la table, il y a un plateau devant chaque personne. Sur le plateau, il y a une assiette, une serviette en papier, une fourchette, une cuillère et un couteau.

Le déjeuner est simple, mais substantiel. Il y a le choix aujourd'hui entre une assiette de soupe de légumes et un sandwich au fromage, ou un morceau de poulet avec beaucoup de frites, ou une omelette et une salade verte. Il n'y a pas de bifteck, pas de cuisses de grenouilles, mais la cuisine est bonne.

Devant chaque assiette, il y a un verre d'eau, de lait, ou de jus de fruit. Il y a une corbeille à pain au milieu de la table.

André: Où est-il, notre Jean-Pierre ?

Véronique : Il est en retard, naturellement. Où est le gâteau ?

Carol: Il est là, par terre, à côté de Barbara, dans sa boîte. Attention ! Voilà Jean-Pierre. Il est debout à la porte... Jean-Pierre ! Nous sommes ici.

Jean-Pierre: Bonjour tout le monde ! Bon appétit !

Tout le monde: Joyeux anniversaire ! Joyeux anniversaire !

Jean-Pierre: (*surpris*) C'est mon anniversaire ? Oh, oui, vous avez raison. Je suis né le 20 mars, j'ai dix-huit ans aujourd'hui. Quelle surprise ! Y a-t-il une place pour moi entre Barbara et Carol ? J'ai une faim de loup. J'ai besoin de déjeuner...

.   .   .   .

Barbara: Et maintenant, le dessert et la surprise ! Voilà un gâteau au chocolat pour votre anniversaire. C'est notre cadeau collectif. Et il y a beaucoup de bougies : dix-huit exactement !

Jean-Pierre: Au chocolat ? Justement, c'est mon gâteau favori. Un gros morceau pour moi, s'il vous plaît. Merci beaucoup ! Mais maintenant, nous avons besoin de café avec le gâteau...

Bob: Justement, voilà une tasse de café pour chaque personne, excepté pour Véronique. Voilà une tasse de thé pour elle. Attention ! Il est chaud !

Jean-Pierre: (*sarcastique*) Une tasse de thé ! Ma sœur est impossible !

Bob: Ah non, vous avez tort, elle n'est pas impossible, elle est difficile… *

Véronique: (*furieuse*) Je ne suis pas difficile, mais mon frère est stupide…

Barbara: Oh, silence, s'il vous plaît ! Une dispute le jour de l'anniversaire de Jean-Pierre ? Et Véronique a raison. Le café est mauvais ici, mais le thé est toujours bon. Un tout petit morceau de gâteau, s'il vous plaît. Je suis au régime, parce que je suis trop grosse.

Bob: (*galant*) Vous n'avez certainement pas besoin de régime ! Vous êtes très mince. Vous avez l'air d'une star de cinéma !

Jean-Pierre: Et maintenant, je voudrais bien une glace. Une glace à la vanille ?… à la fraise ?… non, au chocolat. C'est ma glace favorite. Je n'ai pas peur de la cholestérine ! Et j'ai aussi besoin de crème et de sucre pour mon café. Mais… qu'est-ce que c'est ? J'ai mal à l'estomac, soudain ! Pourquoi ?

Véronique: Mon frère a mal à l'estomac ! Quelle surprise ! Regardez ! C'est son quatrième morceau de gâteau ! Il a probablement une indigestion. C'est bien fait !

PRONONCIATION

faim   besoin   peur

Comparez la prononciation de :

faim	femme
besoin	coin
peur	sœur heure

QUESTIONS SUR LA LECTURE

1. Quelle heure est-il dans l'histoire de la lecture ? Quelle heure est-il maintenant ? A quelle heure est votre déjeuner ? Avez-vous faim maintenant ?
2. Où sont Carol, Barbara, Véronique, Bob et André ? Est-ce que Jean-Pierre est avec le reste du groupe ? Pourquoi ?
3. Y a-t-il un animal dans la boîte ? Qu'est-ce qu'il y a ? Pourquoi ? Est-ce une occasion spéciale ?

---

* Elle n'est pas impossible, elle est difficile : *This is a pun* (jeu de mots) *on «difficile» which in this context means "fussy," "particular," "hard to please," as well as difficult.*

4. Qu'est-ce qu'il y a devant chaque personne ? Et qu'est-ce qu'il y a sur le plateau ?

5. Comment est le déjeuner ? Comment est la cuisine ? Comment est la cuisine de votre mère ? Comment est votre cuisine ?

6. Y a-t-il un choix pour le déjeuner ? Qu'est-ce qu'il y a ? Y a-t-il généralement un choix pour le déjeuner dans votre famille ?

7. Où est le pain ? Où est la corbeille à pain ? Y a-t-il une corbeille à pain ou à papier dans la classe ? Est-elle au milieu de la classe ? Où est-elle ?

8. Quelle est l'occasion spéciale aujourd'hui ? Quel âge a-t-il ? Quel jour est-il né ? Est-ce votre anniversaire aujourd'hui ? Quel jour est votre anniversaire ? Quel âge avez-vous ?

9. Quelle est la surprise pour Jean-Pierre ? Est-ce une bonne ou une mauvaise surprise ? Est-il gentil avec sa sœur ? A-t-il raison ?

10. Quel est le gâteau favori de Jean-Pierre ? Et quelle est sa glace favorite ? Est-il au régime ? Etes-vous au régime ? Avez-vous besoin de régime ? Pourquoi ?

11. Est-ce qu'il y a une tasse de café pour Véronique ? Qu'est-ce qu'il y a ? Est-ce que Véronique est gentille avec son frère ? A-t-elle raison ? Pourquoi ?

12. Où Jean-Pierre a-t-il mal ? Pourquoi ? Est-ce que Véronique est triste ? Quand avez-vous mal à l'estomac ? Expliquez l'expression « C'est bien fait ! »

EXPLICATIONS

I. Quel âge avez-vous ? J'ai... ans.

A. Quel âge avez-vous ? J'ai dix-huit ans.

Quel âge a votre frère ? Il a neuf ans.

Remarquez l'expression idiomatique en français. Le mot ans est nécessaire.

B. Quel jour est votre anniversaire ?

Mon anniversaire est le 10 mai.
Son anniversaire est le 1er avril.
L'anniversaire de Jean-Pierre est au mois de mars.

Votre anniversaire est l'anniversaire du jour où vous êtes né. Quel jour êtes-vous né(-e) ?
Je suis né(-e) le 14 juin.

Où êtes-vous né ?
Je suis né à Bordeaux, en France.

RÉVISION : Le nom de chaque mois : janvier, février, mars, avril, mai, juin, juillet, août, septembre, octobre, novembre, décembre.

REMARQUEZ : Il y a deux formes pour la date (*voir Leçon 2, page 11*) :

1. Avec le jour de la semaine	2. Sans le jour de la semaine
mardi, **14 juillet**	**le 14 juillet**
jeudi, **25 décembre**	Noël est **le 25 décembre.**

II. Comptez de **30** à l'infini.

(Les chiffres de 1 à 30 sont dans la Leçon 2)

30 trente	40 quarante	50 cinquante
31 trente et un	41 quarante et un	51 cinquante et un
32 trente-deux	42 quarante-deux	52 cinquante-deux
33 trente-trois	43 quarante-trois	53 cinquante-trois
34 trente-quatre	44 quarante-quatre	54 cinquante-quatre
35 trente-cinq	45 quarante-cinq	55 cinquante-cinq
36 trente-six	46 quarante-six	56 cinquante-six
37 trente-sept	47 quarante-sept	57 cinquante-sept
38 trente-huit	48 quarante-huit	58 cinquante-huit
39 trente-neuf	49 quarante-neuf	59 cinquante-neuf

60 soixante	70 soixante-dix	80 quatre-vingts
61 soixante et un	71 soixante et onze	81 quatre-vingt-un
62 soixante-deux	72 soixante-douze	82 quatre-vingt-deux
63 soixante-trois	73 soixante-treize	83 quatre-vingt-trois
64 soixante-quatre	74 soixante-quatorze	84 quatre-vingt-quatre
65 soixante-cinq	75 soixante-quinze	85 quatre-vingt-cinq
66 soixante-six	76 soixante-seize	86 quatre-vingt-six
67 soixante-sept	77 soixante-dix-sept	87 quatre-vingt-sept
68 soixante-huit	78 soixante-dix-huit	88 quatre-vingt-huit
69 soixante-neuf	79 soixante-dix-neuf	89 quatre-vingt-neuf

90 quatre-vingt-dix
91 quatre-vingt-onze
92 quatre-vingt-douze
93 quatre-vingt-treize
94 quatre-vingt-quatorze
95 quatre-vingt-quinze
96 quatre-vingt-seize
97 quatre-vingt-dix-sept
98 quatre-vingt-dix-huit
99 quatre-vingt-dix-neuf

100 **cent**	200 **deux cents**	1.000 **mille** *	2.000 **deux mille**
101 **cent un**	etc.		

* 1.000 (mille) est *invariable* : 2.000—deux mille, 3.000—trois mille, 4.000—quatre mille, etc.

III. Expressions avec **avoir**

Il y a beaucoup d'expressions importantes avec le verbe **avoir**.

A. avoir besoin de (*to need*)

> **J'ai besoin d'**imagination pour ma composition !
> Avez-vous **besoin de** moi ? Non, merci, **je n'ai pas besoin de** vous maintenant.
> Barbara **n'a pas besoin de** régime, parce qu'elle est mince.

B. Autres expressions avec **avoir**

> **avoir l'air, avoir l'air de** (Leçon 8)

avoir faim (*to be hungry*)	**avoir soif** (*to be thirsty*)
avoir chaud (*to be, feel hot*)	**avoir froid** (*to be, feel cold*)
avoir raison (*to be right*)	**avoir tort** (*to be wrong*)

> **avoir peur de** (*to be afraid of*)
> **avoir sommeil** (*to be sleepy*)
> **avoir mal à** (*to hurt; to have a pain in…*)

C. La négation de l'expression avec **avoir**

> Avez-vous faim ? Non, **je n'ai pas faim.**
> Avez-vous toujours raison ? Non, **je n'ai pas toujours raison.**
> Avez-vous peur de moi ? Non, **je n'ai pas peur de vous** !

IV. Usage idiomatique de **je voudrais** ou **je voudrais bien** (*I would like*)

L'expression **je voudrais** ou **je voudrais bien** est en réalité le conditionnel du verbe **vouloir**. Pour le moment, acceptez ce terme et employez **je voudrais** pour *I would like* :

> J'ai soif. **Je voudrais bien** un grand verre de coca-cola.
> **Je voudrais** avoir vingt ans et être libre.

V. Usage idomatique de **au (à la)**, **de**, **en**

1. une glace **au** chocolat, un sandwich **au** fromage, une soupe **à la** tomate.

au (à la) indique un ingrédient : (*with*)

2. une salade **de** tomates, une soupe **de** légumes, une purée **de** pommes de terre

de indique la composition essentielle : (*made of*)

3. une serviette **en** papier, une robe **en** coton, une blouse **en** nylon, une table **en** métal

en indique la substance.

EXERCICES ÉCRITS et/ou ORAUX

I. *Les chiffres.*

   Faites l'addition.

   Exemple : dix plus trente ?
   quarante

   1. dix plus dix ?
   2. vingt plus vingt ?
   3. quarante plus dix ?
   4. trente plus trente ?
   5. vingt-cinq plus vingt-cinq ?
   6. soixante plus dix ?

   7. quarante plus quarante ?
   8. soixante plus trente ?
   9. cinquante plus trente-cinq ?
   10. vingt-quatre plus quatre-vingts ?
   11. cinquante-cinq plus vingt-sept ?
   12. soixante plus trente-deux ?

II. *Quel âge ?*

   Exemple : Quel âge a Jean-Pierre ?   (18)
   Il a dix-huit ans.

   1. Quel âge a Barbara ?   (17)
   2. Quel âge a M. Duval ?   (34)
   3. Quel âge a Pierrot ?   (9)
   4. Quel âge a votre mère ?   (40)
   5. Quel âge a le Président ?   (67)
   6. Quel âge a votre amie ?   (19)
   7. Quel âge a l'université ?   (125)
   8. Quel âge a votre voiture ?   (5)
   9. Quel âge a votre maison ?   (14)
   10. Quel âge a la Tour Eiffel ?   (85)
   11. Quel âge a Paris ?   (2000)
   12. Quel âge a la cathédrale de Notre-Dame de Paris ?   (750)

III. *Mettez au négatif.*

   Exemple : J'ai peur parce que c'est le jour de l'examen.
   Je n'ai pas peur parce que ce n'est pas le jour de l'examen.

   1. Jean-Pierre a une indigestion. Il a mal à l'estomac.
   2. J'ai faim parce qu'il y a un fromage français.
   3. Véronique est difficile ! Le café est bon dans le restaurant de l'université.
   4. Il y a un bifteck. C'est une spécialité de la maison.
   5. C'est l'anniversaire de Barbara. Elle est née le vingt mars.
   6. J'ai besoin de vous parce que j'ai un problème.
   7. J'ai un couteau et une fourchette.

8. J'ai besoin de couteau et de fourchette pour mon sandwich.
9. Il y a un *pain* français et il y a un *verre* de vin. ~ glas

bread

~~10.~~ Il y a vingt bougies, parce que Jean-Pierre a vingt ans aujourd'hui.

IV. *Complétez chaque phrase avec imagination.* ~each

> Exemple : A midi, nous...
> *A midi, nous avons faim et nous sommes au restaurant.*

1. J'ai froid parce que... *cold*
2. Quand vous êtes à côté du radiateur, vous... *chaud*
3. Vous n'avez pas besoin de régime parce que... *diet*
4. J'ai toujours chaud quand... *hot*
5. Mon père n'est pas au bureau aujourd'hui parce que... *it is sun.*
6. Vous avez besoin d'aspirine quand... *mal à head.*
7. Ma mère a souvent peur... *quand elle est dans l'airplaine*
8. Dans une classe monotone, j'ai... *sommeil*
9. Le professeur n'a pas toujours raison, mais... *il a souvent raison*
10. Je ne suis pas satisfait de ma vie. Je voudrais...
11. Vous avez tort...! *I do not need de régime*
12. Suzanne est jolie. Elle a l'air... *à la mode*

V. *Répondez à la question par une ou deux phrases complètes.*

> Exemple : Quand avez-vous sommeil ?
> *J'ai toujours sommeil quand il y a une classe l'après-midi.*

1. Quand avez-vous sommeil ?
2. Quand avez-vous peur ? *when everyone 2 am 2 is not, my friend.*
3. Quand avez-vous soif ? *after a difficult tennis match & 2 am fatigué*
4. Quand avez-vous chaud ? *often after 6 PM*
5. Etes-vous au régime ? Pourquoi ? *because 2 am petite*
6. Est-ce que vous avez toujours raison ? Pourquoi ? *because 2 am often wrong*
7. De *quoi* avez-vous besoin maintenant ? ~of what
8. Qui a souvent tort ? Pourquoi ? *the person who says I am always right.*

VI. *Exercice sur le vocabulaire.*

Comment dit-on en français:

1. Thank you very much.
2. Happy birthday !
3. Hi, everybody !
4. Quiet, please !
5. The food is good.
6. I am not fussy.
7. Precisely.
8. Serves him (you, them, etc.) right !
9. What a surprise !
10. There is a choice.

COMPOSITIONS

Composition orale et/ou écrite.

Vous avez le choix entre cinq sujets :

A. Une journée d'étudiant. Employez les expressions de la leçon (A six heures du matin, j'ai sommeil..., etc.) et beaucoup d'imagination.

B. Un dîner mémorable avec un ami ou avec votre famille.   *Dinde*

C. Le déjeuner (*ou* : le dîner) ordinaire dans votre famille ou dans votre maison d'étudiants.

D. Le jour de l'examen.

E. De quoi avez-vous besoin maintenant ? Pourquoi ?

VOCABULAIRE

NOMS

Noms masculins

l'anniversaire	le dessert	le nylon
le besoin	l'estomac	le pain
le bifteck	le fromage	le plateau
le cadeau	le fruit	le poulet
le café	le gâteau	le régime
le chocolat	l'ingrédient	le sandwich
le choix	le jus de fruit	le sommeil
le coton	le lait	le sucre
le couteau	le légume	le thé
le danger	le métal	le verre
le déjeuner	le morceau	

Noms féminins

l'aspirine	la fourchette	la résistance
l'assiette	la fraise	la salade
la boîte	les frites (*pl.*)	la sauce
la bougie	la glace	la serviette
la cathédrale	l'humeur	la soif
la cholestérine	l'indigestion	la soupe
la crème	l'omelette	la spécialité
la cuillère	la patience	la star de cinéma
la cuisine	la peur	la substance
la cuisse de grenouille	la pomme de terre	la surprise
la dispute	la protéine	la tasse
l'énergie	la purée	la tentation
la faim	la raison	la tomate
		la vanille

ADJECTIFS

collectif, collective
furieux, furieuse
galant (-e)
gros, grosse
idiomatique

joyeux, joyeuse
mémorable
mince
monotone
né (-e)

parfait (-e)
sarcastique
satisfait (-e)
substantiel, substantielle
surpris (-e)

ADVERBES

justement

soudain

souvent

DIVERS

Attention !
au milieu (de)
Bon appétit !
C'est bien fait !
j'ai besoin de...
J'ai bon appétit.

J'ai faim.
J'ai froid. ≠ J'ai chaud.
J'ai mal.
J'ai peur.
J'ai raison. ≠ J'ai tort.
J'ai soif.

J'ai sommeil.
J'ai une faim de loup.
Je suis au régime.
Joyeux anniversaire !

LEÇON 10
Dans un magasin

LA COMPARAISON _more ↗ superiorité_   _less_   _égalité_

Le comparatif : **plus... que, moins... que, aussi... que**

Le superlatif : **le plus... de, le moins... de**
bon et **meilleur**

Introduction

DÉCLARATION ET QUESTION	RÉPONSE
L'Amérique est grande. L'Amérique est **plus** grande **que** l'Europe.	
L'Amérique est-elle plus grande que la France ?	Oui, l'Amérique est **plus** grande **que** la France. La France est **plus** petite **que** l'Amérique.
Le professeur a 28 ans. Vous avez 19 ans. Est-ce que le professeur est **plus** âgé **que** vous ?	Oui, il est **plus** âgé **que** moi. Je suis **plus** jeune **que** lui. ~~- He~~
Mon sac est en plastique. Il n'est pas cher. Votre sac est en crocodile. Est-il **plus** cher **que** mon sac ?	Oui, il est probablement **bien plus** **cher que** le sac en plastique.
Mon père est grand, ma mère est petite. Ma mère est-elle plus grande ou **moins** grande **que** mon père ?	Votre mère est **moins** grande **que** votre père.
Etes-vous **plus** âgé ou **moins** âgé **que** le professeur ?	Je suis **bien moins** âgé **que** le professeur.
Bob est grand et Jean-Pierre est grand. Jean-Pierre est **aussi** grand **que** Bob. Etes-vous **aussi** grand **que** votre père ?	Oui, je suis **aussi** grand **que** mon père.

« B » est une bonne note. Mais « A »
est une **meilleure** note **que** « B ».
« A » est une **bien meilleure** note **que**
« D ».

Est-ce que la cuisine du restaurant
est **meilleure que** la cuisine de votre
mère ?

Non ! La cuisine de ma mère est
meilleure que la cuisine du restaurant.
Elle est **bien meilleure.**

Ma maison est **la plus grande de** la
rue. Est-ce que votre maison est **la
plus grande de** votre rue ?

Non, au contraire ! Ma maison est
la plus petite de ma rue. Et ma rue
est **la plus tranquille de** la ville.

Ma composition est **la moins bonne
de** la classe. La composition de
M. Nelson est **la meilleure.** Sa note
est aussi **la meilleure.** Quelle est **la
meilleure** note ?

La meilleure note, c'est « A ».

Le meilleur ami de Jean-Pierre, c'est
son perroquet. Qui est votre **meilleur**
ami ?

Mon **meilleur** ami, c'est un autre
étudiant. Il s'appelle Jacques.

EXERCICES ORAUX

I.   *Composez une phrase comparative avec* **plus... que** *ou* **moins... que.**

Exemple :   un chien — un poisson rouge   (intelligent)
Un chien est plus intelligent qu'un poisson rouge.   *ou:*
Un poisson rouge est plus intelligent qu'un chien.

1. le poisson — le perroquet   (bavard)
2. une chemise blanche — une chemise de sport   (pratique)
3. notre ville — New York   (grand)e
4. un sac en crocodile — un sac en plastique   (cher)
5. une voiture américaine — une voiture française   (petit)e
6. une bande dessinée (*comic strip*) — une leçon de sciences   (amusante)
7. une auto — une bicyclette   (rapide)
8. la robe rouge — une robe ordinaire   (beau) belle
9. moi — mon père   (jeune et
   je suis   moderne)
10. la politique — le sport   (intéressant et e
                                                                            important)e

II. *Composez une phrase comparative avec* **meilleur que, moins bon que** *ou* **aussi bon que.**

Exemple : la soupe — le dessert   (bon)
La soupe est moins bonne que le dessert.
ou:
La soupe est meilleure que le dessert.
ou:
La soupe est aussi bonne que le dessert.

1. le chocolat — la craie   (bon)
2. un bifteck — un hamburger   (bon)
3. le climat de l'Alaska — le climat de la Floride   (bon)
4. l'équipe (*team*) de football de notre école — l'équipe de l'école rivale (bon)
5. une attitude intelligente — une attitude obstinée   (bon)
6. un restaurant cher — le restaurant d'étudiants   (bon)
7. la bibliothèque du Congrès — la bibliothèque de notre université (bon)
8. la glace à la vanille — la glace au chocolat   (bon)
9. un journal impartial — un journal influencé   (bon)
10. le samedi — le lundi   (bon)

III. *Composez une phrase superlative avec* **le/la plus... de, le/la moins... de** *ou* **le/la meilleur(-e) de.**

Exemple : C'est un grand jeune homme   (groupe)
C'est le plus grand jeune homme du groupe.

1. J'ai une grande maison.   (rue)
2. C'est un acteur célèbre.   (monde)
3. Ce n'est pas un bon restaurant.   (quartier)
4. Vous avez une bonne note.   (classe)
5. Ma famille n'est pas riche.   (ville)
6. C'est une leçon facile.   (livre)
7. Samedi est un jour agréable.   (semaine)
8. Mon grand-père est âgé.   (famille)
9. Vous avez une imagination brillante.   (classe)
10. Paris est une belle ville.   (Europe)

LECTURE

Dans un magasin: Barbara a besoin d'une robe du soir

Véronique et Barbara ont un après-midi très occupé, aujourd'hui. Barbara a besoin d'une robe du soir pour une soirée la semaine prochaine. Naturellement, elle a besoin de l'aide de Véronique, parce que Véronique a très bon goût.

Voilà Véronique et Barbara dans un grand magasin qui est le plus cher et le plus élégant de la ville. Il s'appelle « Galeries Champs-Elysées ».

Véronique : Est-ce pour une soirée importante ?

Barbara : Extrêmement importante. Elle est dans un endroit très nouveau. Et aussi, j'ai rendez-vous avec… C'est un secret !

Véronique : Avec qui ? Avec qui ? Barbara, vous êtes impossible ! Vite, vite, avec qui ?

Barbara : Eh bien, devinez ! Il est plus grand qu'André, et aussi grand que Bob. C'est le jeune homme le plus séduisant de la ville… du monde, probablement !

Véronique : Est-ce un acteur ou un athlète célèbre ?

Barbara : C'est un secret ! Maintenant, j'ai besoin d'une nouvelle robe. Et justement, voilà beaucoup de robes. Oh, regardez, la robe bleue sur le mannequin, là-bas. Quelle jolie couleur ! Le bleu est ma couleur favorite.

Véronique : Je suis d'accord avec vous, la couleur est jolie, mais la robe n'est pas assez moderne pour votre type. En fait, elle est moins moderne que votre robe au crochet. Et elle est de la même couleur que votre autre robe pour le mariage de Lise.

Barbara : Vous avez raison. Véronique, vous avez peut-être mauvais caractère, mais vous avez bon goût. En réalité vous avez bien meilleur goût que moi ! Quelle est votre opinion de la robe rose, là, à gauche ?

Véronique : Non, non, pas de rose pour vous ! Vous êtes trop blonde pour le rose… Ah ! voilà une vendeuse. Madame, avez-vous une robe pour mon amie ?

Barbara : Je voudrais une robe chic, mais pas trop chère !

La vendeuse : Justement, nous avons notre nouvelle collection de Paris. Voilà !

Véronique : Oh, voilà exactement la robe idéale pour vous, Barbara. La robe rouge ! N'est-ce pas, Madame ?

CHRISTIAN BÉRARD, *Promenade*   Collection, The Museum of Modern Art, New York

« J'ai besoin de votre opinion et de votre goût… »

La vendeuse : Certainement ! C'est le style le plus original. La couleur est parfaite pour une blonde, le prix est très raisonnable... Et la robe est si bon marché !* C'est une occasion** exceptionnelle !

Barbara : D'accord.† Elle est chic et originale, mais... j'ai peur d'avoir l'air de Zozo, le poisson rouge de Jean-Pierre...

Véronique : Vous avez tort ! L'air d'un poisson rouge ! Quelle idée ! Au contraire, vous avez l'air d'une star de cinéma ! Et regardez l'étiquette ! Elle est bien moins chère que ma robe en jersey blanc. Et elle est bien plus jolie. La vendeuse a raison, c'est une occasion !

Barbara : Mais, est-ce ma taille ? Il y a 38 sur l'étiquette, et ma taille est 10.

La vendeuse : C'est un modèle original de France, Mademoiselle. Et dans le système français, 38 est l'équivalent de 10, 40 est l'équivalent de 12, etc.

Barbara : Alors, Madame, voilà un chèque et voilà mon adresse. Véronique, ai-je besoin d'autre chose ?

Véronique : Vous n'avez pas besoin de nouveau sac. Vous avez justement un sac en tapisserie. Il est parfait. Avez-vous une paire de souliers ?

Barbara : J'ai une paire de souliers très chic. Je n'ai pas besoin d'autre chose. Mon costume est complet. Vous êtes un ange, Véronique ! Merci !

Véronique : Alors, maintenant, avec qui avez-vous rendez-vous ?

Barbara : Eh bien, avec le garçon le plus beau, le plus séduisant, le plus galant du monde ! Avec votre frère, Jean-Pierre !

Véronique : Pauvre Barbara ! Avec mon frère ! Mais c'est le plus stupide, le plus impossible... Il est bien moins intéressant que son perroquet !

Barbara : Je n'ai pas la même opinion de lui que vous. Ce n'est pas mon frère !

PRONONCIATION

plus grand / plus grande   moins grand / moins grande
plus petit / plus petite   moins petit / moins petite
meilleur
le meilleur / la meilleure

QUESTIONS SUR LA LECTURE

(*Le professeur choisit la question convenable pour un jeune homme ou pour une jeune fille.*)

1. Est-ce que Barbara et Véronique sont dans le magasin le matin ? Quand est la soirée de Barbara ? Pourquoi Véronique est-elle avec Barbara ?

---

* **Bon marché** (*invariable*) : synonyme de « pas cher » ; **Meilleur marché** : « moins cher ».
** **C'est une occasion** : *It's a good buy.*
† **D'accord** : à la place de « Je suis d'accord avec vous ». C'est un usage fréquent dans la conversation. On dit aussi : « D'ac ».

2. Dans quel magasin sont-elles ? Où est-il ? Comment est-il ? Comment s'appelle-t-il ?
3. Pourquoi Barbara a-t-elle besoin d'une robe ? A-t-elle rendez-vous avec un jeune homme pour la soirée ? Comment est-il ?
4. Dans quelle partie du magasin sont-elles ?
5. Est-ce que Barbara a meilleur goût que Véronique ?
6. Etes-vous d'accord avec Véronique : le rose n'est pas joli pour une blonde ? Est-ce que, généralement, la robe ou la voiture la plus jolie est aussi la plus chère ?
7. Pourquoi Barbara a-t-elle peur d'avoir l'air d'un poisson rouge ? Est-ce que Véronique est d'accord avec elle ? Pourquoi est-ce que la robe est une occasion ?
8. Dans le système français, quel est l'équivalent de la taille 10 ? 12 ? 14 ? 16 ? Quelle est votre taille dans le système français ?
9. Est-ce que Barbara a besoin d'un sac ? Pourquoi ? A-t-elle besoin d'autre chose ? De quoi avez-vous besoin ?
10. Etes-vous d'accord avec la description de Jean-Pierre par Barbara ? (Employez votre imagination.) Pourquoi Barbara et Véronique ont-elles une idée très différente de lui ?

EXPLICATIONS

I. Le comparatif de l'adjectif

  A. Le comparatif de tous les adjectifs, excepté **bon/bonne**

   « J'ai 20 ans. Ma sœur a 8 ans. Vous avez 20 ans. »

   Je suis **plus** âgé **que** ma sœur. (Je suis **bien plus** âgé **que** ma sœur !)
   Ma sœur est **moins** âgée **que** moi. (Elle est **bien moins** âgée **que** moi !)
   Vous êtes **aussi** âgé **que** moi.

  B. Le comparatif de **bon/bonne: meilleur/meilleure**

   Le dessert est **meilleur que** la soupe.
   La glace au chocolat est-elle **meilleure que** la glace à la vanille ?
   « A » est **une meilleure note que** « B ». (Mais « B » est **une bien meilleure note que** « D ».)

II. Le superlatif

  A. Le superlatif de tous les adjectifs, excepté **bon/bonne**

   Sans le nom

   « Mon père a 45 ans, ma mère a 39 ans, j'ai 18 ans, ma sœur a 12 ans. »

   Mon père est **le plus âgé** de la famille.
   Ma sœur est **la plus jeune** de la famille.

Avec le nom

> Bob est un **grand garçon.**
> Bob est **le plus grand garçon** de la classe.
>
> C'est une **leçon facile.**
> C'est **la leçon la plus facile** du livre.

Quand l'adjectif est devant le nom,* le superlatif est devant le nom:

> **la plus belle voiture, la plus petite fille, le plus jeune frère.**

Quand l'adjectif est après le nom, le superlatif est après le nom:

> **la leçon la plus facile, la robe la plus chère, le livre le moins intéressant.**

B. Le superlatif de **bon/bonne: le meilleur/la meilleure**

> Le dimanche est un **bon** jour. C'est **le meilleur** jour de la semaine.
> Le perroquet de Jean-Paul est-il **son meilleur** ami ?
> La robe rouge est **la meilleure** occasion du magasin !

III. **le/la même... que** (*the same... as*)

> De quelle couleur est la robe de Barbara ? Elle est de **la** même couleur
> **que** Zozo le poisson rouge.
> Véronique n'a pas **la même opinion** de Jean-Paul **que** Barbara.
> Six est **la même chose qu'**une demi-douzaine.
> Nous avons **le même** âge : je suis né **le même** jour **que** vous.

EXERCICES ÉCRITS et/ou ORAUX

I. *Faites l'accord de l'adjectif.*

> Exemple : Véronique est plus *gentille* que son frère. (gentil)

1. Mon oncle est bien plus ___rich___ que mon père. (riche)
2. Votre maison et votre auto sont les plus _____ de la rue. (beau) belles
3. La taille 14 est aussi _____ que la taille 42. (grand)e
4. Barbara et Véronique sont aussi _____ que le perroquet ! (bavard)e
5. Barbara est aussi _____ que Bob. (sportif)tive
6. La robe rouge est l'occasion la plus _____ du magasin. (spécial)e
7. Le rouge est-il la plus _____ couleur pour une blonde ? (joli)e
8. Avez-vous la _____ idée pour une composition ? (meilleur)e
9. Bob et Jean-Paul sont-ils plus _____ que Carol ? (gentil)
10. Qui est la personne la plus _____ de votre vie ? (important)e

---

* Adjectifs qui sont devant le nom: *nouveau/nouvelle, beau/belle, vieux/vieille, grand(-e), petit(-e), joli(-e), jeune, bon/bonne.*

II. *Relisez attentivement la lecture et composez cinq phrases imaginatives avec superlatifs et comparatifs.*

> bien plus... que, bien moins... que, meilleur(-e) que, le/la plus... de, le/la moins... de, le/la meilleur(-e)

Chaque phrase est inspirée du texte, mais elle n'est pas dans le texte.

> Exemple : *L'opinion de Barbara sur Jean-Pierre est* <u>bien meilleure que</u> *l'opinion de Véronique !*

III. *Lisez le paragraphe suivant.*

> La maison de la famille Dubois est dans une petite rue tranquille, près ~near~ d'un grand boulevard. Voilà la famille Dubois : M. Dubois, 40 ans ; Mme Dubois, 38 ans ; Georges, le fils, a 16 ans. Il a deux sœurs : Monique, 17 ans ; et Lili, 5 ans. Dans la maison, il y a aussi un gros ~big~ chien très méchant et un petit chat gris très gentil.

Répondez à chaque question.

1. La rue de la famille Dubois est-elle plus grande que le boulevard ?
2. M. Dubois est-il plus jeune ou plus âgé que sa femme ?
3. Georges est-il plus jeune ou plus âgé que Monique ?
4. Lili est-elle probablement plus grande ou plus petite que Georges ?
5. Le chat est-il plus gentil et plus gros que le chien ?
6. Le chien est-il plus gentil ou plus méchant que le chat ?
7. La famille Dubois est-elle plus grande ou plus petite que votre famille ?
8. Etes-vous plus jeune ou plus âgé que Georges Dubois ?
9. Votre mère est-elle plus jeune ou plus âgée que Mme Dubois ?
10. Votre père est-il plus jeune ou plus âgé que M. Dubois ?

IV. *Exercice sur le vocabulaire.*

Complétez chaque phrase par un terme de la liste suivante.

> l'étiquette, le prix ~price~, la taille, une occasion, bon marché, avoir bon goût, un ange, un magasin, la semaine prochaine, un endroit ~place~

1. Si vous avez une invitation pour une soirée dans un _endroit_ très simple, vous n'avez pas besoin d'un costume spécial.
2. Sur _l'étiquette_ il y a généralement la taille et le prix.
3. Si vous êtes très gentil, votre ami dit : « Vous êtes un _ange_ ! »
4. Une personne qui _bon goût_ a toujours un costume simple mais joli.
5. Quand vous n'êtes pas très riche, le _prix_ d'un objet est important.
6. Je suis occupé pour le reste de la semaine, mais je suis libre _le s e_.
7. Une dame mince a besoin d'une petite _taille_ : 36 ou 38.

8. Un excellent disque pour 10 francs ? C'est une bonne _occasion_

9. Pour un étudiant, une voiture _bon marché_ est préférable à une voiture de luxe.

10. Pour une dame, un _magasin_ est un endroit agréable, surtout quand il y a une vente (*sale*).   `chiefly - above all`

COMPOSITIONS

Composition orale et / ou écrite.

Vous avez le choix entre quatre sujets :

A. Description de votre famille avec beaucoup de comparatifs et de superlatifs. (Qui est le plus âgé ? le plus jeune ? le plus grand ? le plus petit ? le plus — ou le moins — gentil ? le plus — ou le moins — occupé ? etc.)

B. Description de votre classe de français avec beaucoup de comparatifs et de superlatifs. (Est-ce la classe la plus intéressante ? Est-elle dans la salle la plus ou la moins moderne ? Qui est le plus intelligent ? le moins bon en français ? le plus beau ? la plus jolie ? etc.)

C. Votre meilleur ami. Pourquoi est-il votre meilleur ami ? (« Parce qu'il est le plus..., le moins..., etc. ») Comparez son portrait avec votre portrait, et employez beaucoup de comparatifs et de superlatifs.

D. Une expédition dans un magasin. Vous êtes seul (-e) ou avec... ? C'est pour l'achat d'un disque, ou d'une robe ou d'une voiture. Dialogue et narration, ou seulement dialogue. Employez beaucoup de comparatifs et de superlatifs.

VOCABULAIRE

NOMS

Noms masculins

l'achat	le gant	le plastique
l'athlète	le garçon	le prix
le bleu	le goût	le quartier
les Champs-Elysées (*pl.*)	l'hôtel	le rayon
le chèque	le jaune	le rose
le climat	le magasin	le secret
le comparatif	le mannequin	le soulier
le Congrès	le mariage	le style
le disque	le millionnaire	le superlatif
l'endroit	le modèle	le système
l'équivalent	le monde	

Noms féminins

l'aide	l'Europe	la politique
l'Amérique	l'expédition	la section
la bande dessinée	la France	la soirée
la collection	la magie	la taille
l'équipe	l'occasion	la vendeuse
l'étiquette	la paire de souliers	la vente

ADJECTIFS

cher, chère ╪ bon marché	influencé (-e)	prétentieux, prétentieuse
chic (*inv.*)	meilleur (-e)	raisonnable
éternel, éternelle	nouveau, nouvelle	rose
impartial (-e)	obstiné (-e)	séduisant (-e)
	original (-e)	

ADVERBES

exactement	extrêmement	vite

DIVERS

au contraire	j'ai rendez-vous avec...	Vous avez bon goût. ╪ Vous
devinez	Je suis d'accord avec vous.	avez mauvais goût.
en réalité	(*ou :* d'accord)	Vous êtes un ange !

LEÇON 11
La maison idéale

Le pluriel de **un/une** : **des**
L'expression de quantité
qui et **que**
ne... que

Introduction

DÉCLARATION ET QUESTION

RÉPONSE

DÉCLARATION ET QUESTION	RÉPONSE
Voilà une jeune fille et une autre jeune fille. Voilà **des** jeunes filles. Montrez-moi **des** jeunes filles.	Voilà **des** jeunes filles.
Voilà un jeune homme et un autre jeune homme. Voilà **des** jeunes gens. Est-ce qu'il y a **des** jeunes gens dans la classe ?	Oui, il y a **des** jeunes gens.
Regardez autour de vous. Qu'est-ce qu'il y a dans la classe ?	Il y a **des** jeunes gens et **des** jeunes filles, **des** chaises et **des** portes.
Avez-vous **des** animaux dans votre chambre ?	Non, **je n'ai pas d'**animaux. Mais j'ai **des** livres.
Qu'est-ce qu'il y a dans un zoo ?	Il y a **des** animaux.
Qu'est-ce qu'il y a dans votre jardin ?	Il y a **des** grands arbres et **des** jolies fleurs.* Il n'y a pas de plantes exotiques, mais il y a **d'autres** plantes.
Qu'est-ce qu'il y a dans une maison ?	Il y a **des** pièces.
De quoi avez-vous besoin dans une maison ?	Nous avons besoin d'**assez de** pièces, d'**un peu de** confort et d'**un peu de** luxe.

* **des grands arbres et des jolies fleurs** : *Grammar books will state that* des *becomes* de *in front of an adjective. But* des *is now used more and more often in conversation, and the rule tends to be disregarded in the everyday use of the language. Writers will even disregard it occasionally:* «Il fit **des** rapides progrès» *writes Henri Troyat of the French Academy, in his novel* L'Assiette des autres. *In any case, when adjective-noun form an inseparable group as in* **des** *jeunes gens,* des *jeunes filles,* des *grands-parents, etc., the rule requires* des.

Pourquoi un immeuble a-t-il souvent **tant d**'étages ?	Il a **tant d**'étages parce qu'il n'y a pas **assez de** place dans une ville moderne.
Comment est la voiture **que** vous avez maintenant ?	La voiture **que** j'ai maintenant est une Peugeot rouge.
Est-ce la voiture **qui** est devant votre maison ?	Oui, c'est la voiture **qui** est devant ma maison.
Combien d'étages a votre maison ?	Elle **n**'a **qu**'un étage. Beaucoup de maisons **n**'ont **qu**'un étage.

EXERCICES ORAUX

I.   *Mettez au pluriel.*

Exemple :   Il y a un poisson rouge dans un aquarium.
Il y a des poissons rouges dans des aquariums.

1. Il y a une voiture dans un garage.
2. Voilà une chaise, une table et un livre.
3. Dans la classe, il y a un jeune homme et une jeune fille.   *standing*
4. Dans un vase, il y a une jolie fleur blanche.
5. Regardez ! Voilà une dame (debout) devant une maison.
6. Sur la mer, il y a un grand bateau. Comme il est beau !
7. Nous avons un animal qui est très gentil. C'est un chien.
8. Quand un jeune homme est sportif et sympathique, il a un ami.
9. Vous avez besoin d'un autre (*Attention : pluriel de **un autre** ?*) disque.
10. Avez-vous une bonne idée pour une excursion agréable dimanche ?

II. *Répondez négativement.*

Exemple :   Avez-vous des difficultés ?
Non, je n'ai pas de difficultés.

1. Y a-t-il des animaux dans la classe ?
2. Avez-vous des nouveaux livres intéressants ?
3. Y a-t-il d'autres films en ville aujourd'hui ?
4. Est-ce qu'il y a des étudiants absents aujourd'hui ?
5. Avez-vous souvent des conversations importantes au téléphone ?
6. *enough* Avez-vous (assez) d'argent pour un grand voyage ?   *money*
7. Est-ce qu'il y a des fleurs en plastique dans le vase ?
8. Est-ce que ce sont des exercices difficiles ?
9. Est-ce qu'il y a beaucoup de provisions dans votre réfrigérateur ?
10. Bob et André, est-ce que ce sont des jeunes gens extraordinaires ?

ils sont / *ce* / *they are*

III. *Transformez la phrase avec* **ne… que**.

> Exemple : C'est une petite maison.
> *Ce n'est qu'une petite maison.*

1. Dans ma maison, il y a un téléphone et une télévision.
2. Jean-Pierre a une petite ménagerie.
3. C'est un petit exercice facile.
4. J'ai une vieille voiture.
5. Ma sœur est jeune : elle a six ans !
6. Aujourd'hui, il y a ma mère à la maison.
7. Je suis un étudiant ordinaire et fatigué.
8. Barbara a besoin d'une robe.

ANDRÉ DUNOYER DE SEGONZAC, *Terrasse à Saint-Tropez avec fleurs et nature morte*

Hirschl and Adler Galleries,
New York

La terrasse d'une maison idéale, avec une vue sur la mer...

LECTURE

La maison idéale

Un jour, je voudrais avoir une maison idéale, et ma maison idéale est au bord de la mer. J'ai des idées précises sur sa situation et sa description.

Dans la maison que je voudrais avoir, il y a des grandes pièces, avec une belle vue sur la mer. Pas de jardin, mais il y a une plage de sable doré, et des bateaux à l'horizon.

Entrez dans ma maison : au rez-de-chaussée, à droite, voilà la salle de séjour. C'est la plus grande pièce de la maison. Un grand divan est en face de la fenêtre, avec des fauteuils assortis. Sur la table à thé et partout dans la pièce, il y a des fleurs. Ce ne sont pas des fleurs en plastique, ce sont des fleurs fraîches. Il y a tant de livres et tant de disques ! La grande étagère contre le mur est pleine de livres, de disques, d'albums... Et le mur en face est couvert de tableaux. C'est un rêve, n'est-ce pas, et dans mon rêve je suis millionnaire, alors ce sont des tableaux de maîtres, des impressionnistes, probablement : une nature morte de Cézanne, un paysage de Monet, une baigneuse de Renoir et beaucoup d'autres. Il n'y a pas de bibelots, il n'y a que quelques objets d'art.

La salle à manger est en réalité une alcôve de la salle de séjour, séparée de la cuisine par un bar qui est pratique pour le petit déjeuner. La cuisine est la pièce favorite des gens qui ont faim. Il y a toujours beaucoup de bonnes choses dans le réfrigérateur ou sur le fourneau.

A gauche, un cabinet de travail qui est réservé pour le travail, la solitude, la tranquillité. Je n'ai pas peur d'un peu de solitude, au contraire ! Il n'y a que quelques meubles : un bureau, un fauteuil et des livres partout sur des étagères. Il y a aussi une machine à écrire.

Voilà l'escalier : pas d'ascenseur, naturellement, parce qu'il n'y a qu'un rez-de-chaussée et un étage. Maintenant, nous sommes au premier étage : c'est l'étage des chambres. Comme c'est une maison idéale, il y a assez de chambres et assez de salles de bain. Ma chambre n'est pas immense, mais c'est une pièce claire et confortable. Il y a assez de place pour deux grands placards qui ont aussi assez de place pour beaucoup de vêtements. J'ai une ou deux commodes avec des <u>tiroirs</u> qui sont pleins de vêtements. J'ai aussi beaucoup d'autres choses... Mais comme c'est une chambre idéale, dans une maison idéale, elle est toujours en ordre. Il n'y a pas de vêtements par terre, mon bureau n'est pas couvert de papiers, au contraire: il est en ordre aussi. Et ma mère est enchantée parce que je suis si comme ordonné! (Malheureusement, en réalité, ma chambre est souvent en désordre, et ma mère est furieuse...)

Dans la maison idéale, il y a une salle de bain pour chaque personne. Et dans la salle de bain de ma sœur, avec la baignoire et le lavabo, il y a un téléphone. Ma sœur n'est heureuse que devant le miroir ou au téléphone, alors une salle de bain personnelle avec un téléphone privé, c'est le paradis pour elle!

Comment est *votre* maison idéale? Avez-vous des idées?

PRONONCIATION

J'ai des idées.   Il y a des étagères.

QUESTIONS SUR LA LECTURE

1. Où est la maison idéale du jeune homme? Où est *votre* maison idéale?
2. Y a-t-il un jardin? Y a-t-il des arbres? Qu'est-ce qu'il y a devant la maison? Qu'est-ce qu'il y a devant votre maison?
3. Où est la salle de séjour? Où est la salle de séjour dans votre maison? Est-ce une petite pièce? Comment est-elle?
4. Qu'est-ce qu'il y a dans la salle de séjour? Pour vous, quel est le meuble ou l'objet le plus important d'une salle de séjour? Pourquoi?
5. Comment est la salle à manger? Est-ce un système pratique? Pourquoi?
6. Qu'est-ce qu'il y a dans un réfrigérateur? Quand est-ce que la cuisine est une pièce intéressante?
7. Avez-vous besoin d'un cabinet de travail? Pourquoi? Comment est votre cabinet de travail idéal?
8. Y a-t-il un ascenseur? Pourquoi? Combien d'étages a votre maison? A quel étage êtes-vous maintenant? Comment s'appelle le «*third floor*» en français?
9. Est-ce qu'il y a généralement assez de placards dans une maison? Avez-vous assez de placards dans votre chambre? Pourquoi?
10. Nommez des meubles des différentes pièces de la maison.
11. Comparez votre chambre avec la chambre idéale. Est-elle en ordre ou en désordre? Description d'une chambre en désordre. Quand votre chambre est en désordre, votre mère est-elle enchantée?

12. Est-ce que la sœur du jeune homme est exceptionnelle ? Est-ce que beaucoup de jeunes filles sont comme elle ? Où est-elle heureuse ?
13. Qu'est-ce qu'il y a dans une nature morte ? un paysage ? Avez-vous des tableaux chez vous ? Comment sont-ils ?

EXPLICATIONS

I. Le pluriel de **un/une** : **des**

A. Forme affirmative

Il y a **des** jeunes filles dans la classe.
Il y a **des** jeunes gens dans la classe.
Dans une maison, il y a **des** pièces.

des est le pluriel de **un/une**.

B. Forme négative

Il n'y a **pas d'**animaux dans ma chambre.
Je n'ai **pas d'**auto et **pas de** téléphone.
Il n'y a **pas de** fleurs en plastique dans le vase.

pas de est la négation de **un/une** et **des**.

C. Avec le verbe **être**

Ce ne sont **pas des** problèmes difficiles.
Vous n'êtes **pas des** étudiants ordinaires !

pas des est la négation de **des** avec le verbe **être**.

II. L'expression de quantité

A. Avec le singulier

Il y a **beaucoup de** place dans une grande maison.
J'ai **trop de** travail.
Vous avez **tant d'**imagination !
J'ai soif. Je voudrais **un peu d'eau**, s'il vous plaît.
Combien d'argent avez-vous ? J'ai **assez d'**argent pour la semaine.

B. Avec le pluriel

Il y a **beaucoup de** pièces dans une grande maison.
Nous avons **trop de** compositions et **trop d'**examens !
J'ai **tant d'**amis !
Avez-vous **assez de** livres ?

C. un peu de et quelques

Je suis heureux avec **un peu d**'argent et **quelques** amis.
C'est un petit restaurant : il y a seulement **quelques** tables.

un peu de (*a little*) existe seulement au singulier. Au pluriel, employez **quelques** (*a few*).

III. L'accord de l'adjectif (*voir aussi Leçon 5, page 32 et table, page 111.*)

Il y a une grande pièce au rez-de-chaussée.
Il y a **des** grand**es** pièc**es** au rez-de-chaussée.

J'ai beaucoup d'amis très gentil**s** et d'amies très gentill**es**.
Sur la table, il y a **des** vase**s** pleins de fleurs blanch**es** avec **des** feuilles vert**es**.

Quand le nom est masculin, l'adjectif est masculin ; quand le nom est féminin, l'adjectif est féminin ; quand le nom est pluriel, l'adjectif est pluriel.

IV. Le pronom relatif qui et que

A. qui est le sujet du verbe. — *subject*   qui + (verbe) (êtes)

Le restaurant **qui** est au coin de la rue s'appelle *La Tasse d'Or.*
Mon frère, **qui** a dix-huit ans et **qui** est étudiant, a un ami **qui** s'appelle Bob.

qui est directement devant le verbe. êtes

B. que est l'objet du verbe.   que + (verbe) (avait)

La ménagerie **que** Jean-Pierre a dans sa chambre est sympathique.
La maison **que** je voudrais est au bord de la mer.

que n'est pas directement devant le verbe, parce que le sujet est devant le verbe. avoir

C. Elision de que devant une voyelle

La maison **qu'il** a est au bord de la mer.
La voiture **qu'elle** a est une Ford.
mais :
Le gâteau **qui** est sur la table est pour l'anniversaire de Jean-Pierre.

Il n'y a pas d'élision de **qui** devant une voyelle.

V. L'expression ne... que (*only*)

Il n'y a **qu'**une salle de bain et **qu'**un téléphone chez moi.
Je n'ai **que** deux dollars dans ma poche.

ne... que a le sens de **seulement**.

VI. Le pluriel des mots en **-eau: -eaux**

> un bat**eau**, des bat**eaux**
> un chap**eau**, des chap**eaux**
> un b**eau** tabl**eau**, des b**eaux** tabl**eaux**

VII. L'expression **plein de** (*full of*) et l'expression **couvert de** (*covered with*)

> Mon jardin est **plein de** fleurs.
> La maison d'un intellectuel est **pleine de** livres.
> Bob et Jean-Pierre sont **pleins d'**idées.
> Il y a des étagères **pleines de** livres contre le mur.
>
> Mon bureau est **couvert de** papiers.
> Voilà une composition **couverte de** corrections !

REMARQUEZ: **plein de** et **couvert de** sont toujours suivis de **de**.

[handwritten margin notes: avec e et es ; M-S → plein ; M-P → pleins ; F-S → pleine ; F-P → pleines ; agrees = subject?]

EXERCICES ÉCRITS et/ou ORAUX

I. *Mettez au pluriel.*

> Exemple : une dame charmante
> *des dames charmantes*

1. un gâteau délicieux
2. un beau château
3. un animal curieux
4. une histoire longue dans un gros livre
5. un beau jeune homme
6. un monsieur* sympathique
7. une aventure curieuse
8. un ami spécial et une amie spéciale
9. un bel** arbre devant une belle maison
10. un grand jeune homme et une petite jeune fille
11. un tableau sur un mur gris
12. une souris grise et un rat blanc

---

* The form of address : *The plural forms and abbreviation of the standard French forms of address are:* Monsieur (M.). Messieurs (MM.) ; Madame (Mme) ; Mesdames (Mmes) ; Mademoiselle (Mlle), Mesdemoiselles (Mlles). *These terms are capitalized when not followed by the name of the person:* Bonjour, Monsieur *but* Bonjour, monsieur Durand. *They are not capitalized when used with the adjective* cher/chère, *for instance at the beginning of a letter:* Chère madame. (See footnote p. 19.)

The term of reference : *When referring to a person and not addressing that person directly, the French will say:* un monsieur, des messieurs ; une dame, des dames ; une jeune fille, des jeunes filles. (*Referring to a girl as* une demoiselle *sounds today old-fashioned and countrified, although it is customary to refer to an older, unmarried lady as* une vieille demoiselle.)

**Voir *Table de la terminaison de l'adjectif*, page 111.

II. *Mettez au négatif.*

> Exemple : C'est un grand immeuble. Il y a un ascenseur.
> *Ce n'est pas un grand immeuble. Il n'y a pas d'ascenseur.*

1. C'est une salle à manger. Il y a des chaises autour de la table.
2. Nous avons une maison au bord de la mer.
3. J'ai faim, je suis fatigué et j'ai sommeil. C'est une situation normale !
4. Il y a des vêtements par terre parce que ma chambre est en désordre.
5. J'ai assez de place et je suis ordonné.
6. Ma sœur a un téléphone privé et une (salle de bain) personnelle. *Bathroom*
7. J'ai peur d'un peu de solitude, et j'ai beaucoup d'amis.
8. Vous avez beaucoup de tableaux, et ce sont des tableaux de maîtres.
9. Mon oncle et ma tante ont une maison au (bord de la mer) *sea shore*
10. Il y a quelques bibelots dans la (salle de séjour) *lounge*

III. *Transformez la phrase avec une expression de quantité.*

> Exemple : Ils ont un beau meuble.   (beaucoup de)
> *Ils ont beaucoup de beaux meubles.*

A. *Avec* **beaucoup de** *much - many*

1. Elle a une amie.
2. Il n'y a pas de travail.
3. Barbara a une nouvelle robe.
4. Vous avez des meubles.
5. Nous avons un examen la semaine prochaine.

B. *Avec* **assez de** *enough*

1. Ma maison a des chambres.
2. Nous n'avons pas de place.
3. Il y a des nouveaux mots dans la leçon.
4. Notre nouvelle maison a des grandes pièces et des salles de bain.
5. Notre professeur a-t-il besoin de patience ?

C. *Avec* **trop de** *too much, too many*

1. Il y a des grands immeubles dans ma rue.
2. Nous n'avons pas de travail.
3. Avez-vous des amis et des occupations ?
4. Une jeune fille a-t-elle des robes ?
5. Vous avez des frères et sœurs.

IV. *Répondez à la question avec un peu de ou quelques.*

> Exemple : Avez-vous beaucoup de bons copains ?
> *J'ai quelques bons copains.*

1. Avez-vous beaucoup d'argent ?
2. Avez-vous beaucoup de problèmes ?
3. Avez-vous beaucoup de disques ?
4. Avez-vous beaucoup de convictions fermes ?
5. Avez-vous beaucoup d'énergie ?
6. Avez-vous beaucoup d'occupations ?
7. Y a-t-il une autre université dans la région ?
8. Y a-t-il des personnes importantes dans votre vie ?
9. Y a-t-il des bateaux sur la mer ?
10. Avons-nous besoin de courage dans la vie ?

V. *Questions sur le vocabulaire.*

Complétez chaque phrase par un des termes de la liste suivante.

a) une vue, le sable, un fauteuil, une étagère, une nature morte, un placard, un bibelot, un rêve, un meuble, des vêtements

1. Un _____ est bien plus confortable qu'une chaise.
2. Une _____ représente des objets inanimés.
3. Dans un _____, beaucoup de choses sont possibles !
4. Si vous avez beaucoup de goût, vous avez sans doute quelques _____ anciens.
5. Est-ce que _____ sont importants pour votre apparence ?
6. Regardez par la fenêtre. Y a-t-il une belle _____ ?
7. Si vous avez beaucoup de vêtements, vous avez besoin de quelques _____
8. Sur la plage, _____ est agréable, mais dans votre lit, c'est une horrible sensation.
9. Si vous avez trop de _____, votre maison a l'air en désordre !
10. Pour une personne qui a beaucoup de livres, des _____ sont indispensables.

b) couvert de, plein de, doré, assorti, en ordre, en désordre, heureux,euse, enchanté, ordonné, désordonné

1. Je suis _____ d'avoir des amis comme vous !
2. Le métal _____ est bien moins cher que l'or.
3. Si vous êtes _____, vous avez toujours assez de place dans votre chambre.
4. Il est bien agréable d'avoir une maison _____ de jolies choses.
5. Si vous avez une robe bleue et un sac bleu, il est _____ à votre robe.

6. Un bureau en désordre est _couvert de_ papiers et d'objets bizarres.
7. Un mariage _assorti_ est important pour votre bonheur (*happiness*).
8. Si vous êtes _désordonné_, vous n'êtes probablement pas bien organisé!
9. Hélas! Ma chambre, ma serviette et mon bureau sont assortis à ma vie!
   Ils sont souvent _en désordre_.
10. La chambre de ma mère est impeccable; elle est toujours _en ordre_.

COMPOSITIONS

Composition orale et / ou écrite.

Vous avez le choix entre quatre sujets:

A. Vous n'avez probablement pas exactement le nécessaire pour être heureux. (Vous avez sans doute trop de..., pas assez de..., tant de..., etc. ou au contraire: pas trop de..., assez de..., etc.) Vous avez aussi un peu de..., quelques... et des..., etc. Avec imagination, expliquez pourquoi votre vie n'est pas idéale.

   Par exemple: «Pour être heureux, je n'ai pas besoin de beaucoup d'argent, mais je voudrais avoir assez de temps et un peu de liberté, etc.»

B. Votre maison idéale. Où est-elle? Comment est-elle? Description de chaque pièce.

C. Votre maison. Sa situation, sa description extérieure et intérieure.

D. Votre chambre. Comparez votre chambre à la chambre que vous voudriez avoir.

Table de la terminaison de l'adjectif

Terminaison de l'adjectif	Singulier		Pluriel	
	Masculin	*Féminin*	*Masculin*	*Féminin*
-e riche, rouge, pratique, historique	*même term.* riche, etc.	*même term.* riche, etc.	**-s** riches, etc.	**-s** riches, etc.
-t, -d, -é, -s, -i, -ain petit, grand, français, américain	*même term.* petit, grand, français, etc.	**-e** petite, grande, française, etc.	**-s** petits, grands *adjectif en* -s *même term.* français	**-es** petites, grandes, françaises
-eux délicieux, furieux, heureux	*même term.* délicieux, etc.	**-euse** délicieuse, etc.	*même term.* délicieux	**-euses** délicieuses
-eau beau, nouveau	*même term.* bel, nouvel *devant voyelle*	**-elle** belle, nouvelle	**-eaux** beaux, nouveaux	**-elles** belles, nouvelles
-al oral, spécial	*même term.* oral, etc.	**-ale** orale, etc.	**-aux** oraux, etc.	**-ales** orales, etc.
-er fier, cher, premier, dernier	*même term.* fier, cher, etc.	**-ère** fière, chère, etc.	**-s** fiers, chers, etc.	**-ères** fières, chères, etc.
-el naturel, quel artificiel	*même term.* naturel, etc.	**-elle** naturelle, etc.	**-els** naturels, etc.	**-elles** naturelles, etc.
-if sportif, attentif	*même term.* sportif, etc.	**-ive** sportive, etc.	**-ifs** sportifs, etc.	**-ives** sportives, etc.
-ien parisien, italien	*même term.* parisien, etc.	**-ienne** parisienne, etc.	**-iens** parisiens, etc.	**-iennes** parisiennes, etc.
adjectifs irréguliers bon blanc vieux fou	 bon blanc vieux (vieil *devant voyelle*) fou (fol *de- vant voyelle*)	 bonne blanche vieille folle	 bons blancs vieux fous	 bonnes blanches vieilles folles

VOCABULAIRE

NOMS

Noms masculins

l'ascenseur	le fourneau	le placard
le bar	les gens (*pl.*)	le premier (étage)
le bateau	l'horizon	le rêve
le bibelot	les jeunes gens (*pl.*)	le rez-de-chaussée
le bonheur	le lavabo	le sable
le cabinet de travail	le luxe	le tableau
le chapeau	le meuble	le tiroir
le désordre ≠ l'ordre	le miroir	le travail
le divan	le nécessaire	le vase
l'escalier	l'objet (d'art)	le vêtement
l'étage	le paradis	
le fauteuil	le paysage	

Noms féminins

l'alcôve	l'excursion	la salle à manger
la baigneuse	la feuille	la salle de bain
la baignoire	la fleur	la salle de séjour
la commode	la nature morte	la sensation
la difficulté	la pièce	la solitude
l'étagère	la salle	la vue

ADJECTIFS

ancien, ancienne	heureux, heureuse	personnel, personnelle
assorti (-e)	indispensable	plein (-e) de...
bizarre	long, longue	précis (-e)
couvert (-e)	normal (-e)	privé (-e)
curieux, curieuse	ordonné (-e) ≠ désordonné (-e)	séparé (-e)
frais, fraîche	organisé (-e)	

ADVERBES

malheureusement	partout

DIVERS

assez de place	être en ordre ≠ être en désordre

LEÇON 12
Au supermarché

Le pluriel de **le/la/l'** : **les**
L'adjectif démonstratif : **ce(cet)/cette** : **ces**
Le partitif : **du/de la/de l'** et sa négation **pas de**
L'adjectif possessif pluriel : **mes, tes, ses, nos, vos, leur/leurs**

Introduction

DÉCLARATION ET QUESTION	RÉPONSE
Voilà le supermarché. La viande est à droite. Où sont **les** légumes frais ? Y a-t-il des légumes congelés ?	Ils sont à droite avec **les** fruits. Naturellement. **Les** légumes congelés sont à gauche.
Est-ce que **les** fruits sont chers dans ce marché ?	Non. Ils ne sont pas chers dans ce marché.
Regardez **cette** dame et ce monsieur avec **ces** provisions : **Est-ce** les Sernin ?	Oui, **ce sont** les Sernin.
Il n'y a pas assez de place dans cet appartement parce que **ces gens** ont trop de meubles. Est-ce que **cet** autre appartement est plus grand ?	Il n'y a pas de plus grands appartements dans **cet** immeuble. Ces gens ont besoin d'une maison !
Qu'est-ce qu'il y a pour le déjeuner ?	Il y a **de la** viande ou **du** poisson et **des** légumes. Il y a de l'eau, **du** thé ou **du** café. Comme dessert, il y a **de la** glace à la vanille.
Je n'ai pas d'argent. Avez-vous **de** l'argent ?	Oui, j'ai **de** l'argent. Je ne suis pas riche, mais j'ai toujours **un peu** d'argent.

Mon père et ma mère sont **mes** parents. Voilà votre sœur et **ses** amies.

Voilà **vos** livres, **votre** serviette, votre sac, etc. Ce sont vos affaires.* Où sont vos affaires et mes affaires ?

Nos affaires sont sur nos chaises, par terre et autour de nous dans la classe.

Mes parents ont une voiture. C'est **leur** voiture. Est-ce que vos parents ont une voiture ?

Ils ont deux voitures. Ce sont **leurs** voitures.

EXERCICES ORAUX

I. *Mettez au pluriel avec* **les** *ou* **des.**

Exemple : le chien   *ou* :   un chien
           les chiens   *des chiens*

1. le journal
2. une belle maison
3. la salle de bain
4. le jardin
5. un fauteuil
6. la pomme
7. le supermarché
8. le fromage
9. un haricot
10. le petit pois
11. la tomate
12. une salade verte
13. une pomme de terre
14. une calorie
15. une recette
16. le livre de cuisine
17. un gâteau
18. l'œuf
19. un plat délicieux
20. la meilleure cuisinière
21. le nouveau livre

II. *Placez l'adjectif possessif correct.*

Exemple : mère   (mon/ma : mes)
           ma mère

(mon/ma : mes)
1. oncle
2. appartement
3. recette
4. amis
5. affaires

(ton/ta : tes)
1. frère
2. cousine
3. voiture
4. vêtements
5. provisions

(notre : nos)
1. université
2. problèmes
3. parents
4. produits
5. budget

(votre : vos)
1. aventure
2. famille
3. provisions
4. menu
5. préférence

(son/sa : ses *ou* **leur : leurs)**
1. un animal dans _____ cage
2. mes copains et _____ parents
3. un monsieur et _____ femme
4. une dame et ___son___ mari
5. un monsieur et ___ses___ enfants

* **Vos affaires, mes affaires :** *"your things, my things," in the sense of "belongings."*

6. votre maison et _ses_ meubles_m_
7. Cette dame est dans _son_ jardin avec _ses_ fleurs. F
8. Votre vie a _ses_ problèmes.
9. mes parents et _leurs_ voitures
10. Les poissons rouges sont dans _leur_ aquarium. m
11. Mes sœurs sont désordonnées : _leurs_ affaires sont en désordre.
12. Chaque personne a _son_ goût et _ses_ préférences. m

III. *Quel est le partitif ?*

Exemple : glace à la vanille
de la glace à la vanille

1. pain (*m.*)
2. beurre (*m.*)
3. lait (*m.*)
4. vin (*m.*)
5. fromage (*m.*)
6. eau (*f.*)
7. café (*m.*)

8. crème (*f.*)
9. sucre (*m.*)
de l' 10. argent (*m.*)
11. viande (*f.*)
12. patience (*f.*)
de l' 13. énergie (*f.*)
14. chocolat (*m.*)

15. salade (*f.*)
16. purée (*f.*)
17. gigot (*m.*)
18. sauce (*f.*)
de l' 19. amour (*m.*)
de l' 20. enthousiasme (*m.*)

See Pg 83 ✓

au – à la = ̄
de = made of
en = substance

ANDRÉ DERAIN, *Geneviève à la pomme*

Les fruits sont un des sujets favoris des peintres. Admirez aussi ici l'harmonie décorative du geste de la jeune femme.

LECTURE

Au supermarché

Monsieur et Madame Sernin sont un jeune ménage. Cet après-midi, ils sont dans leur voiture dans le parking du « Super Self », le nouveau supermarché de leur quartier.

M. Sernin : Qu'est-ce qu'il nous faut ? As-tu la liste ?

Mme Sernin : J'ai la liste dans mon sac. Il nous faut des quantités de choses : des légumes, des fruits, de la viande, du pain, de l'épicerie, du lait.

(Dans le supermarché)

M. Sernin : Oh, les belles pommes rouges ! Et ces pêches ! Et ces raisins! Et ces poires ! Les fruits sont vraiment superbes dans ce marché.

Mme Sernin : C'est le meilleur endroit du quartier pour les fruits et les légumes. Il nous faut de la laitue pour la salade, des radis roses, des oignons et des tomates. Pour les autres légumes, comme les petits pois, les haricots verts et les épinards, les légumes congelés sont si pratiques !

M. Sernin : Tu es* une maîtresse de maison moderne... Ah ! la cuisine de ma mère ! C'est une autre histoire... Enfin ! Alors, maintenant, de la viande. J'ai envie de bifteck pour ce soir. Et voilà un rôti de bœuf magnifique, et ce gigot... !

Mme Sernin : C'est une bonne idée. Voilà mes menus : le bifteck pour ce soir, avec des frites et des haricots verts et une salade de fruits. Le rôti ? Justement, nous avons tes parents à dîner samedi et je voudrais impressionner ta mère. Alors pour samedi, le rôti de bœuf avec une purée de pommes de terre et un soufflé aux épinards. Comme dessert ? Un gâteau au chocolat, j'ai justement une nouvelle recette. Et pour dimanche soir, nous avons nos amis les Lavergne à dîner, le gigot est parfait. Avec des haricots,

---

* **Tu es, tu as :** *Monsieur and Madame Sernin are using the familiar form of address* **tutoiement,** *most often reserved for family relationship or among intimate friends. It is the opinion of the author (a native of France), that elementary French students do not need, at this point in their studies, to concentrate on learning how to use this form. It will be shown from time to time, for recognition and familiarization. And to the often asked question, " When should I use the* **tutoiement** *?" the author's answer is, "Don't take the initiative of using it when addressing a French person." If and when the French native feels it is appropriate, he will use it and you may follow suit and learn from him. The* **vous** *form can seldom be improper, while improperly used, the* **tutoiement** *can be shocking and even insulting.*

naturellement et une belle salade verte, bien fraîche ; comme dessert, une tarte aux fruits, spécialité de la maison.

M. Sernin : *(enthousiasmé)* Chérie, tu es une cuisinière formidable. J'ai de la chance. Maintenant, voilà les produits laitiers. Il nous faut du lait, n'est-ce pas ? Et de la crème ? du beurre aussi, et du fromage ? Justement, voilà un camembert qui a l'air délicieux.

Mme Sernin : Oui. Du lait, de la crème, du beurre, du fromage. Ils sont sur ma liste. Et des œufs ? Je voudrais une douzaine d'œufs.

M. Sernin : Voilà des œufs. Bon. L'épicerie, maintenant. Avons-nous besoin de café ? de sucre ? de pâtes ? Dis donc ! Un plat de spaghetti à l'italienne, avec de la sauce tomate et du fromage, beaucoup de fromage... Mmmm !

Mme Sernin : Oh, chéri ! Tu es la voix de la tentation ! Et mon régime ?

M. Sernin : Si nous avons un plat qui a beaucoup de calories un jour, alors il nous faut un dîner léger un autre jour pour ton régime. Voilà ! C'est une question d'organisation. Avons-nous tout, maintenant ?

Mme Sernin : Oui, nous avons assez de provisions pour une semaine. Et maintenant, vite à la maison ! J'ai un nouveau livre de cuisine qui a l'air d'avoir des recettes formidables.

PRONONCIATION

des   de   du

des/haricots (Il n'y a pas de liaison parce que le **h** est aspiré.)

ce   cette   ces   cet ami   ces enfants

nous   nos   nos amis

vous   vos   vos amis

leur   sœur   peur   beurre

QUESTIONS SUR LA LECTURE

1. Qui sont les Sernin ? Où sont ils ? Est-ce le matin ?
2. Qu'est-ce qu'il y a sur la liste de Mme Sernin ?
3. Quel est le meilleur endroit de leur quartier pour les légumes ? Nommez des légumes.
4. Est-ce que les légumes congelés sont pratiques ? Ont-ils besoin de beaucoup de préparation ?
5. Est-ce que M. Sernin a envie de soupe pour son dîner ? De quoi a-t-il envie ? Quel est le menu de son dîner ? Avez-vous envie de bifteck pour votre dîner ?
6. Qu'est ce qu'il y a pour votre déjeuner aujourd'hui ?
7. Quel est le menu de Mme Sernin pour le dîner avec les parents de M. Sernin ? Qu'est-ce qu'il lui faut pour un gâteau au chocolat ?
8. Quel est le menu de Mme Sernin pour le dîner avec les Lavergne ? Est-ce que M. Sernin est content des idées de sa femme ? Quelle est sa réponse ?

9. Qu'est-ce qu'un camembert ? Y a-t-il d'autres fromages français ?
10. Quel est un de vos menus favoris ?
11. Qu'est-ce qu'il y a dans la section des produits laitiers ?
12. Qu'est-ce qu'il y a dans la section de l'épicerie ?
13. Quels sont vos fruits favoris ? Et vos légumes favoris ?
14. Quel est votre plat favori ? Quel est votre dessert favori ?
15. Etes-vous bonne cuisinière (*ou* : bon cuisinier) ? Qui est la meilleure cuisinière chez vous (ou : le meilleur cuisinier) ?
16. Qu'est-ce qu'il y a dans un réfrigérateur ?

EXPLICATIONS

I.   Le pluriel de **le/la/l'** : **les**

> **Les** parents de mon ami Maurice sont riches.
> Dans la vie moderne, **les** mathématiques et **les** sciences sont importantes.
> **Les** meubles anciens sont chers.

REMARQUEZ: Dans une question et dans une négation, **les** ne change pas.

> Avez-vous **les** résultats de l'examen ? Non, je n'ai pas **les** résultats de l'examen.

II. L'adjectif démonstratif : **ce(cet)/cette** : **ces**   *this*

> Bonjour! Comment allez-vous **ce** matin ?
> **Cet** animal n'est pas méchant.
> Je suis très occupé **cette** semaine.
> **Ces** légumes congelés sont très pratiques.

A. **ce** est masculin, avec un nom masculin.

> **ce** matin, **ce** soir (*tonight*), **ce** monsieur, **ce** magasin, **ce** jardin

B. **cet** est masculin aussi, mais il est employé devant une voyelle (ou un **h** muet).

> **cet** après-midi, **cet** appartement, **cet** escalier, **cet** immeuble, **cet** enfant, **cet** oncle, **cet** homme

C. **cette** est féminin, avec un nom féminin.

> **cette** semaine, **cette** année, **cette** dame, **cette** jeune fille

D. **ces** est pluriel, avec un nom pluriel, masculin ou féminin.

> **ces** gens (*these people*), **ces** messieurs, **ces** dames, **ces** jeunes filles, **ces** jeunes gens, **ces** produits, **ces** animaux, etc.

III. Le partitif : **du/de la/de l'**

    A. Forme affirmative

        Avez-vous **du** travail ? Oui, j'ai **du** travail.

        Pour le dîner, il y a **de la** viande. Il n'y a pas de pommes de terre parce que nous sommes au régime.

        Avez-vous **de la** chance ? Oui, j'ai **de la** chance ! J'ai **de l'**argent, des amis, **du** travail et une maison.

    Le partitif est composé de **de** + **le/la/l'**.

    La contraction de **de** + **le** est **du**.

REMARQUEZ : *The partitive has the meaning of* "any" *or* "some" *which may or may not be expressed in English:* "Do you have (any) money ?" *is in French* **Avez-vous de l'argent ?** *and* "I have (some) work" *is* **J'ai du travail.** "We have (some) meat for dinner" *is* **Nous avons de la viande pour le dîner.**

    B. Forme négative

        Je n'ai **pas de** chance ! Je n'ai **pas de** travail, **pas d'**argent, **pas d'**amis, **pas de** maison.

        Il n'y a **pas de** viande pour le dîner.

    La négation du partitif est **pas de** (*You are already quite familiar with this form as the negation of* **un/une** *and* **des**.)

IV. L'adjectif possessif pluriel

    1. Le pluriel de **mon/ma** : **mes**

        Mon père et **ma** mère sont **mes** parents.

    2. Le pluriel de **ton/ta** : **tes**

        Ton frère et ta sœur sont à la maison avec **tes** parents.

    3. Le pluriel de **son/sa** : **ses** (*his, her*)

        Ma sœur n'est pas ordonnée : **ses** affaires sont en désordre.

        Ce monsieur est dans sa voiture avec sa femme et **ses** enfants.

    4. Le pluriel de **notre** : **nos**

        Nous sommes contents quand nous avons notre famille et **nos** amis.

    5. Le pluriel de **votre** : **vos**

        Vos parents sont très gentils avec moi.

    6. Le pluriel de **leur** : **leurs** (*their*)

        Mes parents ont une voiture . C'est **leur** voiture.

        Mes parents ont deux voitures . Ce sont **leurs** voitures.

Récapitulation des adjectifs possessifs

Pronom Sujet	Adjectif Possessif		
	Masculin	Féminin	Pluriel
1. je	mon	ma	mes
2. tu	ton	ta	tes
3. il, elle	son	sa	ses
4. nous	notre		nos
5. vous	votre		vos
6. ils, elles	leur		leurs

V. L'expression verbale : **il me faut** * (*I need, I must have*)

Pour mon gâteau, **il me faut** du sucre, du beurre et de la farine.
Avez-vous le livre qu'**il vous faut** ? Non, **il me faut** un livre avec les réponses.
J'ai de la chance ! Voilà exactement l'appartement qu'**il me faut**.

REMARQUEZ : Le verbe **il faut** est impersonnel, il n'a pas de conjugaison. Le sujet est toujours **il**.

VI. Une autre expression avec **avoir : avoir envie de**... (*to feel like*)

M. Sernin **a envie de** bifteck pour son dîner.
Vous avez soif. **Avez-vous envie d'**un verre d'eau ou d'un verre de vin ?
Je n'**ai** pas **envie d'**avoir une mauvaise note dans cette classe !

EXERCICES ÉCRITS et/ou ORAUX

I. *Complétez par l'adjectif possessif correct* (**mon/ma : mes, son/sa : ses, notre : nos, votre : vos, leur : leurs**).

1. Mon oncle et ___ma___ tante sont riches : ___leur___ maison et ___leurs___ meubles sont magnifiques.
2. Voilà une maîtresse de maison dans ___sa___ cuisine, avec ___ses___ provisions et ___son___ livre de cuisine.

---

* **il me faut :** *The meaning is slightly different from that of* **j'ai besoin de**, *and a little stronger.* **Il me faut** *means that "I must have, I cannot do without." But in actual conversation the two expressions are often used interchangeably. And remember that you also know how to say "I would like" :* **je voudrais**.

3. Jean-Pierre et André ont de l'imagination : _leurs_ idées sont amusantes, mais _leur_ travail n'est pas parfait.
4. J'ai _mes_ affaires : _mes_ cahiers, _mon_ livre, _ma_ serviette et _ma_ jaquette.
5. Avez-vous _vos_ affaires ? Et avez-vous aussi _votre_ clé ?
6. Mon frère et moi, nous ne sommes pas ordonnés. _Nos_ vêtements sont par terre, sous _nos_ lits, sous _notre_ fauteuil, et _nos_ papiers sont sur _nos_ bureaux. _Nos_ parents sont différents : _leurs_ affaires sont en ordre.

II. *Complétez par* **un/une** : des, **le/la/l'** : les, **du/de la/de l'** : des *et* **pas de.**

1. Il nous faut _du_ pain, parce qu'il n'y a _pas de_ pain pour le dîner.
2. Dans un sandwich, il y a _du_ pain, _du_ fromage _de la_ viande.
3. _les_ légumes congelés sont pratiques quand il n'y a _pas de_ légumes frais.
4. Avez-vous _de l'_ argent ? Oui, j'ai _de l'_ argent. _l'_ argent est important quand vous n'êtes pas riche.
5. Sur la plage, il y a _le_ sable. En fait, il y a beaucoup _de_ sable.
6. Le réfrigérateur est plein _de_ provisions : _du_ lait, _de la_ laitue, _des_ tomates, _des_ œufs, _de la_ crème pour _du_ café. Il y a aussi _de la_ viande, _un_ rôti et _un_ poulet.
7. _les_ restaurants de mon quartier ne sont pas trop chers : il y a _un_ petit restaurant au coin de ma rue qui a _des_ spécialités françaises. Mon plat favori, c'est _le_ gigot aux haricots.

III. *Mettez au pluriel.*

Exemple : Ce monsieur est un gourmet.
Ces messieurs sont des gourmets.

1. Mon frère a un petit bateau.
2. Ma sœur est toujours dans sa salle de bain ou avec ses amies.
3. Votre recette est excellente ! C'est la meilleure pour un plat léger et substantiel.
4. Ce jeune homme a sa chambre au premier étage de cet immeuble.
5. L'animal du zoo est dans sa cage.
6. Ce monsieur a un tableau qui est par un peintre célèbre.
7. Voilà la maison de mon rêve !
8. Cette dame a un invité. C'est un ami de son mari.
9. Cette personne (*pl.* ces gens) est dans un supermarché.
10. Tu (*pl. de* tu : vous) es mon meilleur copain.

IV. *Exercices sur le vocabulaire.*

Complétez chaque phrase par un des termes de la liste suivante.

a) jeune ménage, quartier, recette, gens, pâtes, légumes, épicerie, farine

1. Le thé, le sucre et le café sont _____.
2. Dans un gâteau, il y a des œufs, du beurre, du sucre et _farine_
3. Dans un régime intelligent, il y a de la viande et _légumes_ verts.
4. Un jeune homme et sa femme, c'est _jeune ménage_
5. M. et Mme Arnaud sont _gens_ âgés, mais très gentils.
6. La partie de la ville qui est près de votre maison, c'est votre _quartier_.
7. Le macaroni, le vermicelle et les spaghetti, ce sont _pâtes_.
8. Une bonne cuisinière a toujours _recette_ favorite pour un dessert spécial.

b) laitue, radis roses, huile, vinaigre, sel, farine, pain, fromage, bifteck haché (*ground beef*), œufs, pâtes, sauce tomate, beurre, chocolat, carottes, pommes de terre, tomates, sucre, lait, café

Qu'est-ce qu'il vous faut pour :

1. une salade? _de la laitue, tomates,_
2. un gâteau au chocolat?
3. un hamburger avec des frites?
4. un plat de spaghetti à l'italienne?
5. une tasse de chocolat au lait? de café au lait?

COMPOSITIONS

Composition orale et/ou écrite.

Vous avez le choix entre quatre sujets :

A. Une description de votre supermarché favori.

B. De quoi avez-vous envie pour votre dîner ce soir? Pourquoi?

C. Vous êtes responsable de la liste des provisions de la semaine. De quoi votre famille a-t-elle besoin? envie? pas envie? Pourquoi?

D. Vous avez un invité très spécial (*ou*: une invitée très spéciale *ou*: des invités). Qui est-ce? Quelle est l'occasion? Quel est votre menu? La liste de vos provisions? Comment est votre dîner? Conclusion.

VOCABULAIRE

NOMS

Noms masculins

l'abricot	le livre de cuisine	le radis
le beurre	le macaroni	le raisin
le bordeaux	le marché	le repas
le budget	le ménage	le rôti
le camembert	le menu	le soufflé
le cuisinier	l'œuf	les spaghetti (*pl.*)
les épinards (*pl.*)	l'oignon	le vermicelle
le gigot	le petit pois	le vin
le haricot	le plat	
le jeune ménage	le produit	

Noms féminins

l'affaire	la laitue	les provisions (*pl.*)
la banane	la maîtresse de maison	la quantité
la calorie	l'organisation	la recette
la cuisinière	les pâtes (*pl.*)	la salade de fruits
la douzaine (d'œufs)	la pêche	la spécialité
l'épicerie	la poire	la tarte
la farine	la pomme	la viande
l'huile	la préférence	la voix

ADJECTIFS

congelé (-e)	impeccable	magnifique
délicieux, délicieuse	laitier, laitière	superbe
formidable	léger, légère	

VERBE

impressionner

DIVERS

à droite ≠ à gauche	J'ai de la chance. ≠ Je n'ai	j'ai envie de...
Dites donc! Dis donc! (*fam.*)	pas de chance.	
j'admets que...		

LEÇON 13
Les saisons de l'année et leurs occupations

INTRODUCTION A LA LANGUE DE L'ACTION

Les verbes **faire, dire, aller, écrire, lire, venir:** on **fait,** on **dit,** on **va,** on **écrit,** on **lit,** on **vient**

Quel temps fait-il?

Introduction

DÉCLARATION ET QUESTION	RÉPONSE
J'ai beaucoup d'occupations, c'est-à-dire que **je fais** beaucoup de choses. **Je fais** mon lit le matin, **je fais** mes devoirs le soir. Que **faites-vous?**	**Je fais** la cuisine quelquefois. Ou bien, **nous faisons** du sport.
Que **fait-on** quand on est en vacances?	**On fait** des promenades, **on fait** des voyages, **on fait** du sport.
Je dis « Bonjour » le matin et « Bonsoir » le soir. Que **dites-vous?**	**Je dis** la même chose. **Nous disons** tous « Bonjour » et « Bonsoir ».
Comment **dit-on** *Good afternoon* en français?	**On ne dit pas** *Good afternoon*. **On** ne **dit** que « Bonjour » et « Bonsoir ».
Chaque matin, **je vais** à l'école. **Je vais** à l'école à pied. Comment **allez-vous** à l'école?	**Je vais** à l'école en voiture.
Ma famille et moi, **nous allons** en Europe pendant les vacances. Comment **va-t-on** en Europe, généralement?	Si on est pressé, **on va** en Europe en avion. Sinon, en bateau.
J'écris souvent des lettres à mes amis. Et vous, **écrivez-vous** souvent des lettres?	Non, **je n'écris pas** souvent de lettres. **Nous n'écrivons** que quand il y a des nouvelles importantes.
Quand **écrit-on** à tous ses amis?	A Noël, **on écrit** une carte à ses amis.

Je **lis** le journal tous les jours.
Lisez-vous le journal tous les jours ?

Non, mais **je lis** une revue toutes les semaines. Chez moi, **nous lisons** aussi beaucoup de romans.

Quel journal **lit-on** dans votre ville ?

Ça dépend. **On lit** beaucoup le *Journal Indépendant*.

Je ne **viens** pas à l'école le samedi. Et vous, **venez-vous** le samedi ?

Non, **je** ne **viens** pas le samedi. **Nous** ne **venons** pas le samedi.

EXERCICES ORAUX

I. faire

A. *Complétez.*

Exemple : vous *faites*

1. je _____
2. nous _____
3. il _____
4. vous _____
5. ils _____
6. on _____
7. elle _____
8. elles _____

B. *Quelle est la réponse ?*

Exemple : font-ils ?
ils font

1. faites-vous ? je _fais_
2. faisons-nous ? nous _faisons_
3. font-ils ? ils _font_
4. fait-on ? on _fait_
5. est-ce que je ? vous _faites_
6. fait-elle ? elle _fait_
7. font-elles ? elles _font_
8. fait-il ? il _fait_

C. *Répondez affirmativement ou négativement aux questions suivantes.*

Exemple : Faites-vous votre lit ?
Oui, je fais mon lit.

1. Faites-vous du sport ?
2. Faites-vous la cuisine ?
3. Faites-vous des voyages ?
4. Faites-vous vos devoirs ?
5. Faites-vous beaucoup de choses ?
6. Faites-vous des fautes ?
7. Faites-vous des progrès ?
8. Faites-vous des compositions ?
9. Faites-vous des promenades ?
10. Faites-vous du français ?

D. *Répondez aux questions suivantes.*

> Exemple : Fait-on du sport en hiver ?
> *Oui, on fait du sport. On fait du football.*

1. Fait-on des voyages si on est riche ?
2. Faisons-nous des compositions dans cette classe ? — *sometimes*
3. Pourquoi faites-vous (quelquefois) des fautes ? *l*
4. Qui fait la cuisine chez vous ? Pourquoi ?
5. Quand faites-vous vos devoirs ?
6. Quand fait-on des progrès ?
7. Faites-vous du sport ? Quel sport ? (du tennis ? du football ? du baseball ?)
8. Que fait-on dans cette classe ? (des exercices ? des compositions ? des lectures ? de la conversation ?)

II. dire

A. *Complétez.*

1. vous _____
2. je _____
3. il _____
4. on _____

5. ils _____
6. nous _____
7. elle _____
8. elles _____

B. *Quelle est la réponse ?*

1. dites-vous ? je _dis_
2. dit-on ? on _dit_
3. dit-il ? il _dit_
4. disent-ils ? ils _disent_

5. disent-elles ? elles _disent_
6. dit-elle ? elle _dit_
7. disons-nous ? nous _disons_
8. est-ce que je dis ? vous _dites_

C. *Répondez affirmativement ou négativement à la question.*

1. Dites-vous « Bonjour, Monsieur » au professeur ?
2. Dites-vous « Allô » au téléphone ?
3. Dites-vous « Chic ! » si vous êtes content ?
4. Dites-vous vos secrets à tout le monde ?
5. Dites-vous que la vie est absurde ?
6. Dites-vous que le français est difficile ?
7. Dites-vous toujours la vérité ?
8. Dites-vous « Joyeux anniversaire » à vos amis ?
9. Dites-vous que le professeur est impossible ?

D. *Répondez aux questions suivantes.*

1. Quand dit-on « Bonsoir » en français ?
2. Dites-vous « Chic ! » ou « Zut ! » si vous avez une mauvaise note ?
3. Est-ce que les dames disent toujours leur âge ?
4. Que dit-on en France à la place de « *Good afternoon* » ?

5. Votre mère dit-elle « Mes enfants sont parfaits » ou « Mon dieu ! Quels monstres ! » ?
6. Que disons-nous le jour de l'anniversaire d'un ami ?
7. Que dit votre patron (*boss*) si vous êtes en retard au travail ?
8. Les Français disent-ils « *Hello* » au téléphone ?

III. aller

A. *Complétez.*

1. je _____
2. on _____
3. vous _____
4. il _____

5. nous _____
6. elle _____
7. elles _____
8. ils _____

B. *Quelle est la réponse ?*

1. allez-vous ?   je _vais_
2. va-t-on ?   on _va_
3. vont-ils ?   ils _vont_
4. va-t-il ?   il _va_

5. va-t-elle ?   elle _va_
6. allons-nous ?   nous _allons_
7. vont-elles ?   elles _vont_
8. est-ce que je vais ?   vous _allez_

C. *Répondez affirmativement ou négativement à la question.*

1. Allez-vous au laboratoire ?
2. Allez-vous au cinéma ?
3. Allez-vous à la bibliothèque ?
4. Allez-vous au restaurant ?

5. Allez-vous à la poste (*post office*) ?
6. Allez-vous chez vos amis ?
7. Allez-vous chez vous ?
8. Allez-vous au travail ?

D. *Répondez aux questions suivantes.*

1. Quand va-t-on au laboratoire ?
2. Quand allez-vous au cinéma ?
3. Quand les étudiants vont-ils à la bibliothèque ?
4. Pourquoi allez-vous au restaurant ?
5. A quelle heure allez-vous chez vous ?
6. Allez-vous à une autre classe après votre classe de français ?
7. A quelle heure votre père va-t-il au travail ?
8. Va-t-on souvent chez ses amis si on est très sociable ?
9. Comment va-t-on en Europe si on est pressé ?
10. Vos parents vont-ils en vacances sans vous ? avec vous ?

IV. écrire et lire

A. *Complétez.*

(écrire)   1. j' _____
            2. nous _____

(lire)   1. vous _____
          2. nous _____

3. il _____
4. vous _____
5. on _____
6. ils _____
7. elle _____
8. elles _____

3. il _____
4. ils _____
5. elle _____
6. elles _____
⑦ j' _____
8. on _____

B. *Quelle est la réponse ?*

1. écrivez-vous ?   j' *ecris*
2. écrit-il ?   il *ecrit*
3. écrivent-ils ?   ils *ecrivent*
4. écrivent-elles ?   elles *ecrivent*
5. écrit-elle ?   elle *ecrit*.
6. écrit-on ?   on *ecrit*

7. lisez-vous ?   je *lis*
8. lisent-ils ?   ils *lisent*
9. lit-on ?   on *lit*
10. lisons-nous ?   nous *lisons*
11. lit-il ?   il *lit*
12. est-ce que je lis ?   vous *lisez*

C. *Répondez affirmativement ou négativement à la question.*

1. Ecrivez-vous beaucoup de compositions ?
2. Ecrivez-vous à vos amis ?
3. Ecrivez-vous la date sur vos devoirs ?
4. Ecrivez-vous tous les jours dans votre journal *(here: diary)* ?
5. Lisez-vous des romans ?
6. Lisez-vous un journal ?
7. Lisez-vous tous les articles dans le journal ?
8. Lisez-vous toujours la préface d'un livre ?

D. *Répondez à la question.*

1. Qui écrit généralement aux journaux : les gens indifférents ou les autres ?
2. Ecrit-on ses mémoires quand on est jeune ou quand on est vieux ?
3. Qu'est-ce qu'on écrit sur une carte de Noël ?
4. Si vous écrivez bien, vos notes de classe sont lisibles ou illisibles ?
5. A qui écrivez-vous ?
6. Qui lit plus de romans, probablement : les hommes ou les femmes ?
7. Lisez-vous pour le plaisir, ou seulement pour votre travail ?

V. venir

A. *Complétez.*

1. vous *venez*
2. je *viens*
3. il *vient*
4. ils *viennent*

5. on *vient*
6. elle *vient*
7. elles *viennent*
8. nous *venons*

B. *Quelle est la réponse ?*

1. venez-vous ?   je _viens_   5. viennent-elles ?   elles _viennent_
2. vient-il ?   il _vient_   6. vient-on ?   on _vient_
3. vient-elle ?   elle _vient_   7. est-ce que je viens ? vous _venez_
4. viennent-ils ?   ils _viennent_   8. venons-nous ?   nous _venons_

C. *Répondez affirmativement ou négativement à la question.*

1. Venez-vous à l'école le lundi ?
2. Venez-vous en voiture ?
3. Venez-vous avec un ami ?
4. Venez-vous si vous êtes malade ?
5. Venez-vous avec enthousiasme ?
6. Venez-vous parce que vous êtes obligé ?

D. *Répondez à la question.*

1. A quelle heure venez-vous à l'école ?
2. Venez-vous seul ou avec un ami ?
3. Les gens viennent-ils au travail quand ils sont malades ?
4. Vos parents viennent-ils souvent à l'université ?
5. Comment venez-vous à l'école : à pied ? en voiture ? en autobus ?
6. Vient-on avec enthousiasme quand il y a un examen ?
7. Pourquoi venez-vous à l'université ?
8. Si le professeur—ou votre patron—dit « Venez dans mon bureau ! » que faites-vous ?

LECTURE

Les saisons de l'année et leurs occupations

Les quatre saisons de l'année sont : le printemps, l'été, l'automne et l'hiver.

Quel temps fait-il au printemps ? Il fait souvent beau, mais il pleut aussi quelquefois. La pluie est nécessaire pour les plantes. Au printemps, il ne fait pas chaud, il ne fait pas froid, il fait frais. Les arbres sont couverts de feuilles et les oiseaux font leurs nids. Au printemps, je vais souvent à la campagne, parce que les fleurs, sur les arbres et les buissons, dans les champs, sont si belles ! Malheureusement, nous venons à l'école tous les jours, et c'est la saison des examens... Mais quand il fait une belle journée de printemps nous ne faisons pas attention aux explications des professeurs : il y a quelque chose dans l'air... nous avons l'air de lire, d'écrire, mais en réalité, dans nos rêves, nous sommes déjà en vacances...

En été, il fait chaud. Il fait souvent très chaud. Le soleil est haut dans le ciel. Les journées sont longues et les nuits sont courtes. L'été est une saison agréable : en été, nous sommes en vacances ! Pendant les vacances, on fait des voyages : on va au bord de la mer ou à la campagne.

Au bord de la mer, les gens vont à la plage. Là, ils sont allongés sur le sable toute la journée et les plus sportifs font de la natation pendant que les enfants font des châteaux de sable. A la campagne, on fait des promenades dans les bois, dans les petits chemins... La plage et la campagne sont excellentes quand on a besoin de repos.

Quand je suis en vacances, je fais souvent du camping avec Bob, qui a une caravane. Quelquefois, je fais de l'auto-stop. Quand je suis en vacances, j'écris des quantités de cartes postales qui disent : « Je pense à vous, Jean-Pierre ». Ce n'est pas un message très original, mais les gens qui lisent ces cartes sont contents.

En automne, il fait encore beau, mais les nuits sont déjà plus longues et les soirées plus fraîches. Les vacances sont finies ! Vers le quinze septembre, tous les écoliers et tous les étudiants vont à l'école parce que c'est le commencement d'une année scolaire. Le spectacle de la nature est splendide en automne. Mais nous

JEAN LURÇAT, *La pluie et le beau temps*   French Cultural Services, New York

Le soleil, le vent, la pluie, dans le cercle du cycle des saisons...

n'avons pas le temps de faire beaucoup d'excursions. Il faut lire des quantités de livres, il faut écrire des essais, des dissertations et... des compositions françaises ! Tous les ans, en automne, je fais des projets pour être un étudiant modèle et tous les ans... bref, c'est une autre histoire.

Enfin c'est l'hiver. En hiver, il fait froid. Le ciel est couvert de nuages, il fait mauvais. Il nous faut des vêtements chauds, en laine, pour ne pas avoir froid. Il pleut souvent. Quand il pleut, il nous faut des imperméables et des parapluies. Il neige aussi quelquefois. Quand il y a de la neige par terre, c'est un spectacle merveilleux et après l'école, les enfants font des boules de neige. Le meilleur moment de l'hiver, c'est la période de Noël. On est en vacances et on va à la montagne. On fait des sports d'hiver. Moi, je fais du ski tous les ans pendant les vacances de Noël. La vie dans une station de sports d'hiver est formidable ! Toute la journée, nous sommes sur les pentes. Le soir, nous sommes fatigués et tous les jeunes gens et jeunes filles sont autour d'un grand feu. C'est le moment de la conversation, des chansons, des grandes tasses de chocolat chaud, de la bonne camaraderie et aussi peut-être, de quelques petits flirts...

Il est difficile de dire si l'hiver est plus agréable que l'été, ou si c'est le contraire. Toutes les saisons ont leurs charmes.

PRONONCIATION

je fais, il fait   je dis, il dit   ils font   ils disent
je vais   je lis, il lit   ils vont   ils lisent
                     j'écris, il écrit   ils écrivent

QUESTIONS SUR LA LECTURE

1. Combien y a-t-il de saisons dans l'année ? Quelles sont les saisons de l'année ?
2. Quel temps fait-il aujourd'hui ? En quelle saison sommes-nous ? Fait-il un temps normal pour la saison ?
3. Quel temps fait-il le plus souvent au printemps ? Description de la nature au printemps.
4. Est-ce que les étudiants sont en vacances au printemps ? Que font-ils en classe quand il fait une belle journée de printemps ?
5. Lisez-vous un livre intéressant cette semaine ? Avez-vous le temps de lire beaucoup ? Pourquoi ? Quels livres lisez-vous généralement avec le plus de plaisir ?
6. Quel temps fait-il en été dans votre ville ? Où allez-vous généralement quand vous êtes en vacances ?
7. Que fait-on au bord de la mer ? Que fait-on à la campagne ?

8. Faites-vous du camping ? Faites-vous de l'auto-stop ? Pourquoi ?
9. En anglais on écrit sur une carte postale : « *Having a wonderful time. Wish you were here* ». Qu'est-ce qu'on écrit sur une carte postale en français ? Quand écrivez-vous des cartes postales ?
10. Que faites-vous vers le quinze septembre ? Est-ce que tous les étudiants font la même chose ?
11. Quel temps fait-il en automne ? Comment sont les arbres et les buissons en automne ?
12. Quel temps fait-il en hiver, dans votre ville ? Pleut-il souvent ? Pleut-il aujourd'hui ? Faut-il des vêtements en laine ou en coton ? Pourquoi ? Venez-vous en classe quand il fait mauvais ?
13. Faites-vous des sports d'hiver ? Où fait-on des sports d'hiver ?
14. Qu'est-ce qu'on fait dans une station de sports d'hiver ? Où est-on toute la journée ? Où est-on le soir ? Est-ce le moment de lire et d'écrire ?

EXPLICATIONS

I. Les verbes

Voilà maintenant six verbes irréguliers.

A. faire (*to do; to make*)

je fais	nous faisons
tu fais	vous faites *
il fait, elle fait, on fait	ils font

Qu'est-ce que **vous faites** ? Je lis un livre.
Je fais mon lit tous les matins.

Le verbe **faire** est aussi employé dans beaucoup d'expressions idiomatiques :

Quel temps fait-il ? Il fait beau, il fait chaud, il fait froid, il fait gris.
Je fais attention aux explications du professeur.
Je fais un voyage. Je vais à... (On ne dit pas : *Je fais un voyage à...*)
Je fais une promenade.
Je fais du sport: de la natation, du camping, du ski, de l'auto-stop, etc.
Je fais des projets.
Je fais la cuisine.

---

* *There are three verbs with the* -tes *ending for the* **vous** *form:* **vous êtes** (être), **vous dites** (dire), *and* **vous faites** (faire). *All other verbs have an* -ez *ending for the* **vous** *form:* **vous avez, vous lisez, vous allez,** *etc.*

B. aller (*to go*)

je vais *vā*	nous allons
tu vas *vah*	vous allez *al/lay*
il va, elle va, on va *vah*	ils vont

Je vais à la maison, à la campagne, en ville, au bord de la mer, à la
montagne.

ATTENTION : Il faut dire *où* vous allez quand vous employez le verbe **aller**.

C. dire (*to say; to tell*)

dezon

je dis	nous disons
tu dis	vous dites
il dit, elle dit, on dit	ils disent *z diz*

Qu'est-ce que **vous dites** au téléphone ? **Je dis:** «Allô ?»

D. venir (*to come*)

je viens *v-an*	nous venons
tu viens	vous venez *ve/na*
il vient, elle vient, on vient	ils viennent *vin*

Je viens à l'école tous les jours.
Mes amis **viennent** souvent chez moi.

E. écrire (*to write*) et **lire** (*to read*)

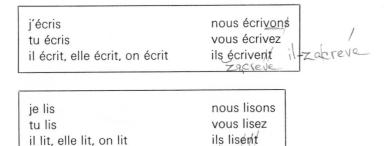

j'écris	nous écrivons
tu écris	vous écrivez
il écrit, elle écrit, on écrit	ils écrivent *il-zacreve* *zacreve*

je lis	nous lisons
tu lis	vous lisez
il lit, elle lit, on lit	ils lisent *il-leeze*

J'écris des devoirs et **je lis** des livres de textes.
Quelquefois, **je lis** un roman. Beaucoup de gens ne **lisent** pas de romans.

II. **on fait, on dit, on va, on écrit, on lit, on vient et on est, on a** *

> Je suis étudiant, je vais à l'université. Quand **on est** étudiant, **on va** à l'université. Quand **on est** enfant, **on va** à l'école élémentaire.
>
> **On ne dit pas** « *OK* » en français. Qu'est-ce qu'**on dit** ? **On dit** « D'accord ».
>
> Si **on fait** attention, **on ne fait pas** de fautes.
>
> En hiver, **on a** besoin de vêtements chauds. **On a** froid si **on a** des vêtements de coton.
>
> Qu'est-ce qu'**on fait** quand **on est** en vacances ? **On écrit** des lettres, **on lit** des romans, **on fait** des promenades.

Employez **on fait, on dit,** etc., pour exprimer *you, we, they (when used in the sense of people in general)*.

III. **L'impératif :** **faites, allez, écrivez, dites, lisez, venez**

L'impératif est la forme du verbe employée pour **un ordre.** Il y a trois personnes à l'impératif et l'impératif est la forme ordinaire du verbe au présent, sans le pronom.

faire	aller
fais	va **
faisons	allons
faites	allez

Faites vos devoirs.
Faisons un voyage ensemble.
Ne **faites** pas attention.

Allez au tableau.
Allons à la plage.
N'**allez** pas dans la neige sans manteau.

écrire	dire
écris	dis
écrivons	disons
écrivez	dites

Ecrivez au tableau.
N' **écrivez** pas vos compositions au crayon.

Dites « Bonjour » à vos parents pour moi.
Ne **dites** pas « OK » en français.
Dites « D'accord ».

lire	venir
lis	viens
lisons	venons
lisez	venez

Lisez attentivement les instructions.
Ne **lisez** pas les lettres adressées aux autres.

Venez à la campagne avec moi.
Ne **venez** pas s'il pleut.

* On fait, on dit, etc. : *This is literally "one does, one says, etc.," but while in English the "one..." construction is rather literary, the* **on**... *construction in French is of very general use.*

** va : *Notice that the* **s** *of the regular conjugation is dropped.*

IV. L'adjectif **tout**

> **Tout** le monde est présent. (*masc. sing.*)
> **Toute** l'année, il fait beau sur la Côte d'Azur. (*fém. sing.*)
> **Tous** mes amis font du ski. (*masc. plur.*)
> **Toutes** les saisons ont leurs charmes. (*fém. plur.*)

L'adjectif **tout** a quatre formes : **tout, toute** → S
tous, toutes → P

ATTENTION : La forme ~~touts~~ n'existe pas.

[annotation manuscrite : M | F / tout | toutes S / tous | toutes P]

EXERCICES ÉCRITS et/ou ORAUX

I. *Quel temps fait-il ?*

Répondez par une phrase complète.

> Exemple : Quel temps fait-il aujourd'hui ?
> *Aujourd'hui, il fait gris et il pleut.*

1. Quel temps fait-il aujourd'hui ?
2. Quel temps fait-il en automne généralement ?
3. Quel temps fait-il pour un Noël idéal ?
4. Quel temps fait-il le plus souvent dans votre région ?
5. Quel est le temps idéal pour un pique-nique ?
6. Quel temps fait-il en été ? *[summer]*

II. *Les verbes* **faire, aller, dire, écrire, lire,** *et* **venir**

Répondez par une phrase complète.

> Exemple : Comment venez-vous à l'université ?
> *Je viens à l'université en voiture.*

1. A quelle heure allez-vous à la maison (chez vous) ?
2. Que dit votre père si vous avez besoin d'argent ?
3. Quand faites-vous vos devoirs ?
4. Comment les touristes vont-ils en Europe ?
5. Qu'est-ce que vous lisez avec le plus de plaisir ?
6. Venez-vous à l'université tous les jours ? Pourquoi ?
7. Quel sport fait-on en automne ? en hiver ? en été ?
8. Quand fait-on des fautes ?
9. Ecrivez-vous beaucoup de lettres ? Ecrivez-vous un journal (*diary*) ?
10. Faites-vous de l'auto-stop ? Pourquoi ?

III. *Exercices sur le vocabulaire.*

Complétez chaque phrase par le terme approprié.

A. *Adjectifs.*

beau/belle, court, haut, long, allongé, content, frais/fraîche, formidable

1. Quand il fait _____, la campagne est _____.
2. Le contraire de long, c'est _court_.
3. Quand les montagnes sont _haut_ , il y a beaucoup de neige.
4. Si vous dites : « C'est _____ ! », c'est l'équivalent de : « C'est merveilleux, c'est sensationnel ! »
5. On est _content_ si quelqu'un vous fait un compliment.
6. Quelle est la position la plus confortable : assis, debout, ou _allongé_ ?
7. Quand les jours sont courts, les nuits sont _long_ .
8. Au printemps, il ne fait pas chaud, et pas froid. Il fait _____, et les nuits sont _____ aussi. Le printemps est la saison des fleurs _____.

B. *Noms.*

la pluie, la neige, un nuage, un oiseau, un nid, un buisson, un bois, une pente, un feu

1. Quand il fait froid, on fait _____ dans la cheminée.
2. Une petite forêt, c'est _____ .
3. Quand on fait du ski, on va très vite sur _____ rapide.
4. Qu'est-ce qui est blanc comme le sucre, mais très froid ? C'est_____.
5. _____ est désagréable pour les gens, mais excellente pour les plantes.
6. Au printemps, il y a des fleurs et des feuilles sur les arbres et sur _____.
7. La maison d'un oiseau, c'est son _____.
8. Si un animal est couvert de plumes, c'est sûrement _____ .

IV. **il faut faire** *et* **il me faut**

Les deux expressions sont bien distinctes : **il faut** + *un autre verbe* signifie « il est nécessaire de » ; mais **il me (nous, vous, lui, leur) faut** signifie « J'ai (nous avons, vous avez, il a, ils ont) besoin de ».

Choisissez l'expression correcte: **il faut** *ou* **il me faut.**

1. _____ de l'argent, parce que j'ai besoin de faire un voyage.
2. _____ faire attention quand on lit un article difficile.
3. _____ écrire des cartes de Noël à ses amis.
4. _____ du temps pour écrire votre composition.
5. _____ beaucoup d'imagination pour faire ces exercices ?
6. Quand _____ des vêtements chauds ? Quand je vais aux sports d'hiver.

7. Qu'est-ce qu' _____ faire quand on est fatigué ? _____ aller à la plage : on est bien, allongé au soleil.
8. Qu'est-ce qu' _____ quand il pleut ? _____ un imperméable et un parapluie.
9. Qu'est-ce qu' _____ faire avant un examen ? _____ lire ses notes de classe et son manuel.
10. Ma mère dit qu' _____ seulement un peu de tranquillité pour être contente.

V. *L'adjectif* tout

Complétez chaque phrase par l'expression appropriée.

> tous les jours, tout le temps, toute l'année, tout le monde, toute la vie, tous vos amis, toute ma famille

1. Faites attention _____ , pas seulement la semaine de l'examen !
2. Je ne fais pas de grands voyages. Je suis ici _____ , même en été.
3. Nous ne venons pas _____ : seulement cinq jours par semaine.
4. Ne faites pas de décision pour _____ quand vous êtes très jeune.
5. Voilà mon père, ma mère, mes frères et sœurs et mes grands-parents. C'est _____ .
6. L'opinion de _____ est plus importante que votre opinion, parce qu'ils sont intelligents et qu'ils ont du goût !
7. Sur une haute montagne, il y a de la neige _____ .

COMPOSITIONS

Composition orale et/ou écrite.

Vous avez le choix entre trois sujets :

A. Votre saison favorite. Quel temps fait-il ? Description de la nature, de la ville, des gens. Quelles sont vos occupations pendant cette saison ?

B. Une année typique dans votre vie d'étudiant. Chaque saison et vos occupations.

C. Qu'est-ce que vous faites en général pendant les vacances : où allez-vous ? Comment ? Pourquoi ? Que faites-vous là ?

VOCABULAIRE

NOMS

Noms masculins

l'automne (en automne)	le charme	l'écolier
l'auto-stop	le chemin	l'été (en été)
le buisson	le ciel	le feu
le camping	le commencement	le flirt

l'hiver (en hiver)
l'imperméable
les mémoires (*pl.*)
le nid
le nuage
le parapluie

le patron
le pique-nique
le printemps (au printemps)
le progrès
le projet
le repos

le roman
le ski
le soleil
le spectacle
les sports d'hiver (*pl.*)

Noms féminins

la boule de neige
la camaraderie
la carte de Noël
la carte postale
la chanson
la journée
la laine (en laine)

la montagne
la natation
l'occupation
la pente
la plante
la pluie
la poste

la préface
la promenade
la revue
la saison
la station (de sports d'hiver)
les vacances (*pl.*)
la vérité

ADJECTIFS

allongé (-e)
court (-e)
haut (-e)

lisible ≠ illisible
malade
merveilleux, merveilleuse

sociable ≠ insociable
splendide

VERBES

aller (à pied, en autobus, en
   avion, en bateau, en voiture)
dire

écrire (à la machine)
faire
lire

venir

DIVERS

au bord de la mer
au moins
avoir l'air de (lire)
bref
chez moi (toi, lui, elle, nous,
   vous, eux, elles)
Chic !
comment dit-on... ?

Je fais attention.
Je fais du camping (du
   français, du sport, de
   l'auto-stop, de la natation).
Je fais la cuisine.
Je fais mon lit (mes
   devoirs).

Je fais un voyage (une
   promenade, des progrès,
   des projets).
Il fait beau (chaud, froid, frais,
   gris, du soleil).
Il neige.
Il pleut.
pour le plaisir
Zut !

LEÇON 14
Plaisirs et distractions

Les verbes du premier groupe :
habiter, aimer, préférer, arriver, déjeuner, dîner, parler, rester, trouver, donner

La construction de deux verbes ensemble :
j'aime aller   je préfère rester

Introduction

DÉCLARATION ET QUESTION	RÉPONSE
J'habite à Paris. Où **habitez-vous**? **J'aime** la musique. Et vous, **aimez-vous** la musique ?	J'habite à Los Angeles. Oui, **j'aime** aussi la musique. Mais **je n'aime pas** le jazz.
Jean-Pierre, **aime-t-il** la musique ? **Préférez-vous** le théâtre ou le cinéma.	Jean-Pierre **aime** le jazz. **Je préfère** le cinéma.
A quelle heure **arrivez-vous** en classe ?	**J'arrive** à huit heures. Tous les étudiants **arrivent** à huit heures.
Je déjeune au restaurant. Et vous, ou **déjeunez-vous** ?	**Je déjeune** chez moi aujourd'hui. Mais **je dîne** en ville avec des amis. **Nous dînons** dans un petit café.
Je parle bien français. **Parlez-vous** français aussi ?	Moi aussi, **je parle** français. **Je parle** assez bien français, **nous parlons** souvent français.
Je reste chez moi ce week-end. Et vous, **restez-vous** chez vous ?	Non, **je ne reste pas** chez moi. Je vais à la montagne. Mais mes parents **restent** chez nous.
Je trouve cette classe intéressante. Et vous, quelle classe trouvez-vous intéressante ?	**Je trouve** la classe d'histoire passionnante.
Je donne mon numéro de téléphone à mes amis. Et vous ?	**Je donne** aussi mon numéro.

J'aime aller au concert. Mais je n'aime pas aller au cinéma. Et vous ?	Moi, **j'aime** surtout **aller** au théâtre. Et **j'adore aller danser.**

Je **préfère rester** chez moi et regarder la télévision quand il y a un bon programme. Et vous, que préférez-vous faire?

J'aime aussi **rester** chez moi. Mais alors **je préfère lire** un bon livre ou **écrire** des lettres. **Je n'aime pas regarder** la TV, **je préfère** généralement **écouter** des disques.

Je voudrais être célèbre un jour. Et vous?

Je voudrais écrire un livre important, mais beaucoup de gens célèbres ne sont pas heureux. Alors, **je préfère** sans doute **rester** obscur...

EXERCICES ORAUX

I. *Quelle est la forme du verbe?*

Exemple: (parler)   vous *parlez*

1. (parler)
   je _____
   nous _____
   il _____
   vous _____

2. (habiter)
   j' _____
   elle _____
   vous _____
   tu _____

3. (donner)
   vous _____
   ils _____
   je _____
   nous _____

4. (aimer)
   vous _____
   j' _____
   elles _____
   nous _____

5. (arriver)
   j' _____
   il _____
   nous _____
   vous _____

6. (rester)
   elle _____
   vous _____
   je _____
   il _____

7. (préférer)
   je _____
   nous _____
   vous _____
   tu _____

8. (aimer)
   _____-vous?
   _____-t-il?
   _____-nous?
   _____-tu?

9. (trouver)
   je ne _____ pas
   vous ne _____ pas
   ils ne _____ pas
   nous ne _____ pas

II. *Quelle est la forme de réponse qui correspond à la question? (Réponse affirmative et négative)*

Exemple: Restez-vous?
Oui, je reste.
Non, je ne reste pas.

A. *Avec les verbes du premier groupe.*

1. Déjeunez-vous à midi ? (Oui,.../Non,...)
2. Habitez-vous en ville ?
3. Trouvez-vous cette classe facile ?
4. Est-ce que vous aimez la musique ?
5. Arrivez-vous toujours à l'heure ?
6. Donnez-vous votre numéro de téléphone ?
7. Est-ce que vous dînez au restaurant ?
8. Parlez-vous espagnol ?
9. Dansez-vous bien ?
10. Préférez-vous le cinéma ?

B. *Maintenant, avec les verbes* **être, avoir, aller, venir, faire, lire, écrire** *et les verbes du premier groupe.*

1. Est-ce que vous avez toujours raison ?
2. Allez-vous à la plage en été ?
3. Est-ce que vous faites du ski en hiver ?
4. Aimez-vous la montagne ?
5. Habitez-vous avec vos parents ?
6. Venez-vous en voiture ?
7. Lisez-vous des romans ?
8. Parlez-vous beaucoup au téléphone ?
9. Ecrivez-vous beaucoup de lettres ?
10. Faites-vous votre lit le matin ?
11. Etes-vous un bon danseur ?
12. Avez-vous des frères et sœurs ?

FERNAND LÉGER, *Les loisirs*   Le Musee d'Art Moderne, Paris

Faire de la bicyclette est un des sports favoris en France. L'intérêt populaire pour le célèbre Tour de France à bicyclette est comparable à l'intérêt en Amérique pour les «World Series». Dans cette composition de Fernand Léger, remarquez l'harmonie circulaire des bicyclettes et des courbes sinueuses des branches, des nuages, et des personnages.

LECTURE

Plaisirs et distractions

Samedi soir. Il est tard. Jean-Pierre et Barbara sont assis devant une tasse de café au restaurant *La Tasse d'Or*. Ils parlent de leurs goûts, de leurs préférences, de leurs plaisirs et de leurs distractions.

Jean-Pierre: Je suis sûr que vous aimez la musique, vous dansez si bien !

Barbara: Vous êtes gentil,* mais je danse mal. C'est vous qui êtes un bon danseur ! Mais j'adore la musique. C'est ma distraction favorite. J'ai une bonne collection de disques.

Jean-Pierre: Moi, j'ai surtout des disques de musique folklorique, beaucoup de groupes anglais et américains. Allons écouter un groupe formidable dans un petit bistro, un soir.

Barbara: Excellente idée. Que faites-vous demain ?

Jean-Pierre: Demain ? Oh, c'est vrai, c'est dimanche. Je vais sans doute rester à la maison et écrire ma dissertation pour le cours de sciences politiques. Et vous, qu'allez-vous faire ?

Barbara: Je vais sans doute aller étudier avec Véronique. Nous étudions souvent ensemble. J'aime beaucoup étudier avec elle. Elle est si intelligente !

Jean-Pierre: Voyons,** Barbara ! Vous trouvez ma sœur intelligente ? Vous êtes folle ! Moi, je trouve ma sœur idiote.

Barbara: Tiens,† elle dit la même chose de vous. « Mon frère est idiot » ou bien « Mon frère est fou ». Moi, j'aime bien Véronique, et je parle†† souvent français avec elle.

Jean-Pierre: Il faut parler français avec moi. Je suis bien plus intéressant qu'elle. Aimez-vous faire du sport ?

Barbara: Ça dépend de quel sport. J'aime faire de la bicyclette, faire des promenades à pied. J'aime surtout faire du ski, c'est mon sport favori.

---

* **Vous êtes gentil (vous êtes gentille) :** *In French, you do not answer "*Thank you*" to a compliment. There are several appropriate answers.* **Vous êtes gentil** *is one of them.* **Vous êtes trop aimable** *is another, slightly more formal one.*

** **Voyons :** exclamation de remontrance.

† **Tiens :** exclamation de surprise.

†† Je parle **français**, je parle **anglais**, je parle **espagnol :** *Notice that after the verb* **parler** *there is no article before the name of the language.*
Répondez **en français**, écrivez **en anglais**, téléphonez **en italien :** *After the preposition* **en** *there is no article either.*

Jean-Pierre: Alors, j'ai une idée. Allons faire du ski pendant les vacances de Pâques, s'il y a assez de neige. Je vais inviter Bob, Carol et quelques autres. S'ils disent oui (*accept*), voilà des vacances organisées. J'aime bien l'organisation, et je déteste le désordre. Par exemple, j'aime jouer aux échecs. Et vous, jouez-vous aux échecs?

Barbara: Pas du tout. Je joue un peu aux cartes, mais je n'ai pas le temps de jouer souvent. J'ai une passion pour les animaux. Je trouve souvent les animaux plus sympathiques que les gens...

Jean-Pierre: Vous avez bien raison! J'ai une ménagerie dans ma chambre et j'aime la compagnie des animaux. J'ai une idée: allons visiter le zoo ensemble un jour... Allons au cinéma aussi. Aimez-vous le cinéma?

Barbara: Oui, j'aime aller au cinéma quand il y a un bon film. J'aime arriver au commencement du film, et je déteste arriver au milieu. Mais quand le film est très mauvais, je ne reste pas.

Jean-Pierre: C'est exactement ma philosophie! Je déteste rester simplement à cause du prix du billet. Je trouve deux heures de mon temps bien plus importantes que le prix du billet... Barbara, aimez-vous faire la cuisine?

Barbara: Justement, c'est sans doute ce que j'aime le mieux faire. J'aime souvent mieux faire la cuisine que dîner au restaurant. Ma spécialité, c'est le poulet aux champignons. Je fais aussi un gâteau que tout le monde aime beaucoup...

Jean-Pierre: (*enthousiasmé*) Sans blague? J'adore le poulet aux champignons, je suis expert en bonne cuisine et j'adore manger. Je mange toujours trop, quand la cuisine est bonne.

Barbara: Eh bien alors, j'ai une idée. Je vais rester chez moi demain et préparer un bon déjeuner. Venez déjeuner à la maison. Et après, qu'est-ce que nous allons faire?

Jean-Pierre: Ecoutez, Barbara, moi aussi, j'ai une bonne idée. Vous avez envie d'aller au zoo? Eh bien, allons visiter le zoo après le déjeuner. Et pour vous remercier de votre invitation, je vous invite à dîner. Allons dîner dans ce petit bistro et écouter ce groupe folklorique.

Barbara: Jean-Pierre, vous avez des idées formidables! Vous êtes épatant, sensationnel. Vous êtes UNIQUE!

Jean-Pierre: (*modeste*) Je trouve que vous exagérez un peu... Je ne suis pas absolument unique. Non,... disons simplement que je suis un type assez remarquable...

PRONONCIATION

Il pense	Il déjeune	Il dîne	Il trouve
Ils pensent	Ils déjeunent	Ils dînent	Ils trouvent

La prononciation du singulier est exactement la même que la prononciation du pluriel.

Il espère   Il aime   Il adore
Ils espère~~nt~~   Ils aime~~nt~~   Ils adore~~nt~~

Quand le verbe commence par une voyelle, la liaison est obligatoire.

Aimez-vous ?   J'aime.   Trouvez-vous ?   Je trouve.
Déjeunez-vous ?   Je déjeune.   Mangez-vous ?   Je mange.

Attention à la prononciation du **e** muet. Marquez bien la différence entre **ez** et **e**.

Vous all**ez** = all**er**   déjeun**ez** = déjeun**er**
Il n'y a pas de différence de prononciation entre **er** et **ez**.

QUESTIONS SUR LA LECTURE

1. Où sont Jean-Pierre et Barbara ? Que font-ils ?
2. Comment Barbara danse-t-elle ? Est-ce que Jean-Pierre danse mieux qu'elle ?
3. Quelle est la réponse à un compliment, en français ?
4. Est-ce que Barbara aime la musique ? Aimez-vous la musique ? Avez-vous aussi une collection de disques ?
5. Qu'est-ce que Barbara va faire demain ? Et vous, qu'allez-vous faire demain ?
6. Etudie-t-on mieux quand on étudie avec une autre personne ? Préférez-vous étudier seul ou avec un camarade ?
7. Aimez-vous faire du sport ? Quel sport aimez-vous faire ?
8. Aimez-vous faire des promenades ? Aimez-vous aller dans les magasins ?
9. Parlez-vous français avec vos amis ? Parlez-vous aussi une autre langue ? Quelle langue parlez-vous le mieux ?
10. Aimez-vous aller au cinéma ? Quels films aimez-vous le mieux ?
11. Jouez-vous aux échecs ? Jouez-vous aux cartes ? Aimez-vous mieux jouer aux cartes ou parler avec les gens ?
12. Est-ce que Jean-Pierre aime ou déteste le désordre ? Et vous, aimez-vous mieux l'organisation ou l'impromptu ?
13. Comment Barbara trouve-t-elle les animaux ? Etes-vous d'accord avec elle ?
14. Faites-vous du ski ? En quelle saison fait-on du ski ?
15. Aimez-vous faire la cuisine ? Préférez-vous faire la cuisine ou dîner au restaurant ?
16. Qu'est-ce que Barbara et Jean-Pierre vont faire dimanche ? Qu'allez-vous faire dimanche ?

EXPLICATIONS

I.   Les verbes du premier groupe, ou verbes en **-er**

Dans cette leçon il y a beaucoup de verbes en **-er**.
Ce sont des verbes du premier groupe, comme **aimer, arriver, déjeuner, dîner, danser, donner, espérer, habiter, parler, préférer, rester, trouver**, etc.

La plupart (*most*) des verbes sont dans ce groupe : il y a approximativement 3.000 verbes dans ce groupe (les 400 autres verbes sont irréguliers ou dans les autres groupes).

Les verbes en **-er** sont réguliers, excepté **aller** et **envoyer** (*to send*).

Les nouveaux verbes, comme **téléphoner, téléviser, radiographier,** etc., sont formés sur la conjugaison du premier groupe. (On dit aussi **parker** (ou : **parquer**) **une voiture,** mais c'est un américanisme, et le terme français est **stationner.**)

**Conjugaison des verbes du premier groupe,
ou verbes en -*er***

Exemple : **parler**

Affirmative		*Négative*
je parle	**-e**	je ne parle pas
tu parles	**-es**	tu ne parles pas
il, elle, on parle	**-e**	il, elle, on ne parle pas
nous parlons	**-ons**	nous ne parlons pas
vous parlez	**-ez**	vous ne parlez pas
ils, elles parlent	**-ent**	ils, elles ne parlent pas

Interrogative

Il y a deux formes : $\Big\{$ avec **est-ce que**
avec l'inversion (excepté pour la 1ère personne)

Avec **est-ce que**	*Avec l'inversion*
est-ce que je parle ?	est-ce que je parle ?
est-ce que tu parles ?	parles-tu ?
est-ce qu'il (elle) (on) parle ?	parle-t*-il ? parle-t*-elle ? parle-t*-on ?
est-ce que nous parlons ?	parlons-nous ?
est-ce que vous parlez ?	parlez-vous ?
est-ce qu'ils (elles) parlent ?	parlent-ils ? parlent-elles

---

* -t-il, -t-elle, -t-on : *This -t- is found in the interrogative form of all verbs of the first group (verbs in* **-er**) *and also in the interrogative form of* **il a**: **a-t-il** *and* **il va**: **va-t-il**. *Although it is often called an "euphonious t," the real reason for its existence is probably the following: In Latin, all verbs had a* **t** *ending in the third person. In Vulgar Latin, from which French is derived, pronouns were used more often, and the third person became:* dicit ille? (**dit-il**?), amat ille? (**aime-t-il**?). *In other words, the French never lost the habit of pronouncing -t- and have to add it now that it has disappeared from the verb itself. All other French verbs, as you will see, have a* **t** *or a* **d** (*sounded as* **t**) *at the end of the third person form:* **fait-il**? **vend-il**?

II. Changement d'accent dans les verbes comme **préférer, espérer, exagérer**

En français, il y a une règle générale pour la terminaison :

> -è + *consonne* + e muet ou son équivalent

père, pièce, élève, Thérèse, Hélène, etc.

(Voir Leçon 2, page 13.)
Quand la terminaison d'un mot est **-ère, -èse,** etc., il y a généralement un **accent grave** sur le **è** devant la consonne. Donc, voilà la conjugaison des verbes avec la terminaison **-érer** à l'infinitif.

préférer	espérer	exagérer
je préfère	j'espère	j'exagère
tu préfères	tu espères	tu exagères
il préfère	il espère	il exagère
nous préférons	nous espérons	nous exagérons
vous préférez	vous espérez	vous exagérez
ils préfèrent	ils espèrent	ils exagèrent

Le -s de **tu préfères, tu espères, tu exagères** est muet, et le **-nt** de **ils préfèrent, ils espèrent, ils exagèrent** est muet aussi. Il y a donc un accent grave à toutes les personnes, excepté à la forme **nous** et **vous,** parce que leur terminaison n'est pas en **e** muet.

III. La construction de deux verbes ensemble : **j'aime aller, j'aime rester, je préfère danser, j'adore écouter,** etc.

> **J'aime aller** au théâtre.
> **Nous aimons rester** chez nous.
> **Barbara adore faire** la cuisine.
> **Je voudrais avoir** un chien.

Quand il y a deux verbes employés ensemble, le deuxième verbe est toujours à l'infinitif.

IV. Le futur proche : **je vais aller en vacances, je vais rester à la maison dimanche**

Le verbe **aller** + *un autre verbe à l'infinitif* indique le futur proche (*the near future, like the English construction" I am going to…"*).

> **Je vais faire** un voyage au mois de juillet.
> **Jean-Pierre va aller** au concert samedi.

C'est une construction très importante et utile. Vous avez maintenant le moyen d'exprimer (*the means to express*) une forme du futur.

V. La place de l'adverbe

A. Avec un verbe

Je parle **bien** français.
Jean-Pierre aime **beaucoup** la musique.
Nous n'allons pas **souvent** au cinéma.
Je fais **toujours** des fautes d'orthographe.

Avec un verbe, l'adverbe est généralement **après le verbe**.

B. Avec deux verbes

J'aime **beaucoup** aller au cinéma.
Mon père préfère **souvent** écouter ma mère que discuter avec elle.
Je voudrais **bien** faire un voyage.

Quand il y a deux verbes, l'adverbe est après le verbe qu'il modifie. C'est généralement le premier verbe. L'adverbe est donc généralement **après le premier verbe**.

VI. L'adverbe **mieux**

Je parle bien français, mais vous parlez **mieux** que moi.
Jean-Pierre danse **mieux** que Barbara.

mieux est le comparatif de **bien** (comme **meilleur(-e)** est le comparatif de **bon/bonne**).
mieux est un adverbe, il est donc invariable.

J'aime **mieux** rester à la maison avec un bon livre. (**J'aime mieux** a le sens idiomatique de *I'd rather*.)

VII. Quelques remarques sur la construction des verbes **écouter, regarder** et **aimer**

A. **écouter** et **regarder**

J'écoute la radio et **je regarde** la télévision.

Ces deux verbes ont un objet direct en français. (On ne dit pas : j'écoute à̸, je regarde à̸)

B. **aimer** (et **adorer, détester**)

Aimez-vous les animaux ?
J'adore la musique.
Je n'aime pas les cuisses de grenouilles.
Je déteste les mauvais films.

Après le verbe **aimer** (et **adorer, détester**) on emploie généralement l'article **le/la: les** ou **un/une**. (*If you mean to say not* "I like dogs : **j'aime**

les chiens," *but* "I like some dogs," *you must say in French something like:*
il y a certains chiens que j'aime. *If you said* j'aime des chiens, *you would
not make yourself clear.*)

EXERCICES ÉCRITS et/ou ORAUX

I. *Quels sont les nouveaux verbes de la lecture ?*
   (Comptez seulement les nouveaux verbes qui ne sont pas dans l'Introduction.)

   1. _____   5. _____   9. _____
   2. _____   6. _____   10. _____
   3. _____   7. _____   11. _____
   4. _____   8. _____

II. *Complétez par le verbe à la forme correcte.*

   Exemple : (exagérer) Barbara *exagère* quand elle dit que Jean-
              Pierre est unique !

   1. (trouver)   Moi, je _____ Véronique très gentille.
   2. (aimer)   _____-vous jouer aux cartes ?
   3. (étudier)   J' _____ souvent avec un copain.
   4. (préparer)   Barbara _____ un bon déjeuner.
   5. (arriver)   A quelle heure _____ vos invités ?
   6. (remercier) Vous _____ toujours les gens pour un cadeau.
   7. (espérer)   Quand _____-vous aller en vacances ?
   8. (inviter)   Mes parents _____ souvent des amis à dîner.
   9. (manger)   Si on _____ beaucoup, on n'est probablement pas
                   mince.
   10. (écouter)   _____-vous les nouvelles à la radio ?
   11. (préférer) Quel sport _____-vous ? Je _____ le ski.
   12. (regarder) Nous _____ la télévision le soir.

III. *Mettez les phrases suivantes au pluriel.*

   Exemple : J'aime aller au cinéma avec un ami.
              Nous aimons aller au cinéma avec des amis.

   1. Il aime le sport. Il va souvent à la plage avec ses amis.
   2. Je fais la cuisine, mais je préfère dîner au restaurant avec une jolie fille.
   3. Elle va rester à la maison, préparer son examen et téléphoner à son amie.
   4. Il étudie, il passe toute sa soirée à la bibliothèque. Mais quand l'examen
      arrive, il est fatigué, il dit que la question est trop difficile et que le professeur
      est fou.
   5. La personne (*pl.*: les gens) qui va à la montagne, qui fait du sport, qui
      ne mange pas beaucoup et qui organise bien sa vie est raisonnable, mais
      pas toujours amusante !

IV. *Quelle est la question ?*

Formulez la question sans **est-ce que.**

Exemple : Jean-Pierre aime les animaux.
Jean-Pierre aime-t-il les animaux ?

1. Barbara adore aller au concert.
2. Elle trouve le jazz difficile.
3. Jean-Pierre va inviter Bob et Carol.
4. Nous détestons arriver au milieu d'un film.
5. Barbara aime faire la cuisine.
6. Jean-Pierre adore le poulet aux champignons.
7. On dîne toujours tard en France.
8. Il trouve qu'elle exagère.
9. Ils vont aller faire du ski pendant les vacances.
10. Elles jouent aux cartes et elles regardent la télévision.

V. *Placez correctement l'adverbe.*

Exemple : (bien) Je voudrais *bien* faire un voyage !

1. (beaucoup)   Vous aimez dîner dans un bon restaurant.
2. (très bien)   Vous parlez anglais.
3. (souvent)   Nous n'allons pas au concert.
4. (toujours)   Je voudrais avoir beaucoup d'animaux.
5. (mieux)   Vous parlez français maintenant.
6. (généralement) Nous allons faire du ski pendant les vacances de Noël.
7. (mal)   Vous allez dîner, si c'est moi qui fais la cuisine !
8. (tant)   J'espère aller en France bientôt !
9. (vraiment)   Aimez-vous jouer aux échecs ?
10. (quelquefois) Il va écouter du jazz.

VI. *Complétez les phrases avec un autre verbe à l'infinitif.*

Exemple : Quand on est aventureux, on aime…
Quand on est aventureux, on aime faire des voyages.

1. Quand on n'est pas riche, on va…
2. J'aime la bonne cuisine. J'adore…
3. Mon père n'aime pas la campagne. Il préfère…
4. Quand il fait chaud, on n'a pas besoin de…
5. En hiver, on va souvent…
6. Je reste à la bibliothèque ce soir, parce que je vais…
7. Aimez-vous mieux jouer aux cartes ou aller…
8. Jean-Pierre adore les animaux. Il espère…
9. Je vous invite : venez…
10. Quand on est fatigué, on n'aime pas le sport. On préfère…

VII. *Le futur proche avec* **aller.**

A. *Mettez la phrase au futur proche avec* **aller.**

Exemple : Je reste à la maison.
Je vais rester à la maison.

1. Vous trouvez un mari idéal.
2. Nous parlons très bien français dans six mois.
3. Je vais en vacances.
4. J'ai des difficultés dans la classe de maths.
5. Mes parents passent l'été en Europe.

B. *Répondez à la question par une phrase complète.*

Exemple : Allez-vous faire une promenade ?
Oui, je vais faire une promenade.

1. Allons-nous avoir un examen ?
2. Allez-vous dîner à la maison ce soir ?
3. Je vais faire la cuisine ce soir. Et vous ?
4. Jean-Pierre va être vétérinaire. Et vous ?
5. Où allez-vous passer vos vacances ?
6. Quand allez-vous aller au cinéma ?
7. Quand va-t-il y avoir de la neige ?
8. Qui va avoir une surprise le jour de l'examen ?

VIII. *Exercice sur le vocabulaire.*

Complétez les phrases par les termes de la liste suivante.

des distractions, les échecs, les cartes, un billet, un plat, un bistro, un champignon, une invitation, un type

1. Cette ville est morte ! Il n'y a pas de _____ pour les jeunes.
2. Les _____ demandent beaucoup de concentration.
3. On trouve _____ dans la forêt. Mais attention ! Ils ne sont pas tous bons.
4. Je suis enchanté. J'ai _____ pour une soirée formidable !
5. Je vous invite à dîner dans un petit _____ sympathique.
6. Mon _____ favori, c'est le bifteck aux frites. Quels sont vos _____ favoris ?
7. Vous êtes bizarre, compliqué, vous avez des goûts étranges : vous êtes un drôle de _____ !
8. Venez avec moi. J'ai deux _____ pour le concert ce soir.
9. Non, je ne joue pas au bridge parce que je n'aime pas _____.

COMPOSITIONS

Composition orale et/ou écrite.

Vous avez le choix entre cinq sujets :

A. Qu'est-ce que vous aimez faire ? Qu'est-ce que vous n'aimez pas faire ? Qu'est-ce que vous adorez faire ? Qu'est-ce que vous détestez vraiment faire ?

B. Quelle sorte de gens aimez-vous ? adorez-vous ? détestez-vous ? (« J'aime les gens qui... ; je déteste les gens qui... »)

C. Quelles sont vos distractions favorites ? Quand ? Pourquoi ?

D. Qu'est-ce que vous allez faire pendant les vacances ?

E. Imaginez la journée de Jean-Pierre et de Barbara. (Déjeuner, zoo, dîner, etc.) Ecrivez votre histoire en partie en style de narration, en partie sous forme de dialogue.

VOCABULAIRE

NOMS

Noms masculins

le billet	le disque	le plaisir
le bistro	l'échec, les échecs (*pl.*)	le type
le champignon	le jazz	le vétérinaire
le danseur	le moyen	

Nom féminin

la distraction

ADJECTIFS

épatant (-e)	idiot (-e)	sensationnel, sensationnelle
européen, européenne	obscur (-e) ≠ célèbre	sûr (-e)
folklorique	obscur (-e) ≠ clair (-e)	
fou, folle	passionnant (-e)	

VERBES

1er groupe

aimer ≠ détester	écouter	• préférer
arriver	• espérer	regarder
danser	• exagérer	rester
déjeuner	habiter	stationner
dîner	jouer (aux cartes)	trouver
donner	parler	

DIVERS

à la fin	en ville ≠ à la campagne	Tiens !
au commencement	la plupart	un drôle de type
au milieu	sans blague !	Voyons !

LEÇON 15
Mieux que Christophe Colomb!

LE PRONOM D'OBJET

direct : **le/la: les**   indirect : **lui/leur**
direct et indirect : **me, te, nous, vous**

La construction de deux verbes avec le pronom d'objet :
Je vais le faire.   **Je vais lui parler.**

Introduction

DÉCLARATION ET QUESTION	RÉPONSE
Je lis **le journal**. Je **le** lis. **Le** lisez-vous aussi ?	Oui, je **le** lis aussi.
Je regarde **la télévision**. Je **la** regarde. **La** regardez-vous aussi ?	Non, je ne **la** regarde pas souvent.
J'aime **les animaux**. Je **les** aime. **Les** aimez-vous aussi ?	Oui, je **les** aime aussi.
Je donne un chèque **à la vendeuse**. Je **lui** donne un chèque. Et vous, **lui** donnez-vous un chèque ?	Non, je ne **lui** donne pas de chèque. Je **lui** donne de l'argent.
Ecrivez-vous **à vos parents** ? **Leur** écrivez-vous ?	Non, je ne **leur** écris pas souvent. Mais je **leur** téléphone.
«Je **vous** aime» ou «Je **t'**aime» dit le jeune homme **à la jeune fille**. Qu'est-ce qu'elle lui dit ?	Si elle l'aime aussi, elle **lui** dit : «Je **vous** aime» ou «Je **t'**aime».
Est-ce que vous **me** trouvez gentil ?	Oh, je **vous** trouve charmant !
Est-ce que le professeur **nous** trouve intelligents ?	Il **nous** trouve intelligents, et il nous **donne** des bonnes notes.
Aimez-vous faire **la cuisine** ?	Oui, j'aime **la** faire. Mais je préfère **la** manger.

Allez-vous téléphoner **à vos parents** demain ?	Non, je ne vais pas **leur** téléphoner demain.

EXERCICES ORAUX

I.   *Remplacez les mots en italique par un pronom.*

Exemple :   Je regarde *la télévision.*
Je *la* regarde.

A. le/la : les

1. Je lis *le journal.*
2. Je fais *la cuisine.*
3. J'aime *les enfants.*
4. J'écoute *la musique.*
5. Je déteste *les cartes.*
6. Il adore *cette jeune fille.*
7. On parle *français* au Canada.
8. Nous préférons *les bons films.*
9. Vous avez *l'heure.*
10. Nous trouvons *la situation* intéressante.

B. lui/leur

1. Je téléphone *à ma mère.*
2. Vous écrivez *à cette dame.*
3. Je parle *à ces gens.*
4. Vous donnez votre numéro *à un ami.*
5. Je dis *à ces gens* qu'ils ont tort.
6. Vous répondez *à vos amis.*
7. On adresse une lettre *à une personne.*
8. Elle dit *à Jean-Pierre* qu'il est sensationnel.
9. La vendeuse recommande une robe *à une bonne cliente.*
10. Nous répétons *à nos copains* que le français est facile.

C. le/la : les *et* lui/leur

1. Elle aime *ce jeune homme* et elle dit *à ce jeune homme* qu'il est formidable.
2. Vous donnez votre numéro *à un ami* et il écrit *votre numéro* dans son carnet.
3. Je téléphone *à mes amies* et j'invite *mes amies* à déjeuner.
4. Nous parlons *français*, nous lisons *le français* et nous écrivons *le français.*
5. Vous adressez *cette lettre* à monsieur Duval et vous demandez *à monsieur Duval* s'il a des nouvelles pour vous.

II. *Répondez à la question avec un pronom d'objet.*

Exemple : Aimez-vous la musique ?
Oui, je l'aime.
ou:
Non, je ne l'aime pas.

1. Aimez-vous les animaux ?
2. Faites-vous bien la cuisine ?
3. Préférez-vous les bons restaurants ?
4. Adorez-vous les sports ?
5. Parlez-vous à ces gens ?
6. Remerciez-vous les gens aimables ?
7. Dites-vous « Bonjour » à cette dame ?
8. Faites-vous des compliments aux jeunes filles ?
9. Aimez-vous le poulet aux champignons ?
10. Donnez-vous un chèque à votre propriétaire (*landlord*) ?

III. *Quelle est la question ?*

Formulez la question avec un pronom.

Exemple : J'ai *le journal.*
L'avez-vous ?

1. Nous lisons *les nouvelles.*
2. Vous avez *mes affaires.*
3. J'écris *ma composition.*
4. Il fait *son travail.*
5. Je parle *à Barbara.*
6. Je donne *mon opinion* à tout le monde.
7. On préfère *les gens sympathiques.*
8. On parle *aux gens sympathiques.*
9. Je fais toujours des compliments *à mon hôtesse.*
10. Je *vous* aime et je *vous* admire.

IV. *Le pronom d'objet avec deux verbes.*

Remplacez les mots en italique par un pronom.

Exemple : Elle va préparer *le déjeuner.*
Elle va *le* préparer.

1. Nous allons écouter *les nouvelles* à la radio.
2. Vous aimez faire *la cuisine.*
3. Je voudrais bien faire *ce voyage.*
4. Nous préférons parler *français* en classe.
5. Je voudrais donner ce cadeau *à ma mère.*
6. Je vais remercier *mon hôtesse* pour son aimable invitation.

7. Jean-Pierre va inviter *Bob et Carol.*
8. Je voudrais la vérité. Allez-vous dire *la vérité* ?
9. On va manger *ce dîner* avec plaisir.
10. Je voudrais écrire les bonnes nouvelles *à vos parents.*

V. *Répondez à la question avec un pronom objet.*

Exemple : Allez-vous écrire *cette lettre* ?
Oui, je vais l'écrire.
ou:
Non, je ne vais pas l'écrire.

1. Allez-vous voir *ce film* ?
2. Allons-nous terminer *la leçon* cette semaine ?
3. Allez-vous visiter *le zoo* dimanche ?
4. Aimez-vous écrire *les compositions* ?
5. Préférez-vous donner *les compositions* oralement en classe ?
6. Espérez-vous voir *Paris* bientôt ?
7. Allez-vous passer *vos vacances* à l'université ?
8. Aimez-vous parler *aux gens qui ne disent pas la vérité* ?
9. Aimez-vous téléphoner *aux gens qui parlent pendant des heures* ?
10. Détestez-vous dire *la vérité* quand elle n'est pas agréable ?
11. Préférez-vous écrire les choses embarrassantes *à vos amis* ?

LECTURE

Mieux que Christophe Colomb!

Ma famille et moi, nous aimons les voyages. Nous les aimons parce que, quand on fait un voyage, on a l'occasion de rencontrer des gens intéressants, de visiter des endroits pittoresques ou des monuments célèbres.

Avant le départ. il faut faire beaucoup de préparatifs. Il faut faire les projets de voyage ; nous les faisons ensemble, c'est très amusant. Il faut décider la date du départ. C'est mon père qui la décide. Il faut faire les bagages, c'est ma mère qui les fait.

Cette année, nous allons en Europe, parçe que c'est le vingtième anniversaire de mariage de mes parents et que l'Europe est le choix de ma mère. Alors, aujourd'hui, me voilà dans une agence de voyages avec ma mère. C'est l'agence *Voyages Illimités* et ma mère demande des renseignements à l'agent de voyages.

Ma mère: Monsieur, je voudrais des renseignements, s'il vous plaît. Me recommandez-vous le bateau ou l'avion pour aller à Paris ? Mon mari et moi, nous allons en Europe et nous emmenons nos deux fils.

L'agent de voyages: Ça dépend, Madame. L'avion est rapide et je vous le recommande si vous êtes pressée. Le bateau est lent, mais agréable si vous avez le temps.

Ma mère: Le temps ? Oh, nous l'avons…

Moi: Mais il est ridicule de passer une semaine sur le bateau quand on a la possibilité de faire le même voyage en six heures ! Je préfère l'avion !

Ma mère: Mais moi, je ne l'aime pas. J'ai le mal de l'air.

L'agent: Tiens !* Et vous n'avez pas le mal de mer ?

Ma mère: Non, je ne l'ai pas. Mon mari me dit que c'est psychologique. Il faut vous dire que j'ai peur en avion, mais que je n'ai pas peur en bateau. Et j'adore passer quelques jours sur un bateau ! C'est la meilleure partie de mes vacances. La cuisine est délicieuse, et je n'ai pas besoin de la faire. Et quel service ! Ah, Monsieur, quand on est maîtresse de maison, on l'apprécie !

* **Tiens !** Exclamation de surprise.

Affiche publicitaire de la Compagnie Générale Transatlantique   *French Line*

Bien mieux que Christophe Colomb!

L'agent: Alors, je vais vous réserver des places sur le paquebot *France*. C'est le meilleur bateau de la Compagnie Générale Transatlantique et je le recommande à tous mes clients.

Moi: J'aime mieux faire le voyage en avion, et mon frère aussi. Voyons,* maman, tu ne le trouves pas plus moderne, plus pratique et plus intéressant que ce bateau ? Nous ne sommes pas Christophe Colomb !

Ma mère: Quelle ingratitude ! Je vous emmène en Europe, sur un bateau de luxe, et ton frère et toi, vous n'êtes pas contents ? Nous faisons ce voyage pour célébrer notre vingtième anniversaire de mariage ; nous allons l'organiser à notre goût, ton père et moi. Si tu n'es pas content, reste à la maison. Tu as le choix : bateau, ou pas de voyage.

Moi: Alors, dans ce cas, je vais avec vous,— bateau, canoë ou… radeau !

Ma mère: Ah, les enfants ! Il ne faut pas** les écouter. Monsieur, avez-vous des renseignements sur les hôtels ? Y a-t-il un bon hôtel assez central ?

L'agent: Je vais vous réserver des chambres à l'Hôtel du Louvre. Je le recommande aussi beaucoup. Les prix sont raisonnables et mes clients le trouvent excellent.

Ma mère: Très bien. J'ai confiance en votre jugement. Préparez, s'il vous plaît, les billets et les réservations.† Faut-il emporter beaucoup de bagages ? J'ai besoin de vêtements. Faut-il les acheter ici ou en Europe ?

L'agent: Beaucoup de gens les achètent en Europe. Ils disent qu'on trouve mieux, surtout à Paris. Ils sont un peu plus chers, mais ils sont chics et différents des vêtements qu'on trouve ici.

Ma mère: Alors, je ne vais pas les acheter ici, je vais les acheter en Europe. Je n'ai pas besoin d'emporter tant de bagages. Je les déteste.

L'agent: Madame, je suis à votre service, et je vais faire tout mon possible pour vous préparer un voyage absolument merveilleux. Et pour vous, Monsieur, j'ai une petite surprise pour améliorer votre voyage en bateau : justement, des jeunes filles qui vont en Europe pour le concours de Miss Beauté Mondiale vont être sur le *France*. Il n'y a que quelques jeunes gens sur la liste des passagers, alors je vous réserve une place à leur table dans la salle à manger… si j'ai votre permission.

Moi: Vous l'avez, vous l'avez, je vous la donne ! Et je vous remercie, Monsieur, vous êtes un homme de génie ! J'adore le bateau et je le préfère à tous les moyens de transport. Je le dis toujours et on ne m'écoute pas ! Je vais faire un voyage formidable ! Mieux que Christophe Colomb !

---

* **Voyons!** Exclamation de remontrance. (Voir Leçon 14, page 145.)
** **Il ne faut pas:** *One mustn't.*
† **les réservations:** C'est un terme anglais mais couramment employé en français aujourd'hui.

nous aimons   nous avons   avez-vous ?
nous l'aimons   nous l'avons   l'avez-vous ?
nous les aimons   nous les avons   les avez-vous ?

       je vais acheter   je le dis
       je vais l'acheter   je lui dis
       je vais les acheter   je leur dis

QUESTIONS SUR LA LECTURE

Répondez aux questions en employant un pronom d'objet à la place des mots en italique.

1. Quels sont les membres de cette famille ? Aiment-ils *les voyages* ? Pourquoi *les* aiment-ils ? Aimez-vous aussi *les voyages* ?
2. Qui fait *les projets* dans cette famille ? Qui décide *la date du départ* ? Qui fait *les bagages* ?
3. Où vont ces gens cette année ? Pourquoi ?
4. Qu'est-ce que la dame demande *à l'agent de voyages* ?
5. Est-ce que l'agent *lui* recommande un moyen de transport ?
6. Quel est le meilleur moyen de transport si on est pressé ? Et si on a le temps ?
7. Cette dame a-t-elle *le mal de l'air* ? A-t-elle aussi *le mal de mer* ? Avez-vous *le mal de l'air* aussi ? Et *le mal de mer* ?
8. Est-ce que le mari de cette dame a raison, et y a-t-il des maladies d'ordre psychologique ? Donnez un exemple.
9. Est-ce que cette dame apprécie *le service* sur le bateau ?
10. Pourquoi son fils préfère-t-il *l'avion* ?
11. Quel paquebot l'agent recommande-t-il *à la dame* ? Pourquoi ?
12. Comment le jeune homme trouve-t-il *le bateau* ?
13. Quel hôtel l'agent recommande-t-il *à la dame* ? Pourquoi ?
14. Expliquez la différence entre **emporter** et **emmener** : qu'est-ce que cette dame **emporte** ? Qui **emmène-t-elle** ?
15. Est-ce que cette dame va acheter *ses vêtements* en Europe ? Quel est l'avantage ?
16. Y a-t-il une bonne ou une mauvaise surprise pour le jeune homme à la fin de la conversation ? Quelle est cette surprise ?
17. Le jeune homme aime-t-il *le bateau* maintenant ? Pourquoi ?

EXPLICATIONS

I.   Les pronoms d'objet

    A. Le pronom d'objet direct : le/la : les

        Je préfère **le bateau**.   Je **le** préfère.
        Il regarde **la télévision**.   Il **la** regarde.
        J'aime **mes parents**.   Je **les** aime.

le/la: les sont des pronoms d'objet direct, c'est-à-dire qui remplacent le complément d'objet direct.

B. Le pronom d'objet indirect: **lui/leur**

Je parle **à ma mère.**   Je **lui** parle.
Il recommande un hôtel **à ses clients.**   Il **leur** recommande un hôtel.

lui/leur sont des compléments d'objet indirect. Ils remplacent **à** + *le nom* d'un objet ou d'une personne.

C. Le pronom d'objet direct ou indirect: **me, te, nous, vous**

Le professeur **nous** trouve intelligents.
Le jeune homme dit à sa fiancée : « Je **vous** aime. » (*ou* : « Je **t'**aime. »)
Mon père **me** trouve impossible et il refuse de **me** donner de l'argent.
Il **me** dit qu'à mon âge, il ne **me** ressemblait pas !

II. La place des pronoms d'objet

A. Avec un seul verbe

J'aime **les bons films.**   Je **les** aime.
Parlez-vous **russe** ?   Non, je ne **le** parle pas.
Je n'ai pas l'heure. **L'** avez-vous ?   Non, je ne **l'**ai pas.
Dites-vous bonjour **à ces gens** ?   Oui, je **leur** dis bonjour.

Dans une déclaration, une question ou une négation, le pronom est directement devant le verbe.

B. Avec deux verbes

Aimez-vous regarder **la télévision** ?   Oui, j'aime **la** regarder.
   (Aimez-vous **la** regarder ?)   Non, je n'aime pas **la** regarder.
Allez-vous parler **à ce monsieur** ?   Oui, je vais **lui** parler.
   (Allez-vous **lui** parler ?)   Non, je ne vais pas **lui** parler.

Avec deux verbes, le pronom est directement devant le verbe dont (*of which*) il est l'objet. C'est souvent le deuxième verbe. Le pronom est donc souvent devant le deuxième verbe.

III. Le verbe impersonnel **il faut** (*one must, has to*) et **il ne faut pas** (*one must not*)

Il faut être gentil avec tout le monde.
Il ne faut pas dire des choses désagréables aux gens.

Il faut a le sens de *one, you must* ou *one has, you have to*.
Mais **il ne faut pas** a seulement le sens de *one, you must not*.
On ne conjugue pas ce verbe. Il a seulement la forme **il**..., c'est un verbe impersonnel.

IV.   La conjugaison des verbes **emmener** et **acheter**

j'emmène	j'achète
tu emmènes	tu achètes
il emmène	il achète
nous emmenons	nous achetons
vous emmenez	vous achetez
ils emmènent	ils achètent

V.   **emmener** et **emporter**

Cette dame **emmène** ses fils et **emporte** des bagages.

emmener (*to take along a person*) : J'**emmène** mon petit frère à l'école.
emporter (*to take along a thing*) : J'**emporte** mes livres le matin.

Quand il pleut, j'**emporte** mon parapluie, et j'**emmène** un ami qui n'a pas de voiture.

VI.   Remarquez la construction : **il est préférable de...**, **j'ai le temps de...**

Il est **préférable de** réserver vos chambres.
Je suis **content d'**aller en Europe.
Avez-vous **le temps d'**étudier ?
Cette dame a **l'intention de** faire un voyage.

En général, après un adjectif ou un nom, il y a **de** devant un verbe à l'infinitif.

VII.   Les adjectifs **lent** et **rapide**, les adverbes **lentement** et **vite**

L'avion est **rapide**, mais le bateau est **lent**.

J'ai dix minutes pour déjeuner : je déjeune **vite**.

J'ai une heure pour déjeuner : je déjeune **lentement**.

Un adjectif qualifie un nom.
Un adverbe modifie un verbe.

EXERCICES ÉCRITS et/ou ORAUX

I.   *Remplacez les compléments d'objet par un pronom :* **le/la : les, lui/leur**.

Exemple :   Elle emporte *ses bagages.*
Elle *les* emporte.

1. L'agent recommande l'Hôtel du Louvre *à M. et Mme Martin.*
2. Barbara dit *à Jean-Pierre* qu'elle adore *les animaux.*
3. Il aime *le jazz*, et il va souvent écouter *le jazz.*

4. Ce jeune homme déteste *le bateau*, mais il va aimer *le bateau*.
5. Ecoutez-vous *les enfants* ? Moi, je n'écoute pas *les enfants* !
6. Vous avez *la réponse* ? Moi, je n'ai pas *la réponse*.
7. Qui fait *la cuisine* chez vous ? Aujourd'hui, c'est ma mère qui fait *la cuisine*.
8. Vous lisez *le journal* le matin ? Non, je lis *le journal* le soir.
9. Allez-vous avoir *le mal de mer* ? Moi, je ne vais pas avoir *le mal de mer*.
10. Je vais acheter *les provisions* au supermarché.

II. *Répondez à la question avec un pronom.*

Exemple : M'aimes-tu ?
Oui, je t'aime.
ou:
Non, je ne t'aime pas.

1. Mademoiselle, me trouvez-vous sympathique ?
2. Monsieur, nous admirez-vous ? Nous trouvez-vous intelligents ?
3. Bob t'invite-t-il chez lui ? Te téléphone-t-il souvent ?
4. Vos parents vous approuvent-ils ? Vous disent-ils que vous êtes parfait ?
5. Vas-tu me donner ton opinion ?
6. Me dites-vous toujours la vérité ?
7. Nous donnez-vous ces exercices pour votre plaisir ?
8. Allez-vous m'écrire pendant les vacances ?
9. Aimez-vous me faire des compliments ?
10. Espérez-vous me rencontrer, plus tard, dans la vie ?

III. *Complétez les phrases suivantes* (lent/lentement, rapide/vite).

1. Les avions à réaction (*jets*) sont plus _____ que les avions à hélice.
2. Lisez le texte suivant _____ et faites attention à chaque mot.
3. Si on est pressé, on déjeune _____. Si on a le temps, on déjeune _____.
4. Quand vous parlez français trop _____, nous vous disons : « Parlez plus _____, Monsieur, s'il vous plaît. »
5. Le temps passe _____ pendant les vacances. Mais quand nous sommes à l'université, il passe _____.
6. Une voiture est plus _____. Une bicyclette est plus _____.

IV. *Les verbes* emporter *et* emmener.

Complétez les phrases avec le verbe approprié.

1. Cette dame _____ ses fils, et elle _____ ses bagages.
2. Qu'est-ce que vous _____ dans cette boîte ? C'est un gâteau, je l' _____ chez mes amis.
3. Aimez-vous _____ Barbara au cinéma ?
4. Vous avez froid ? _____ votre manteau.

5. Ma sœur a de la chance ! Son fiancé l' _____ au restaurant, et il _____ toujours beaucoup d'argent.

6. Venez. Je vous _____ faire une promenade, et nous allons _____ un pique-nique.

7. Il va pleuvoir. _____ votre parapluie. Ou bien, préférez-vous que je vous _____ dans ma voiture ?

V. *Exercices sur le vocabulaire.*

A. *Les exclamations* **Tiens !** *et* **Voyons !**

1. _____ Quelle bonne surprise !
2. _____ Vous êtes ridicule !
3. _____ C'est une drôle d'idée !
4. _____ Sûrement pas à votre âge !
5. _____ Voilà Jean-Pierre !
6. _____ Pour une fois, vous avez raison !
7. _____ Un peu de calme, s'il vous plaît !
8. _____ Faites attention !

B. *Les verbes* **rencontrer, visiter, acheter, célébrer, améliorer, réserver.**

1. Je vais au marché. J'ai besoin d' _____ des provisions pour la semaine.
2. Pour _____ vos menus, achetez un livre de cuisine française !
3. J'aime beaucoup _____ toutes les occasions spéciales.
4. Quand je fais un voyage, j'adore _____ des gens nouveaux.
5. Je n'aime pas beaucoup _____ les monuments historiques.
6. Je vais _____ une soirée pour aller dîner avec vous.

C. *Les expressions* **avoir l'occasion de, être pressé, demander des renseignements, avoir confiance, faire son possible.**

1. Si vous _____ en une personne, vous acceptez toujours son jugement.
2. Je vais _____ pour vous donner la meilleure composition de l'année !
3. Est-ce que _____ de faire des choses intéressantes dans votre université ?
4. Si vous avez besoin d'informations, _____ à la jeune fille qui est derrière ce bureau.
5. Je regrette, mais je n'ai pas le temps de vous parler maintenant, parce que je _____ .

VI. *Le verbe impersonnel* **il faut** *et* **il ne faut pas.**

Répondez à la question par **Oui** *ou* **Non** *et une phrase complète.*

Exemple : Faut-il écouter les enfants ?
Oui, il faut les écouter.
ou:
Non, il ne faut pas les écouter.

1. Faut-il faire les bagages avant le départ?
2. Faut-il aller en Europe sur un radeau?
3. Faut-il emmener des gens impossibles quand on fait un voyage?
4. Faut-il réserver ses billets quand il y a un bon concert?
5. Faut-il dire aux gens exactement toute la vérité?
6. Faut-il faire les projets longtemps avant le voyage?
7. Faut-il visiter les musées et les cathédrales quand on va en Europe?
8. Faut-il passer sa vie au même endroit, ou voyager?

COMPOSITIONS

Composition orale et/ou écrite.

Vous avez le choix entre quatre sujets:

A. Imaginez une conversation entre le jeune homme de la lecture et les jeunes filles qui sont à sa table pendant le voyage.

B. Comparez un voyage par avion et un voyage par bateau. Quel moyen de transport préférez-vous? Pourquoi, et quand le préférez-vous?

C. Une conversation entre vous et un ami où vous faites des projets pour un voyage.

D. Une conversation entre la dame de la lecture et son mari.

(Naturellement, employez beaucoup de pronoms d'objet et employez aussi **il faut/ il ne faut pas, trouver, acheter, rencontrer, emmener, emporter,** etc.)

VOCABULAIRE

NOMS

Noms masculins

l'agent de voyage	le client	le paquebot
l'anniversaire de mariage	le concours (de beauté)	le préparatif
l'avion	le départ	le propriétaire
le bagage	le groupe	le radeau
le canoë	le mal de l'air	le renseignement
le centre	le mal de mer	le service
le choix	le moyen de transport	le voyage

Noms féminins

l'agence de voyages	l'hôtesse	la place
la cliente	la mer	la propriétaire
la coïncidence	la nouvelle	la réservation
la confiance	la permission	

ADJECTIFS

calme	pittoresque	rapide ╪ lent (-e)
central (-e)	pressé (-e)	ridicule
embarrassant (-e)	psychologique	transatlantique

VERBES

1er groupe

acheter	emmener	recommander
adorer	emporter	remercier
améliorer	manger	rencontrer
apprécier	organiser	réserver
célébrer	passer (les vacances, une	téléphoner
décider	semaine, le temps, un	visiter (un endroit, un
demander	examen)	monument, une ville)
	préparer	

ADVERBES

lentement ╪ vite

DIVERS

à mon goût (à votre goût)	ça dépend	une drôle d'idée
avoir confiance (en)	de luxe (un bateau, une voiture)	un homme de génie
à votre service	faire tout son possible (pour)	(une femme)

LEÇON 16
A la banque

Les pronoms indirects **en** et **y**
Leur place

Introduction

DÉCLARATION ET QUESTION	RÉPONSE
J'ai **du travail**. J'**en** ai. **En** avez-vous aussi ?	Oui, j'**en** ai aussi.
Avez-vous **des frères** ?	Oui, j'**en** ai **deux**.
Avez-vous **une voiture** ?	Non, je n'**en** ai pas. Mais mon père **en** a **une**.
J'aime faire **des voyages**. Aimez-vous aussi **en** faire ?	Oui, j'aime aussi **en** faire.

Je vais **à la banque** le vendredi. J'**y** vais le vendredi. **Y** allez-vous aussi ?	J'**y** vais généralement le jeudi.
Déjeunez-vous **au restaurant** ?	Non, je n'**y** déjeune pas aujourd'hui.
Votre voiture est-elle **dans le garage** ?	Oui, elle **y** est.

Il y a une porte dans cette pièce. Il y **en** a une. Y a-t-il aussi **des fenêtres** ?	Oui, il y **en** a **quatre**.
Y a-t-il **des fautes** dans votre composition ?	Non, il n'**y en** a pas.
Aimez-vous avoir **de l'argent** dans votre poche ?	Oui, j'aime **en** avoir. Mais je n'aime pas **en** avoir beaucoup.
Allez-vous déposer votre chèque **à la banque** ?	Oui, je vais l'**y** déposer.
Avez-vous l'intention de déposer tout votre argent **à la banque** ou de dépenser **une partie de votre argent** ?	J'ai l'intention d'**y** déposer tout mon argent. Je n'ai pas l'intention d'**en** dépenser.

EXERCICES ORAUX

I. *Répondez à la question en remplaçant les mots en italique par* **y** *ou* **en**.

A. *Remplacez par* **en**.

Exemple : Avez-vous *des problèmes* ?
J'*en* ai.
ou:
Je n'*en* ai pas.

1. Avez-vous *beaucoup d'amis* ?
2. Gagnez-vous *de l'argent* ?
3. Faites-vous *des voyages* ?
4. Mangez-vous *des bonbons* ?
5. Achetez-vous *des disques* ?
6. Avez-vous *une voiture* ?
7. Avez-vous *un téléphone* ?
8. Avez-vous *des frères* ?
9. Avez-vous *des sœurs* ?
10. Recommandez-vous *un restaurant* ?
11. Emportez-vous *beaucoup de bagages* ?
12. Donnez-vous *des renseignements* ?
13. Avez-vous *un compte en banque* ?
14. Emmenez-vous *des copains* ?
15. Faites-vous *des projets* ?
16. Faut-il réserver *des chambres d'hôtel* ?
17. Faut-il visiter *des endroits historiques* ?
18. Faut-il manger des *escargots* (snails) ?

B. *Remplacez par* **y**.

Exemple : Allez-vous *à la banque* ?
J'*y* vais.
ou :
Je n'*y* vais pas.

1. Déjeunez-vous *au restaurant* ?
2. Etudiez-vous *à la bibliothèque* ?
3. Allez-vous *aux manifestations politiques* ?
4. Restez-vous *à la maison* demain ?
5. Aimez-vous aller *au cinéma* ?
6. Détestez-vous arriver en retard *au cinéma* ?
7. Aimez-vous faire du ski à *la montagne* ?
8. Espérez-vous aller *en Europe* bientôt ?
9. Allez-vous passer vos vacances *à l'université* ?
10. Allez-vous m'emmener *chez vous* ce soir ?

C. *Remplacez par* **y** *ou par* **en.**

1. Déposez-vous votre argent *à la banque*?
2. Faites-vous *des progrès*?
3. Allez-vous recommander *une banque* à vos amis?
4. Préférez-vous réserver *des billets*?
5. Avez-vous *des animaux favoris*?
6. Y a-t-il *du désordre dans votre chambre*?
7. Avez-vous *de l'argent*?
8. Avez-vous *beaucoup de travail pour ce soir*?
9. Faut-il aller *au laboratoire*?
10. Faut-il faire attention *dans la classe*?

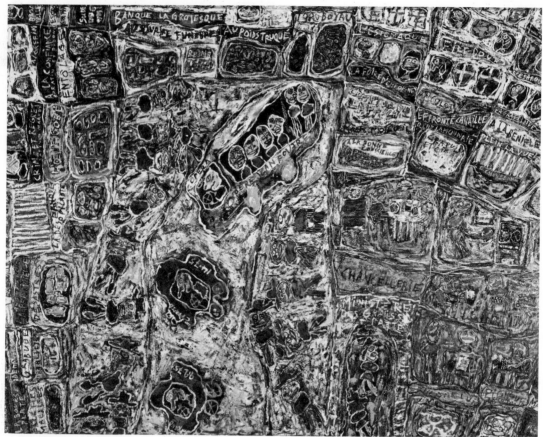

JEAN DUBUFFET, *Les affaires vont bien*   Collection, The Museum of Modern Art, New York. Mrs. Simon Guggenheim Fund

Un autobus qui va de l'Opéra à Jean-foutre (*sucker*) traverse une ville pleine d'enseignes de banques, de magasins et de restaurants. Lisez quelques-unes de ces enseignes: **Banque La Grotesque, Banque La Désopilante** (*Bank of the Belly Laugh*), **Au poids Truqué** (*Fraudulent weights*), **A la foire d'empoigne** (*Thieves Market*), **Effronté Canaille** (*Shameless Scoundrel*), **Au culot** (*Gall and Co.*), **Plein la vue** (*All for show*), **Crime et Regret, A la Confiance** (*Trust is our motto*), **La Bourse Plate** (*Flat Purse*), **L'estomaqué** (*Flabbergasted*),**Tord-Boyau** (*Rotgut*), **File-Doux** (*Toe the Line*), **Entôlage** (*Con Artists, Inc.*), **Ministère des Graisse-Pattes** (*Bureau of Pork Barrel Affairs*).

LECTURE

À la banque

Pendant les vacances, je travaille trente heures par semaine dans un bureau.

Je gagne de l'argent. Je n'en gagne pas beaucoup, mais quand je touche mon chèque le vendredi, je suis très fier. Je vais à la banque. J'y vais tout de suite. J'écris mon nom et le numéro de mon compte en banque sur une fiche. Je signe mon chèque, et je le donne, avec la fiche, à l'employé qui est derrière le guichet.

Cet employé est un jeune homme de mon âge, et je le trouve sympathique. Aujourd'hui, je lui demande :

Moi: Etes-vous étudiant pendant l'année, comme moi, ou travaillez-vous toujours à cette banque ?

L'employé: J'y travaille seulement pendant les vacances. Je suis étudiant le reste du temps. Et vous, où travaillez-vous ?

Moi: Je suis employé de bureau dans une grande maison d'importation qui s'appelle *Art International*. J'y travaille trente heures par semaine, et j'aime bien mon travail. Je l'aime parce que j'y rencontre des gens intéressants. Il y en a de tous les pays du monde, et souvent, je leur parle français. Beaucoup de gens le parlent, même si ce n'est pas leur langue maternelle...

L'employé: Dans une banque aussi, on rencontre des gens intéressants. Déposez-vous votre chèque, ou avez-vous besoin d'argent comptant ?

Moi: Non, je n'en ai pas besoin. J'ai un peu d'argent de poche, j'en ai assez pour la semaine.

L'employé: Avez-vous besoin d'un carnet de chèques ?

Moi: Non, merci. Si j'ai un carnet de chèques ou de l'argent comptant, la tentation est trop forte, et je dépense tout mon argent. Après, je le regrette, parce que je travaille pour faire des économies. Avec un carnet de chèques, je n'en fais pas.

L'employé: Tiens, je ne suis pas comme vous. J'aime faire des économies et j'en fais beaucoup. Si je n'en fais pas, je n'ai pas les moyens d'aller à l'université.

Moi: Avez-vous l'intention de rester dans une banque après vos études ?

L'employé: Oui, j'ai l'intention d'y rester et d'y faire ma carrière. J'aime y travailler, et j'espère y faire une situation intéressante.

Moi: Vous avez de la chance ! Moi, je n'ai pas de projets d'avenir. On me demande souvent si j'en ai, mais je répète que je n'en ai pas. Je voudrais aller à Paris ou à Rome, y passer quelques années, y étudier l'art. Mais je n'ai pas les moyens de le faire... Je ne suis pas très réaliste...

L'employé: Je vous trouve très réaliste, au contraire. Vous déposez votre chèque à la banque, et vous faites des économies... Les gens qui ne sont pas réalistes le dépensent...

Moi: Oh, non, je suis plutôt rêveur. J'admire les gens qui ont des idées précises et déterminées. Je n'en ai pas. Un jour j'adore la musique, une semaine plus tard, je la déteste... Un autre jour, je voudrais étudier les sciences, et une semaine plus tard, je les déteste aussi. Mais... il est midi. Avez-vous le temps de déjeuner avec moi?

L'employé: Oui, la banque est fermée de midi à quatorze heures. Allons au petit restaurant au coin de la rue. J'y vais souvent. Il n'est pas cher, et comme nous sommes tous les deux pauvres et économes, c'est l'endroit idéal pour nous. Mais, à propos, je m'appelle Richard Rodier.

Moi: Je m'appelle André Ancelin, et je suis enchanté de faire votre connaissance. Allons déjeuner.

PRONONCIATION

J'en ai.	Je n'en ai pas.
Il y en a.	Y en a-t-il?
Il n'y en a pas.	

Je suis fier.　　　la mer　　cher—chère　　le fer

-er final est prononcé **é** excepté dans les mots d'une syllabe (monosyllabiques) où il est prononcé comme **ère**.

Quand **-er** est la terminaison d'un verbe il est toujours prononcé **é**.

aimer　　créer　　déposer

QUESTIONS SUR LA LECTURE

(Répondez aux questions en employant un pronom à la place des mots en italique.)

1. Travaillez-vous pendant le semestre? Et pendant les vacances? Gagnez-vous *de l'argent*?
2. Quand ce jeune homme va-t-il *à la banque*? Allez-vous quelquefois *à la banque*? Quand y allez-vous?
3. Est-il fier quand il va *à la banque* avec son chèque? Qu'est-ce qu'il faut écrire *sur la fiche*? Faut-il signer *le chèque*?
4. Comment André trouve-t-il *le jeune employé de banque*?
5. Où travaille André pendant les vacances? Comment trouve-t-il *son travail*? Pourquoi?
6. Est-ce qu'André a besoin *de chèques*? Avez-vous besoin *d'un carnet de chèques*? Pourquoi?
7. Quelle tentation a-t-on si on a *de l'argent* dans sa poche? (On a la tentation de...)

8. Est-ce que le jeune employé a l'intention de rester *à la banque* après ses études ?
9. André a-t-il *des projets d'avenir* ? En avez-vous ?
10. Pourquoi André voudrait-il aller *en Europe* ? Voudriez-vous aussi y aller ?
11. A-t-il *les moyens de faire ce voyage* ?
12. Invite-t-il *Richard à déjeuner* ?
13. Quel restaurant Richard propose-t-il *à André* ?

EXPLICATIONS

I.   Le pronom indirect **en**

   A. L'emploi de **en**

Avez-vous **du travail** ?	Oui, j'**en** ai.
	Non, je n'**en** ai pas.
Avez-vous **de l'argent** ?	Oui, j'**en** ai (un peu).
	Non, je n'**en** ai pas.
Avez-vous **des frères** ?	Oui, j'**en** ai (un, deux, trois, etc.).
Avez-vous **une voiture** ?	Oui, j'**en** ai **une** (deux, trois !).
Y a-t-il **des fenêtres** ?	Oui, il y **en** a quatre.

   en est un pronom d'objet indirect qui remplace un complément introduit par **de** (**du/de la/de l'** : **des**) ou une autre expression de quantité, comme **un/une**.

   B. L'usage de **en** n'est pas limité à l'expression de quantité ou de nombre.

   J'arrive **de** Paris. J'**en** arrive ce matin.
   Etes-vous fatigué **de la cuisine** de ce restaurant ?   Oui, j'**en** suis fatigué.
   Parlez-vous **des problèmes politiques** ?   Oui, nous **en** parlons beaucoup.

   en remplace un complément introduit par **de** quel que soit (*whatever may be*) le sens de ce **de**.

II.   Le pronom indirect **y**

   A. L'emploi de **y**

Allez-vous **à la banque** ?	Oui, j'**y** vais.
	Non, je n'**y** vais pas.
Déjeunez-vous **au restaurant** ?	Oui, j'**y** déjeune.
	Non, je n'**y** déjeune pas.
Mon sac est-il **sur la table** ?	Oui, il **y** est.
Votre voiture est-elle **dans le garage** ?	Oui, elle **y** est.

y est un pronom d'objet indirect qui remplace un complément introduit par une préposition autre que (*other than*) **de**. Il remplace souvent la préposition **à** (**à la/au/à l': aux**) mais il remplace aussi les autres prépositions : **sur, sous, entre, devant, derrière**, etc.
Il remplace donc généralement une préposition de situation.

B. L'usage de **y** n'est pas limité à l'expression de situation. Par exemple :

Je joue **au tennis**. **Y** jouez-vous ?   Oui, j'**y** joue.
                                              Non, je n'**y** joue pas.

y remplace un complément d'objet introduit par une préposition autre que **de** (le plus souvent **à**), même si cette préposition n'indique pas la situation ou la location.

ATTENTION

J'écris **à mes parents**. Je **leur** écris.
Je téléphone **à ma sœur**. Je **lui** téléphone.

N'employez pas **y** pour remplacer un nom de personne. Pour remplacer un nom de personne précédé par **à** (**à ce monsieur, à cette dame, à un ami, à cette jeune fille, à mes parents**, etc.) employez **lui** ou **leur** (voir Leçon 15, page 155).

III.   La place de **en** et de **y**

A. Avec un verbe

	QUESTION	RÉPONSE/DÉCLARATION
Je vais **à la banque**.	**Y** allez-vous ?	J'**y** vais.
J'ai **de l'argent**.	**En** avez-vous ?	J'**en** ai.
		Je n'**en** ai pas.

Dans la question et la réponse/déclaration, **y** et **en** sont placés avant le verbe.

B. Avec deux verbes

	QUESTION	RÉPONSE/DÉCLARATION
Je vais rester **à la maison**.	Allez-vous **y rester** ?	Je vais **y rester**.
		Je ne vais pas **y rester**.
J'aime écrire des **lettres**.	Aimez-vous **en écrire** ?	J'aime **en écrire**.
		Je n'aime pas **en écrire**.

Quand il y a deux verbes, **y** et **en** sont placés avant le verbe dont (*of which*) ils sont l'objet.

C. il y en a

	QUESTION	RÉPONSE/DÉCLARATION
Il y a **des fautes**.	**Y en** a-t-il ?	Il **y en** a.
		Il n'**y en** a pas.

Dans les expressions **il y en a, il n'y en a pas, y en a-t-il ?** **y** est toujours devant **en** et ils sont ensemble, devant le verbe.*

EXERCICES ÉCRITS et/ou ORAUX

I.   *Répondez aux questions en remplaçant le complément par* **y** *ou par* **en**.

Exemple :   Je viens *de Paris*. Et vous ?
Je n'*en* viens pas.
ou:
J'*en* viens.

1. Je joue souvent *aux cartes.* Et vous ?
2. Je n'ai pas beaucoup *d'idées.* Et vous ?
3. Nous allons quelquefois *à la plage.* Et vous ?
4. Déposez-vous toujours votre argent *à la banque ?*
5. Les jeunes filles aiment-elles parler *au téléphone ?*
6. Jean-Pierre a-t-il *une sœur ?*
7. J'ai envie de déjeuner *à ce petit restaurant.* Et vous ?
8. Avez-vous *des projets d'avenir ?*
9. La maison de vos rêves est-elle *au bord de la mer ?*
10. Y a-t-il *des légumes congelés* dans ce marché ?
11. Aimez-vous faire *des économies ?*
12. Allez-vous passer vos vacances *à l'université ?*
13. Faites-vous souvent *de la bonne cuisine ?*
14. A-t-on besoin *d'une voiture* dans votre ville ?
15. Y a-t-il un élève *dans la classe* qui parle chinois ?

II.   *Les pronoms* **y** *et* **en**, **le/la : les, lui** *et* **leur.**

Remplacez les termes en italique par un pronom d'objet, direct ou indirect.

1. J'achète *le journal* tous les matins et je lis *le journal.*
2. Il y a *des gens* qui ont de la chance !
3. Vous téléphonez *à votre ami* quand vous avez des nouvelles.
4. Vous écrivez *au directeur* pour demander un rendez-vous *au directeur.*
5. Je vais *à la maison* tout de suite.

---

* *Would it help you remember if I told you that in French, the donkey goes "hi han" (which sounds just like* **y en**) *? And that* **y** *and* **en** *should sound like the donkey, with* **y** *always before* **en** *?*

6. Je dépose *mon chèque* dans mon compte en banque.
7. Je n'ai pas *de frères*, mais j'ai deux sœurs.
8. Vous écrivez votre nom *sur une fiche*.
9. Il n'y a pas *de provisions* dans le réfrigérateur.
10. Je déteste emporter beaucoup *de bagages*.
11. J'aime *les meubles* modernes, simples et pratiques.
12. Je ne vais pas souvent *à la mer*, parce que je n'aime pas beaucoup *la mer*.
13. Je voudrais faire beaucoup *de voyages*.
14. Je voudrais parler *français* et je voudrais aller *en France*.

III. *Quelle est la question ?*

Formulez la question avec un pronom d'objet.

Exemple : Je vais en ville. <u>*Y allez-vous ?*</u>

1. J'ai une voiture.
2. Nous allons souvent au concert.
3. Je fais beaucoup de sports.
4. Nous jouons aux échecs.
5. J'aime faire des économies.
6. Je n'ai pas de projets d'avenir.
7. Je n'aime pas écrire aux gens.
8. Je joue de la guitare.
9. Nous avons du travail pour cet été.
10. Nous étudions à la bibliothèque.
11. Je vais aux réunions d'action sociale.
12. Je donne ma composition aujourd'hui.
13. J'ai les réponses.
14. Je ne parle pas à ces gens.
15. J'ai l'heure.
16. Il a besoin de sympathie.

IV. *Exercices sur le vocabulaire.*

A. *Complétez chaque phrase par un terme de la liste suivante.*

avoir l'intention de, faire des économies, avoir des projets d'avenir, toucher (un chèque, de l'argent) avoir les moyens de, avoir le temps de

1. Si vous _____ quand vous avez six ans, ils sont souvent différents des idées que vous avez maintenant sur votre vie future.
2. Si vous _____ maintenant, vous allez probablement avoir assez d'argent pour faire un grand voyage un jour.
3. Vous _____ de faire beaucoup de choses pendant le week-end prochain, mais allez-vous les faire toutes ?

4. Si vous n'avez pas assez d'argent pour acheter une certaine chose, vous dites : « Je n'en _____ pas _____ . »
5. Si vous avez un emploi, vous _____ probablement votre chèque une fois par mois ou par semaine.
6. Hélas, vous êtes très occupé, et vous n' _____ pas toujours _____ faire toutes les choses qui vous intéressent.

B. *Quel est le contraire de... ? (Révision)*

Exemple : ouvert ?
fermé

1. fier
2. derrière
3. beaucoup
4. économe
5. rêveur
6. pauvre
7. aimer
8. faire des économies
9. vite
10. bien
11. facile
12. enchanté

C. *Que fait un jeune homme...?*

Exemple : rêveur ?
Il n'a pas de projets d'avenir, il ne fait pas d'économies, il n'a pas d'idées précises.

1. réaliste ?
2. économe ?
3. pressé ?
4. généreux ?
5. bien organisé ?
6. modeste ?
7. amusant ?
8. gentil ?
9. riche ?

COMPOSITIONS

Composition orale et/ou écrite.

Vous avez le choix entre trois sujets :

A. Travaillez-vous ? Gagnez-vous de l'argent ? Pourquoi ?

B. Est-il préférable de dépenser tout son argent ou au contraire de faire des économies ? En faites-vous ? Pourquoi ?

C. Avez-vous un compte en banque ? Pourquoi ? Quelle est votre opinion des gens qui ont un compte en banque ? Ont-ils raison ? Pourquoi ?

VOCABULAIRE

NOMS

Noms masculins

l'argent	le bureau	le guichet
l'argent comptant	le carnet de chèques	le monde
l'argent de poche	le compte en banque	le pays
l'avenir	l'employé (de bureau, de	le reste
le bonbon	banque)	

Noms féminins

la banque	l'étude	la maison d'importation
la carrière	la faute	la situation
l'économie	la fiche	la tentation
l'employée	l'idée	

ADJECTIFS

déterminé	maternel, maternelle	rêveur, rêveuse
économe ≠ dépensier, dépensière	réaliste	sympathique ≠ antipathique
fort (-e)		

VERBES

1ᵉʳ groupe

admirer	étudier	répéter
demander	gagner	signer
dépenser	jouer	toucher (un chèque)
déposer	regretter	travailler
détester ≠ adorer		

DIVERS

avoir les moyens de	faire des économies	faire la connaissance (de quelqu'un)
avoir l'intention de		par jour (mois, semaine)

LEÇON 17
Bâtissons un château de sable

Les verbes du deuxième groupe comme **finir**, **réfléchir**, **brunir**

Les verbes comme **partir**

La construction de deux verbes avec une préposition :
Je finis de travailler. **Je commence à brunir.**

Introduction

DÉCLARATION ET QUESTION	RÉPONSE
Cette classe commence à 9 heures et **elle finit** à 10 heures. A quelle heure **finit** votre classe précédente ?	**Elle finit** à 9 heures moins 10.
Finissez-vous toujours votre travail le soir ?	Malheureusement, non. **Nous le finissons** quelquefois le matin. Les étudiants qui le **finissent** le soir ont de la chance.
Quand **réfléchissez-vous** ?	**Je réfléchis** quand j'ai un problème difficile. Les jeunes gens **réfléchissent** beaucoup quand ils font des projets d'avenir.
Je pars de chez moi à 8 heures. A quelle heure **partez-vous** ?	**Je pars** à 8 heures aussi. **Nous partons** à la même heure.
Je ne **sors** pas souvent le soir. **Sortez-vous** souvent le soir ?	**Je** ne **sors** pas souvent le soir. Mais **nous sortons** pendant le week-end.
Je ne **dors** pas en classe ! **Dormez-vous** en classe ?	Ça dépend. Si la classe est monotone, **nous dormons**.
Quand je suis pressé, **je cours. Courez-vous** aussi ?	**Nous courons** d'une classe à l'autre.
J'oublie quelquefois **de faire** quelque chose. Qu'est-ce que **vous oubliez de faire** ?	**J'oublie** souvent **de remonter** ma ma montre. Et quand **j'oublie de** la **remonter**, je suis en retard.

Vous travaillez dans un bureau. A quelle heure **finissez-vous de travailler ?**

Je finis de travailler à 7 heures du soir.

Quand **commence-t-il à faire** froid dans votre ville ?

Il commence à y faire froid au mois de décembre.

EXERCICES ORAUX

I. *Quelle est la forme du verbe ?*

1. (finir)
   je _____
   vous _____
   ils _____
   tu _____

2. (choisir)
   il _____
   nous _____
   on _____
   ils _____

3. (réfléchir)
   on _____
   vous _____
   je _____
   tu _____

4. (bâtir)
   je _____
   vous_____
   on _____
   nous _____

5. (punir)
   _____-vous ?
   _____-on ?
   je _____
   elle _____

6. (salir)
   elle _____
   elles _____
   nous _____
   tu _____

7. (rougir)
   vous _____
   nous _____
   _____-on ?
   _____-ils ?

8. (pâlir)
   vous _____
   je _____
   ils _____
   on _____

9. (obéir)
   vous _____
   ils _____
   j' _____
   _____-ils ?

II. *Répondez à la question.*

Exemple : Grandissez-vous ?
Oui, je grandis.
ou :
Non, je ne grandis pas.

1. Rougissez-vous au soleil ?
2. Pâlissez-vous quand vous avez peur ?
3. Brunissez-vous en été ?
4. A quelle heure finissez-vous vos classes ?
5. Réfléchissez-vous à votre avenir ?
6. Salissez-vous vos vêtements ?
7. Choisissez-vous vos classes ?
8. Obéissez-vous à vos parents ?
9. Punissez-vous les enfants impossibles ?
10. Bâtissez-vous des châteaux de sable à la plage ?

III. *Quelle est la forme du verbe ?*

1. (courir)
je _____
vous _____
on _____
ils _____

2. (sortir)
nous _____
vous _____
je _____
il _____

3. (dormir)
nous _____
vous _____
je _____
on _____

4. (partir)
je _____
tu _____
il _____
nous _____

IV. *Les verbes comme* **finir** *et les verbes comme* **partir**.

Répondez à la question.

Exemple : A quelle heure partez-vous de la maison le matin ?
Je pars à sept heures et demie.

1. Courez-vous si le téléphone sonne ?
2. Sortez-vous souvent le soir ?
3. Dormez-vous beaucoup ?
4. Choisissez-vous vos professeurs ?
5. Obéissez-vous à vos principes ?
6. Courez-vous si vous êtes en retard ?
7. Partez-vous si vous n'aimez pas le film ?
8. Pâlissez-vous si vous êtes malade ?
9. Finissez-vous vos études cette année ?
10. Réfléchissez-vous quand vous organisez votre journée ?
11. Sortez-vous de préférence seul ou en groupe ?
12. Brunissez-vous si vous travaillez au soleil ?

V. *Voilà la réponse. Quelle est la question ?*

Exemple : Naturellement, j'obéis à un agent de la circulation.
Obéissez-vous à un agent de la circulation ?

1. Oui, on bâtit beaucoup de maisons dans ma ville.
2. Les enfants salissent leurs vêtements.
3. Non, je n'aime pas sortir le soir pendant la semaine.
4. Je vais sans doute très bien dormir ce soir.
5. Je cours toujours aider un ami qui a des difficultés.
6. Les feuilles brunissent en automne.
7. Oui, mon nez rougit quand j'ai froid.
8. Je réfléchis beaucoup quand je prépare mon budget.
9. Il faut certainement punir les enfants insupportables.
10. Je pâlis parce que je suis fatigué de cet exercice.

VI. *La construction de deux verbes avec une préposition:* **commencer à, réussir à, finir de, oublier de.**

> Exemple : (finir de)   Je travaille à huit heures du soir.
> *Je finis de travailler à huit heures du soir.*

1. (commencer à)
   Vous parlez français.
   Vous faites des progrès.
   Vous étudiez la musique.

2. (finir de)
   Nous déjeunons à une heure.
   Nous écrivons un essai.
   Nous réparons la voiture.

3. (réussir à)
   Vous finissez le premier.
   Vous gagnez un million.
   Vous allez en Europe cette année.

4. (oublier de)
   Il part à l'heure.
   Je remercie mon hôtesse.
   Vous choisissez une place.

Bâtissons un château de sable

Les classes finissent au mois de juin, et pendant tout l'été, la plage est un endroit merveilleux : il y fait si bon ! Beaucoup de jeunes gens et de jeunes filles y vont, et ils y passent l'après-midi assis à l'ombre de leur ombrelle de plage, ou allongés au soleil.

Naturellement, nos amis Jean-Pierre, sa sœur Véronique, Barbara, Carol, Bob et André y sont. Les voilà, là-bas, qui brunissent au soleil, excepté Carol qui est assise à l'ombre de son ombrelle de plage. La pauvre Carol est rousse et elle est obligée de faire attention, parce qu'elle rougit au soleil.

Carol : Vous avez de la chance, Véronique ! Vous brunissez vite au soleil. Moi, je rougis, c'est terrible...

Véronique : C'est parce que vous êtes rousse. Les blondes et les rousses ne brunissent pas vite. Mais moi, je pâlis en hiver aussi vite que je brunis en été.

Jean-Pierre : Je suis fatigué de rester allongé et de dormir. J'ai une idée : nous allons bâtir un château de sable !

Bob : (*dédaigneux*) C'est pour les enfants ! Nous ne sommes pas des bébés !

Les autres : (*enthousiasmés*) Si, si, justement, c'est une bonne idée.

Barbara : Il faut choisir un endroit où le sable est humide. Mais si nous en choisissons un trop près de l'eau, la marée va démolir notre château ! Elle commence à monter...

André : Mais c'est très amusant, au contraire. Bâtissons un château, et les vagues le démolissent. En fait, c'est très symbolique de l'inutilité des efforts humains.

Carol : Bâtissons-nous notre château, ou écoutons-nous les vues d'André sur la métaphysique ?

Jean-Pierre : Silence ! Je suis l'architecte. Vous êtes les ouvriers. L'architecte donne des instructions et les ouvriers y obéissent. Eh bien, Véronique, où vas-tu ?

Véronique : Sous l'ombrelle de Carol. J'ai un maillot neuf, je ne voudrais pas le salir.

KEES VAN DONGEN, *Vacances pour les autres*

Il y a, sur la plage, un sentiment unique de joie et de liberté.

Jean-Pierre: Si nous réussissons à bâtir ce château, je propose d'y avoir une tour pour la princesse Véronique. (*lyrique*) Assise à sa fenêtre, la princesse regarde la mer... Hélas, hélas ! Pas de bateau à l'horizon, pas de prince charmant... Mais la consolation de la princesse, c'est son maillot neuf...

Véronique: Jean-Pierre, je te déteste. Si tu continues à me taquiner, je vais partir.

Bob: Et notre architecte, alors, qu'est-ce qu'il fait ? Oublie-t-il de faire les plans ?

Jean-Pierre: Non, non, les voilà. Ici, nous bâtissons un mur circulaire, avec un fossé autour. A l'intérieur de ce mur, il faut bâtir le château... Très bien, oui, voilà le mur qui grandit. C'est parfait ! Plus haut, plus haut ! Il faut beaucoup de sable humide. Barbara, choisissez des coquillages et des algues pour décorer la grande tour... Véronique ! Où vas-tu ?

Véronique: Je commence à être fatiguée d'obéir à un idiot, et je lui dis zut, zut et zut ! Bâtissez votre château sans moi.

Jean-Pierre: Oh, princesse, quel langage ! Eh bien, tant pis, princesse. Nous n'avons pas besoin de vous...

André: Attention ! Voilà une vague ! Finissons vite ce mur !

Jean-Pierre: Il faut du sable, du sable ! Si nous réussissons à finir le mur avant la prochaine vague, nous sommes victorieux. Vite, vite, les ouvriers !

Mais la deuxième vague arrive trop vite, et la troisième vague fait un trou dans les fortifications. A la cinquième, le beau château n'est qu'une masse de sable que la vague suivante emporte complètement. Les jeunes gens, pendant ce temps, sont comme des enfants : animés, les pieds dans l'eau, ils renforcent leur construction... Mais c'est fini : la marée réussit toujours contre les châteaux de sable... Et voilà nos amis de nouveau assis sur le sable.

André: (*toujours philosophe*) Les hommes ne réfléchissent pas assez à l'inutilité de leurs efforts...

Bob: Oui, André, oui. Maintenant, j'ai faim. Barbara, avons-nous des sandwichs ?

Barbara: Oui, les voilà. Je pense toujours aux sandwichs.

Jean-Pierre: J'ai soif. Où est ma sœur ?

Carol: Elle est au petit café, sur la promenade... La voilà, avec des bouteilles de limonade,* parce que nous oublions toujours de les emporter.

Jean-Pierre: (*contrit*) Oh, je regrette ! Véronique, ma petite Véronique, je suis désolé ! Je suis un type impossible ! Vas-tu me punir ?

Véronique: (*magnanime*) Oh, non, je ne vais pas te punir ! Jean-Pierre, mon petit Jean-Pierre, je regrette, je suis désolée ! Mais je n'ai que cinq bouteilles de limonade et nous sommes six... Comme c'est dommage !

---

* Des bouteilles de limonade : la limonade *is the general term equivalent to soda pop. Lemonade is* citronnade. *You may also order* un citron pressé, *in which case the waiter brings you a lemon, a squeezer, water, and sugar.*

choisir   réussir
nous choisissons   nous réussissons

Un **s** entre deux voyelles est prononcé **z**. Un **s** qui n'est pas entre deux voyelles ou qui est double (**ss**) est prononcé **s**.

Exemple :   nous sai**s**i**ss**ons   nous sali**ss**ons   vous choi**s**i**ss**ez
ils réu**ss**i**ss**ent

QUESTIONS SUR LA LECTURE

1. Quand finit le semestre, ou le trimestre (*quarter*) de printemps ? A quelle heure finissent vos classes aujourd'hui ?
2. Comment est la plage en été ? Y allez-vous quelquefois ?
3. Votre ville est-elle au bord de la mer ? au bord d'un lac ? sur une rivière ?
4. Sur la plage, est-on généralement à l'ombre ou au soleil ? Pour avoir de l'ombre, de quoi a-t-on besoin ?
5. Préférez-vous être allongé à l'ombre ou au soleil ? Pourquoi ?
6. Quand rougissez-vous ? Quand pâlissez-vous ? Grandissez-vous maintenant ?
7. Quand est-ce que les feuilles jaunissent et brunissent ? Quand verdissent-elles ?
8. Si on mange trop, quelle est la conséquence ? Et quel est le remède ?
9. Quel endroit faut-il choisir pour bâtir un château de sable ?
10. Si on le bâtit près de l'eau, que fait la marée ?
11. Que fait un architecte ? Et que font les ouvriers ?
12. A qui obéissez-vous ? Pourquoi ?
13. Pourquoi Véronique n'a-t-elle pas envie de bâtir le château avec les autres ? Sur quel adjectif est formé le verbe **salir** ?
14. Jean-Pierre est-il gentil avec sa sœur ? Qu'est-ce qu'il fait ? Les frères taquinent-ils souvent leurs sœurs ? Pourquoi ?
15. Quand le château est fini, que font les vagues ? Est-ce normal ou extraordinaire ? Pourquoi ?
16. Qu'est-ce que les jeunes gens oublient toujours ? Barbara y pense-t-elle ?
17. Quelle est la vengeance (*revenge*) de Véronique ? A-t-elle raison ou tort ?

EXPLICATIONS

I. Les verbes du deuxième groupe, ou verbes en **-ir**

Dans cette leçon, il y a beaucoup de verbes du deuxième groupe, ou verbes en **-ir**. Il y a deux catégories de ces verbes :

1. Les verbes réguliers comme **finir, réfléchir, brunir**, etc., qui ont l'infixe **-iss-**. *

2. Les verbes irréguliers comme **sortir, dormir, courir, partir** qui n'ont pas l'infixe.

A. Les verbes du deuxième groupe avec l'infixe **-iss-**

Conjugaison des verbes du deuxième groupe avec l'infixe -iss-

---

Exemple : **choisir**

Affirmative

je chois is	-is
tu chois is	-is
il chois it	-it
nous chois iss ons	-issons
vous chois iss ez	-issez
ils chois iss ent	-issent

Négative

je ne choisis pas
tu ne choisis pas
il ne choisit pas
nous ne choisissons pas
vous ne choisissez pas
ils ne choisissent pas

Interrogative

Il y a deux formes : { avec **est-ce que**
{ avec l'inversion (excepté pour la 1ère personne du singulier)

Avec **est-ce que**

est-ce que je choisis ?
est-ce que tu choisis ?
est-ce qu'il choisit ?
est-ce que nous choisissons ?
est-ce que vous choisissez ?
est-ce qu'ils choisissent ?

Avec l'inversion

est-ce que je choisis ?
choisis-tu ?
choisit-il ?
choisissons-nous ?
choisissez-vous ?
choisissent-ils ?

---

*This -iss-, which appears in the plural persons of verbs of the second conjugation, is called the inchoative infix (**l'infixe inchoatif**). It derives etymologically from the -esc- infix found in Latin verbs, which indicates passage from one state to another, for instance: senescere, (to grow old), adulescere (to grow up or become an adult), florescere (to bloom). This -esc- infix remains unchanged in many English and French words, for instance: adolescent, convalescent, obsolescent, the meaning of which always includes the idea of a process of transformation.*

*Once this is clear, it is easy to understand why French verbs formed on adjectives (and sometimes on nouns, like **fleurir**) will take this infix. To become red is **rougir**, to become tall is **grandir**, for instance, and they are conjugated like **finir**.*

B. Verbes en **-ir** formés sur des adjectifs

Beaucoup de verbes en **-ir** sont formés sur des adjectifs. Par exemple, **brun/ brunir, rouge/rougir, pâle/pâlir.** Ces verbes sont conjugués comme **finir.** Voilà quelques adjectifs et les verbes qui en dérivent:

Adjectifs de couleur	Verbe	Autres adjectifs	Verbe
blanc	→ blanchir	beau/belle	→ embellir
bleu	→ bleuir	grand *	→ grandir
blond	→ blondir	jeune	→ rajeunir
brun	→ brunir	pâle	→ pâlir
jaune	→ jaunir	sale	→ salir
noir	→ noircir	vieux/vieille	→ vieillir
rouge	→ rougir		
vert	→ verdir		

C. Les verbes irréguliers du deuxième groupe qui n'ont pas l'infixe comme **courir, dormir, partir, sortir**

courir	dormir	partir	sortir
je cour s	je dor s	je par s	je sor s
tu cour s	tu dor s	tu par s	tu sor s
il cour t	il dor t	il par t	il sor t
nous cour ons	nous dorm ons	nous part ons	nous sort ons
vous cour ez	vous dorm ez	vous part ez	vous sort ez
ils cour ent	ils dorm ent	ils part ent	ils sort ent

Je cours quand je suis pressé.
Ne **dormez** pas pendant la classe !
L'avion **part** de l'aéroport et le bateau **part** du port.
Fermez la porte quand **vous sortez.**

II. La construction de deux verbes avec une préposition (**à** ou **de**)

(*In Lesson 15, you saw the construction of two verbs without a preposition:* **J'aime faire la cuisine, Je préfère rester chez moi, Je voudrais vous parler, Je pense aller en vacances.** *You are now going to see that some verbs require a preposition before another verb.*)

---

* *Although it would be very tempting to form a similar verb on* **petit**, *the verb* to grow small, *or* to make small, *is* **rapetisser:**

   La maison a l'air de **rapetisser** quand la famille grandit.

But even in the case of this exception to the rule, note the presence of the **-iss-** *infix.*

RÈGLE GÉNÉRALE: Quand deux verbes sont employés ensemble, le deuxième est à l'infinitif.

A. Quelques verbes ont une préposition devant un autre verbe.*

> **J'oublie de remonter** ma montre.
> **Tu finis d'écrire** cette lettre.
> **Il commence à parler** français.
> **Je réussis à faire** des économies.

Naturellement, la préposition est employée seulement devant un autre verbe. S'il n'y a pas d'autre verbe, il n'y a pas de préposition:

> J'oublie ma montre quand je suis pressé.
> Tu finis une lettre.
> Il commence le français.
> Je réussis mes projets.

B. La place du pronom d'objet
Le pronom d'objet est devant le verbe dont (*of which*) il est l'objet.

	AFFIRMATION	QUESTION	NÉGATION
J'oublie **ma montre**.	Je l'oublie.	L'oubliez-vous?	Je ne l'oublie pas.
J'oublie de remonter **ma montre**.	J'oublie de **la** remonter.	Oubliez-vous de **la** remonter?	Je n'oublie pas de **la** remonter.
Tu finis d'écrire **cette lettre**.	Tu finis de **l'**écrire.	Finis-tu de **l'**écrire?	Tu ne finis pas de **l'**écrire.
Je réussis à faire **des économies**.	Je réussis à **en** faire.	Réussissez-vous à **en** faire?	Je ne réussis pas à **en** faire.

EXERCICES ÉCRITS et/ou ORAUX

I. *Faites la liste des verbes en* -ir *employés dans la lecture. (Trouvez-en douze.)*

II. *Répondez à la question avec un verbe en* -ir.

> Exemple: Que faites-vous si vous avez le choix?
> *Je choisis.*

---

* Pour la liste des verbes qui emploient une (ou qui n'emploient pas de) préposition devant un autre verbe, voir Appendix B.

1. Que faites-vous si vous avez un problème difficile ?
2. Que faites-vous si un enfant est vraiment impossible ?
3. Que faites-vous si un agent de police vous donne un ordre ?
4. Que faites-vous si vous avez sommeil et vous êtes au lit ?
5. Que faites-vous si vous êtes en retard ?
6. Que faites-vous si vous êtes blond et vous restez au soleil ?
7. Que font les feuilles en automne ?
8. Que font les ouvriers ?
9. Que font les vagues au château de sable ?
10. Que font les gens énergiques et déterminés ?
11. Que faites-vous quand vous avez deux alternatives possibles ?
12. Vous êtes brun. Rougissez-vous au soleil ?

III. *La construction de deux verbes avec ou sans préposition.*

Complétez la phrase par **à, de,** *ou ne mettez pas de préposition.*

Exemple : J'aime _____ faire du sport, et je commence $\underline{à}$ être assez bon en ski.

1. Je voudrais _____ passer l'été à la plage et j'espère _____ y aller en juillet.
2. Nous commençons _____ penser aux vacances au mois de mai.
3. Il faut _____ réfléchir avant de faire une décision importante.
4. Avec de la détermination, vous réussissez _____ faire les choses que vous désirez.
5. Oubliez-vous quelquefois _____ écrire à vos parents ?
6. On finit _____ grandir à quatorze ou quinze ans.
7. Pensez-vous _____ être célèbre un jour ?
8. Réussissez-vous _____ lire tous les livres recommandés par le professeur d'anglais ?
9. N'oubliez pas _____ emporter des sandwichs et de la limonade pour le pique-nique.

IV. (*Révision et incorporation.*) *Répondez aux questions suivantes avec un pronom d'objet.*

Exemple : Les ouvriers bâtissent-ils des maisons ?
Oui, ils en bâtissent.
ou:
Non, ils n'en bâtissent pas.

1. Oubliez-vous quelquefois d'emporter vos livres ?
2. Réfléchissez-vous aux problèmes de la société ?
3. Obéissez-vous à vos parents ?
4. Démolit-on les maisons quand elles sont neuves ou quand elles sont vieilles ?

5. Bâtit-on beaucoup de bâtiments dans votre ville ?
6. Brunit-on bien à la plage ?
7. Aimez-vous rester allongé au soleil ?
8. Pensez-vous faire des choses extraordinaires cet été ?
9. Oubliez-vous quelquefois d'aller au marché ?
10. Pensez-vous avoir des bonnes notes ?
11. Commencez-vous à être fatigué de cet exercice ?
12. Préférez-vous finir cet exercice tout de suite ?

V. *Exercices sur le vocabulaire.*

A. *La différence entre* **partir** *et* **sortir**.
Complétez chaque phrase avec **partir** *ou* **sortir**.

1. Excusez-moi. Je _____ pour un instant.
2. Je regrette, Monsieur. Le directeur _____ à cinq heures, et il est six heures.
3. A quelle heure _____ l'avion pour Paris ?
4. Vous _____ de cette classe à dix heures.
5. Tous les matins, je _____ à la même heure.
6. Cette jeune fille _____ beaucoup. Elle n'est pas souvent chez elle !
7. Le contraire de **entrer**, c'est _____. Le contraire de **arriver**, c'est
_____.
8. Quand vous _____ , votre camarade de chambre répond au téléphone.
9. Si vous _____ pour un long voyage, vos amis sont tristes.
10. Si quelqu'un fait du bruit à la bibliothèque, vous lui dites probablement « _____ ».

B. *La différence entre* **allongé**, **assis** *et* **debout**.
(**allongé** *et* **assis** *sont des adjectifs et s'accordent avec le nom.* **debout** *est un adverbe et invariable.*)

1. J'aime bien être _____ sur mon lit avec un livre.
2. Détestez-vous rester _____ une heure devant le cinéma ?
3. En classe, vous êtes _____ sur une chaise.
4. Si l'autobus est en retard, vous êtes sans doute _____ au coin de la rue.
5. Cette dame est _____ sur un banc (*bench*) et elle admire ses fleurs.
6. Bob et Jean-Pierre sont _____ sur la plage pour brunir.
7. Quand vous avez mal à l'estomac, la position _____ est confortable.
8. Restez _____ ! La classe n'est pas finie.
9. Donnez-vous votre place quand il y a une vieille dame _____ dans l'autobus ?

10. Si on est très pressé, on mange un sandwich, _____, en deux minutes.

C. *Complétez les phrases suivantes en employant un terme de la liste.*

la marée, une vague, un coquillage, une algue, un fossé, une tour, une bouteille, un maillot, l'inutilité, un trou

1. Les _____ sont les plantes de la mer.
2. Il y a un _____ de chaque côté de la route.
3. Le contraire de l'utilité, c'est _____.
4. Les liquides sont généralement dans des _____.
5. Sur la plage, on trouve des très beaux _____.
6. Le costume le plus pratique pour la plage, c'est un _____ (une pièce ou deux pièces).
7. La _____, c'est le mouvement de la mer.
8. Quand il y a des grosses _____, la mer est dangereuse pour les bateaux.
9. Pour planter une plante dans un jardin, vous faites un _____.
10. Il y a souvent une _____ à chaque coin d'un château.

VI. *Répondez aux questions suivantes par deux ou trois phrases imaginatives.*

Exemple : Qu'est-ce que vous oubliez quelquefois de faire ?
J'oublie quelquefois d'emporter ma clé. Je l'oublie à la maison.

1. Qu'est-ce que vous oubliez souvent de faire ?
2. Qu'est-ce que vous pensez faire ce soir ?
3. Qu'est-ce que vous aimez faire en été ? en hiver ?
4. A quel moment de l'année commence-t-il à faire froid dans votre ville ?
5. Préférez-vous déjeuner au restaurant ou emporter votre déjeuner ?
6. Pensez-vous que les parents aiment punir leurs enfants ? Pourquoi ?
7. Sortez-vous souvent le soir ? Pourquoi ? Aimez-vous sortir ?
8. Comment choisissez-vous vos amis ?
9. A quelle heure finissez-vous de travailler le soir ? Pourquoi ?
10. Réussissez-vous à faire tout votre travail ? Pourquoi ?

COMPOSITIONS

Composition orale et/ou écrite.

Vous avez le choix entre trois sujets :

A. Parlez de ce que vous aimez faire. (Pourquoi ? Avec qui ? Pendant le week-end ou les vacances ?)

B. Une journée idéale (ou au contraire : une journée complètement désastreuse !) Où allez-vous ? Avec qui ? Que faites-vous ?

C. Votre personnalité. Qu'est-ce que vous aimez ou détestez faire ? oubliez de faire ? Quels sont vos goûts ? Avez-vous bon ou mauvais caractère ? Faites une petite analyse de votre personnalité.

VOCABULAIRE

NOMS

Noms masculins

l'agent (de la circulation)
l'architecte
le château de sable
le coquillage

le donjon
le drapeau
l'effort
le fossé

le maillot
l'ouvrier
le prince charmant
le trou

Noms féminins

l'algue
l'autorité
la bouteille
la citronnade
la conférence
la consolation
la fortification

l'instruction
l'inutilité
la limonade
la marée
la masse
la métaphysique
l'ombre (à l'ombre)

l'ombrelle
l'ouvrière
la princesse
la tour
la vague
la vengeance

ADJECTIFS

contrit (-e)
dédaigneux,
  dédaigneuse
désolé (-e)
enthousiasmé (-e)

exaspéré (-e)
humide
informe
magnanime
neuf, neuve

philosophique
symbolique
victorieux, victorieuse
vieux, vieille

VERBES

1er groupe

apporter
décorer
monter ≠ descendre

oublier
remonter

renforcer
taquiner

2ème groupe (rég.)

bâtir ≠ démolir
brunir
choisir
finir ≠ commencer

grandir
obéir
pâlir
punir

réfléchir
réussir
rougir
salir

2ème groupe (irrég.)

courir
dormir

partir

sortir

DIVERS

à l'intérieur de ≠
  à l'extérieur de

tant pis ≠ tant mieux

LEÇON 18
Un départ mouvementé

Les verbes du troisième groupe comme **attendre, vendre**
Les verbes irréguliers du troisième groupe : **prendre, mettre**
Le verbe **savoir** et la construction **savoir faire quelque chose**

Introduction

DÉCLARATION ET QUESTION	RÉPONSE
Si on est en avance, **on attend. Attendez-vous** souvent ?	**J'attends** quelquefois, mais **on** m'attend aussi souvent.
Ecoutez attentivement. **Entendez-vous** un bruit ?	Oui. **J'entends** un bruit de moteur.
Dans un magasin, **on vend** des objets. Qui vend dans un magasin ?	Les marchands (ou les vendeurs et vendeuses) **vendent**.
Répondez-vous toujours aux questions ?	J'y **réponds** quand elles ne sont pas difficiles.
L'ascenseur monte et **descend. Descendez-vous** à votre classe de français ?	Non, elle est au deuxième étage. **Nous** n'y **descendons** pas, nous y montons.
Achetez un journal et donnez un dollar. Le marchand vous **rend** la monnaie. Combien vous **rend-il** ?	Il me **rend** la monnaie d'un dollar. (Probablement environ 90 *cents*.)
Je prends un imperméable parce qu'il pleut. En **prenez-vous** un aussi ?	Non, **je** n'en **prends** pas. Je préfère prendre un parapluie.
Qu'est-ce que **vous apprenez** dans cette classe ?	J'y **apprends** le français. **Nous** y **apprenons** à comprendre, à parler, à lire et à écrire le français.
Quelles langues étrangères **comprenez-vous** ?	Je **comprends** le français et l'espagnol.
Je mets mon livre dans ma serviette. Où **mettez-vous** votre serviette ?	Ça dépend. Je la **mets** par terre ou je la **mets** sur le bureau.

Savez-vous jouer de la guitare ?	Non, je ne sais pas jouer de la guitare. Mais je sais nager, je sais danser, et j'apprends à jouer au tennis parce que je voudrais savoir y jouer.

EXERCICES ORAUX

I. *Quelle est la forme du verbe ?*

1. (attendre)
   j' _____
   elles _____
   on _____

2. (entendre)
   vous _____
   nous _____
   j' _____

3. (vendre)
   vous _____
   je _____
   ils _____

4. (rendre)
   elle _____
   je _____
   vous _____

5. (interrompre)
   j' _____
   vous _____
   ils _____

6. (perdre)
   vous _____
   je _____
   ils _____

7. (répondre)
   vous _____
   je _____
   ils _____

8. (descendre)
   vous _____
   je _____
   nous _____

9. (conduire)
   je _____
   vous _____
   ils _____
   on _____

II. *Répondez rapidement à la question.*

Exemple : M'entendez-vous bien ?
Oui, je vous entends bien.

1. Entendez-vous un bruit maintenant ?
2. Perdez-vous quelquefois vos affaires ?
3. Interrompez-vous quelqu'un qui dit des stupidités ?
4. Descendez-vous à cette classe ?
5. Attendez-vous la fin du trimestre avec impatience ? *
6. Rendez-vous toujours les livres à la bibliothèque ?
7. Répondez-vous aux insultes ?
8. Vendez-vous vos livres à la fin du trimestre ?
9. Perdez-vous quelquefois la tête ?
10. Attendez-vous une lettre ou un chèque cette semaine ?

* attendre quelque chose avec impatience : *to look forward to something*

III. *Les verbes* **prendre, comprendre, apprendre, mettre** *et* **savoir.**

Quelle est la forme du verbe ?

1. (prendre)
   je _____
   nous _____
   vous _____
   ils _____

2. (apprendre)
   on _____
   j' _____
   nous _____
   vous _____

3. (comprendre)
   _____-vous ?
   _____-ils ?
   je _____
   on _____

4. (mettre)
   je _____
   vous _____
   nous _____
   ils _____

5. (savoir)
   je _____
   on _____
   vous _____
   ils _____

IV. *Répondez aux questions.*

A. *Avec un verbe.*

Exemple : Apprenez-vous la musique ?
Oui, j'apprends la musique.
ou :
Non, je n'apprends pas la musique.

1. Apprenez-vous une langue étrangère ?
2. Comprenez-vous tout en classe ?
3. Prenez-vous un parapluie ou un imperméable quand il pleut ?
4. Entendez-vous bien le professeur de votre place ?
5. Comprenez-vous bien les bandes au laboratoire ?
6. Mettez-vous votre voiture dans le garage la nuit ?
7. Prenez-vous votre déjeuner au restaurant ou l'apportez-vous ?
8. Prenez-vous souvent l'avion ?
9. Mettez-vous du sucre dans votre café ?
10. Prenez-vous un petit déjeuner substantiel ou rapide ?

B. *Avec deux verbes.*

Exemple : Apprenez-vous à jouer d'un instrument ?
Oui, j'apprends à jouer d'un instrument.
ou :
Non, je n'apprends pas à jouer d'un instrument.

1. Apprenez-vous à écrire des essais ?
2. Aimez-vous apprendre à parler français ?
3. Espérez-vous entendre des bonnes nouvelles aujourd'hui ?
4. Savez-vous bien faire la cuisine ?
5. Préférez-vous attendre ou être en retard ?

6. Apprenez-vous à comprendre les gens ?
7. Savez-vous très bien jouer aux échecs ?
8. Commencez-vous à penser en français ?
9. Oubliez-vous quelquefois de prendre vos clés ?
10. Pensez-vous quelquefois perdre la tête ?

V. *Voilà la réponse. Quelle est la question ?*

Exemple : Je prends mon imperméable.
Qu'est-ce que vous prenez quand il pleut ?

1. J'attends l'autobus.
2. Oui, je prends ma voiture aujourd'hui.
3. Non, merci, je n'ai pas soif. (*Question avec le verbe* **prendre**)
4. Non, je ne perds pas souvent mes affaires.
5. Non, je ne comprends pas ce que vous dites.
6. Oui, je vais vous rendre votre disque demain.
7. Non, je ne sais pas jouer de la guitare.
8. Non, je ne prends pas de crème dans mon café.
9. Oui, je mets toujours mon argent à la banque.
10. Oui, Barbara va descendre dans un instant.

JACQUES VILLON, *Orly*

Une suggestion d'avions, de lumières géométriques, de son, de mouvement mécanique, c'est la vision de l'aéroport d'Orly de Jacques Villon:

LECTURE

Un départ mouvementé

Nous sommes à l'aéroport d'Orly. C'est le grand aéroport, près de Paris, qui est l'endroit de départ et d'arrivée des avions à destination d'outremer. Chaque ligne aérienne y a son comptoir. Si les voyageurs ont déjà leur billet, les employés le vérifient. Sinon, les voyageurs prennent leur billet au comptoir.

Il y a toujours une foule pittoresque : des voyageurs qui arrivent de tous les pays du monde, ou qui attendent l'heure de leur départ, des gens qui attendent des passagers, des hôtesses de l'air et des pilotes en uniforme. Souvent, un signal musical interrompt les conversations et on entend la voix d'un haut-parleur qui donne un renseignement pour les passagers, souvent répété en une ou deux langues étrangères : « L'avion de Londres, vol 22, est en retard ; on annonce son arrivée pour 15 heures au lieu de 14 heures 45. » Mais la voix du haut-parleur n'est pas claire, et beaucoup de gens ne la comprennent pas. Alors, ils demandent aux employés qui répondent toujours poliment, dans une langue ou dans une autre. Ils en savent tous plusieurs.

Voilà une dame qui descend d'un taxi. Elle a l'air nerveux.* Elle a aussi six valises et... un mari qui n'a pas l'air nerveux. Au contraire, il a l'air très calme.

La dame: Mon dieu, c'est toujours la même chose... Je perds toujours une valise. Et les billets ? Les as-tu ? Tu oublies toujours quelque chose. Et j'ai peur de manquer l'avion.

Le monsieur: (*très calme*) Nous n'allons pas le manquer. La valise est là, avec les autres, et les billets sont dans mon portefeuille. Nous avons toutes nos affaires et nous ne sommes pas en retard.

La dame: Mon dieu, je ne sais pas où est le comptoir de TWA. Ah, le voilà ! Monsieur, est-ce que le vol 215 pour New York est à l'heure ?

L'employé: Oui, Madame, il est à l'heure. Le départ est à 17 heures. Avez-vous vos billets ? Ah, vous les avez, Monsieur. Bien. Et vos bagages ? Bien. Mettez les valises là. Vous avez une heure avant le départ. Si vous aimez mieux attendre dans la salle d'attente, elle est à gauche. Mais si vous préférez prendre quelque chose, le bar est au sous-sol...

---

* nerveux, *not* nerveuse : *the agreement is with* air, *which is masculine.*

La dame: (*elle interrompt*) Je n'ai pas faim avant un voyage, Monsieur, je suis bien trop nerveuse ! Qu'est-ce qu'il faut prendre contre le mal de l'air ?

Le monsieur: (*à sa femme*) Nous avons un assortiment de médicaments dans le petit sac bleu. Descendons au bar. Nous avons le temps de prendre une consommation avant le départ.

La dame: Et si nous n'entendons pas le haut-parleur ? (*à l'employé*) Monsieur, j'ai peur de ne pas entendre le haut-parleur dans le bar, ou, si je l'entends, j'ai peur de ne pas le comprendre. Entend-on bien le haut-parleur dans le bar ?

L'employé: On l'y entend très bien, Madame.

(*Maintenant, la dame est au bar avec son mari, mais elle a besoin d'une raison d'être nerveuse.*)

La dame: Ah, Albert ! Qu'est-ce que nous allons faire à New York ? Je ne sais pas parler anglais, et toi, tu sais un peu le parler, mais quand tu l'entends, tu ne le comprends pas... Je déteste aller dans les pays étrangers...

Le monsieur: Moi, j'aime y aller. Nous allons apprendre à parler et à comprendre l'anglais. Nos enfants l'apprennent à l'école, ils disent que ce n'est pas difficile. Je voudrais le parler et le comprendre assez bien pour discuter avec les gens.

La dame: Ah, toi ! A t'entendre, tout est simple ! Et si nous sommes obligés d'habiter dans un gratte-ciel au... au centième étage, avec des pannes d'ascenseur... Ah mon dieu !...

(*On entend la voix du haut-parleur qui annonce*: « Les voyageurs pour New York, vol direct numéro deux cent quinze, à bord, s'il vous plaît. Le départ est dans vingt minutes. »)

Le monsieur: Ah, c'est notre avion. Prends tes affaires. Je vais payer les consommations. Il ne faut pas être nerveuse ! Tu ne sais pas voyager... Nous avons le temps de finir nos consommations. (*à la serveuse*) Avez-vous la monnaie de cinq cents francs ?

La serveuse: Non, Monsieur, mais je vais la demander à la caissière. Je ne rends pas souvent la monnaie de cinq cents francs.

La dame: Je suis sûre que nous allons manquer l'avion ! Il n'attend pas les passagers. Je vais perdre la tête !

Le monsieur: Du calme, du calme ! Voilà la serveuse avec la monnaie. Merci, Mademoiselle. Eh bien, nous sommes prêts. L'avion est à l'heure et nous aussi. C'est un bon voyage qui commence.

PRONONCIATION

attendre/entendre   j'attends/j'entends
ils attendent/ils entendent

je prends/ils prennent

répond-il? attend-il? interrompt-il? prend-il comprend-il?

QUESTIONS SUR LA LECTURE

1. Qu'est-ce qu'un aéroport? Y en a-t-il un près de votre ville?
2. Qu'est-ce qu'il y a dans un aéroport? Quelles sortes de gens y voit-on?
3. Pourquoi entend-on parler des langues étrangères dans un aéroport?
4. Aimez-vous voyager? Pourquoi?
5. Comprend-on toujours un haut-parleur? Pourquoi? Qu'est-ce qu'il annonce dans un aéroport?
6. Pourquoi la dame est-elle nerveuse? Etes-vous nerveux quand vous voyagez? Pourquoi?
7. Qu'est-ce que la dame a peur de perdre? Perdez-vous quelquefois vos affaires? Quelles affaires perdez-vous?
8. Est-ce que l'avion pour New York est à l'heure? Le monsieur et la dame sont-ils à l'heure ou en avance?
9. Si vous êtes au rez-de-chaussée, et le bar est au sous-sol, y montez-vous ou y descendez-vous?
10. Est-ce que cette dame sait parler anglais? Savez-vous parler une langue étrangère? Savez-vous mieux la parler ou la lire?
11. Est-ce que cette dame a envie de prendre quelque chose? Pourquoi? A-t-elle besoin de médicament? Pourquoi?
12. On sait faire quelque chose. Savez-vous chanter? Savez-vous nager? Savez-vous jouer d'un instrument? Savez-vous conduire? Savez-vous faire autre chose?
13. Avez-vous envie d'aller dans des pays étrangers? Avez-vous peur de voyager?
14. Qu'est-ce que le monsieur a l'intention de faire à New York?
15. Est-ce que beaucoup de gens habitent «dans un gratte-ciel, au centième étage»? Pourquoi la dame pense-t-elle y habiter?
16. Quand manque-t-on un avion ou un autobus? Quand manquez-vous la classe? Qu'est-ce qui vous manque pour être heureux?

EXPLICATIONS

I. Les verbes du troisième groupe, ou verbes en **-re**

Dans cette leçon, il y a beaucoup de verbes du troisième groupe, ou verbes en **-re**. Il y a deux catégories de ces verbes:

1. Les verbes réguliers, comme **attendre, entendre, perdre,** etc. qui ont une conjugaison régulière.
2. Les verbes irréguliers, comme **prendre** (**apprendre, comprendre**) et **mettre** qui ont une conjugaison irrégulière.

A. Les verbes réguliers du troisième groupe

La conjugaison des verbes réguliers du troisième groupe

Exemple : **vendre**

Affirmative			*Négative*	
je vend	s	-s	je ne vends	pas
tu vend	s	-s	tu ne vends	pas
il vend		—	il ne vend	pas
nous vend	ons	**-ons**	nous ne vendons	pas
vous vend	ez	**-ez**	vous ne vendez	pas
ils vend	ent	**-ent**	ils ne vendent	pas

Interrogative

Il y a deux formes : { avec **est-ce que**
{ avec l'inversion (excepté pour la 1ère personne du singulier)

Avec **est-ce que**	*Avec l'inversion*
est-ce que je vends ?	est-ce que je vends ?
est-ce que tu vends ?	vends-tu ?
est-ce qu'il vend ?	vend-il ?
est-ce que nous vendons ?	vendons-nous ?
est-ce que vous vendez ?	vendez-vous ?
est-ce qu'ils vendent ?	vendent-ils ?

EXCEPTION : Le verbe **interrompre** a un **-t** à la troisième personne du singulier : **il interrompt.**

REMARQUEZ : La prononciation de la troisième personne : **vend-il ? attend-il ?** etc. La lettre **d** est prononcée comme un **t** dans la liaison.

B. Les verbes irréguliers du troisième groupe

1. **prendre** (*to take*) et ses composés : **apprendre** (*to learn*) et **comprendre** (*to understand*)

prendre	
je prend	s
tu prend	s
il prend	—
nous pren	ons
vous pren	ez
ils prenn	ent

*Remarquez qu'il n'y a pas de **d** au pluriel.*

On prend l'autobus, le train, l'avion, sa voiture.

Vous prenez un manteau si vous avez froid.

On prend quelque chose (à boire ou à manger). (*You have something to eat or to drink.*) On prend une tasse de café, on prend un sandwich.

On prend un billet. (*You buy a ticket.*)

a) **apprendre** a la même conjugaison que **prendre** :

J'apprends le français.

On regarde la télévision pour **apprendre** les nouvelles.

Un enfant **apprend** à lire et écrire.

Nous apprenons à contrôler nos émotions.

b) **comprendre** a la même conjugaison que **prendre** et **apprendre** :

Comprenez-vous le français ?

Les gens ne **comprennent** pas toujours le haut-parleur.

2. Le verbe **mettre** (*to put, place*)

je met **s**	
tu met **s**	
il met **—**	
nous mett **ons**	
vous mett **ez**	*Remarquez les deux* **t** *au pluriel.*
ils mett **ent**	

A Noël, les enfants **mettent** leurs souliers devant la cheminée.

On met ses affaires en ordre.

Ne **mettez** pas votre parapluie dans le coin. Vous allez l'y oublier !

II. Le verbe **savoir** (*to know a fact; to be aware, be informed; to know how to do something*)

A. Conjugaison du verbe **savoir**

je sais*
tu sais
il sait
nous savons
vous savez
ils savent

---

* *The form* **Que sais-je ?** (*What do I know ?*) *has remained in the language since Montaigne, the sixteenth-century philosopher, had the famous motto engraved on the beam above his bed to sum up his skepticism. Montaigne's formula has since become the title of an important collection of informative booklets, published by* Les Presses Universitaires de France. *The collection* **Que sais-je ?** *contains more than a thousand titles.*

B. Les usages du verbe **savoir**

1. **on sait quelque chose**

> Je sais le français, mais je sais mieux l'anglais.
> Savez-vous où est ma valise ? Non, je ne sais pas où elle est.
> Savez-vous si l'avion est à l'heure ?

2. **on sait faire quelque chose**

> Savez-vous nager ? Oui, je sais nager.
> Qu'est-ce que vous savez faire ? Je sais conduire, lire et écrire.

3. **on sait jouer du (de la/de l')** (pour un instrument de musique)

> Savez-vous jouer du piano ? Non, mais je sais jouer de la guitare.

4. **on sait jouer au (à la/à l')** (pour un jeu (*game*))

> Je sais jouer au baseball et au volleyball.
> Savez-vous jouer aux cartes ? Oui, mais je ne sais pas jouer au bridge.

III. Le verbe **manquer** (*to miss; to lack*)

A. **J'ai peur de manquer l'avion.**

manquer est employé dans cette phrase au sens de *to miss*.

> Si on est en retard, on manque le commencement du film.
> Il ne faut pas manquer la classe.
> Ne manquez pas ce programme à la télévision !

B. **Cet acteur manque de talent.**

manquer de est employé dans cette phrase au sens de *to lack*.

> Je manque d'argent pour faire un grand voyage.
> Vous ne manquez pas de bons sens.

REMARQUEZ : **Vous me manquez** (*I miss you*; literally : *you are lacking to me*).

EXERCICES ÉCRITS et/ou ORAUX

I. *Répondez à la question par la forme correcte du verbe.*

> Exemple : perdez-vous ?
> *je perds*

1. comprenez-vous ?
2. savez-vous ?
3. apprenez-vous ?
4. attendez-vous ?
5. interrompez-vous ?
6. vendez-vous ?
7. mettez-vous ?
8. conduisez-vous ?
9. réussissez-vous ?
10. choisissez-vous ?
11. prenez-vous ?
12. perdez-vous ?
13. descendez-vous ?
14. rendez-vous ?
15. répondez-vous ?
16. brunissez-vous ?
17. allez-vous ?
18. faites-vous ?

II. *Formulez une question probable.*

> Exemple : Oui, j'apprends à jouer de la guitare.
> *Apprenez-vous à jouer de la guitare ?*
> *ou:*
> *Apprenez-vous à jouer d'un instrument de musique ?*

1. A l'université, j'apprends à comprendre la vie et les gens.
2. De ma chambre, j'entends le bruit de la rue.
3. Non, je ne réponds pas au téléphone si je suis occupé.
4. Je descends de l'autobus au coin de la dixième rue.
5. Non, merci. Je ne prends pas de beurre avec mon pain.
6. Oh, non, je ne mets pas d'eau dans mon vin.
7. Excellente idée. Je ne sais pas conduire. (*Question avec* **apprendre**)
8. Oh, oui, je perds souvent mon parapluie.
9. Non, je ne manque pas souvent la classe.
10. Oui, vous me manquez quand vous êtes absent.

III. *Répondez aux questions suivantes par une ou deux phrases complètes et imaginatives.*

> Exemple : Quand êtes-vous calme ?
> *Je suis calme quand mon travail est bien organisé, et quand mes affaires sont en ordre.*

1. Quand êtes-vous nerveux ?
2. Quand manquez-vous la classe ?
3. Comprenez-vous une langue étrangère ?
4. Que fait un employé de ligne aérienne ?
5. Qu'est-ce que vous savez faire ? Qu'est-ce que vous ne savez pas faire ?
6. Qu'est-ce que vous apprenez à l'école ? Qu'est-ce que vous apprenez à faire ?
7. De quoi manquez-vous pour être complètement satisfait ?
8. Savez-vous jouer à un jeu ou à un sport ?
9. Savez-vous jouer d'un instrument de musique ?
10. Quand avez-vous peur de perdre la tête ?

IV. *Exercice sur le vocabulaire.*

Complétez par un des termes de la liste suivante.

a) un pays étranger, une langue étrangère, un haut-parleur, un portefeuille, une consommation, le sous-sol, un vol, un gratte-ciel, une foule

1. Avec les avions rapides, il est plus facile de voyager dans les _____.
2. Si vous voyagez beaucoup, vous avez besoin de savoir des _____.

3. Vous avez soif ? Asseyez-vous à ce petit café et prenez _____.
4. L'étage qui est sous le rez-de-chaussée s'appelle _____.
5. Un immeuble très haut, avec des quantités d'étages, c'est _____.
6. Une grande quantité de gens, c'est _____.
7. Vous mettez vos papiers et votre argent dans _____.
8. Le _____ est une machine électronique qui amplifie la voix.
9. Dans un aéroport, on identifie les avions par le numéro du _____.

b) rendre la monnaie, manquer, payer, prendre quelque chose, être prêt

1. Vous n'_____ pas _____ ? Mon dieu, que vous êtes lent ! Nous allons être en retard.
2. Vous désirez un journal ? Donnez un dollar et on va vous _____.
3. Je vous invite à _____ avec moi à la terrasse d'un café.
4. Ne _____ le film qui passe cette semaine à la télévision.
5. Quand on achète quelque chose, il faut le _____ avant de sortir du magasin.

COMPOSITIONS

Composition orale et/ou écrite.

Vous avez le choix entre trois sujets :

A. Votre famille fait un voyage. Racontez la discussion, les préparatifs, le départ. Quelle est l'attitude de chaque personne ? Est-ce que quelqu'un est nerveux ? calme ? perd quelque chose ? oublie de faire quelque chose ?

B. Vous êtes employé de ligne aérienne, ou employé de banque, ou employé d'agence de voyage, ou vendeur (vendeuse) dans un magasin. Quelles sont vos occupations, vos responsabilités ? Parlez aussi de certains clients difficiles ou amusants, de certains « types », et de votre conversation avec ces gens.

C. Description d'un aéroport. Portrait de quelques voyageurs. Comment sont-ils ? Que font-ils ? Que disent-ils ?

VOCABULAIRE

NOMS

Noms masculins

l'aéroport	le haut-parleur	le sous-sol
l'assortiment	le marchand	l'uniforme
le bruit	le médicament	le vendeur
le calme	le passager	le vol
le caniche	le pilote	le voyageur
le comptoir	le portefeuille	
le gratte-ciel	le signal	

Noms féminins

l'arrivée ≠ le départ	la guitare	la salle d'attente
la boîte à chapeaux	la langue	la serveuse
la caissière	la ligne	la tête
la consommation	la monnaie	la valise
la destination	la panne	la voyageuse
la foule	la passagère	

ADJECTIFS

aérien, aérienne	mouvementé (-e)	polyglotte
bref, brève	musical (-e)	répété (-e)
étranger, étrangère	nerveux, nerveuse ≠ calme	tout seul, toute seule
incapable		

VERBES

1er groupe

discuter	vérifier	voyager
manquer		

3ème groupe (*rég.*)

attendre	interrompre	répondre
descendre	perdre	vendre
entendre	rendre	

3ème groupe (*irrég.*)

conduire	prendre	comprendre
mettre	apprendre	

Autre

savoir

ADVERBES

déjà	outremer	poliment

CONJONCTION

sinon

JOAN MIRÓ, *L'escalade*

Miró vous suggère « l'idée » d'escalade. Ajoutez, si vous voulez, « l'idée » de hareng-saur. Et pensez que le dessin de Miró, comme le poème de Cros, peut très bien mettre en fureur « les gens—graves, graves, graves. »

Charles Cros

(1842–1888)

Charles Cros n'est jamais allé à l'école. Son père,
professeur, écrivain et philosophe, a fait toute son
éducation. Il étudie dans les bibliothèques, ou
écoute les conférences de l'Université de Paris debout,
derrière un pilier. C'est un poète, mais c'est aussi un
homme de science qui présente à l'Académie des
Sciences en 1877 un «paléophone», machine
semblable au «gramophone» que va inventer Edison
neuf mois plus tard. Il fonde une société poétique,
les «Zutistes» (parce qu'ils disent : «Zut! aux
bourgeois») qui a pour devise : *Rien pour l'Utile, Tout
pour l'Agréable*. C'est essentiellement un Surréaliste,
longtemps avant le Surréalisme.

Le hareng saur

Il était un grand mur — nu, nu, nu,
Et contre le mur une échelle — haute, haute, haute,
Et par terre un hareng saur — sec, sec, sec.

Il vient, tenant dans ses mains — sales, sales, sales,
Un marteau lourd, un grand clou — pointu, pointu, pointu,
Un peloton de ficelle — gros, gros, gros.

Alors, il monte à l'échelle — haute, haute, haute,
Et il plante le clou pointu — toc, toc, toc,
Tout en haut du grand mur blanc — nu, nu, nu.

Il laisse aller le marteau — qui tombe, qui tombe, qui tombe,
Attache au clou la ficelle — longue, longue, longue,
Et au bout, le hareng saur — sec, sec, sec.

Il redescend de l'échelle — haute, haute, haute,
L'emporte avec le marteau — lourd, lourd, lourd,
Et puis, il s'en va ailleurs — loin, loin, loin.

Et, depuis, le hareng saur — sec, sec, sec,
Au bout de la ficelle — longue, longue, longue,
Très lentement se balance — toujours, toujours, toujours.

J'ai composé cette histoire — simple, simple, simple,
Pour mettre en fureur les gens — graves, graves, graves,
Et amuser les enfants — petits, petits, petits.

Le Coffret de Santal.

LEÇON 19
Les mille voix du français

Les verbes irréguliers **voir, croire, vouloir, pouvoir**
La place de deux pronoms : **je le lui donne, il me le donne**

Introduction

DÉCLARATION ET QUESTION	RÉPONSE
Je regarde par la fenêtre. **Je vois** des arbres, un autre bâtiment. Que **voyez-vous** par l'autre fenêtre ?	**Je vois** des gens, la rue, des voitures.
J'entends souvent des nouvelles, mais **je** ne **crois** pas tout ce que j'entends. **Croyez-vous** tout ce que vous entendez ?	Non, **je** ne **crois** pas tout ce que j'entends, mais je crois tout ce que vous dites.
Je suis étudiant. **Je veux** être médecin. Que **voulez-vous** être ?	**Je veux** être artiste, et mon frère **veut** être avocat. Mais **nous voulons** tous être heureux et utiles.
Peut-on aller en Europe en voiture ?	Non, **on** ne **peut** pas. Mais **vous pouvez** acheter une voiture en Europe.
Je donne ce livre à Jean-Pierre. Je **le lui** donne. **Lui** donnez-vous votre livre aussi ? **Le lui** donnez-vous ?	Oui, je **le lui** donne. (*ou:* Non, je ne **le lui** donne pas.)
Vous demandez le numéro de téléphone de Carol. Elle **vous le** donne. **Vous le** donne-t-elle ?	Oui, elle **me le** donne. (*ou:* Non, elle ne **me le** donne pas.)
Je mets mes livres dans ma serviette. Je **les y** mets. **Les y** mettez-vous ?	Oui, je **les y** mets. (*ou:* Non, je ne **les y** mets pas.)

Je demande de l'argent à mon père.
Je **lui en** demande. **Lui en** demandez-vous ?

Oui, je **lui en** demande. (*ou:* Non, je ne **lui en** demande pas.)

Vous en donne-t-il ?

Oui, il **m'en** donne (*ou:* Non, il ne **m'en** donne pas.)

EXERCICES ORAUX

I. *Quelle est la forme du verbe ?*

1. (voir)
   je _____
   vous _____
   ils _____

2. (croire)
   _____-vous ?
   je _____
   nous _____

3. (vouloir)
   vous _____
   je _____
   ils _____

4. (pouvoir)
   on _____
   je _____
   _____-vous ?

II. *Répondez à la question par la forme correcte du verbe, affirmative et négative, et le (ou les) pronom(s).*

A. *Avec un verbe.*

Exemple : Le voyez-vous ?
Oui, je le vois. / Non, je ne le vois pas.

1. Le croyez-vous ?
2. En mangez-vous ?
3. En voulez-vous ?
4. Le lui donnez-vous ?
5. Me le dites-vous ?
6. Leur en apportez-vous ?
7. Lui en apportez-vous ?
8. Nous les donnez-vous ?
9. La lui racontez-vous ?
10. Les y mettez-vous ?
11. Le leur écrivez-vous ?
12. L'y apprenez-vous ?

B. *Avec deux verbes.*

Exemple : Aimez-vous y aller ?
Oui, j'aime y aller. / Non, je n'aime pas y aller.

1. Voulez-vous y aller ?
2. Croyez-vous les y voir ?
3. Voulez-vous l'y mettre ?
4. Pouvez-vous me le dire ?
5. Savez-vous le faire ?
6. Préférez-vous me le donner ?
7. Voulez-vous me voir ?
8. Pouvez-vous les lui donner ?
9. Pouvez-vous les y acheter ?
10. Voulez-vous aller l'y voir ?
11. Croyez-vous l'y rencontrer ?
12. Savez-vous nous l'expliquer ?

III. *Remplacez les mots en italique par un ou deux pronoms.*

A. *Par* un *pronom.*

Exemple : Je voudrais parler *à ce monsieur.*
Je voudrais *lui* parler.

1. Savez-vous *la grande nouvelle ?*
2. Voulez-vous venir *au cinéma ?*
3. Je ne crois pas *cette histoire.*
4. Nous voulons *des précisions.*
5. Il ne peut pas aller *en Europe.*
6. Elle sait jouer *de la guitare.*
7. Elle sait jouer *au tennis.*
8. Elle sait faire *la cuisine.*
9. Ce monsieur veut voir *le directeur.*
10. Allez-vous dépenser *de l'argent ?*

B. *Par* deux *pronoms.* (Un de ces pronoms est peut-être donné)

1. Entend-on *le français au Canada ?*
2. Voulez-vous *me* donner *votre clé ?*
3. Je voudrais *vous* voir *à ma place !*
4. Je ne peux pas *vous* voir *chez moi.*
5. Vous mettez *ces fleurs dans le vase.*
6. On voit toujours *Betty à la plage.*
7. On peut mettre *les livres par terre.*
8. Je vais donner *la réponse à Bob.*
9. Vous croyez emmener *Carol au cinéma.*
10. Pouvez-vous *me* donner *de l'argent ?*

LECTURE

Les mille voix du français

Le français a mille voix. Il y a le français de France, que tous les Français parlent. Ils le parlent avec des accents régionaux divers, et avec des expressions idiomatiques qui varient. Dans le Midi, ou sud de la France, si un voyageur demande un renseignement, on le lui donne avec volubilité et avec le célèbre « accent du Midi », qui chante un peu. Quand vous allez voir des amis, on ne vous dit pas : « Asseyez-vous ». Non. Dans le Midi, quand on vous offre une chaise, on vous dit : « Remettez-vous ! Remettez-vous ! * »

La France n'est pas le seul pays où on parle français. Dans beaucoup d'autres pays, on l'y parle comme langue officielle, ou comme une des langues officielles.

C'est sans doute un paradoxe de voir qu'un grand pays, comme les Etats-Unis, n'a qu'une langue, mais que des pays minuscules comme la Suisse et la Belgique ont plusieurs langues officielles. La Suisse a quatre langues officielles : le français est la langue de la région de Genève, l'allemand, de la région de Zurich. Ce sont les deux langues principales, mais on entend aussi l'italien dans le sud ; et dans les vallées des Grisons, les gens parlent le romanche, ancien dialecte dérivé du latin. En Belgique, la population est divisée en Wallons, qui parlent français, et en Flamands, qui parlent flamand, une langue qui ressemble beaucoup au hollandais. En Belgique les inscriptions, les textes officiels, les écoles sont bilingues. Les Belges disent *septante* et *nonante* à la place de soixante-dix et quatre-vingt dix (les Suisses aussi, et ils disent même *octante* à la place de quatre-vingts). Beaucoup de gens (vous, peut-être ?) croient qu'ils ont raison, mais les Français trouvent que c'est bizarre, et que ce n'est pas « simple, clair et logique » !

Dans les provinces françaises du Canada, et surtout dans la région de Québec, le français est la langue universelle. On l'y entend partout, parlé avec un accent pittoresque, qui est en réalité l'accent du XVIIème siècle en France. On peut aussi y voir l'influence de l'anglais : « Je vais checker votre réservoir » dit l'employé d'une station d'essence. Les Canadiens sont les descendants des colons qui ont suivi Jacques Cartier, ils sont fiers de leur héritage français, et ils veulent le conserver dans leur langue et dans leurs coutumes.

* **Remettez-vous !** *Recover! (You are invited to "recover" from the stress supposedly involved in getting there.)*

PAUL GAUGUIN, *Femmes aux mangos*

Voilà le Tahiti de Gauguin: les activités paisibles du village,
un peuple heureux dans le décor d'une riche nature.

L'Afrique, continent massif, longtemps colonisé par les deux grandes puissances coloniales, la France et l'Angleterre, est maintenant en train de consolider son indépendance. Parmi les nations d'Afrique, à peu près la moitié sont francophones, l'autre moitié, anglophone. Chaque Africain parle la langue de sa région ou de son groupe ethnique, mais le français et l'anglais sont les langues universelles de l'Afrique, et chaque Africain cultivé veut les savoir. Il y a une belle littérature africaine en français, et de grands poètes africains comme Léopold Senghor.

Faites un voyage atlantique. A une heure et demie d'avion de Miami, vous voilà à la Guadeloupe et à la Martinique. Ce sont les îles des Antilles françaises. Longtemps colonies, ce sont des départements de la France depuis 1945. Les gens y sont charmants, les jeunes filles jolies, la cuisine délicieuse, le climat merveilleux. Je vous les recommande si vous voulez faire un voyage !

Loin dans le Pacifique, voilà les îles de Tahiti. Ce sont des îles enchantées, le pays d'adoption du peintre Gauguin, et le site d'un « Club Méditerranée » qui attire beaucoup de jeunes gens du monde entier.

Et bien sûr, on parle aussi français aux Etats-Unis. Evidemment, il y a beaucoup de gens d'origine française. Mais pensez à tous ces étudiants qui, comme vous, apprennent à parler français. Voilà une autre voix qu'il faut compter parmi les mille voix du français !

PRONONCIATION

un Américain/une Américaine
un Africain/une Africaine

un Canadien/une Canadienne
un Tahitien/une Tahitienne

un Français/une Française
un Irlandais/une Irlandaise

un Belge/une Belge
un Espagnol/une Espagnole

QUESTIONS SUR LA LECTURE

1. On parle français en France. L'y parle-t-on toujours avec le même accent ?
2. Le parle-t-on aussi dans d'autres pays d'Europe ? Y parle-t-on aussi une autre langue ?
3. Si on va en Suisse, combien de langues peut-on y entendre ?
4. Comment les Belges disent-ils **soixante-dix ? quatre-vingt-dix ?** Quel système trouvez-vous plus « simple, clair et logique » ?
5. Quelle est, en réalité, l'origine de l'accent canadien ?
6. Pourquoi les Canadiens parlent-ils français ?
7. Quels sont les deux grands groupes linguistiques de l'Afrique ?
8. Y a-t-il une littérature africaine en français ? Est-elle importante ? Nommez un grand poète africain.
9. Pourquoi beaucoup d'Africains veulent-ils savoir le français et l'anglais ?

10. Expliquez où sont les îles de la Martinique et de la Guadeloupe. Comment peut-on y aller ?
11. Désirez-vous aller dans les îles des Antilles françaises ? Pourquoi ?
12. Pourquoi beaucoup de jeunes gens veulent-ils aller à Tahiti ?
13. Expliquez où sont les îles de Tahiti.
14. Y a-t-il d'autres pays où on parle aussi français, et qui ne sont pas mentionnés dans la lecture ?

EXPLICATIONS

I. Le verbe **croire** (*to believe*)

je crois	nous croyons
tu crois	vous croyez
il croit	ils croient

Je **crois** qu'il va pleuvoir.
Vous croyez que le français est important.
Je **crois** savoir parler français. (*Remarquez les trois verbes.*)
Je ne **crois** pas tout ce que j'entends !

REMARQUEZ : On emploie souvent le verbe **croire** au sens de *to think* :
Je crois qu'il est malade.

II. Le verbe **voir** (*to see*)

je vois	nous voyons
tu vois	vous voyez
il voit	ils voient

Je cherche ma clé, mais **je** ne la **vois** pas.
Voyez-vous cet oiseau, là-bas ?
J'aime aller **voir** mes amis.
Nous allons **voir** un film au cinéma.

REMARQUEZ : On dit « **Je vais voir** mes amis » (*I am going to visit my friends*), mais on dit « **Je visite** une ville, un pays, un monument ». On ne dit pas « ~~Je visite mes amis~~ ».

III. Le verbe **vouloir** (*to want*)

Vous savez employer la forme **je voudrais** (*I would like*) et **voudriez-vous ?** (*would you like ?*). Cette forme est, en réalité, le conditionnel du verbe **vouloir**. On emploie cette forme pour exprimer un désir.

Voilà la conjugaison du verbe au présent :

je veux	nous voulons
tu veux	vous voulez
il veut	ils veulent

Le professeur dit : « **Je veux** votre composition demain ».
Voulez-vous faire un voyage ? Je vous invite.
Je voudrais prendre la voiture de mes parents, mais **ils** ne **veulent** pas.

REMARQUEZ : Il y a une différence entre **je veux** (*I want*) et **je voudrais** (*I would like*).

Je voudrais voir un bon film, mais **je** ne **veux** pas voir de film triste.

IV. Le verbe **pouvoir** (*can; to be able to; may*)

je peux (*ou* : je puis [*plus rare*])	nous pouvons
tu peux	vous pouvez
il peut	ils peuvent

Est-ce que **je peux** sortir ce soir ?
Non, **vous** ne **pouvez** pas sortir ce soir, parce que vous avez un examen demain.
Peut-on prendre l'avion d'Air France pour aller à Tahiti ? Oui, **on peut** le prendre.

REMARQUEZ : La différence de sens entre :

Je peux faire quelque chose (*I am able to...*)
Je peux jouer du piano, parce que j'ai un piano.
et:
Je sais faire quelque chose (*I know how to...*)
Je sais jouer du piano parce que je prends des leçons.

V. La place de deux pronoms

A. Quand deux pronoms sont de la même personne, ils sont de la 3ème personne (**le/la : les, lui, leur**). Placez ces pronoms par ordre alphabétique : **le/la/les** devant **lui/leur**.

Je **le lui** donne.
Il **la lui** donne.
Nous **les leur** donnons.

B. Quand deux pronoms sont de personnes différentes (**le/la : les, lui/leur, me, te, nous, vous**) vous les placez par ordre de personne (il y a trois personnes) :

1ère personne:	me, nous
2ème personne:	te, vous
3ème personne:	le, la, les, lui, leur

Il **me le** donne.
Je **vous le** dis.
Nous **nous les** donnons.
Il **nous la** rend.

C. y et **en** sont toujours les derniers :

Je **vous en** donne.
Il **vous y** voit.
Nous **t'en** donnons.
Elle **lui en** montre.
On vous **y en** donne.

EXERCICES ÉCRITS et/ou ORAUX

I.   *Révision de quelques verbes.*

   A. *Répondez par la forme correcte du verbe.*

   Exemple :   apprenez-vous ?
                   j'apprends

   1. voulez-vous ?
   2. pouvez-vous ?
   3. croyez-vous ?
   4. savez-vous ?
   5. voyez-vous ?
   6. comprenez-vous ?
   7. attendez-vous ?
   8. prenez-vous ?
   9. mettez-vous ?
   10. réussissez-vous ?
   11. allez-vous ?
   12. êtes-vous ?
   13. avez-vous ?
   14. faites-vous ?
   15. venez-vous ?
   16. dormez-vous ?
   17. partez-vous ?
   18. finissez-vous ?

   B. *Quelle est la question correspondante ?*

   Exemple :   il est   *ou :*   je suis
                   est-il ?   *êtes-vous ?*

   1. je peux
   2. nous ne voulons pas
   3. vous voyez
   4. il comprend
   5. vous pouvez
   6. je veux
   7. je comprends
   8. vous savez
   9. je sors
   10. je viens

11. je choisis
12. il a
13. elle parle
14. on va

15. c'est
16. il demande
17. j'achète
18. il exagère

II. *La place de deux pronoms.*

Répondez à la question avec deux pronoms.

Exemple : Voulez-vous me donner votre numéro de téléphone ?
Oui, je veux vous le donner.

1. Pouvez-vous mettre cette lettre à la boîte ?
2. Voulez-vous attendre l'avion dans la salle d'attente ?
3. Voulez-vous entendre le français au Canada ?
4. Savez-vous m'expliquer ce problème ?
5. Pouvez-vous adresser cette lettre au directeur ?
6. Désirez-vous voir les Tahitiens dans leur pays ?
7. Les Canadiens veulent-ils conserver leur héritage dans leurs coutumes ?
8. Vous donne-t-on des renseignements avec volubilité dans le Midi ?
9. Combien de langues parle-t-on en Belgique ?
10. Voit-on des jolies filles à la Martinique ?

III. *Exercices sur le vocabulaire.*

A. *La différence entre* **savoir faire quelque chose** *et* **pouvoir faire quelque chose.**

Exemple : Vous étudiez le piano, alors vous _savez_ jouer du piano.

Vous avez un bandage à la main, alors vous ne _pouvez_ pas jouer du piano aujourd'hui.

1. Je regrette ! Sans ma voiture, je ne _____ aller chez vous ce soir. Donnez-moi des instructions pour trouver votre maison : je ne _____ pas aller chez vous.

2. Ce petit garçon est remarquable ! A cinq ans il _____ déjà lire. Ma grand-mère ne _____ pas lire sans ses lunettes.

3. On _____ faire la cuisine quand on a des provisions et un bon livre de cuisine. Ma sœur ne _____ pas faire la cuisine ! Tous ses dîners sont des désastres.

4. _____-vous jouer de la guitare ? _____-vous jouer de la guitare avec une seule main ?

5. Vous _____ lire et écrire. Vous ne _____ pas écrire si vous n'avez pas de stylo ou de crayon.

B. *La différence entre* **aller voir** *ou* **venir voir** *et* **visiter.**

1. Si vous n'êtes pas occupé, _____ votre grand-mère.
2. Je suis très content quand mes amis _____ me _____.
3. En Europe, les touristes _____ les musées et les cathédrales.
4. A Paris, je _____ toujours les endroits intéressants, et je _____ des vieux amis.
5. Si vous _____ me _____, je vous emmène _____ la ville.
6. Emportez des fleurs quand vous _____ une dame.
7. Emportez votre appareil photo quand vous _____ un pays étranger.
8. Pouvez-vous _____ le directeur ? Il vous invite à _____ son usine.

C. *Complétez les phrases par un des termes de la liste suivante.*

une voix, le Midi, un réservoir, avoir tendance à, une coutume, un département, anglophone, francophone, une puissance, la Belgique

1. La _____ est située au nord de la France.
2. Marseille est une grande ville du _____.
3. Les Canadiens _____ à employer des mots anglais modifiés.
4. Il est très difficile de changer les _____ d'un pays.
5. On met l'essence dans le _____ de votre voiture.
6. La France est divisée en _____.
7. Si vous chantez bien, c'est parce que vous avez une jolie _____.
8. Si vous parlez anglais, vous êtes _____. Si vous parlez français, vous êtes _____.
9. Un pays important, qui a beaucoup d'influence dans le monde est une _____ politique et économique.

COMPOSITIONS

Composition orale et/ou écrite.

Vous avez le choix entre quatre sujets :

A. Imaginez un voyage dans un des pays où on parle français. Comment y allez-vous ? Qu'est-ce que vous y voyez ? Comment sont les gens ? etc. (Il faut que les autres étudiants devinent de quel pays vous parlez.)

B. Qu'est-ce que vous voulez faire ? Qu'est-ce que vous pouvez faire ? savez faire ? Quelle est la différence entre ce que vous voulez faire un jour et ce que vous faites maintenant ?

C. Est-ce que le français est une langue utile et importante ? Pourquoi ? Pensez-vous, un jour, avoir besoin de parler français ? Imaginez quelques situations où vous pouvez avoir besoin de parler français.

D. Interviewez une personne qui parle français (mais qui ne vient pas nécessaire-ment de France). Demandez-lui d'où il (*ou* : elle) vient, comment est son pays, pourquoi et comment on apprend le français dans son pays, etc.

VOCABULAIRE

NOMS

Noms masculins

l'accent
l'Atlantique
l'avocat
le Canada
le club
le colon
le continent

le département
le descendant
le dynamisme
les Etats-Unis (*pl.*)
l'héritage
le médecin
le Midi

le Pacifique
le paradoxe
le pays d'adoption
le peintre
le pirate
le réservoir
le texte

Noms féminins

la Belgique
la colonie
la coutume
l'essence
l'île
l'indépendance
l'influence

l'inscription
la littérature
la moitié
la nation
la population
la province
la puissance

la région
la route
la station d'essence
la Suisse
la volubilité

ADJECTIFS

africain (-e)
anglophone
bilingue
canadien, canadienne
colonial (-e)
colonisé (-e)
cultivé (-e)

divers, diverses (*pl.*)
divisé (-e)
ethnique
flamand (-e)
francophone
historique
hollandais (-e)

massif, massive
minuscule ≠ immense
officiel, officielle
régional (-e)
universel, universelle
wallon, wallonne

VERBES

1er groupe

attirer
compter
conserver

consolider
employer
recommander

ressembler (à)
varier

3ème groupe

croire

voir

vouloir

Autre

pouvoir

ADVERBE

loin

DIVERS

avoir tendance à

être en train de

VINCENT VAN GOGH, *Les toits*

Ce dessin de Van Gogh contient tous les éléments du poème de Verlaine: le toit, l'arbre et le clocher où la cloche « doucement tinte ». C'est à vous d'imaginer la « paisible rumeur » qui vient de la ville.

Paul Verlaine

(1844–1896)

Ecrit pendant que Verlaine était à la prison de Mons,
en Belgique, pour avoir essayé de tuer son ami, le
poète Rimbaud. De sa cellule, le prisonnier voit le
ciel par-dessus le toit, une branche d'arbre. . . Il
entend la paisible rumeur de la ville et s'interroge
«Qu'as-tu fait de ta jeunesse?» Et sa question nous
touche, car c'est une question que nous nous posons
parfois: «Qu'ai-je fait de ma jeunesse?»

Le ciel est, par-dessus le toit...

Le ciel est, par-dessus le toit
    Si bleu, si calme
Un arbre, par-dessus le toit
    Berce sa palme.

La cloche, dans le ciel qu'on voit
    Doucement tinte.
Un oiseau dans l'arbre qu'on voit
    Chante sa plainte.

Mon Dieu, mon Dieu, la vie est là
    Simple et tranquille
Cette paisible rumeur-là
    Vient de la ville.

Qu'as-tu fait ô ! toi que voilà
    Pleurant sans cesse,
Dis, qu'as-tu fait, toi que voilà
    De ta jeunesse ?

Sagesse. A. Messein, Editeur.

LEÇON 20 (PREMIÈRE PARTIE)
J'ai regardé par la fenêtre

LE PASSÉ: CONCEPT INITIAL D'ACTION ET DE DESCRIPTION

L'imparfait de **être** et **avoir**
Le passé composé des verbes du premier groupe

Introduction

PRÉSENT	PASSÉ
Aujourd'hui:	*Hier:*
C'est mardi.	**C'était** lundi.
Je suis à l'école.	**J'étais** à l'école.
Etes-vous à la maison? Moi, **je ne suis pas** à la maison.	**Etiez-vous** à la maison? Moi, je **n'étais pas** à la maison.
Sommes-nous dans la classe? Oui, **nous sommes** dans la classe.	**Etions-nous** dans la classe? Oui, **nous étions** dans la classe.
Le professeur **est-il** en retard? Non, il n'**est** pas en retard.	Le professeur **était-il** en retard? Non, il n'**était** pas en retard.
Les élèves **sont-ils** présents? Oui, **ils sont** présents.	Les élèves **étaient-ils** présents? Oui, **ils étaient** présents.
Aujourd'hui:	*Hier:*
Il y a du soleil.	**Il y avait** du soleil.
J'ai un examen à 11 heures. Il est difficile.	**J'avais** un examen à 11 heures. Il était difficile.
Avons-nous une classe de français? Oui, **nous en avons** une.	**Avions-nous** une classe de français? Oui, **nous en avions** une.
Avez-vous besoin de votre manteau? Non, je n'en ai pas besoin.	**Aviez-vous** besoin de votre manteau? Non, je n'en avais pas besoin.
Les élèves **ont-ils** leurs livres? Oui, **ils les ont**.	Les élèves **avaient-ils** leurs livres? Oui, **ils les avaient**.

Je parle français dans la classe. C'est une classe très intéressante.

A midi, j'ai faim. J'achète un sandwich et je le mange. Il est bon.

Je téléphone à André. Il est chez lui et nous parlons longtemps. Ma mère est furieuse.

J'étudie de 10 heures à 11 heures parce que j'ai un examen à 11 heures.

J'ai parlé français dans la classe. C'était une classe très intéressante.

A midi, j'avais faim. J'ai acheté un sandwich et je l'ai mangé. Il était bon.

J'ai téléphoné à André. Il était chez lui et nous avons parlé longtemps. Ma mère était furieuse.

J'ai étudié de 10 heures à 11 heures parce que j'avais un examen à 11 heures.

EXERCICES ORAUX

I. *L'imparfait et le présent.*

A. *Quelle est la forme du verbe à l'imparfait ?*

1. (avoir)
j' ＿＿＿＿
nous ＿＿＿＿
vous ＿＿＿＿
tu ＿＿＿＿
il ＿＿＿＿
ils ＿＿＿＿

2. (être)
j' ＿＿＿＿
tu ＿＿＿＿
vous ＿＿＿＿
ils ＿＿＿＿
nous ＿＿＿＿
il ＿＿＿＿

B. *Quelle est la réponse ?* (*Imparfait*)

1. aviez-vous ?
2. étiez-vous
3. était-il ?
4. avaient-ils ?
5. était-ce ?
6. avait-on ?
7. étions-nous ?
8. étais-je ?
9. était-on ?
10. était-elle ?
11. étaient-ils ?
12. avions-nous ?
13. y avait-il ?
14. avait-elle ?
15. avais-je ?
16. avais-tu ?
17. étais-tu ?
18. avait-il ?

C. *Quelle est la réponse ?* (*Présent et imparfait*)

1. êtes-vous ?
2. étiez-vous ?
3. avez-vous ?
4. aviez-vous ?
5. sommes-nous ?
6. étions-nous ?
7. avons-nous ?
8. avions-nous ?
9. est-il ?
10. était-il ?
11. sont-ils ?
12. étaient-ils ?
13. est-ce ?
14. était-ce ?
15. y a-t-il ?
16. y avait-il ?
17. a-t-il ?
18. avait-il ?

II. *Le passé composé.*

(*Dans la leçon, il y a le passé composé des verbes* **parler, acheter, manger, téléphoner, étudier, regarder, déjeuner, chercher, demander, trouver, sonner.**)

A. *Quelle est la forme du verbe au passé composé ?*

1. je demande
2. je regarde
3. je parle
4. je cherche
5. je téléphone
6. j'étudie
7. nous trouvons
8. vous cherchez
9. on demande
10. il sonne
11. tu parles
12. ils déjeunent
13. on mange
14. vous regardez
15. il demande
16. je trouve
17. vous téléphonez
18. elle achète

III. *Mettez la phrase au passé.*

A. *Au passé composé.*

Exemple : Je cherche un numéro de téléphone.
J'ai cherché un numéro de téléphone.

1. Je parle au téléphone.
2. Nous achetons un disque.
3. Tu manges un sandwich.
4. Elle étudie un catalogue.
5. On trouve la réponse.
6. Ils regardent la vue.
7. Vous sonnez à la porte.
8. Il demande un renseignement.
9. Je ne déjeune pas au restaurant.
10. Nous ne mangeons pas d'escargots.
11. On ne trouve pas l'adresse.
12. Nous ne demandons pas l'impossible.
13. Je téléphone au magasin.
14. Tu étudies pour le cours de sciences.
15. Le chat mange la souris.
16. La cloche sonne à huit heures.

B. *A l'imparfait.*

Exemple : Je suis fatigué.
J'étais fatigué.

1. J'ai faim.
2. Nous avons froid.
3. Vous avez raison.
4. Il y a de la neige.
5. C'est une belle journée.

6. Je suis en retard.
7. On a mal à la tête.
8. Ils sont à l'heure.
9. Vous êtes fatigué parce qu'il y a un examen.
10. J'ai froid quand je n'ai pas mon tricot.
11. Tu es content parce que tu as une voiture.
12. Il a un chien qui est très méchant.
13. Vous avez chaud quand vous êtes au soleil.
14. Nous n'avons pas faim, il n'est pas midi.
15. Il a tort, et j'ai raison.
16. Nous sommes en panne parce que nous avons besoin d'essence.

C. *Au passé composé et à l'imparfait.*

Exemple : Je cherche un numéro qui n'est pas dans mon carnet.
J'ai cherché un numéro qui n'était pas dans mon carnet.

1. Nous mangeons un bifteck qui est excellent.
2. Vous avez cette adresse, mais vous ne la trouvez pas.
3. Quand la cloche sonne, il est dans son lit !
4. Pourquoi achetez-vous un livre que vous avez déjà ?
5. Nous déjeunons à midi et il y a un bon déjeuner.
6. Je téléphone à mes amis, mais il ne sont pas chez eux.
7. Où êtes-vous quand je sonne à votre porte ?
8. L'employé est au guichet et vous lui demandez des renseignements.

ANDRÉ DERAIN, *Fenêtre sur le parc*

J'ai regardé par la fenêtre: il faisait beau, le ciel était bleu.

LECTURE
J'ai regardé par la fenêtre

Aujourd'hui, à 7 heures, je regarde par la fenêtre. Il y a du soleil. Le ciel est bleu, il fait beau.

Je déjeune avec ma famille et après le petit déjeuner, je téléphone à mon ami André. Pas de chance ! Il n'est pas chez lui.

Alors, je cherche le numéro de Carol dans l'annuaire du téléphone (*telephone book*). Je lui demande si elle a sa voiture aujourd'hui, et sa réponse est « Oui ».

Une heure plus tard, Carol est devant chez moi. A 8 heures et demie, nous sommes à l'école et nous trouvons facilement un endroit pour stationner la voiture.

Quand la cloche sonne, à 9 heures, je suis à ma place, et je suis prêt à commencer ma journée.

PASSÉ

Hier, à 7 heures, j'ai regardé par la fenêtre. Il y avait du soleil. Le ciel était bleu, il faisait beau.

J'ai déjeuné avec ma famille et après le petit déjeuner, j'ai téléphoné à mon ami André. Pas de chance ! Il n'était pas chez lui.

Alors, j'ai cherché le numéro de Carol dans l'annuaire du téléphone. Je lui ai demandé si elle avait sa voiture aujourd'hui, et sa réponse était « Oui ».

Une heure plus tard, Carol était devant chez moi. A 8 heures et demie, nous étions à l'école et nous avons facilement trouvé un endroit pour stationner la voiture.

Quand la cloche a sonné à 9 heures, j'étais à ma place et j'étais prêt à commencer ma journée.

PRONONCIATION

je suis / j'étais   j' ai / j'avais
vous êtes / vous étiez vous avez / vous aviez
je regarde / j'ai regardé je parle / j'ai parlé
    j'achète / j'ai acheté

QUESTIONS SUR LA LECTURE

(Attention : quand la question est au présent, il faut répondre au présent. Quand la question est au passé, il faut répondre au passé.)

1. Quelle est la date aujourd'hui ? Quelle était la date hier ?
2. Etes-vous à l'école aujourd'hui ? Etiez-vous à l'école hier ?

3. Sommes-nous dans la classe maintenant ? Etions-nous dans la classe hier ?
4. Le professeur est-il en retard généralement ? Etait-il à l'heure aujourd'hui ?
5. Vos parents sont-ils à la maison ? Etaient-ils à la maison hier ? Etiez-vous à la maison hier soir ?
6. Y a-t-il du soleil aujourd'hui ? Y avait-il du soleil hier ?
7. Avez-vous un examen aujourd'hui ? Aviez-vous un examen hier ? (ou: En aviez-vous un hier ?) Quand était votre dernier examen ? Comment était-il ? En aviez-vous peur ?
8. Avez-vous téléphoné à un ami (ou: une amie) hier ? Etait-il (elle) chez lui (chez elle) ?
9. Avez-vous regardé la télévision hier ? Y avait-il un programme intéressant ? Quel jour est votre programme favori ?
10. A quelle heure déjeunez-vous généralement ? Avez-vous déjeuné à la maison hier ? Dînez-vous souvent au restaurant ? A quel restaurant aimez-vous dîner ?
11. Cherchez-vous souvent un livre à la bibliothèque ? Le trouvez-vous facilement ? En avez-vous cherché un cette semaine ? L'avez-vous trouvé ?
12. Quel temps fait-il aujourd'hui ? Quel temps faisait-il hier ? Comment est le ciel aujourd'hui ? Avez-vous chaud ? Aviez-vous besoin de votre tricot hier ? Pourquoi ?
13. Avez-vous écouté la radio hier soir ? Y avait-il des nouvelles importantes ?
14. Etes-vous souvent en retard ? Etiez-vous en retard aujourd'hui ? Le professeur est-il souvent en retard ? Etait-il en retard aujourd'hui ?
15. Avez-vous acheté un objet intéressant cette semaine ? Pourquoi ?
16. Avez-vous faim pendant la classe ? Aviez-vous faim hier à midi ? Avez-vous acheté un sandwich ? Comment était-il ?

EXPLICATIONS

(Il y a deux temps pour le passé ordinaire : **le passé composé** et l'**imparfait**.)

I. L'imparfait est le temps de la description.*
Employez l'imparfait pour une description, pour dire comment étaient les choses (*how things were, what was going on*).

être et **avoir** sont généralement à l'imparfait.

A. L'imparfait de **il y a** : **il y avait**

Quand **il y a** est au passé, il est toujours à l'imparfait.**
Hier, **il y avait** du soleil. **Il** n'**y avait** pas de nuages.

---

* *You will see a little later that all verbs have both a* **passé composé** *and an* **imparfait**. *But in order to establish a firm base, and to prevent any possibility of error, use* **être** *and* **avoir** *only in the* **imparfait** *for the time being.*

The reason why **être** *and* **avoir** *are most often in the* **imparfait**, *is that by their very meaning they denote a description: "you are something" or "you have something" reflects a description and not an action. On the other hand, verbs like* to go, to speak, *etc., denote an action and will tend to be most often in the* **passé composé**.

** *When* **il y a** *is in the* **passé composé**, *its meaning is different. It usually means* ago, *as in* **il y a eu dix ans hier** (*ten years ago yesterday*). *But you can safely assume that* there was/there were *will be* **il y avait**.

B. L'imparfait de **c'est** : **c'était**

Hier, **c'était** lundi. Ce n'**était** pas une bonne journée.

C. Conjugaison de l'imparfait

être	avoir	Terminaison de l'imparfait
j' étais	j' avais	-ais
tu étais	tu avais	-ais
il était	il avait	-ait
nous étions	nous avions	-ions
vous étiez	vous aviez	-iez
ils étaient	ils avaient	-aient

Etiez-vous à l'heure pour la classe ?
Oui, **j'étais** à l'heure.

Aviez-vous des classes hier ?
Oui, **j'avais** des (*ou:* Non, je n'**avais** pas de) classes.

Où **étaient** vos parents pendant le week-end ?
Ils étaient chez eux, parce qu'**ils** n'**avaient** pas besoin d'être au travail.

II. Le passé composé est le temps de l'action.

A. Sa formation

Le passé composé est formé du verbe **avoir** et du participe passé du verbe. Pour les verbes du premier groupe (verbes en **-er**), le participe passé est toujours régulier et formé avec **-é** :

déjeuner : j'ai déjeun**é**
parler : j'ai parl**é**
regarder : j'ai regard**é**
manger : j'ai mang**é**

B. Son usage

Employez le passé composé pour exprimer une action, ce que quelqu'un a fait (*what someone did*) ou ce qui est arrivé (*what happened*).

J'ai parlé au téléphone. J'ai regardé la télévision.
Avez-vous déjeuné au restaurant ?
Non, je n'y ai pas déjeuné. J'ai mangé un sandwich assis sur la pelouse.

C. Le passé composé des verbes du premier groupe

Conjugaison du passé composé

Exemple : **déjeuner**

Affirmative	*Négative*
j'ai déjeuné	je n'ai pas déjeuné
tu as déjeuné	tu n'as pas déjeuné
il a déjeuné	il n'a pas déjeuné
nous avons déjeuné	nous n'avons pas déjeuné
vous avez déjeuné	vous n'avez pas déjeuné
ils ont déjeuné	ils n'ont pas déjeuné

Interrogative

Il y a deux formes : { avec **est-ce que** / avec l'inversion }

Avec **est-ce que**	*Avec l'inversion*
est-ce que j'ai déjeuné ?	ai-je déjeuné ?
est-ce que tu as déjeuné ?	as-tu déjeuné ?
est-ce qu'il a déjeuné ?	a-t-il déjeuné ?
est-ce que nous avons déjeuné ?	avons-nous déjeuné ?
est-ce que vous avez déjeuné ?	avez-vous déjeuné ?
est-ce qu'ils ont déjeuné ?	ont-ils déjeuné ?

REMARQUE IMPORTANTE :

Au passé composé, le vrai verbe, c'est l'auxiliaire parce qu'il est conjugué. Dans la forme **j'ai déjeuné**, **ai** est le verbe. L'ordre des mots est organisé autour de l'auxiliaire (le verbe **avoir**).

> **J'ai** déjeuné à midi. **Avez-vous** déjeuné ?
> Non, **je n'ai pas** déjeuné.
>
> **Avez-vous** déjeuné au restaurant ?
> Non, **je n'y ai pas** déjeuné.
>
> **Avez-vous** parlé à Bob ?
> Oui, **je lui ai** parlé. (*ou* : Non, **je ne lui ai pas** parlé.)

Remarquez que le **ne** de la négation et les pronoms d'objet sont devant **avoir**, qui est le verbe quand vous employez le passé composé.

III. L'usage du passé composé et de l'imparfait.

On emploie le passé composé et l'imparfait dans la même phrase, ou dans des phrases consécutives.

Hier, à midi, **j'avais** faim. **J'ai acheté** un sandwich et **je** l'**ai mangé**. **C'était** un sandwich au fromage. **Il était** très bon.

J'ai cherché un livre à la bibliothèque, mais **je ne** l'**ai pas trouvé** parce qu'**il n'**y **était** pas.

Barbara **a téléphoné** à Carol. Mais Carol n'**était** pas à la maison.

EXERCICES ÉCRITS et/ou ORAUX

I. *Répondez deux fois à la question (sans le pronom et avec le pronom).*
   (*La réponse est au même temps que la question.*)

Exemple : Aviez-vous une voiture l'année dernière ?
Oui, j'avais une voiture. (ou: Non, je n'avais pas de voiture.)
Oui, j'en avais une. (ou: Non, je n'en avais pas.)

1. Aviez-vous du travail hier ?
2. Aviez-vous le journal ce matin ?
3. Avez-vous téléphoné à vos parents ?
4. Avez-vous déjeuné au restaurant ?
5. Avez-vous mangé des escargots aujourd'hui ?
6. Avez-vous regardé la télévision hier ?
7. Avez-vous cherché des livres à la bibliothèque ?
8. Aviez-vous les réponses à toutes les questions ?
9. Avez-vous trouvé ce mot dans le dictionnaire ?
10. Aviez-vous la même classe l'année dernière ?

II. *Mettez le paragraphe suivant au passé.*

Quand *je suis* petit, *j'ai* un chien. *Il est* gentil avec moi, mais *il est* féroce avec le reste de l'humanité. Un jour, *je regarde* par la fenêtre : *il y a* une foule sur le trottoir, et mon chien *est* au milieu ! Mon dieu ! *Mange-t-il* le chat de la dame en face ? Impossible, *il déjeune* ce matin. Un agent *sonne* à la porte, et ma mère lui *demande* quel *est* le problème. Le chien *trouve* simplement le portefeuille d'un monsieur, il *est* assis dessus, et tout le monde *a* peur de lui. *C'est* amusant pour moi, mais ma mère n'*est* pas contente !

III. *Répondez aux questions suivantes.*

1. Où avez-vous dîné hier soir ? Comment était votre dîner ?
2. Aviez-vous peur des chiens quand vous étiez petit ?
3. Y avait-il un bon programme à la télévision hier soir ? L'avez-vous regardé ?

4. Etiez-vous en retard aujourd'hui ? Etes-vous souvent en retard ?
5. Avez-vous téléphoné à un ami hier ? Etait-il à la maison ?
6. Avez-vous cherché un livre à la bibliothèque ? Y était-il ? L'avez-vous trouvé ?
7. A quelle heure déjeunez-vous généralement ? Avez-vous déjeuné aujourd'hui ?
8. Avez-vous étudié tard hier soir ? Y avait-il une composition pour aujourd'hui ?

VOCABULAIRE

NOMS

Noms masculins

l'annuaire (du téléphone)   le catalogue   l'escargot

Nom féminin

la cloche

VERBES

sonner   stationner

1. Cette belle grille, dominée par le drapeau tricolore de la France s'ouvre sur les images qui vont vous donner une idée de la beauté de la France et du monde francophone.

Entrez, et par ces images, faites une promenade à **Paris;** un tour dans les régions de France: **Vendée et Val de Loire, Côte d'Azur et Provence, Normandie et Bretagne.** Arrêtez-vous un moment devant cette merveille gothique, **la cathédrale de Chartres.** Et faites même un voyage rapide dans **le monde francophone:** Canada, Suisse, Belgique, Afrique, Antilles et Tahiti.

2. **La place de la Concorde** est remarquable
par l'élégante symétrie de ses bâtiments du
XVIIIe siècle. C'était autrefois la place Louis XV,
renommée place de la Révolution en 1792.
C'est là que la guillotine se dressait pendant
la Révolution et que Louis XV a été exécuté.

3. **Notre-Dame de Paris** est une splendide cathédrale gothique.
Remarquez la « grande rose » dans sa dentelle de pierre et les
arcs-boutants qui soutiennent la haute voûte.

4. **La façade de Notre-Dame** et les bouquinistes.
Les bouquinistes, installés le long de la Seine, vendent livres
et gravures, modernes et anciens.

5. Montmartre est dominé par l'église du **Sacré-Coeur**, qui date du début du XXᵉ siècle. « Horrible, disent certains, on dirait un énorme gâteau de plâtre ! » D'autres, moins nombreux, affirment que c'est, au contraire, une très belle adaptation du style byzantin.

6. **Montmartre** est le quartier des peintres qui reproduisent inlassablement la vue classique du Sacré-Coeur.

7. Le privilège du peintre, c'est d'interpréter la réalité. Ce peintre « voit » le Sacré-Coeur à sa manière, sous l'oeil fasciné des touristes.

8. Le restaurant **La Bohème** rappelle le temps où Montmartre·était, en effet, le quartier de la bohème. Malgré l'afflux des touristes, c'est encore assez vrai.

9 et 10. On appelle Paris « la ville lumière », et il faut voir les monuments illuminés pour apprécier l'expression. Voilà **la Tour Eiffel** et l'**Arc de Triomphe** le soir.

11. **Les Champs-Elysées** sont une majestueuse avenue, dominée par l'Arc de Triomphe. Au crépuscule, un soir de pluie, ils gagnent la magie d'un ciel mauve et de ses réflections.

12. Le **Drugstore** des Champs-Elysées offre la version française d'un *drugstore* américain. On y vend livres, disques, vêtements avant-garde, tous les *gadgets* de la vie moderne. Son succès a donné naissance à des quantités d'autres drugstores, à Paris et en province.

13. On mange aussi dans le Drugstore. Quoi? Eh bien, des *snacks,* style américain, des *hamburgers,* des *hot-dogs,* des *sundaes...* mais adaptés au goût français.

14. **L'Assemblée Nationale,** siège des délibérations de l'Assemblée Nationale du gouvernement, dresse sa façade néo-classique en face de la Concorde. Le soir, elle semble flotter sur le tracé lumineux des feux de voitures.

1. En **Vendée**, vieille province royaliste, les moulins à vent du Mont-des-Alouettes sont célèbres : pendant la Révolution, la position de leurs ailes indiquait aux troupes royalistes la position des forces du gouvernement.

2. En **Vendée**, dans le Marais poitevin, appelé aussi la Venise verte, les canaux remplacent les routes et on circule dans ces bateaux à fond plat.

3. En **Saintonge**, l'église de Notre-Dame d'Aulnay, parfait exemple de l'art roman, marquait une étape sur la route des pèlerinages à Saint-Jacques de Compostelle.

4. Dans le **Val de Loire**, on trouve de nombreuses « gentilhommières », âgées de plusieurs siècles, souvent restaurées et transformées en merveilleuses maisons d'habitation ou de vacances. Celle-ci est le Manoir de la Courroierie.

5. Le **Val de Loire** est le pays des châteaux. A chaque kilomètre, on rencontre un de ces trésors d'architecture. Voilà **Montrésor**, avec, à droite, la tour de ses anciennes fortifications.

6. **Chambord** est le plus somptueux et le plus grand des châteaux de la Loire. Construit par François Ier, le voilà, illuminé pour le spectacle *Son et Lumière*.

7. Une vieille rue de village qui n'a pas changé depuis des siècles garde le charme rustique de ses toits de tuile, dominés par le clocher de l'église.

8. Un beau ciel de crépuscule reflété sur la Loire, avec la silhouette de **Blois** sur l'autre rive.

9. **Montsoreau.** Le soleil couchant sur la Loire transforme ces bateaux en silhouettes mystérieuses. En réalité, ils servent à pêcher le saumon qui remonte la Loire en quantité.

10. Toujours au pays des châteaux. Voilà **Ussé**, entouré de ses forêts.

11. Plus ancien, voilà **Chaumont**, dont les tours
médiévales et le pont-levis gardent l'entrée.

12. **Azay-le-Rideau** est peut-être le plus parfait
exemple des châteaux de plaisance de la
Renaissance. Construit par une jeune femme,
Catherine Briçonnet, pour être: « Non pas
le palais d'un seigneur, mais la résidence
d'une dame », il se reflète dans la rivière
comme un objet précieux sur un miroir. Hélas,
François Ier l'a confisqué peu après sa
construction, accusant le mari de Catherine,
officier du Trésor, d'avoir volé le trésor royal...

13. **Blois.** Au-dessus de la porte du château de la Maison de France, la statue de Louis XII dans sa dentelle de pierre.

14. **Chenonceaux.** Des meubles Renaissance, une grande cheminée de pierre et un tableau « Les Trois Grâces » décorent la chambre de Diane de Poitiers. (Lestrade)

15. **Villandry.** Les jardins du XVIᵉ siècle sont admirablement conservés. Les dessins allégoriques racontent l'histoire de l'amour: des coeurs figurent l'amour innocent, des serrures et des cornes, l'amour jaloux, des poignards, l'amour cruel. Au fond, c'est le jardin potager, où les légumes tracent d'autres dessins allégoriques.

Côte d'Azur et Provence

1. **Cannes.** Un paquebot dans le port, des ombrelles de plage... Pour beaucoup de gens, la Côte d'Azur veut dire vacances, plage, soleil, évasion.

3

2. **Nice.** Un hublot encadre une vue de la plage.

3. **Golfe-Juan.** Des balcons multicolores, face à la mer.

4. La spécialité de la Côte d'Azur, c'est la salade niçoise composée de poivrons, tomates, oignons, oeufs durs, anchois, olives noires, thon et vinaigrette. Mmm !

5. **Gourdon,** dans la montagne au-dessus de Nice, est un village médiéval, bâti en nid d'aigle. Ses fortifications, restaurées, sont aujourd'hui restaurants ou demeures d'artistes.

6. **Port-Grimaud.** Beaucoup de gens pensent: « Tiens, comme on a bien restauré ce vieux village! » Erreur. Il est entièrement neuf. C'est la reproduction exacte d'un village méditerranéen, et chaque maison, qui a l'air d'une vieille maison de pêcheurs—mais avec tout le confort!—donne sur la mer. Beaucoup d'ambiance!

7. **Grasse.** Dans les vieilles villes de la montagne, les rues étroites sont à peine assez larges pour le camion du boulanger.

8. **Antibes.** Le Fort est maintenant le Musée Picasso, et ses bronzes, sur la balustrade, se dressent contre la mer et le ciel.

9. **Saint-Tropez.** Au Marché aux Puces, cette jeune fille vend diverses antiquités sans perdre une minute de son bain de soleil. Elle pourrait aussi servir de modèle au bronze de Picasso.

10. **Vallauris,** ville des potiers. C'est Picasso qui a restauré à Vallauris cet ancien art, et aujourd'hui, la ville vit de ses poteries et céramiques. Ici, voilà un potier au travail à son tour.

11. Une route de **Provence** bordée de platanes. Autrefois, ceux-ci servaient à protéger piétons et animaux de la chaleur du soleil. Ils offrent leur ombre comme l'arche d'une cathédrale.

12. **La Provence,** c'est l'ancienne *Provincia romana* des Romains, et les traces de l'occupation romaine sont nombreuses. Voilà le célèbre Pont du Gard, un aqueduc qui amenait l'eau à la ville de Nîmes il y a deux mille ans.

13. **Nîmes** était la capitale de la Provence, et ses arènes, construites probablement au temps de Néron, pouvaient contenir 23.000 spectateurs. Les Romains y donnaient des combats de gladiateurs. Aujourd'hui, on y voit des courses de taureaux (style français: on ne tue pas le taureau).

14. La Provence est la région favorite des campeurs, parce qu'il y fait beau et chaud. Ici, leurs caravanes se reflètent dans l'eau d'une calme rivière.

15. **Les Baux**, forteresse, village et château en ruines, se dressent comme un squelette blanchi au grand soleil de Provence.

16. **Avignon.** Voilà le pont de la vieille chanson:

Sur le pont d'Avignon,
On y danse, on y danse…
A moitié emporté par le Rhône, il y a longtemps, le pont ne traverse plus le fleuve, mais reste comme souvenir du temps où Avignon était la ville des Papes.

17. **Avignon.** Le Palais des Papes le soir. Les papes y ont résidé au XIVe siècle. Il est maintenant, chaque année, le théâtre du Festival d'Avignon, qui attire des jeunes gens du monde entier.

Le monde francophone

Canada

1. **Québec.** L'Hôtel de Ville, reflété dans la lanterne d'une calèche.

2. Une promenade en calèche dans le vieux **Québec** est de rigueur par une après-midi d'été. Chaque cheval connaît cette fontaine et y va tout droit, à la fin de son circuit. L'eau fraîche est sa récompense.

3. Vue du haut de **Québec** sur le fleuve Saint-Laurent.

4. Dans les petites rues de **Québec**: cette jeune artiste expose ses oeuvres.

5. Les armes de la province de **Québec** disent sa fidélité au souvenir: fleurs de lys, lierre emblème de la constance, et la devise: *Je me souviens*. Québec, en effet, se souvient de son héritage français dans sa langue et dans ses coutumes.

6. Le changement de la Garde, à la Citadelle de Québec, est une cérémonie pittoresque: mascotte impeccable, uniformes de style anglais, soldats canadiens parlant français et musique militaire française.

Belgique

La Belgique est bilingue. On y parle flamand et français.

7. Les canaux de la vieille ville de **Bruges** (ou *Brugge*).

8. Une rue animée de **Bruges.** Remarquez les pittoresques enseignes de fer forgé.

9. **Bruxelles.** Les façades de la Grand Place sont de pur style flamand. (La Cinéscopie)

Suisse La Suisse a quatre langues officielles: l'allemand, le français, l'italien et le romanche. Mais l'allemand et le français dominent.

10. **Le col de Furka** marque l'entrée de la Suisse française. La neige et la glace y durent toute l'année, et c'est là que le Rhône prend sa source dans un glacier.

11. Pendant le bref été de la haute montagne, les fleurs des Alpes poussent à profusion. Ici, ce sont de délicates gentianes bleues.

12. Les premières cascades du Rhône, au moment où, petit ruisseau, il sort du glacier, parmi des renoncules jaunes. Sa vallée traverse la Suisse française, et il va devenir une importante rivière.

11   12

Afrique

L'Afrique du Nord et de l'Ouest
est francophone. Le Sud et l'Est
du continent sont anglophones.

13. En Afrique du Nord, le Maroc, l'Algérie et la Tunisie juxtaposent leurs traditions
avec la langue et la culture française. Dans cette scène de marché, au **Maroc**,
c'est la culture traditionnelle qui domine. (Courtesy Moroccan Tourist Bureau)

14. En **Côte d'Ivoire**, Afrique de l'Ouest, la
culture européenne se joint aux anciennes
traditions des royaumes africains. Ici, le
monde moderne se reflète dans
l'architecture de ce bel hôtel. (Courtesy Air Afrique)

15. Dans la **République Centrafricaine**, la nature
reste souvent telle qu'elle était avant l'arrivée
de l'homme. Ici, c'est un vol de flamants sur un lac.
(Courtesy République Centrafricaine, Service du Tourisme)

Tahiti

16. Les îles de **Tahiti**, dans le Pacifique, gardent le souvenir du peintre Gauguin. Protégées par le gouvernement français contre les horreurs touristiques, elles gardent leur charme primitif. Ici, pirogue et ses rameurs. (Courtesy Club Méditerranée Intl., Inc.)

17

18

Les Antilles

17. Dans la mer des Antilles, **la Martinique** et **la Guadeloupe** sont des départements de la France, et sont françaises depuis 1635. Ici, des pêcheurs sur la plage de **Saint-Pierre, Martinique.**

18. La canne à sucre est la principale culture de **la Martinique**, la fabrication du sucre et du rhum sont ses industries. Cette ancienne rhumerie, entourée de poinsettias, fonctionne encore.

19. **Haïti**, indépendante depuis presque deux siècles, partage son île avec Saint-Domingue. Haïti a gardé la langue française, mais a formé sa culture propre, et son culte du vaudou (ou *voodoo*) est célèbre. (Courtesy Air France)

Une merveille gothique: la cathédrale de Chartres

1. Détail d'un vitrail. Les vitraux de Chartres sont donnés par les guildes de la ville et chaque vitrail porte la signature des marchands qui l'ont donné. Ici, les donateurs sont les fourreurs, qui montrent un riche manteau à une dame.

2. La cathédrale apparaît au bout d'une etroite rue médiévale.

3. La façade est déceptivement simple. Remarquez les tours différentes. Le Moyen-Age ne voyait pas de beauté particulière dans la symétrie.

1

2

3

4 5

4. Détail du portail de la façade: les statues du XIIᵉ siècle sont stylisées et gardent la forme des colonnes.

5. Statue du portail nord. Remarquez l'évolution de la sculpture en un siècle. C'est la belle image de Saint-Jean Baptiste, émacié après ses quarante jours dans le désert.

6. Portail sud. Le Christ enseignant, dont le visage reflète la paix et l'amour divin.

7. Le portail nord représente des scènes de l'Ancien Testament.

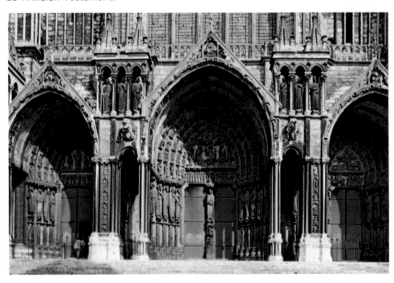

8. Le portail sud représente le Jugement Dernier. Dans ce détail, des démons horribles conduisent les pécheurs vers l'enfer. Chaque péché a sa punition. En bas, à droite, c'est la punition de la luxure.

9. A l'intérieur de la cathédrale, les vitraux racontent une merveilleuse légende de couleur et de lumière. Notre-Dame de la Belle-Verrière est le plus ancien des vitraux (XIIᵉ siècle). Le « bleu de Chartres » de la robe de la Vierge représente un procédé perdu de nos jours.

10. La grande « rose de France », offerte à la cathédrale par Louis IX et sa mère, Blanche de Castille. La rose raconte l'histoire de la Vierge, les lancettes sa généalogie. Les armes de France (fleurs de lys) et celles de Castille (un château) sont à gauche et à droite.

11. Le vitrail de Saint-Lubin, donné par la guilde des marchands de vin. La signature des donateurs: la vendange et une charrette chargée de raisins.

Normandie et Bretagne

1. **Vire**, en **Normandie.** La Normandie est une riche province agricole. Le jour du marché, la place du Vieux-Château est pleine d'animation.

2. Le beurre de Normandie est doré, délicat, et on le sert généralement en « motte », avec une corbeille de pain croustillant.

3. Les fromages de Normandie sont célèbres dans le monde entier. Le plus connu est le camembert, inventé, dit-on, par une certaine Mme Harel. Celle-ci a trois statues en Normandie ! Et on dit aussi que Napoléon a embrassé la serveuse qui lui a servi, pour la première fois, du camembert.

4. Le costume local de la Normandie, avec sa haute coiffe de dentelle, se voit hélas, de moins en moins. Mais les poupées, en foule colorée, le portent gaiement encore.

5. Villedieu-les-poêles, la spécialité est le travail du cuivre. Ici, un artisan façonne un pot dans sa forge à feu de bois.

6. Juste à la limite de la Normandie et de la Bretagne, le **Mont Saint-Michel** est en réalité une île, jointe à la terre par une étroite route. Dans le brouillard, il a l'air d'un vaisseau fantôme. Les moutons qui paissent à marée basse donnent une viande délicatement salée: le pré-salé.

7. **Le Mont Saint-Michel,** pyramide de bâtiments élevés au cours des siècles.

8. La salle des Chevaliers, merveille d'architecture du Mont, est visitée par des milliers de touristes.

9 et 10. La spécialité du Mont Saint-Michel, c'est l'omelette, faite au feu de bois, dans une poêle en cuivre. Délicieuse!

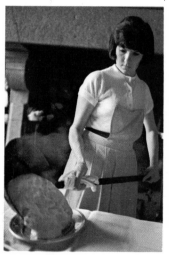

11. En Bretagne, **Carnac** garde le mystère de temps très anciens dans ses alignements de rochers, dressés en grand nombre à la période préhistorique. Par qui? Et pourquoi ce travail de géants? Les archéologues ne sont pas d'accord.

12. **Dinan** conserve le charme de ses vieux quartiers.

13. **Combourg** est dominé par le château où Chateaubriand a passé sa jeunesse, et qu'il évoque dans ses *Mémoires d'Outre-Tombe.*

14. Cette allée de chênes centenaires, dans le parc du château de Combourg,
rappelle les promenades romantiques qu'y faisait le jeune Chateaubriand.

LEÇON 20 (DEUXIÈME PARTIE)
J'ai fait un rêve

Le passé composé des verbes réguliers (*suite*) et des verbes irréguliers
L'imparfait des verbes d'état d'esprit

Introduction

PRÉSENT	PASSÉ
Aujourd'hui:	*Hier:*
Je parle avec des gens.	**J'ai parlé** avec des gens.
Ma journée de travail **finit** à six heures.	Ma journée de travail **a fini** à six heures.
Je réponds à votre question.	**J'ai répondu** à votre question.
Je sais la réponse.	**Je savais** la réponse.
Je crois qu'aujourd'hui **c'est** jeudi.	**Je croyais** qu'aujourd'hui **c'était** jeudi.
Je veux vous parler.	**Je voulais** vous parler.
Je pense que vous êtes dans votre bureau.	**Je pensais** que vous étiez chez vous.
J'aime beaucoup la robe que vous avez.	**J'aimais** beaucoup la robe que vous aviez hier.

DÉCLARATION ET QUESTION	RÉPONSE
Saviez-vous parler français l'année dernière ?	Non, **je** ne **savais** pas le parler.
Vouliez-vous aller dîner au restaurant dimanche dernier ?	Oui, **je voulais** y aller, mais pas seul !
Pensiez-vous arriver à l'heure ce matin ?	Oui, **je pensais** arriver à l'heure. Je ne croyais pas être en retard.
Aimiez-vous jouer avec les autres enfants quand vous étiez petit ?	Non, **je** n'**aimais** pas beaucoup jouer avec les autres enfants. **Je préférais** lire ou jouer seul.
Espériez-vous être célèbre un jour ?	Oh non ! Quand j'avais six ans, **j'espérais** être cow-boy ou pompier (*fireman*).

EXERCICES ORAUX

I.   *Quelle est la forme du verbe ?*

   A. *Le passé composé des verbes réguliers et irréguliers.*
      Donnez la forme correspondante au passé composé.

1. je mets	8. on comprend	15. vous parlez
2. vous prenez	9. je vois	16. nous sonnons
3. je dis	10. je pâlis	17. vous voyez
4. il écrit	11. je réponds	18. ils lisent
5. on lit	12. vous perdez	19. vous buvez
6. j'ouvre	13. nous attendons	20. je prends
7. vous apprenez	14. il rougit	

   B. *L'imparfait des verbes d'état d'esprit.*
      Donnez la forme correspondante à l'imparfait.

1. je sais	8. il sait	15. ils peuvent
2. je crois	9. nous croyons	16. on peut
3. je veux	10. vous pensez	17. ils pensent
4. je peux	11. ils veulent	18. tu crois
5. je préfère	12. tu sais	19. ils savent
6. j'espère	13. j'aime	20. vous pensez
7. je pense	14. elle veut	

   C. *Quelle est la réponse ?*

1. avez-vous vu ?	8. pouviez-vous ?	15. aimait-on ?
2. a-t-il compris ?	9. croyait-il ?	16. a-t-il fait ?
3. avez-vous lu ?	10. pouvait-il ?	17. ont-ils dit ?
4. ont-ils écrit ?	11. espériez-vous ?	18. a-t-elle bu ?
5. avez-vous répondu ?	12. aviez-vous ?	19. avez-vous mis ?
6. étiez-vous ?	13. savait-il ?	20. a-t-on ouvert ?
7. saviez-vous ?	14. voulions-nous ?	

II. *Mettez les phrases suivantes au passé.* (*Passé composé et imparfait*)

   Exemple :   Vous voyez le film que vous voulez voir.
               Vous avez vu le film que vous vouliez voir.

   1. Vous dites que ce livre est nécessaire.
   2. On sonne. J'ouvre la porte, et je vois un personnage étrange.
   3. Je veux venir, mais je ne peux pas.
   4. Je ne sais pas que vous écrivez des livres !
   5. Quand j'entends ça (*that*), je pâlis !
   6. Vous faites la cuisine, alors le dîner est délicieux.
   7. Il prend son chapeau, et il dit : « Au revoir ».

8. Je crois que vous êtes mon ami.
9. Nous mettons de l'essence dans la voiture, parce que nous en avons besoin.
10. Savez-vous que Napoléon dit : « En amour, la seule victoire, c'est la fuite (*flight, running away*) » ?

FERNAND LÉGER, *Les fumeurs*

Nous avons passé une bonne soirée entre amis: nous avons écouté de la musique, nous avons causé et nous avons fumé.

LECTURE

J'ai fait un rêve

Dans la maison d'étudiants où j'habite, le dîner hier soir était magnifique ! Il y avait un menu splendide, beaucoup de vin et de champagne. Après le dîner, nous avons formé des groupes autour de quelques étudiants avec des guitares, nous avons écouté leur musique, chanté, bavardé et fumé. Moi, j'étais assis à côté d'une petite blonde. Elle était charmante, et nous avons beaucoup parlé. Elle me trouvait amusant, et moi je pensais qu'elle n'était pas mal du tout. La soirée a fini après minuit. Alors, le directeur a dit : « Vous n'avez pas besoin de faire vos devoirs aujourd'hui. » Naturellement, nous ne les avons pas faits.

Ce matin, il y avait une autre bonne surprise pour nous. Les professeurs ont téléphoné, et ils ont dit : « Informez les étudiants que les classes sont fermées pour le reste de la semaine. » Moi, je pensais que c'était le paradis !

Mais à ce moment, j'ai entendu quelque chose. J'ai ouvert les yeux, et j'ai vu mon camarade de chambre. Il était debout devant mon lit et il avait un verre d'eau à la main. Je croyais pouvoir dormir encore deux heures, alors j'ai dit : « Non, merci, je n'ai pas soif. » Il a répondu qu'il ne pensait pas que j'avais soif, mais qu'il était sept heures et demie, et qu'il savait que ma première classe était à huit heures. Moi, je voulais rester dans mon lit, qui était chaud et confortable. Mais c'était l'heure du petit déjeuner. J'avais faim, et puis, je ne voulais pas recevoir un grand verre d'eau froide sur la figure...

Quand j'ai vu les autres étudiants assis dans la grande salle à manger, devant leur petit déjeuner, j'ai compris ! Il n'y avait pas de vin hier soir, pas de menu gastronomique, pas de champagne... Ce n'était que le rêve d'un pauvre étudiant fatigué ! Hier soir était un soir ordinaire... Maintenant, j'étais obligé de courir parce que j'étais en retard, et j'espérais que les professeurs étaient en retard aussi.

PRONONCIATION

je finis/j'ai fini   j'entends/j'ai entendu
j'aime/j'aimais   je veux/je voulais

QUESTIONS SUR LA LECTURE

(Attention : quand la question est au présent, la réponse est au présent. Quand la question est au passé, la réponse est au passé.)

1. Est-ce que ce jeune homme habite avec sa famille ? Où habite-t-il ?
2. Y avait-il un bon dîner hier soir dans sa maison d'étudiants ? Y avait-il du champagne ? Y avait-il aussi du champagne pour votre dîner ?
3. Qu'est-ce que les étudiants ont fait après le dîner ?
4. A côté de qui était-il assis ? Comment le trouvait-elle ? Comment pensait-il qu'elle était ?
5. Quand la soirée a-t-elle fini ? A quelle heure a fini votre première classe ? A quelle heure a commencé votre première classe aujourd'hui ?
6. Ce jeune homme a-t-il fait ses devoirs après la soirée ? Pourquoi ?
7. Quelle surprise y avait-il quand il a ouvert les yeux, le matin ? Etait-ce une bonne ou une mauvaise surprise ?
8. Qui a-t-il vu debout devant son lit ? Qu'est-ce qu'il avait à la main ?
9. Pourquoi son camarade de chambre avait-il un verre d'eau à la main ? Pensait-il que son copain avait soif ?
10. Est-ce que le jeune homme de l'histoire voulait aller en classe ? Où voulait-il rester ? Pourquoi ?
11. Qu'est-ce qu'il a vu dans la salle à manger ? Qu'est-ce qu'il a compris ?
12. Y avait-il vraiment une soirée différente hier soir ? Est-ce que le jeune homme a fait un rêve ?
13. Le pauvre ! A-t-il déjeuné avec ses copains ? Pourquoi était-il obligé de courir ?
14. Quand vous avez commencé la lecture, saviez-vous que la soirée était un rêve ? Avez-vous remarqué le titre ? Quel est le titre ?
15. Imaginez un autre titre.

EXPLICATIONS

I. Le passé composé des verbes réguliers des trois groupes

   A. Verbes en **-er** ; **-é** (*voir page 234*).
      j'ai parl**é**, j'ai demand**é**, j'ai regard**é**

   B. Verbes en **-ir** : **-i**
      j'ai fini, j'ai réfléchi, j'ai choisi, j'ai bâti

   C. Verbes en **-re** : **-u**
      j'ai répondu, j'ai entendu, j'ai perdu, j'ai interrompu

II. Le passé composé des verbes irréguliers

Voilà le passé composé de quelques verbes irréguliers

boire :	j'ai **bu**	ouvrir :	j'ai **ouvert**
dire :	j'ai **dit**	prendre :	j'ai **pris**
écrire :	j'ai **écrit**	(apprendre) :	(j'ai **appris**)
faire :	j'ai **fait**	(comprendre) :	(j'ai **compris**)
lire :	j'ai **lu**	voir :	j'ai **vu**
mettre :	j'ai **mis**		

Remarquez aussi :

courir :	j'ai **couru**
dormir :	j'ai **dormi**

III. L'imparfait en général

L'imparfait est le temps de la description (*voir pages 237, 232*). La terminaison de l'imparfait est toujours la même. Par exemple :

savoir	croire	*Terminaison de l'imparfait*
je sav**ais**	je croy**ais**	**-ais**
tu sav**ais**	tu croy**ais**	**-ais**
il sav**ait**	il croy**ait**	**-ait**
nous sav**ions**	nous croy**ions**	**-ions**
vous sav**iez**	vous croy**iez**	**-iez**
ils sav**aient**	ils croy**aient**	**-aient**

IV. Les verbes d'état d'esprit (*state of mind*) sont à l'imparfait.

Certains verbes expriment généralement un état d'esprit. Un état d'esprit c'est, comme un état de choses, une description. Les verbes d'état d'esprit sont, à l'imparfait :

aimer :	j'aimais	penser :	je pensais
croire :	je croyais	préférer :	je préférais
détester :	je détestais	pouvoir :	je pouvais
espérer :	j'espérais	savoir :	je savais

trouver :	je trouvais (*when used to mean "I thought"*)
vouloir :	je voulais

V. Le passé et la construction de deux verbes

    A. Révision de la construction de deux verbes (*voir Leçon 15, page 155*) :

        Il aime étudier dans sa chambre.
        J'espère faire ce voyage.
        Je veux voir ma famille à New York.

      Révision de la place des pronoms avec deux verbes :

        Aime-t-il étudier dans sa chambre ? **Il aime y étudier.**
        Espérez-vous faire ce voyage ? **J'espère le faire.**
        Voulez-vous voir votre famille à New York ? **Je veux l'y voir.**

    B. La même construction avec le premier verbe au passé

        Il aimait étudier dans sa chambre. **Il aimait y étudier.**
        J'espérais faire ce voyage. **J'espérais le faire.**
        Je voulais voir ma famille à New York. **Je voulais l'y voir.**

    C. Quand le premier verbe demande une préposition, comme **oublier de, commencer à, finir de, réussir à, inviter à** :

        J'ai oublié de prendre mon billet.   **J'ai oublié de le prendre.**
        Vouz avez commencé à étudier le passé. **Vous avez commencé à l'étudier.**
        Nous n'avons pas fini de lire ce livre. **Nous n'avons pas fini de le lire.**

REMARQUEZ : La construction de deux verbes ensemble, avec ou sans préposition, est la même au passé et au présent.

REMARQUEZ AUSSI : Quand le premier verbe est au passé composé, construisez toujours la négation autour de l'auxiliaire.

VI. L'accord du participe passé avec **avoir**

        J'ai ach**et**é des bonbons et je les ai mangés.
        Avez-vous pris votre clé ? Où l'avez-vous mis**e** ?

Le participe passé avec **avoir** s'accorde (*agrees*) avec le complément d'objet direct si ce complément est avant :

        Je **les** ai mangés.   (les bonbons)
        Où **l'**avez-vous mise ?   (votre clé)

S'il n'y a pas de complément d'objet, ou s'il est après le participe, le participe reste invariable :

> J'ai acheté des bonbons.   (*Le complément est* **après**.)
> Elle a parlé.   (*Il n'y a pas de complément*.)
> Où avez-vous mis votre clé ?   (*Le complément est* **après**.)

EXERCICES ÉCRITS et/ou ORAUX

I. *Répondez aux questions suivantes en employant les pronoms d'objet nécessaires. (Remarquez que le pronom remplace souvent tout le reste de la phrase.)*

> Exemple :   Vouliez-vous acheter *le journal ?*
> *Oui, je voulais l'acheter.*
> *ou:*
> *Non, je ne voulais pas l'acheter.*

1. Avez-vous fini *votre travail pour aujourd'hui ?*
2. Saviez-vous faire *les exercices ?*
3. Vouliez-vous rester *dans votre lit ce matin ?*
4. Avez-vous mis *vos affaires* en ordre ?
5. Avez-vous fait *des rêves ?*
6. Avez-vous compris *mes explications ?*
7. Avez-vous vu *un bon film cette semaine ?*
8. Aimiez-vous *les chiens quand vous étiez petit ?*
9. Avez-vous écrit *une lettre à vos parents hier ?*
10. Pensiez-vous aller *à l'université quand vous aviez dix ans ?*

II. *Mettez les phrases suivantes au passé. (Passé composé et imparfait)*

> Exemple :   Je dîne au restaurant parce que ma mère n'est pas à la maison.
> *J'ai dîné au restaurant parce que ma mère n'était pas à la maison.*

1. J'achète une voiture parce que je sais qu'elle est nécessaire dans cette ville.
2. Je prends l'autobus à huit heures. Mais il est en retard et j'attends. Je crois être en retard, mais quand la cloche sonne, je suis à ma place.

3. Ce jeune homme fait un rêve. Il pense que c'est le paradis ! Hélas, il ne sait pas que la réalité est différente.
4. Quand je réponds au téléphone, j'entends une voix sympathique. Bonne surprise ! Je ne sais pas que mon copain est en ville !
5. Les voyageurs demandent des renseignements à l'employé. Il sait la réponse, et il répond dans trois langues parce qu'il sait parler français, anglais et allemand.
6. Je cherche votre numéro dans l'annuaire (*telephone book*) mais je ne le trouve pas. Je veux vous inviter, et je pense que vous êtes libre.

III. *L'accord du participe passé avec* **avoir**.

Faites l'accord du participe passé quand il est nécessaire.

Exemple :   Elle a téléphoné___ à son amie.

Votre voiture ? L'avez-vous mis _e_ au garage ?

1. J'ai ouvert___ les yeux. La porte était ouverte, je l'ai fermé___.
2. Voilà les journaux. Je les ai acheté___ en ville.
3. Les animaux que nous avons vu___ au zoo avaient l'air triste.
4. J'ai invité___ des amis. Je les ai invité___ à déjeuner.
5. La musique que nous avons entendu___ hier était formidable.
6. J'ai compris___ votre explication, mais il y a des phrases que je n'ai pas compris___.
7. Il a acheté___ deux sandwichs et il les a mangé___.
8. Les fleurs que vous avez apporté___ sont si belles ! Je les ai mis___ dans un vase que j'ai mis___ sur ma table de travail.

COMPOSITION

Composition orale et/ou écrite.

Vous n'avez pas de choix :

Racontez ce que vous avez fait hier soir.
(Employez les verbes **être, avoir, vouloir, penser, croire, savoir, regarder, faire, dire, finir, parler, attendre, lire, écrire, prendre, mettre.**)

VOCABULAIRE

NOM
_____

Nom féminin
la figure

ADJECTIF
_____

gastronomique

VERBES
_____

bavarder   informer   recevoir
fumer

HENRI MATISSE, *Femme appuyée sur la main*

The Metropolitan Museum of Art, New York.
Harris Brisbane Dick Fund, 1928

Et moi j'ai pris
Ma tête dans ma main
Et j'ai pleuré

Jacques Prévert

(1900–   )

Voici un petit poème de Prévert, si simple et si expressif. Vous voyez la succession d'actions, exprimées par la succession de verbes au passé composé. Voyez comme ces actions sont importantes pour la jeune femme qui regarde l'homme qu'elle aime et qui attend en vain un mot de lui, un regard, un mouvement d'affection.

Déjeuner du matin

Il a mis le café
Dans la tasse
Il a mis le lait
Dans la tasse de café
Il a mis le sucre
Dans le café au lait
Avec la petite cuiller
Il a tourné
Il a bu le café au lait
Et il a reposé la tasse
Sans me parler
Il a allumé une cigarette
Il a fait des ronds
Avec la fumée
Il a mis les cendres
Dans le cendrier
Sans me parler
Sans me regarder
Il s'est levé
Il a mis
Son chapeau sur sa tête
Il a mis
Son manteau de pluie
Parce qu'il pleuvait
Et il est parti
Sous la pluie
Sans une parole
Sans me regarder
Et moi j'ai pris
Ma tête dans ma main
Et j'ai pleuré

Paroles. © Editions Gallimard.

LEÇON 20 (TROISIÈME PARTIE)
Le journal parlé de Radio-France

Le passé composé des verbes de mouvement
Les verbes de communication

Introduction

PRÉSENT	PASSÉ
Je **vais** à ma première classe.	Je **suis allé** à ma première classe.
J'**arrive** à l'heure.	Je **suis arrivé** à l'heure.
J'**entre** en classe.	Je **suis entré** en classe.
Je **sors** une heure plus tard.	Je **suis sorti** une heure plus tard.
Je **monte** au deuxième étage.	Je **suis monté** au deuxième étage.
Je **descends** au rez-de-chaussée.	Je **suis descendu** au rez-de-chaussée.
A trois heures, **je pars**.	A trois heures, **je suis parti**.
Je **rentre** chez moi (*ou:* Je **retourne** à la maison).	Je **suis rentré** chez moi (*ou:* **Je suis retourné** à la maison).

Mais, un autre jour :

Je **tombe** malade.	Je **suis tombé** malade.
Je **reste** à la maison.	Je **suis resté** à la maison.
Je ne **viens** pas en classe.	Je ne **suis** pas **venu** en classe.

LES VERBES DE COMMUNICATION DANS LE DISCOURS DIRECT

« Entrez », dit le directeur **au jeune homme**, et prenez une chaise ».

« Je suis heureux de vous voir », **lui** répond le jeune homme.

Vous écrivez **à vos parents** : « J'ai besoin d'argent ».

Ils ne répondent pas. Alors, vous **leur** téléphonez : « Envoyez un chèque ».

LE DISCOURS INDIRECT

Le directeur **lui** dit d'entrer et **de** prendre une chaise.

Le jeune homme **lui** répond **qu'il**, est heureux de le voir.

Vous **leur** écrivez **que** vous avez besoin d'argent.

Ils ne répondent pas. Alors, vous **leur** téléphonez d'envoyer un chèque.

EXERCICES ORAUX

I. *Quelle est la forme du verbe au passé composé?*

A. *Avec* être.

Exemple :   je retourne
je suis retourné

1. je vais
2. j'arrive
3. je viens
4. je descends
5. je monte
6. je tombe
7. j'entre
8. je retourne

9. je rentre
10. tu arrives
11. il sort
12. vous entrez
13. nous partons
14. on va
15. ils restent
16. je sors

17. tu viens
18. on tombe
19. elle arrive
20. ils viennent
21. nous descendons
22. il entre
23. elle entre
24. on vient

B. *Avec* être *et avec* avoir.

1. je dis
2. je vais
3. j'arrive
4. je parle
5. je viens
6. je déjeune
7. je fais
8. j'écris

9. j'entre
10. je reste
11. je lis
12. je donne
13. nous partons
14. nous demandons
15. vous donnez
16. vous tombez

17. il vient
18. il dîne
19. ils partent
20. ils téléphonent
21. tu restes
22. tu emmènes
23. ils emportent
24. ils retournent

II. *Mettez les phrases suivantes au passé composé.*

Exemple :   Je vais au marché, et je rentre tout de suite.
Je suis allé au marché, et je suis rentré tout de suite.

1. Vous partez à huit heures et vous arrivez à neuf heures.
2. Vous tombez malade parce que vous mangez des fruits verts.
3. Je reste à la maison parce que mes amis viennent dîner.
4. Je monte chercher mes affaires et je redescends tout de suite.
5. César dit : « Je viens, je vois, je vaincs.* »
6. Il sort, et il ne prend pas son manteau. Mais il revient vite.
7. Nous partons sans mettre de l'essence. Mais nous n'allons pas loin.
8. Il est bizarre. Il entre, il prend son chapeau, il ne me parle pas, il ne me regarde pas et il sort.
9. Sortez-vous avec ce monsieur qui vient à la porte?
10. Nous retournons à ce petit café où nous dînons si bien.

* j'ai vaincu

III. *Comment y va-t-on?*

Comment dit-on en français?

Exemple : I drove home.
Je suis rentré en voiture.

1. *He took a bicycle ride (or: he went for...).*
2. *She took the bus into town.*
3. *I flew to New York.*
4. *They sailed to Europe.*
5. *I walk to class.*
6. *He took me for a ride in his car.*
7. *You walked into the house.*
8. *Do you walk or do you drive to school?*
9. *My brother rides his bike to school.*
10. *The bird flew into the room.*

LECTURE

Le journal parlé de Radio-France

Mes chers auditeurs,

La grande nouvelle de ce soir, c'est la visite du président des Etats-Unis dans notre capitale. Il est arrivé à l'aéroport d'Orly à onze heures du matin, accompagné de sa femme. Le président de la République était à l'aéroport, accompagné du chef du protocole et de nombreux membres du gouvernement.

Quand le président est descendu de l'avion, la musique de la garde d'honneur a joué les hymnes nationaux des deux pays : *la Marseillaise* et *la Bannière étoilée*. C'était un moment solennel. Puis les deux présidents ont accordé une brève interview à la presse. En français, le président Smith a déclaré : « Je suis heureux d'être de nouveau dans ce beau pays, ancien ami et allié des Etats-Unis. » Le président de la République a répondu : « Cette visite marque l'apogée de rapports d'amitié entre nos pays et inaugure une ère nouvelle de coopération ». Puis, le cortège officiel est parti pour le palais de l'Elysée.

Sur le plan international, hélas, toutes les nouvelles ne sont pas aussi bonnes. Les hostilités redoublent dans la guerre du Moyen-Orient. Des troupes ennemies sont entrées dans la capitale de X et on rapporte que des bombes sont tombées sur des quartiers résidentiels de la ville. Il y a de nombreux blessés et plusieurs morts. Les Nations-Unies ont demandé une séance extraordinaire.

La première fusée touristique à destination de la lune est arrivée à destination ce soir. Elle a atterri (ou plutôt « aluni »*) sans encombres. Les touristes sont montés dans les véhicules spéciaux qui les ont emmenés à leur hôtel. Il paraît qu'ils ont pris de nombreuses photos, acheté de nombreux souvenirs et fait un excellent dîner.

---

* aluni (*reg.*, *2ème gr.*, *comme* **finir**) du verbe **alunir**, récemment formé sur le modèle du verbe **atterrir** (*to land [on land]*). Le verbe **amerrir** (*to land on water*) est aussi formé sur le même modèle.
Ces trois verbes représentent l'exception à la règle que les verbes récemment formés sont du premier groupe : **téléphoner**, **téléviser**, **radiodiffuser**, **atomiser**, **radiographier**, etc.

ROBERT DELAUNAY, *Disques*

La peinture abstraite suggère, elle parle à l'imagination, elle transforme une impression en image, une image en impression.

Les *Disques* de Delaunay vous suggèrent peut-être des disques de phono, ou des bandes magnétiques, ou le mouvement concentrique du disque ou de la bande . . . Evoquez alors un studio de radiodiffusion où souvent, musique et voix humaine sont fonction de ce mouvement circulaire interminable.

La grève est terminée, et le travail a recommencé ce matin dans les mines de charbon de la compagnie France-Mines. Les représentants du syndicat minier ont déclaré que les ouvriers étaient satisfaits du résultat des négociations avec le patronat : amélioration des conditions de travail, et augmentation des salaires.

Par contre, la grève des étudiants de l'Université de Paris continue. Des leaders politiques sont arrivés et sont entrés en contact avec les manifestants. Pour le moment, la manifestation reste calme, mais une émeute est possible à tout moment. La police a interrompu la circulation sur le boulevard Saint-Michel. De nombreux curieux sont venus voir, il y a donc en ce moment un embouteillage général dans le Quartier Latin. Radio-Paris va vous tenir au courant de la situation.

Et maintenant, mes chers auditeurs, je termine notre journal parlé par les prédictions météorologiques pour la journée de demain : température plus chaude, maximum 24 degrés centigrades à Paris, 30 degrés centigrades à Marseille. Temps beau et clair.

Bonsoir, mes chers auditeurs, ne quittez pas l'écoute. Vous allez entendre dans quelques instants l'orchestre symphonique de Radio-France.

PRONONCIATION

des Etats-Unis
les Etats-Unis } zéta-zuni
aux Etats-Unis

Le mot **Etats-Unis** est généralement précédé d'un autre mot comme **aux**, **des**, **les** qui forme une liaison : **z**. Donc, le mot **Etats-Unis** est généralement prononcé **zéta-zuni**.

QUESTIONS SUR LA LECTURE

1. Quelles sont les cinq nouvelles importantes ce soir ? Quelles sont ces nouvelles ?
2. Qui est arrivé à Orly ? Etait-il seul ? Qui est allé l'attendre ? Avec qui ?
3. Qu'est-ce que la musique a joué ? Comment s'appelle l'hymne national français ? Et l'hymne national américain en français ?
4. Où est allé le cortège officiel ?
5. Quelle est la situation dans le Moyen-Orient ? Qu'est-ce que les troupes ennemies ont fait ? Pourquoi les Nations-Unies ont-elles demandé une séance extraordinaire ?

6. La fusée touristique est-elle arrivée sur la lune ? Quel est le nouveau verbe nécessaire pour « atterrir sur la lune » ? Qu'ont fait les touristes ?

7. Dans une grève, que font les ouvriers ? Qu'est-ce qu'ils demandent généralement quand ils font une grève ?

8. Est-ce que les étudiants font aussi la grève ? Est-ce pour les mêmes raisons ou des raisons différentes ? Qui est arrivé ?

9. Comment s'appelle une *demonstration* ? Pour le moment, les étudiants sont calmes, mais de quoi a-t-on peur ?

10. Quelles sont les conséquences immédiates de la grève des étudiants pour les Parisiens ?

11. Qu'est-ce que la météorologie (*ou*: météo) donne chaque soir ? Y a-t-il une différence entre les degrés centigrades et les degrés Fahrenheit ? Savez-vous quelle différence ?

12. Comment est une température de 24 degrés centigrades : très chaude ? très froide ? agréable ?

EXPLICATIONS

I.   Les verbes de mouvement

Quelques verbes sont, en français, des verbes de mouvement.* Ils forment leur passé composé avec **être**.

Voilà les verbes de mouvement :

aller (*to go*)	venir (*to come*)
arriver (*to arrive*)	partir (*to leave*)
entrer (*to go in*)	sortir (*to go out*)
monter (*to go up*)	descendre (*to go down*)
rentrer (*to return home*)	tomber (*to fall*)
rester (*to stay*)	retourner (*to go back*)

* *Remember that these verbs mean:* to come *and* to go, to arrive *and* to leave, to go in *and* to go out, to go up *and* to go down (*and* to fall), to return *and* to go back. *Also, the verb* **rester** (*perhaps because it indicates negative movement ?*) *takes* **être**.
    To this list, grammar books usually add **naître** (*to be born*) *and* **mourir** (*to die*), *but you already know the forms* **je suis né** (*Leçon 9, page 81*) *and* **il est mort** (*Leçon 7, page 57*) *and you will not need other forms for now.*
    Note that verbs like **marcher** (*to walk*), **voler** (*to fly*), *and* **conduire** (*to drive*), *are not, in French, verbs of movement. They indicate only action, not movement, from the point of view of the French language.*

Conjugaison des verbes de mouvement avec être

Exemple : **aller**

Affirmative		*Négative*	
je suis	allé(-e)	je ne suis	pas allé(-e)
tu es	allé(-e)	tu n' es	pas allé(-e)
il (elle) est	allé(-e)	il (elle) n' est	pas allé(-e)
nous sommes	allés(-es)	nous ne sommes	pas allés(-es)
vous êtes	allé(-s), (-e), (-es)	vous n' êtes	pas allé(-s), (-e), (-es)
ils (elles) sont	allés(-es)	ils (elles) ne sont	pas allés(-es)

Interrogative

Il y a deux formes : { avec **est-ce que**
{ avec l'inversion

Avec **est-ce que**   *Avec l'inversion*

est-ce que je	suis	allé(e) ?	suis-je allé(-e) ?
est-ce que tu	es	allé(-e) ?	es-tu allé(-e) ?
est-ce qu' il (elle)	est	allé(-e) ?	est-il (elle) allé(-e) ?
est-ce que nous	sommes	allés(-es) ?	sommes-nous allés(-es) ?
est-ce que vous	êtes	allé(-s), (-e), (-es) ?	êtes-vous allé(-s), (-e), (-es) ?
est-ce qu' ils (elles)	sont	allés(-es ?)	sont-ils (elles) allés(-es) ?

A. Le passé composé de ces verbes

(Vous savez déjà que le participe passé de tous les verbes en **-er** est en **é**. Il n'y a pas d'exception.)

aller :	je suis allé	rentrer :	je suis rentré
arriver :	je suis arrivé	retourner :	je suis retourné
descendre :	je suis descendu	rester :	je suis resté
entrer :	je suis entré	sortir :	je suis sorti
monter :	je suis monté	tomber :	je suis tombé
partir	je suis parti	venir :	je suis venu

B. L'accord du participe passé avec **être**

Le monsieur est arriv**é**.
La dame est arriv**ée**.
Le monsieur et la dame sont arriv**és**.
Les deux dames sont arriv**ées**.

Quand le verbe forme son passé composé avec **être**, le participe passé s'accorde avec le verbe comme un adjectif.

C. L'emploi des verbes de mouvement

> Le président **est venu** à Paris. (*The President came to Paris.*)
> Le président **est venu** à Paris **en avion**. (*The President flew to Paris.*)
> **Je vais** à l'université. (*I go to the university.*)
> **Je vais** à l'université **à pied**. (*I walk to the university.*)

Quand il est nécessaire d'indiquer *comment* on va à un endroit, employez une des expressions :

à pied	Je viens à l'école **à pied**, c'est un excellent exercice.
en voiture	Votre père va à son bureau **en voiture**.
en avion	Le président est arrivé **en avion**.
en bateau	Cette dame veut aller en Europe **en bateau**.
en autobus	Ma mère est allée en ville **en autobus**.
à bicyclette	J'aime faire des promenades **à bicyclette**.

Quand il n'y a pas de doute, ou quand le moyen de transport n'est pas important, il n'est pas désirable d'indiquer *comment*. Par exemple : *I walked out of the room* est **Je suis sorti de la pièce**.

II.   Les verbes de communication

Les verbes comme **dire, demander, répondre, écrire, téléphoner,** etc., sont des verbes de communication.
Ils expriment une communication entre deux ou plus de deux personnes.
Quand on communique avec une personne, on désire communiquer :

1. *une information*

    Vous dites **à vos parents que** vous n'avez pas d'argent.
    Vous **leur** dites **que** vous n'avez pas d'argent.

    L'information s'exprime par **que**.

2. *un ordre* (*ou: un désir, une requête*)

    Vous dites **à vos parents de** vous envoyer de l'argent.
    Vous **leur** dites **de** vous envoyer de l'argent.

    L'information s'exprime par **de**.

REMARQUEZ: Pour tous les verbes de communication, la construction avec la personne est la même : **à quelqu'un**, et le pronom qui remplace cette personne est **lui/leur** :

> je **lui** dis, je **lui** demande
> je **leur** écris, je **leur** répète

EXERCICES ÉCRITS et/ou ORAUX

I. *Mettez le texte suivant au passé.* (*Passé composé et imparfait.*)

> Le président des Etats-Unis *rencontre* le président de la République dans son cabinet. Ils *parlent,* ils *discutent* les problèmes politiques et économiques — et il y en *a* beaucoup !
>
> Quand la conférence *finit,* les photographes *entrent* et *prennent* de nombreuses photos. Ils *demandent* aux deux présidents de poser dans une attitude cordiale, et les présidents *sont* enchantés d'obéir. Puis la presse *arrive.* Les reporters *posent* des questions, *montent* sur des chaises, *veulent* savoir si les présidents *peuvent* donner des nouvelles sensationnelles. Mais les présidents *sont* diplomates, ils *répondent* aux questions avec bonne grâce, mais ne *disent* pas de choses importantes. Ils *savent* que ce n'*est* pas le moment des grandes révélations. Quand les présidents *sortent,* les journalistes *téléphonent* leurs nouvelles, et leur journaux *écrivent* des articles sensationnels. Les gens *voient* les manchettes (*headlines*), ils *pensent* qu'il y *a* des grandes nouvelles, et ils achètent les journaux.

II. *L'accord du participe passé avec* **être** *et avec* **avoir.**

Faites l'accord du participe passé.

> Exemple :   Elle est sorti_e_ à cinq heures.

A.   Avec être.

1. Jacqueline est arrivé___ ce matin.
2. M. et Mme Duval ne sont pas parti___ en vacances cette année.
3. Nous sommes entré ___ et puis nous sommes sorti___.
4. Cette lettre est arrivé___ hier.
5. Barbara est rentré___ chez elle à minuit.

B.   Avec être et avoir.

1. Mme Duval est sorti___, elle a pris___ un taxi qui l'a emmené___ en ville.
2. Vous avez acheté ___ cette voiture, et vous l'avez mis___ dans votre garage.
3. Mes invités sont arrivé___ et ils m'ont apporté___ des fleurs. Je les ai mis___ dans un vase.
4. La lettre que vous avez écrit___ est arrivé___, et le directeur l'a lu___.
5. Le président a parlé___ à la radio. Il a donné___ des nouvelles de son pays. Je les ai entendu___ et je les ai compris___.
6. Sa clé ? Elle l'a perdu___ ? Où l'a-t-elle mis___ quand elle est allé___, téléphoner ?
7. J'ai entendu___ cette conférence, mais je ne l'ai pas compris___. Je n'ai pas compris___ les détails techniques que le conférencier a donné___.
8. Il a pris___ ses affaires, il les a mis___ dans sa voiture, et il a parlé___ à sa sœur. Je crois qu'il l'a emmené___ en ville.

III. *Exercice sur le vocabulaire.*

Complétez les définitions suivantes par un terme de la lecture.

1. *La Marseillaise* est _____ de la France.
2. Des ouvriers qui ne sont pas satisfait font _____.
3. Une réunion d'un groupe comme les Nations-Unies, c'est une _____.
4. Quand il y a trop de voitures, et que la circulation est impossible, c'est un _____.
5. Une manifestation qui devient (*becomes*) violente, c'est _____.
6. Un autre terme pour une période, c'est _____.
7. Les syndicats représentent les ouvriers près du _____.
8. On trouve _____ dans des mines sous terre. Il est noir et combustible.
9. Le sentiment entre deux amis, c'est _____.
10. Quand un avion arrive à un aéroport, il descend et il _____.
11. Le véhicule très rapide qui va à la lune, c'est _____.
12. Dans une guerre, il y a, hélas ! des _____ et des _____. On emmène les _____ à l'hôpital, et les _____ au cimetière.

COMPOSITIONS

Composition orale et/ou écrite.

A. Racontez ce que vous avez fait, et où vous êtes allé hier, ou le week-end dernier, ou l'été dernier. Expliquez vos actions.

   (*Par exemple:* «Je suis allé à la bibliothèque parce que j'avais besoin d'un livre. J'y suis resté longtemps parce que je ne l'ai pas trouvé», etc.)

B. Racontez un voyage que vous avez fait, avec beaucoup d'explications et de détails.

C. Votre journal parlé. (C'est peut-être le journal de votre université, de votre famille, ou le journal en général, avec les nouvelles de cette semaine.)

VOCABULAIRE

NOMS

Noms masculins

l'apogée	le directeur	le Moyen-Orient
l'auditeur	le discours	l'orchestre
le charbon	l'embouteillage	le patronat
le chef du protocole	l'hymne	le plan
le cortège	le leader	le protocole
le curieux	le manifestant	le rapport

le reportage
le reporter
le représentant
le résultat

le salaire
le souvenir
le syndicat
le taxi

le touriste
le véhicule

Noms féminins

l'amélioration
l'amitié
l'augmentation
la bannière
la bombe
la capitale
la circulation
la condition
la coopération
l'émeute

l'ère
la fusée
la garde d'honneur
la grève
la guerre
l'hostilité
l'interview
la lune
la manchette
la mine

les Nations-Unies (*pl.*)
la négociation
la police
la prédiction
la presse
la séance
la température
la troupe
l'université
la visite

ADJECTIFS

accompagné (-e) de
allié (-e) ≠ ennemi (-e)
cordial (-e)
étoilé (-e)
exclusif, exclusive
extraordinaire
international (-e)

météorologique
minier, minière
national (-e)
nombreux, nombreuse
nouveau, nouvelle
plusieurs (*pl.*)
politique

résidentiel, résidentielle
solennel, solennelle
spécial (-e)
symphonique
terminé (-e)
touristique

VERBES

1er groupe

accorder
arriver
continuer
déclarer
entrer (dans)

inaugurer
marquer
poser (une question)
quitter
rapporter

recommencer
redoubler
terminer
tomber

2ème groupe

alunir

atterrir

tenir (au courant) (*irrég.*)

DIVERS

à tout moment
en ce moment
en orbite

faire la grève
il paraît que
ne quittez pas l'écoute

par contre
sans encombre

MARC CHAGALL, *Les amoureux dans les fleurs*   Parke-Bernet Galleries, New York

Dans le rêve, les lois de la gravité n'existent pas. Les amoureux de Chagall flottent dans leur rêve au milieu de fleurs.

Jacques Prévert

(*1900–*   )

La poésie de Jacques Prévert va de la plus simple
à la plus riche. C'est un virtuose de la langue et
vous voyez l'effet qu'il obtient de quatre
verbes au passé composé.

Pour toi mon amour...

Je suis allé au marché aux oiseaux
Et j'ai acheté des oiseaux
Pour toi
mon amour

Je suis allé au marché aux fleurs
Et j'ai acheté des fleurs
Pour toi
mon amour

Je suis allé au marché à la ferraille
Et j'ai acheté des chaînes
De lourdes chaînes
Pour toi
mon amour

Et puis je suis allé au marché aux esclaves
Et je t'ai cherchée
Mais je ne t'ai pas trouvée
mon amour

LEÇON 21
Une visite chez la tireuse de cartes

Le futur des verbes irréguliers et des verbes réguliers
La construction de **avant de...** et **après avoir...**

Introduction

PRÉSENT	FUTUR
Maintenant:	*Mais plus tard:*
Je suis occupé.	**Je serai** moins occupé. Ma famille **sera** à la campagne. **Nous serons** en vacances. **Vous serez** aussi en vacances. Beaucoup de gens **seront** en vacances.
J'ai du travail.	**J'aurai** moins de travail. Ma famille **aura** du temps libre. **Nous aurons** des bonnes vacances. **Vous aurez** aussi des vacances. Beaucoup de gens **auront** des vacances.
Je ne **fais** pas de voyage.	**Je ferai** peut-être un voyage.
Je **vais** en classe.	**J'irai** en Europe.
Je **vois** la même chose tous les jours.	**Je verrai** des quantités de nouvelles choses.
Je **sais** un peu parler français.	**Je saurai** mieux parler français.
Je **viens** à huit heures tous les jours.	Je ne **viendrai** pas ici avant le mois de septembre.
L'avion **arrive** à huit heures.	L'avion **arrivera** en retard.
Je **finis** mon travail le soir.	Je ne **finirai** pas mon travail ce soir.
Je vous **attends** au coin de la rue.	Je vous **attendrai** si vous êtes en retard.
Que faut-il faire **avant de faire** un voyage ?	**Avant de faire** un voyage, il faut faire des projets, prendre son billet, etc.

Que ferez-vous **après avoir fini** vos études ?

Je ne sais pas ce que je ferai **après avoir fini** mes études. Je voudrais réfléchir **avant de prendre** une décision.

EXERCICES ORAUX

I. *Quelle est la forme du verbe au futur ?*

   A. *Verbes qui ont une racine irrégulière au futur.*

1. je suis	9. je vois	17. nous sommes
2. j'ai	10. je deviens	18. vous voyez
3. je fais	11. je vais	19. on vient
4. je viens	12. il faut	20. ils peuvent
5. je peux	13. il va	21. vous savez
6. je sais	14. nous faisons	22. elle fait
7. je reviens	15. vous êtes	23. ils vont
8. je veux	16. ils ont	24. tu sais

   B. *Verbes qui sont réguliers au futur.*

1. je prends	9. j'écris	17. nous déjeunons
2. je parle	10. je lis	18. on donne
3. je choisis	11. je dors	19. vous prenez
4. je réussis	12. j'obéis	20. il dit
5. je pâlis	13. je pars	21. il annonce
6. je retourne	14. je sors	22. on demande
7. je comprends	15. vous arrivez	23. vous rendez
8. je mets	16. il rencontre	24. elle perd

II. *Mettez les phrases suivantes au futur.*

   Exemple : Je vais au restaurant et je déjeune à midi.
            J'irai au restaurant et je déjeunerai à midi.

   1. Vous travaillez, alors vous faites des progrès.
   2. Ces gens ont des difficultés parce que leur voiture est en panne.
   3. Les arbres verdissent au printemps et jaunissent en automne.
   4. « Rit bien qui rit le dernier. »
   5. Je reste à la maison demain parce que j'ai des invités.
   6. Il apporte des fleurs à cette dame et il la remercie de son hospitalité.
   7. Allez-vous au concert qu'il y a demain ?
   8. Vous faites un petit voyage et vous emmenez un copain.

A. *Avec* **quand.**

Exemple : Quand il entre, vous dites bonjour.
Quand il entrera, vous direz bonjour.

1. Je suis content quand nous arrivons à destination.
2. Quand l'avion part, vous y êtes, et vous regardez par la vitre.
3. Elle est furieuse quand vous lui dites que vous ne venez pas !
4. Que faites-vous quand vous avez trente ans ?
5. Quand je vais à la bibliothèque, je cherche ce livre pour vous.

B. *Avec* **si.**

Exemple : Si je bois du café, j'ai mal à la tête.
Si je bois du café, j'aurai mal à la tête.

1. Si vous travaillez trop, vous avez mal à la tête.
2. Je fais des fautes si je ne fais pas attention.
3. Que dites-vous si je vous dis que vous êtes sensationnel ?
4. Où mettez-vous votre voiture s'il n'y a pas de place dans le parking ?
5. Si les choses continuent, le monde finit sans doute bientôt !

LECTURE

Chez la tireuse de cartes

Tout le monde a envie de savoir ce que l'avenir lui réserve. Mais comment le savoir? Allez chez la tireuse de cartes. Elle consultera les cartes, elle regardera les lignes de votre main, ou elle étudiera votre horoscope. Vous ne croyez pas aux tireuses de cartes? C'est exactement le cas de nos amis Jean-Pierre, Bob, Véronique et Barbara. Ils ne croient pas aux tireuses de cartes. Et où sont-ils? Vous avez deviné! Ils sont assis dans le salon de Mme Zéphyra, tireuse de cartes de première classe, diplômée de l'Institut des Sciences Occultes.

Bob: Je ne sais pas pourquoi je suis venu... C'est complètement ridicule...

Jean-Pierre: Moi, je suis venu pour voir la figure de ma sœur quand Mme Zéphyra lui dira qu'elle restera vieille fille.

Barbara: Rira bien qui rira le dernier... Voilà Mme Zéphyra. Bonjour, Madame. Mon amie et moi nous sommes venues pour savoir l'avenir, et ces jeunes gens nous accompagnent.

Mme Zéphyra: *(tout à fait le type de la gitane)* Entrez dans mon salon de consultation. Asseyez-vous. Je vous dirai tout ce que l'avenir vous réserve ... La consultation est dix francs.

Véronique: En voilà vingt, Madame, pour mon amie et pour moi. Barbara, vous êtes la première.

Mme Zéphyra: Coupez les cartes avec la main gauche, c'est la main du cœur. Ah, je vois un homme brun. Il vous aimera, et vous l'aimerez. Attention, il y aura une rivale: une femme brune qui entrera dans sa vie. Mais vous serez victorieuse et il vous épousera. Vous serez heureuse et vous ne divorcerez pas. Vous vivrez longtemps avec votre mari.

Barbara: Je voudrais bien savoir qui sera ce jeune homme brun!

Mme Zéphyra: Donnez-moi votre main. Oh, je vois des choses intéressantes. Votre ligne de cœur est longue, vous serez fidèle, et votre ligne de vie est longue aussi, vous aurez une vie longue et prospère...

Barbara: Aurai-je des enfants?

Mme Zéphyra: Vous aurez une fille qui vous ressemblera. Elle sera très jolie.

Jean-Pierre: *(galant)* Il n'y a pas besoin d'être tireuse de cartes pour savoir que, si elle ressemble à Barbara, elle sera jolie... Maintenant, c'est le tour de ma sœur.

Mme Zéphyra: Coupez les cartes, Mademoiselle. Ah, je vois des aventures intéressantes... Vous rencontrerez un écrivain célèbre... ou peut-être un homme politique important, mais jeune... Il vous emmènera faire le tour du monde! Vous irez partout, vous verrez tout... Avant de revenir, vous serez célèbre aussi.

Véronique: Comment, madame Zéphyra, comment serai-je célèbre?

AUGUSTE RODIN, *Les amours conduisant le monde*

Un dessein mystérieux qui évoque peut-être l'incertitude de l'avenir, le mouvement du monde et du temps. Préférez-vous savoir, ou ne pas savoir, ce que l'avenir vous réserve?

Mme Zéphyra : Je crois que vous écrirez un roman... Oui, c'est ça. Un roman qui aura un succès fou. Il me semble qu'il y aura aussi une autre personne de votre famille qui sera célèbre... Mais je ne vois pas qui... Votre frère peut-être, ou votre cousin... Pour dix francs de plus, je verrai bien mieux.

Jean-Pierre : (*très intrigué*) Voilà dix francs de plus. Qui d'autre de la famille sera célèbre ?

Mme Zéphyra : Ah, je vois mieux ! Non, ce ne sera pas son frère, ce sera son mari ! Mademoiselle, il n'y a pas de doute : vous épouserez un musicien célèbre quand vous serez fatiguée de votre premier amour. Il vous adorera et vous serez heureux ensemble, avec une belle vie pleine de belles choses...

Jean-Pierre : (*dépité*) Je vous ai bien dit que je ne croyais pas aux tireuses de cartes !

PRONONCIATION

je serai/je saurai   je verrai/je ferai
il sera/il saura   il verra/il fera

QUESTIONS SUR LA LECTURE

1. Que fera une tireuse de cartes si vous allez chez elle ?
2. Etes-vous allé chez une tireuse de cartes ? Irez-vous peut-être ?
3. Comment dit-on en français « *He who laughs last, laughs best* » ?
4. Qui Barbara rencontrera-t-elle ? Comment sera-t-il ? Mais... attention ! Qui sera sa rivale ? Comment finira la chose ?
5. Pourquoi la tireuse de cartes regarde-t-elle dans la main de ses clients ?
6. Croyez-vous aux horoscopes, aux cartes, aux lignes de la main ? Pourquoi ?
7. Barbara aura-t-elle des enfants ?
8. Où Véronique ira-t-elle ? Qui l'emmènera ?
9. Comment Véronique sera-t-elle célèbre ? Qui d'autre sera célèbre ?
10. Pourquoi Jean-Pierre donne-t-il dix francs de plus ?
11. Pourquoi Jean-Pierre est-il dépité (*disappointed*) ?
12. Pourquoi Jean-Pierre décide-t-il qu'il ne croira pas aux tireuses de cartes ?

EXPLICATIONS

I.   Le futur

On emploie le futur pour une action future, c'est-à-dire dans l'avenir.*

> Barbara **rencontrera** un jeune homme brun.
> **Sera-t-elle** heureuse ? Oui, elle **sera** heureuse.

---

* *You already know one way to express the future (Leçon 14, page 149). It is the* **futur** *proche, or near future, which is formed in French as in English, by using the verb* to go **(aller) : Je vais partir** *(I am going to go),* **Il va faire un voyage** *(He is going to take a trip).*

A. Les verbes qui ont une racine irrégulière au futur

Il y a quelques verbes qui ont une racine irrégulière au futur.

aller :	j'irai	savoir :	je saurai
avoir :	j'aurai	venir :	je viendrai
être :	je serai	(revenir) :	(je reviendrai)
faire :	je ferai	(devenir) :	(je deviendrai)
falloir :	il faudra	voir :	je verrai
pouvoir :	je pourrai	vouloir :	je voudrai

REMARQUEZ : Seulement la racine est irrégulière. La terminaison de tous les verbes, réguliers et irréguliers, est la même au futur.

B. Les verbes qui ont un futur régulier

La grande majorité des verbes a un futur régulier.

Le futur est formé sur *l'infinitif du verbe + les terminaisons du verbe* **avoir** *au présent.*

Le futur

Le verbe **avoir** *au présent et les terminaisons du futur:*		*Futur des verbes des trois groupes*		
		Premier groupe: **-er**	*Deuxième groupe:* **-ir**	*Troisième groupe:* **-re**
		arriver	**finir**	**attendre**
j' ai	**-ai**	j' arriver**ai**	je finir**ai**	j' attendr**ai**
tu as	**-as**	tu arriver**as**	tu finir**as**	tu attendr**as**
il a	**-a**	il arriver**a**	il finir**a**	il attendr**a**
nous avons	**-ons**	nous arriver**ons**	nous finir**ons**	nous attendr**ons**
vous avez	**-ez**	vous arriver**ez**	vous finir**ez**	vous attendr**ez**
ils ont	**-ont**	ils arriver**ont**	ils finir**ont**	ils attendr**ont**

II. La syntaxe de la phrase avec le futur

A. On emploie le futur après **quand.** *

Quand je serai en Europe, **je visiterai** des monuments.
Où **serez-vous quand vous aurez** trente ans ?

---

* *It is actually quite normal and logical, since the meaning of the entire sentence is clearly future. But you might be tempted to make an error, since in English the present is used after* when *(and after* as soon as*) :*

I'll see you *when you arrive.*
I'll call you *as soon as I get* there.

The rule in English is that when the main clause is in the future, and the subordinate clause is introduced by when *(or* as soon as*) the verb in the subordinate clause will be in the present. In French, however, there is no such rule, and if the sentence calls for a future the verb will be in the future:*

Je vous verrai *quand j'arriverai.*
Je vous téléphonerai *dès que je serai là-bas.*

B. Il n'y a pas de futur après **si** (*if*).

> **Si vous allez** chez une tireuse de cartes, la croirez-vous ?
> Je resterai à la maison **si je ne fais pas** d'économies.

Le verbe après **si** est au présent. C'est l'autre verbe qui est au futur.

III. La syntaxe de la phrase avec **avant de** et **après avoir**

A. avant de

> **Avant de répondre**, il faut réfléchir.
> Je préfère lire le livre **avant de voir** le film.

> **avant de** + *l'infinitif* (*before doing something*)

B. après avoir

> **Après avoir déjeuné**, il est parti pour son bureau.
> Je lui ai téléphoné **après avoir trouvé** son numéro.
> **Après être arrivés**, nous sommes allés à notre hôtel.

> **après** + *l'infinitif passé* (*after having done something*)

REMARQUEZ : La formation de l'infinitif passé.

L'infinitif passé est formé du verbe **avoir** ou **être** et du participe passé :

avoir :	avoir parlé, avoir fini, avoir attendu, avoir pris, avoir dit, avoir mis, etc.
être :	être arrivé, être sorti, être entré, être parti, être sorti, être descendu, etc.

IV. Le verbe **rencontrer** (*voir Leçon 15, page 159*)

Vous avez déjà vu ce verbe, mais remarquez-le une fois de plus et remarquez son orthographe : **ren/con/trer**.

> **Rencontrez-vous** un ami ? (*présent*)
> **Rencontrerez-vous** un ami ? (*futur*)

EXERCICES ÉCRITS et/ou ORAUX

I. *Mettez le paragraphe suivant au futur.*

> **Votre horoscope :** signe du Bélier (*ram: Aries*) du 21 mars au 21 avril.

> Vous *êtes* toujours sous l'influence de la planète Mars qui *guide* votre destinée. Quand vous *faites* des projets, vous *réussissez*, parce que votre intelligence *prend* toujours la première place. Vous *choisissez* probablement une carrière dans les arts ou les lettres, et vous *avez* du succès,

parce que l'imagination *domine* votre vie. Si vous *rencontrez* le partenaire idéal — et *c'est* sans doute un Scorpion ou Balance (*Libra*)—, vous *avez* tendance à dominer. Vous *prenez* vos décisions rapidement, mais vous ne les *regrettez* pas souvent. Vous *restez* jeune longtemps et vous *vivez* vieux, mais il *faut* faire attention aux maladies de foie (*liver*) et d'estomac.

II. *Transformez la phrase.*

A. *Avec* **avant de.**

Exemple :   Je déjeune et je sors.
Je déjeune avant de sortir.

1. Ecrivez cette lettre et partez pour le week-end.
2. J'irai vous voir et je partirai.
3. Réfléchissez. Prenez une décision.
4. Organisez votre journée. Commencez votre travail.
5. Vous rencontrerez plusieurs personnes et vous en aimerez une.
6. J'ai cherché de nombreux livres. J'en ai trouvé un.
7. Vous avez fait des fautes. Vous avez trouvé la réponse !
8. Beaucoup de jeunes gens hésitent. Ils trouvent leur destinée.

B. *Avec* **après avoir, après être.**

Exemple :   Il a lu le livre. Il voulait voir le film.
Après avoir lu le livre, il voulait voir le film.

1. Je ferai mes bagages. Je partirai.
2. Vous déjeunez à sept heures et vous sortez.
3. Je finirai ma semaine, et je toucherai mon chèque.
4. On comprend un point difficile, et on peut l'expliquer aux autres.
5. Il est allé en Europe. Il comprend mieux l'histoire de France.
6. On reste debout pendant longtemps. On est fatigué.
7. Il l'a vue avec un autre. Il savait qu'il l'aimait.
8. Je resterai à mon bureau pendant tout le week-end. J'aurai envie de sortir.

III. *Complétez les phrases suivantes avec imagination.*

Exemple :   Après avoir entendu le président,...
Après avoir entendu le président, je pensais qu'il y avait une grande différence d'opinion entre lui et moi !

1. Après avoir fini ce trimestre,....
2. Avant de finir ma journée,...
3. Il faudra faire attention quand...
4. Je serai heureux si...

5. Après être descendu dans la rue,...
6. Après avoir préparé le dîner, on...
7. Nous resterons chez nous demain si...
8. Vous serez un ange si...
9. Après avoir passé deux heures devant la télévision,...
10. Vous serez sûrement célèbre si...

COMPOSITIONS

Composition orale et/ou écrite.

Vous avez le choix entre trois sujets :

A. L'avenir d'un de vos amis, ou du professeur, ou votre avenir. Imaginez que vous êtes tireuse de cartes, et devinez l'avenir d'une personne. Où sera-t-il ? Que fera-t-il ? Qui rencontrera-t-il ? Quelle sera la conséquence ? etc.

B. Vos projets d'avenir. Que ferez-vous plus tard ? Serez-vous riche, heureux, célèbre ? Pourquoi ? Comment ?

C. Votre journée de demain, avec beaucoup de verbes au futur. Expliquez ce que vous ferez et pourquoi vous le ferez. Employez aussi plusieurs fois **avant de** et **après avoir**.

VOCABULAIRE

NOMS

Noms masculins

le cas	le partenaire	le tour
l'écrivain	le signe	le tour du monde
l'horoscope	le succès	
l'institut		

Noms féminins

la carte (à jouer)	l'intelligence	la rivale
la consultation	la ligne	la tireuse de cartes
la destinée	la planète	la vieille fille
la gitane		

ADJECTIFS

déçu, (-e)	fidèle	occulte
dépité (-e)	intrigué (-e)	prospère
diplômé (-e)		

VERBES

consulter	divorcer	revenir
couper	épouser	rire
deviner	réserver	vivre

HENRI ROUSSEAU, *La noce*   Collection particulière, Paris

N'y a-t-il pas une correspondance touchante entre l'amour pur et si simplement exprimé du jeune homme qui pense au pur de son mariage, et cette *noce,* attendrissante comme une vieille photo de famille?

Paul Verlaine

(1844–1896)

Paul Verlaine est probablement le plus grand et le
mieux connu des poètes symbolistes. Sa poésie est
spontanée, souvent d'une grande simplicité, c'est,
comme il dit lui-même dans son *Art Poétique* "de la
musique avant toute chose..."

    Le poème qui suit fait partie de *La Bonne
Chanson* qui trace la période du mariage de
Verlaine, la seule période calme et heureuse de sa
vie. Le jeune homme pense au jour de son mariage
qui aura lieu bientôt.

Donc, ce sera...

Donc, ce sera par un clair jour d'été :
Le grand soleil, complice de ma joie,
Fera, parmi le satin et la soie,
Plus belle encore votre chère beauté ;

Le ciel tout bleu, comme une haute tente,
Frissonnera somptueux à longs plis
Sur nos deux fronts heureux qu'auront pâlis
L'émotion du bonheur et l'attente ;

Et quand le soir viendra, l'air sera doux
Qui se jouera, caressant, dans vos voiles,
Et les regards paisibles des étoiles
Bienveillamment souriront aux époux.

La Bonne Chanson. A. Messein, Editeur.

DEUXIÈME PARTIE
Un horizon plus large

MAURICE DENNIS, *L'arrivée à New York*   Parke-Bernet Galleries, New York

Pour beaucoup d'Américains de retour d'un voyage en Europe, comme pour beaucoup de voyageurs qui arrivent aux Etats-Unis pour la première fois, voilà le spectacle inoubliable de *L'arrivée à New York*.

LEÇON 1
Retour de vacances

Révision du passé composé et de l'imparfait
Elaboration du concept initial d'action et de description

Introduction

ETUDIEZ LE TEXTE SUIVANT

Bob: Allô, Jean-Pierre? Ici, Bob. Tu es de retour? **Tu as passé** de bonnes vacances?

Jean-Pierre: Oh, bonjour, mon vieux. Oui, je suis de retour. **J'ai passé de** très bonnes vacances. Et toi, quand **es-tu rentré**?

Bob: **Je suis rentré** hier. Tu sais que **je n'avais** pas de projets spéciaux pour ces vacances. **Je voulais** seulement, d'abord, quelques jours de liberté complète. **J'avais** besoin de solitude. Alors, **j'ai dormi** tard le matin, **j'ai lu** des romans, **j'ai fait** de longues promenades. **C'était** merveilleux. Pendant le semestre, il y a toujours trop de gens autour de vous.

Jean-Pierre: Qu'**as-tu fait** après?

Bob: Eh bien, après quelque temps, **j'ai cherché** du travail. **Je voulais** travailler pendant un mois, et peut-être ensuite faire un voyage. Alors, **j'ai trouvé** un emploi dans une pharmacie. **Ce n'était** pas mal. **Je travaillais** tous les jours, de neuf à cinq. Naturellement, **je ne préparais** pas les médicaments. Non, **je vendais** des produits inoffensifs, comme l'aspirine et les remèdes contre le rhume. La plupart du temps, **j'étais** à la caisse. Les clients **payaient** et **je leur rendais** la monnaie.

Jean-Pierre: Et **tu as gagné** beaucoup?

Bob: Eh bien, **je gagnais** deux dollars de l'heure, alors **j'ai gagné** plus de trois cents dollars. Juste assez pour faire un petit voyage...

Jean-Pierre: Où **es-tu allé**, et avec qui?

Bob: Avec André. Et **nous n'avons** pas **emmené** de filles. C'est une complication inutile. **Nous avons pris** ma voiture, et **nous sommes partis**. **Nous sommes allés** à Québec, au Canada, voir mon frère et ma belle-sœur. En route, **nous avons visité** New York. Alors là, mon vieux, **nous avons fait** le tour du parfait touriste: **nous sommes montés** à la statue de la Liberté, **nous sommes descendus** dans le métro, **nous avons visité** tous les endroits célèbres. Formidable! Et toi, qu'**as-tu fait**?

Jean-Pierre: Oh, moi, tu sais, **je n'ai** pas **fait** de voyage. **Je suis resté** chez mes grands-parents, à la campagne. Tu sais que j'aime beaucoup les animaux. Alors, là, **j'étais** heureux, parce qu'**il y avait** toutes sortes d'animaux. Et **j'ai pris** une grande décision. **J'ai décidé** de devenir vétérinaire!

Bob: Comment **as-tu décidé** ça?

Jean-Pierre: Un jour, **j'ai eu** une conversation avec un vétérinaire qui **est venu** à la ferme. Il m'**a permis** de travailler avec lui quelques heures par jour. Eh bien, **j'ai été** si heureux chaque fois que **j'ai pu** faire quelque chose pour un animal malade, que **j'ai compris** que **c'était** ma vocation. Alors, voilà. Mes projets d'avenir sont faits.

PRONONCIATION

je travaillais / j'ai travaillé   j'étais / j'ai été
je gagnais / j'ai gagné   j'avais / je vais
          j'ai eu   j'ai vu

QUESTIONS SUR LE TEXTE

1. Pourquoi Bob a-t-il téléphoné à Jean-Pierre? Qu'est-ce qu'il voulait savoir?
2. Est-ce que Bob a passé de bonnes vacances? De quoi avait-il besoin? Alors, qu'est-ce qu'il a fait au commencement de ses vacances?
3. Est-ce que Bob a travaillé? Où? De quelle heure à quelle heure travaillait-il? Combien gagnait-il?
4. Que faisait Bob dans la pharmacie?
5. A-t-il fait un voyage? Avec qui y est-il allé? Comment y sont-ils allés?
6. Où Bob et André sont-ils allés? Qu'est-ce qu'ils ont fait à New York? Qui sont-ils allés voir à Québec?
7. Qu'a fait Jean-Pierre? A-t-il fait un voyage?
8. Pourquoi était-il heureux à la campagne?
9. Quelle décision Jean-Pierre a-t-il prise? Pourquoi?
10. Comment a-t-il pris cette décision?

EXERCICES ORAUX

I. *Quelle est la forme du verbe?*

   A. *A l'imparfait.*

1. je travaille	9. il paie	17. ils font
2. je gagne	10. il rend	18. ils vont
3. je veux	11. il est	19. je lis
4. je pense	12. c'est	20. je dors
5. je sais	13. on passe	21. vous savez
6. je peux	14. on voit	22. tu veux
7. il prépare	15. nous regardons	23. tu comprends
8. il vend	16. vous demandez	24. tu mets

B. *Au passé composé.*

1. je vais
2. je gagne
3. je travaille
4. je passe
5. je paie
6. je vends
7. il entre
8. nous sortons

9. vous entrez
10. il retourne
11. elle parle
12. on emporte
13. on voit
14. vous répondez
15. nous faisons
16. vous dites

17. on arrive
18. nous mettons
19. je veux
20. je peux
21. je crois
22. j'ai
23. je suis
24. je sais

II.   *Employez l'imparfait ou le passé composé.*

Exemple :   J'*étais* (être) dans ma voiture, quand soudain, j'*ai vu* (voir) un accident.

1. Hier, j' _____ (rencontrer) Jacqueline qui _____ (aller) en ville.
2. Quand nous vous _____ (voir) si pâle, nous _____ (croire) que vous _____ (être) malade !
3. Quand j' _____ (être) petit, je _____ (croire) qu'on _____ (trouver) les enfants dans les choux (*cabbages*).*
4. Hier, c' _____ (être) mon anniversaire. Je _____ (avoir) dix-neuf ans.
5. Bob _____ (travailler) pendant les vacances. Il _____ (travailler) de neuf à cinq.
6. Il _____ (gagner) assez d'argent pour faire un voyage. Il _____ (gagner) deux dollars de l'heure.
7. Nous _____ (être) à New York. Soudain, Bob _____ (avoir) une idée. Il _____ (vouloir) visiter la statue de la Liberté !
8. Alors, nous _____ (monter) au sommet de la statue. Il y _____ (avoir) une belle vue, et on _____ (voir) tout New York.
9. Oh, je regrette ! Je _____ (pouvoir, *négatif*) venir chez vous. Ma voiture _____ (tomber) en panne.
10. Ma sœur _____ (parler) au téléphone pendant une heure hier ! Elle _____ (parler) quand je _____ (sortir) et elle _____ (parler) encore quand je _____ (revenir).

EXPLICATIONS

(Une grande partie de cette leçon est une révision du passé que vous avez étudié dans la Leçon 20, première partie du livre.)

I.   Idée générale de l'imparfait et du passé composé

A. L'imparfait indique une description, comment étaient les choses.

Mon travail n'**était** pas difficile.
Je travaillais de neuf à cinq.
Je gagnais deux dollars de l'heure.

* *That is, indeed, where babies are found in France. They are* not *brought by the stork. (Some purists will insist that only boys are found in cabbages; girls come in cauliflowers [***choux-fleurs***]).*

B. Le passé composé indique une action, ce qu'on a fait.

J'ai cherché du travail.
J'ai travaillé dans une pharmacie.
J'ai gagné de l'argent.

II.   L'usage de l'imparfait

(Révisez la conjugaison de l'imparfait, *Leçon 20, page 233.*)

A. Le verbe **être**, le verbe **avoir** et les verbes d'état d'esprit sont généralement employés à l'imparfait (*voir Leçon 20, page 232*) :

aimer, croire, détester, espérer, penser, préférer, savoir, vouloir

Ces verbes expriment généralement une description, un état de choses ou un état d'esprit :

Il était à la porte. **Il avait** une chemise bleue. **Je savais** qu'il m'**attendait.** *
Il voulait me voir et il a dit qu'**il croyait** que **je pouvais** l'aider.

B. Tous les verbes ont un imparfait et un passé composé. On emploie l'imparfait quand il y a une idée de description :

Prépariez-vous les médicaments ? Non, **je** ne **préparais** pas les médicaments.

III.   L'usage du passé composé

(Révisez les formes du passé composé, *Leçon 20, pages 234 et 243.*)

A. Le passé composé est le temps de l'action.

César **a dit** : « Je suis venu, j'ai vu et j'ai vaincu. »
Je n'ai pas **fait** de voyage. **Je suis resté** à la ferme.

B. Les verbes **être, avoir, croire, pouvoir** au passé composé

Ces verbes sont quelquefois au passé composé quand ils expriment une action et non pas une description. Il y a toujours, alors, l'idée de quelque chose de soudain, à un moment précis :

Hier, je n'étais pas malade. Mais quand j'ai vu l'examen, **j'ai été** malade !
Hier, c'était mon anniversaire. **J'ai eu** dix-huit ans.
Je n'ai pas **pu** venir hier : un de mes amis est arrivé chez moi.
Nous étions à New York. Soudain, Bob **a voulu** aller à Québec.
Quand on m'a dit que le président était mort, **je ne l'ai pas cru.**

---

* *Here is another clue which will help you in using the imperfect: if in English, you use or can use the past progressive form* I was going, he was waiting, *then, in French, you use the* **imparfait.**
This rule is far from covering all cases, since the **imparfait** *is used very often when English would not use a progressive form:* I was glad = **j'étais content.** *But it is useful, as a rule of thumb, for those cases it does cover.*

Voilà le passé composé de ces verbes :

avoir :	j'ai eu	vouloir :	j'ai voulu
croire :	j'ai cru	pouvoir :	j'ai pu
être :	j'ai été		

C. Accord du participe passé avec **avoir** (*voir Leçon 20, page 244*).

IV. Le passé composé des verbes avec **être** (*voir Leçon 20, page 257*).

A. Les verbes de mouvement forment leur passé composé avec **être**.

Ces verbes sont : **aller, arriver, entrer (rentrer), monter, venir (revenir, devenir), partir, sortir, descendre, tomber, retourner, rester.**

Jean-Pierre **est-il rentré** ? Oui, il **est rentré**.

(Employez **rentrer** au sens de : **retourner à la maison**).

B. Accord du participe passé avec **être** (*voir Leçon 20, page 257*).

Le participe passé s'accorde comme un adjectif.

V. Révision de l'usage des expressions **aller voir** et **visiter**.

On va voir une personne et on visite un monument :

Je suis allé voir mon frère et **j'ai visité** New York.

EXERCICES ÉCRITS et/ou ORAUX

I. *Mettez les passages au passé.*

A. *Ce passage est une description.*

Le palais de Versailles *est* la résidence de Louis XIV, Louis XV et Louis XVI. *C'est* aussi la résidence de la cour de France et plus de trois mille personnes y *habitent*. Le roi *mange* en public, *va* aux offices religieux accompagné de nobles qui l'*entourent* (surround him) constamment. Le roi *donne* des fêtes somptueuses où on *danse*, *joue* la comédie et où il *dépense* des fortunes. Dans le parc, les jardiniers *travaillent* sans cesse, et les fontaines *offrent* un spectacle extraordinaire. Pendant ce temps, la situation financière du pays *devient* désespérée, le peuple *souffre* et *proteste*, les impôts (taxes) *augmentent*.

B. *Ce passage raconte des actions.*

Quand la Révolution *commence*, le peuple de Paris *marche* sur la Bastille et la *prend*. Le roi Louis XVI ne *comprend* pas ce qui *arrive* et *dit* que les Parisiens *perdent* la tête ! Mais on lui *répond* que non, qu'ils *commencent* une Révolution ! Le roi ne l'*accepte* pas, et il *continue* à suivre les conseils des courtisans. Bientôt, le peuple *marche* sur Versailles, *arrive* au palais, *entre* dans la Cour de Marbre et *menace* la vie de la famille royale. Alors, le roi *comprend* que le pouvoir (*power*) *change* de mains, et il *accepte* de retourner à Paris. Cette journée *marque* la fin de sa résidence à Versailles.

C. *Ce passage contient des actions et des descriptions.*

Si *vous lisez* l'histoire de la Révolution, *vous voyez* que la cause réelle en *est* l'existence d'institutions périmées (*obsolete*). En effet, le système féodal *continue*, mais les nobles ne *résident* pas dans leurs châteaux et les paysans *sont* chargés d'impôts énormes. Quand le peuple de Paris *commence* sa révolte, les paysans des campagnes le *suivent*, *brûlent* (*burn*) les châteaux et *tuent* (*kill*) les nobles quand ils les *trouvent*. Naturellement, beaucoup d'aristocrates *partent* et *vont* en Belgique et en Angleterre. Là, ils *font* des complots (*plots*) contre le gouvernement révolutionnaire et ils *sont* dans l'armée qui *déclare* la guerre à la France. La situation en France *est* grave, et le gouvernement *déclare* la mobilisation générale.

II. *Répondez aux questions suivantes.*

1. Avez-vous déjeuné ce matin ? Pourquoi ?
2. Où étiez-vous hier à dix heures du soir ? Pourquoi ? Que faisiez-vous ?
3. Etiez-vous en classe hier ? Pourquoi ?
4. Comment était votre dîner hier soir ? Pourquoi ? Qui l'a préparé ?
5. Avez-vous acheté quelque chose hier ou ce matin ? Quoi ? Pourquoi ?
6. Avez-vous travaillé pendant les vacances ? Comment était votre travail ?
7. Comment étiez-vous quand vous aviez quatorze ans : adorable ? difficile ? Comment votre mère vous trouvait-elle ? Avait-elle raison ?
8. Quand vous êtes entré à l'université, étiez-vous différent de maintenant ? Comment étiez-vous différent ? Comment avez-vous changé ? Pourquoi ?

COMPOSITIONS

Composition orale et/ou écrite.

Vous avez le choix entre deux sujets :

A. Racontez un film que vous avez vu, ou un livre que vous avez lu.

B. Racontez ce que vous avez fait pendant les vacances.

VOCABULAIRE

NOMS

Noms masculins

le chou
l'emploi

le métro
le rhume

le semestre

Noms féminins

la caisse
la complication
la décision

la ferme
la liberté
la pharmacie

la vocation

ADJECTIFS

inoffensif, inoffensive

VERBES

payer

rentrer

DIVERS

de retour

juste assez

mon vieux

VOCABULAIRE DES EXERCICES:

NOMS

Noms masculins

le complot
le courtisan
l'impôt
le jardinier

le marbre
le noble
l'office (religieux)
le paysan

le peuple
le pouvoir
le roi
le spectacle

Noms féminins

la comédie
la cour
la fête

la fontaine
la mobilisation

la résidence
la révolte

ADJECTIFS

énorme
féodal (-e)
financier, financière

grave
périmé (-e)
réel, réelle

révolutionnaire
somptueux, somptueuse

VERBES

augmenter
brûler
devenir

entourer
offrir
protester

souffrir
suivre
tuer

LEÇON 2
Dans le monde, cette semaine

Le pronom interrogatif **lequel**
Le pronom démonstratif **celui** ou **celui-ci** (celui-là)
Le pronom possessif **le mien**
Le verbe **connaître**

Introduction

DÉCLARATION ET QUESTION	RÉPONSE
Quel livre lisez-vous ? **Lequel ?**	**Celui qui** a tant de succès.
Ne prenez pas cet autobus. **Lequel ?**	**Celui qui** passe. C'est **celui de** la ville. Vous voulez **celui de** l'université.
Voilà une belle maison. **Laquelle ?**	**Celle-ci. Celle qui** est devant vous. C'est **celle du** directeur.
Vous avez acheté une voiture ? **Laquelle ?**	**Celle que** nous avons admirée ensemble. Non, ce n'est pas **celle que** vous regardez. C'est **celle-ci, celle qui** est juste devant nous.
Laquelle est-ce ? Est-ce **celle qui** est bleue ?	Oui, c'est **celle-là.**
J'aime beaucoup ce disque. Est-ce **le vôtre ?**	Non, ce n'est pas **le mien.** C'est celui de ma sœur. Mais la petite radio est **la mienne.** Je prends souvent ses affaires et elle prend **les miennes.**
Est-ce la voiture de votre père ?	Oui, c'est **la sienne.**
Montrez-moi la maison de vos parents.	Voilà **la leur.** Et voilà celle de mon oncle. Ces fleurs sont **les siennes.** Son jardin est plus beau que **le nôtre.**
Connaissez-vous ce monsieur qui passe ?	Oui, **je le connais.** C'est un professeur. Je sais qu'il est professeur de sciences.

Est-ce le vôtre ?

Non, ce n'est pas le nôtre, mais **nous connaissons** un de ses élèves et nous savons qu'il est excellent professeur.

EXERCICES ORAUX

I. *Répondez par la forme correcte du pronom interrogatif* (lequel/lesquels, laquelle/lesquelles).

> Exemple : Je lis un journal.
> *Lequel ?*

1. J'ai acheté une voiture.
2. J'ai vu un film.
3. Nous voulons des détails.
4. J'habite dans une de ces maisons.
5. Connaissez-vous ce monsieur ?
6. Il a trouvé une solution.
7. Je vous attends au coin.
8. Avez-vous entendu la nouvelle ?
9. Le professeur a une idée bizarre !
10. Elle a perdu un de ses livres.
11. Vous avez des qualités que j'admire.
12. Il y a un type que je déteste.
13. Achetez-moi quelques revues.
14. Ils sont partis pour une autre ville.
15. Oh, regardez : une jolie fille !
16. J'aime beaucoup vos théories.

II. *Répondez par la forme correcte :* **celui-ci/ceux-ci, celles-ci** *et la préposition quand elle est nécessaire.*

> Exemple : A quel étage montez-vous ?
> *A celui-ci.*

1. Dans quelle rue habitez-vous ?
2. Quels journaux lisez-vous ?
3. Par quelle route rentrez-vous ?
4. Avec quel stylo écrivez-vous ?
5. Dans quel quartier habitez-vous ?
6. Quelles sont vos affaires ?
7. Quelles vacances aimez-vous ?
8. Dans quelle voiture partez-vous ?
9. Quel avion prenez-vous ?
10. Quelle profession choisirez-vous ?
11. Quel plat voulez-vous ?

12. Quels pays avez-vous visités ?
13. Dans quelles villes êtes-vous resté ?
14. Dans quel restaurant déjeunez-vous ?
15. Quels amis emmenez-vous ?
16. Quelles nouvelles écoutez-vous ?

III. *Quelle est la forme du pronom possessif ?*

Exemple : ma sœur
la mienne

1. mes parents
2. mes affaires
3. ton copain
4. ta belle-sœur
5. sa chambre
6. ses amis
7. notre ville
8. nos amis
9. vos problèmes
10. vos idées
11. leur maison
12. mon voyage
13. mon adresse
14. votre enveloppe
15. son numéro
16. leurs enfants
17. leurs difficultés
18. ton appartement
19. sa robe
20. ton auto
21. mes distractions
22. leurs nouvelles
23. sa femme
24. votre mari

LECTURE

Dans le monde, cette semaine

Chaque semaine vous lisez dans les journaux une chronique qui concerne les gens, leurs activités personnelles et sociales. Cette chronique, c'est la chronique mondaine, et « mondain », dans ce sens, veut dire « qui concerne la société ».

Mariage à Paris Le mariage de Mlle Christiane Dacier, fille du Dr et de Mme Dacier avec M. Jean-Luc Vignaud a eu lieu jeudi. « Je ne veux pas de cérémonie comme celle du mariage de mes parents », a déclaré la mariée. « La mienne sera très simple. Nous sommes étudiants tous les deux et nos goûts ne sont pas ceux de la génération précédente. » En effet, elle a refusé la traditionnelle toilette blanche de satin et de dentelle, et la pompe qui entourait les mariages d'un autre temps. Les mariés, accompagnés de leurs témoins et de leurs parents, sont simplement allés à la mairie de leur quartier pour la brève cérémonie légale.[*] Après une réception intime chez les parents de la mariée, le jeune ménage est parti passer sa lune de miel dans un pays étranger. Lequel ? C'est un secret, mais M. Vignaud a annoncé que lui et sa jeune femme allaient faire un voyage de noces de camping... Quand nous pensons aux hôtels lugubres des voyages de noces de notre temps, nous sommes un peu jaloux...

Fiançailles à Orléans On annonce les fiançailles de Mlle Jacqueline Dubord avec M. Yves Mercier. Celui-ci est à présent ingénieur pour la Compagnie Europétrol. Le mariage aura lieu à son retour du Sahara où il part bientôt en mission de prospection. « Je connais Yves depuis que nous étions enfants » a déclaré Mlle Dubord. « Je serai heureuse de connaître les pays où son métier l'emmènera. »

Banquet de l'Association Internationale de la Presse à Bordeaux Celui-ci a eu lieu dimanche, dans la grande salle de l'Hôtel Montaigne. Il était donné en l'honneur des représentants de la presse internationale et chaque grand journal avait le sien. Le président a prononcé un discours : « Notre association a un but. Lequel ? Celui de

---

[*] *In France, marriages are compulsorily performed in the city hall of your residence. You cannot elope or have a home wedding, or any other kind of self-designed ceremony. After the civil ceremony (but never instead), you may, if you wish—and many people do—have a religious ceremony. But the state recognizes only the legal validity of the civil marriage. (Interesting in a country which is 90 % Catholic, isn't it ?)*

LÉOPOLD SURVAGE, *Villefranche-sur-Mer*

Les grands ensembles résidentiels isolent l'individu plus sûrement que la distance.

la coopération et de l'amitié entre la presse des divers pays. Nous voulons connaître nos collègues de l'étranger, pour mieux les comprendre et améliorer le reportage impartial des nouvelles.» On a beaucoup applaudi ces paroles.

Exposition de tableaux à Lyon L'exposition du nouveau groupe appelé « Peintres de la Réalité » a commencé samedi à la Galerie Beaux-Arts, après un vernissage très attendu. Dix jeunes peintres y ont contribué, et... quelle surprise ! Chaque toile représente un objet bien déterminé : il y a des paysages, qui représentent des arbres et des champs, des natures mortes avec des fruits et des légumes ! On y voit même des portraits qui ont un seul nez et deux yeux. Les critiques réservent leur opinion. Pourtant, l'un d'eux, qui préfère rester anonyme, a donné la sienne : « Le public a accepté beaucoup d'écoles, mais celle-ci n'a pas d'avenir. C'est beaucoup trop avant-garde, et il n'y a pas assez de gens qui comprennent ».

Courrier des lecteurs Nous recevons toujours beaucoup de lettres de nos lecteurs et lectrices. Parmi celles de cette semaine, nous citons celle-ci, qui vient de Mme A., à Sarcelles, près de Paris :

> « Nous habitons depuis quelques mois dans un de ces « grands ensembles résidentiels » ultra-modernes. Nous pensions y trouver, avec le confort total, le bonheur complet. Eh bien, c'est un désastre ! Comment peut-on identifier sa résidence et dire : « Venez nous voir, bloc sept, escalier douze, quinzième étage, porte dix-huit ? » Nous sommes perdus, anonymes et misérables. Mon mari veut retourner à notre ancienne maison, trop petite et pas confortable. « C'est la nôtre, dit-il, c'est celle où nous sommes heureux ». Que faire ? »

Hélas, Mme A., votre lettre n'est pas différente de celles d'autres lecteurs et lectrices dans la même situation. Les urbanistes commencent juste à réaliser qu'il y a d'autres facteurs dans le bonheur des hommes que l'eau courante chaude et froide, l'électricité et le chauffage central !

PRONONCIATION

votre / le vôtre   notre / le nôtre
le mari / la mariée
a eu lieu
fiançailles (fi / an / ça / illes)

QUESTIONS SUR LA LECTURE

1. Quelle est la profession de Jean-Luc Vignaud ? Quelle est celle de sa jeune femme ?
2. Comment les idées de ce jeune ménage sont-elles différentes de celles de leurs parents ?

3. Leurs parents ont probablement passé leur lune de miel dans un hôtel lugubre. Où Jean-Luc et Christiane vont-ils passer la leur?
4. Comment la cérémonie du mariage en France diffère-t-elle de celle des Etats-Unis?
5. Quel est le métier d' Yves Mercier? Est-ce celui que vous espérez avoir? Pourquoi?
6. L'Association de la Presse a un but. Lequel, d'après son président?
7. Il y avait une surprise à la Galerie Beaux-Arts. Laquelle?
8. Mme A., à Sarcelles, a un problème. Lequel? Est-ce seulement le sien, ou celui d'autres personnes? Lesquelles?
9. Connaissez-vous un jeune couple qui va se marier? Savez-vous quand va être leur mariage?
10. Connaissez-vous des gens qui ne sont pas heureux dans leur maison (ou leur appartement)? Lesquels? Savez-vous pourquoi ils ne sont pas heureux?

EXPLICATIONS

I. Le pronom interrogatif **lequel/lesquels, laquelle/lesquelles**

   A. Sa nature et son usage

   lequel est le pronom interrogatif qui correspond à l'adjectif interrogatif **quel**.

   Je lis **le journal. Lequel** (=quel journal) lisez-vous?

   lequel remplace **quel** + *le nom*. Il est composé de l'article **le/la: les** et de **quel/quels, quelle/quelles**.

   B. Ses formes

Masculin singulier	**lequel**	(le + quel)	(le journal)	**lequel**?
Masculin pluriel	**lesquels**	(les + quels)	(les journaux)	**lesquels**?
Féminin singulier	**laquelle**	(la + quelle)	(la maison)	**laquelle**?
Féminin pluriel	**lesquelles**	(les + quelles)	(les maisons)	**lesquelles**?

   Je lis le journal. **Lequel** lisez-vous?
   Je lis les journaux. **Lesquels** lisez-vous?

   J'habite dans une maison. Dans **laquelle** habitez-vous?
   Vous habitez dans des maisons. Dans **lesquelles** habitez-vous?

II. Le pronom démonstratif **celui/ceux, celle/celles** (suivi de **de** ou de **qui/que**)

A. Sa nature et son usage

celui est un pronom démonstratif qui correspond à l'adjectif démonstratif **ce**.

> Vous voyez ce bâtiment ? C'est **celui de** sciences.
> Ce livre, c'est **celui que** j'ai pris à la bibliothèque.
> **Celui qui** a des idées avant-garde n'est pas souvent compris.

REMARQUEZ : **celui** est suivi de **de** (ou **de la/de l'/du** : **des**) ou de **qui/que**. Dans les autres cas, employez **celui-ci** (*voir le paragraphe suivant*).

B. Ses formes

Masculin singulier	(**ce** monsieur)	celui
Masculin pluriel	(**ces** messieurs)	ceux
Féminin singulier	(**cette** dame)	celle
Féminin pluriel	(**ces** dames)	celles

> Ce monsieur est **celui** que j'ai rencontré en Europe.
> Ces messieurs sont **ceux** que j'ai rencontrés en Europe.

> Cette dame est **celle** que j'ai rencontrée en Europe.
> Ces dames sont **celles** que j'ai rencontrées en Europe.

III. Le pronom **celui-ci** (ou **celui-là**)

celui-ci/celui-là est une autre forme du pronom démonstratif.

A. Sa formation et son usage

Il est formé de **celui** + (i)**ci** ou **celui** + **là**.
On emploie **celui-ci/celui-là** * quand il n'est pas suivi de **de** ou de **que/qui**.

B. Ses formes

Ses formes sont les mêmes que celles de **celui**.

Masculin singulier	celui-ci, celui-là
Masculin pluriel	ceux-ci, ceux-là
Féminin singulier	celle-ci, celle-là
Féminin pluriel	celles-ci, celles-là

---

* *In theory* **celui-ci** *indicates the object closer to you and* **celui-là** *the object which is farther from you (this one, that one). However, the French do not always observe this distinction and tend to say* **celui-là** *in both cases.*

Lequel voulez-vous ? **Celui-là.**
Lesquels voulez-vous ? **Ceux-là.**

Laquelle voulez-vous ? **Celle-là.**
Lesquelles voulez-vous ? **Celles-là.**

C. L'usage stylistique de **celui-ci**

On annonce les fiançailles de Jacqueline et Yves. **Celui-ci** est ingénieur pour la Compagnie Europétrol.
Voilà mon oncle et ma tante. **Celle-ci** est la sœur de mon père.
On a beaucoup admiré les tableaux. **Ceux-ci** représentaient des natures mortes et des paysages.

Pour remplacer le complément d'objet de la phrase précédente, employez **celui-ci** dans la phrase suivante. Votre expression sera claire et élégante.

IV. Le pronom possessif **le mien, le tien, le sien, le nôtre, le vôtre, le leur**

A. Sa formation et son usage

Le pronom possessif correspond à l'adjectif possessif **mon/ma** : **mes**, etc.
Cette voiture, ce n'est pas **la mienne.**
J'ai mes affaires. Elle a **les siennes.** Avez-vous **les vôtres** ?
Il remplace *l'adjectif possessif* + *le nom*. Il a le genre et le nombre du nom qu'il remplace.

B. Ses formes

	Masculin		Féminin	
Singulier	(mon)	le mien	(ma)	la mienne
Pluriel	(mes)	les miens	(mes)	les miennes
Singulier	(ton)	le tien	(ta)	la tienne
Pluriel	(tes)	les tiens	(tes)	les tiennes
Singulier	(son)	le sien	(sa)	la sienne
Pluriel	(ses)	les siens	(ses)	les siennes
Singulier	(notre)	le nôtre	(notre)	la nôtre
Pluriel	(nos)	les nôtres		
Singulier	(votre)	le vôtre	(votre)	la vôtre
Pluriel	(vos)	les vôtres		
Singulier	(leur)	le leur	(leur)	la leur
Pluriel	(leur)	les leurs		

Votre voiture est dans la rue. **La mienne** est au garage.

Je voudrais savoir mon avenir. Voulez-vous savoir **le vôtre** ?

Nous avons une grande maison : j'ai ma chambre, mon frère a **la sienne**, mes parents ont **la leur**, mes sœurs ont **les leurs**.

V. Le verbe **connaître**

Vous avez déjà vu le verbe **savoir** (*voir Leçon 18, page 197*). On l'emploie généralement pour parler d'un fait, d'une idée.

Le verbe **connaître** (*to know; to be acquainted with*) est généralement employé pour parler d'une personne :

Connaissez-vous ce monsieur ? Oui, je le **connais** très bien.

On peut aussi employer **connaître** pour parler d'un endroit :

Connaissez-vous Paris ? Non, je ne le **connais** pas. (Mais je **sais** que c'est la capitale de la France.)

VI. L'expression verbale **avoir lieu** (*to take place*)

Cette classe **a lieu** tous les jours à neuf heures.

Le banquet de l'association **a eu lieu** samedi.

On annonce que l'exposition **aura lieu** à la Galerie Beaux-Arts.

REMARQUEZ : Quand vous écrivez (ou quand vous parlez) il est important de dire où l'action *a lieu* si votre histoire est au présent, où elle *a eu lieu* si celle-ci est au passé, où elle *aura lieu* si celle-ci est au futur. Au passé, **avoir lieu** est généralement au passé composé.

EXERCICES ÉCRITS et/ou ORAUX

I. *Quelle est la question ?*

Formulez la question en employant **lequel/lesquels**, **laquelle/lesquelles** *et une phrase complète.*

Exemple : Un de vos amis m'a parlé de vous.
Lequel vous a parlé de moi ?

1. Il y a des choses que je veux vous dire.
2. Elle n'aime pas toutes les fleurs, seulement certaines.
3. Un étudiant de cette université a gagné un million.
4. J'ai des problèmes que je veux discuter avec vous.
5. Nous avons entendu la grande nouvelle !
6. Certaines choses dans le monde sont difficiles à accepter.
7. Nous avons dîné dans un excellent petit restaurant.
8. Cette classe a une distinction spéciale.
9. Nous allons lire quelques poèmes dans ce livre.
10. J'ai fait un gâteau avec des ingrédients très spéciaux.

II. *Complétez la phrase par* celui (*ou* ceux, celle, celles), que, qui, *ou de, ou par* celui-ci *ou* celui-là (*ou* ceux, celle, celles).

> Exemple :   Cette voiture, c'est *celle de* mon père.

1. Il y a des restaurants chers. Mais nous ne dînons pas dans _____. Nous dînons dans _____ sont dans nos moyens.
2. J'ai vu un film hier. C'est _____ tout le monde trouve formidable. Mais je l'aime moins que _____ passe au petit cinéma du coin.
3. Il y avait deux discours : _____ président était bref, mais _____ l'invité d'honneur était interminable.
4. Regardez ces tableaux. Préférez-vous _____ ou l'autre ? Non ? Vous aimez mieux _____ est sur l'autre mur ?
5. Ma maison est dans une rue parallèle à _____ . Mais ma rue est différente de _____ vous habitez. Dans _____ on est presque à la campagne.
6. Vos idées et _____ vos parents sont souvent opposées. Et un jour, votre point de vue sera différent de _____ vos enfants.
7. Nous avons des voisins gentils. _____ habitent à gauche sont très calmes, mais _____ je préfère sont les artistes qui habitent à droite. Je vais souvent voir _____ .
8. Non, ce n'est pas mon disque, c'est _____ mon copain. Mais _____ , sur l'étagère, sont à moi.

III. *L'usage stylistique de* celui-ci, celle-ci, ceux-ci, celles-ci.

Remplacez le nom de la personne ou de l'objet en italique par celui-ci *ou par* il (ils, elle, elles).

> Exemple :   Bob a téléphoné à Jean-Pierre. *Jean-Pierre* était de retour de ses vacances.
> Bob a téléphoné à Jean-Pierre. *Celui-ci* était de retour de ses vacances.

1. L'employé a parlé au directeur. *Le directeur* a dit qu'il était content de son travail.
2. Le détective cherchait la solution du crime. *Le crime* était le travail d'un criminel habile.
3. Sartre et Camus n'étaient pas d'accord sur là nature de la liberté humaine. *La liberté humaine*, pour Sartre, est la cause de la responsabilité. Mais pour Camus, l'absurde domine la vie humaine. *Camus* voit l'action comme le seul but de la vie.
4. En 1969, on a célébré le deux-centième anniversaire de Napoléon. *Napoléon* est né dans une île, la Corse, et *la Corse* est devenue française un an avant la naissance du futur empereur.

5. Tout le monde connaît Ionesco. *Ionesco* est surtout célèbre pour ses pièces de théâtre. *Ses pièces* sont des comédies où la satire prend le visage de l'absurde.

IV. *Complétez en employant le pronom possessif* **le mien, le tien, le sien,** *etc.*

Exemple : J'ai mes idées et vous avez *les vôtres* .

1. J'ai ma clé. Avez-vous _____ ?
2. J'ai mes responsabilités. Mes parents ont _____ .
3. Nous n'avons qu'une voiture et ma mère voudrait bien avoir _____ .
4. Nous avons pris nos billets. Avez-vous pris _____ ?
5. Tout le monde a ses problèmes. Les jeunes gens ont _____ .
6. J'ai mis ma voiture dans le parking. Où as-tu mis _____ ?
7. La mère de la mariée voulait, pour sa fille, une cérémonie comme _____ .
8. J'ai votre adresse. Attendez, je vais vous donner _____ .
9. Le directeur a expliqué son point de vue aux ouvriers. Ils ont accepté _____ , mais ils ont aussi exprimé _____ .
10. Chaque personne a ses opinions. J'ai _____ , vous avez _____ , une autre personne aura _____ , et d'autres auront _____ .

V. *Exercice sur le vocabulaire.*

Expliquez les termes suivants en une ou deux phrases et donnez un exemple nécessaire pour clarifier votre explication.

Exemple : un témoin
Dans un mariage, « le témoin » est la personne qui signe le registre des mariages avec les mariés. En général, c'est la personne qui est présente à un certain événement.
Par exemple: Il n'y avait pas de témoins de l'accident.

un pays étranger, une lune de miel, un voyage de noces, les fiançailles, un métier, un but, un vernissage, un paysage, une nature morte, un grand ensemble résidentiel.

COMPOSITIONS

Composition orale et/ou écrite.

Vous avez le choix entre quatre sujets :

A. Etes-vous membre d'une association, d'un groupe ou d'un parti ? Quelles sont ses activités ? Quel est son but ?

B. Vous avez sans doute assisté à un mariage, ou à une réunion sociale (ou politique, ou civique). Racontez qui était là, pourquoi, ce qu'on a fait.

C. Avez-vous vu récemment une exposition de tableaux (ou de sculpture, ou de photographie) ? Faites-en une description, dites ce que les gens en pensaient, ce que vous en pensiez.

D. Quels événements intéressants ont eu lieu récemment dans votre ville ou dans votre université ?

VOCABULAIRE

NOMS

Noms masculins

l'autobus	le critique	le portrait
le banquet	le désastre	le public
le bloc	l'ensemble	le satin
le chauffage	le facteur	le secret
le collègue	le lecteur	le témoin
le confort	le mariage	le vernissage
le courrier	le métier	le voyage de noces

Noms féminins

l'activité	les fiançailles (*pl.*)	la pompe
l'association	la génération	la prospection
la cérémonie	la lectrice	la réalité
la chronique	la lune de miel	la réception
la dentelle	la mairie	la théorie
l'eau courante	la mariée	la toile
l'électricité	la mission	la toilette
l'exposition	la nature morte	

ADJECTIFS

anonyme	lugubre	social (-e)
attendu (-e)	misérable	traditionnel, traditionnelle
avant-garde	mondain (-e)	urbain (-e)
intime	opposé (-e)	
légal (-e)	précédent (-e)	

VERBES

accepter	connaître	refuser
annoncer	contribuer	représenter
applaudir	entourer	retourner
concerner	prononcer	

DIVERS

avoir lieu	eh bien	en l'honneur de

VOCABULAIRE DES EXERCICES:

NOMS

Noms masculins

l'absurde	le détective	le registre
le but	le marié	le visage
le criminel	le parking	l'usage

Noms féminins

la responsabilité	la satire

LEÇON 3
La leçon d'arithmétique

LE DISCOURS (OU STYLE) DIRECT ET INDIRECT

Temps des verbes et changements de style

Introduction

DÉCLARATION ET QUESTION (*Discours direct*)	RÉPONSE (*Discours indirect passé*)
Bob : « **Je suis** de retour et **je suis** content de vous revoir. » Qu'est-ce qu'**il a dit**?	**Il a dit qu'il était** de retour et **qu'il était** content de me revoir.
« **J'étudie** le français et la chimie. » Qu'est-ce qu'**il a dit**?	**Il a dit qu'il étudiait** le français et la chimie.
« **Je les étudie** parce qu'**ils sont** nécessaires pour mon diplôme. » Qu'est-ce qu'**il a dit**?	**Il a dit qu'il les étudiait** parce qu'ils **étaient** nécessaires pour son diplôme.
Jean-Pierre: « **J'ai passé** de bonnes vacances. » Qu'est-ce qu'**il a dit**?	**Il a dit qu'il avait passé** de bonnes vacances.
« **J'ai rencontré** un monsieur très gentil. **Je lui ai demandé** des conseils. » Qu'est-ce qu'**il a dit**?	**Il a dit qu'il avait rencontré** un monsieur très gentil et **qu'il lui avait demandé** des conseils.

ÉTUDIEZ LE PETIT DIALOGUE SUIVANT (*au discours direct*):

L'agent de police: **Vous alliez** beaucoup trop vite! **Allez-vous** toujours aussi vite?

Le jeune homme: Non. Quand **je sais** qu'il **y a** un agent de police derrière moi, **je conduis** très lentement. Mais **je ne vous avais pas vu**!

L'agent de police: Au moins, **vous n'êtes pas** comme tous les autres jeunes gens, et **vous ne me dites pas** que j'ai besoin de lunettes ! Eh bien, **je vais faire** une exception et, pour cette fois, **je ne vous donne pas** de P.V. * Mais **il faut faire** attention à l'avenir.

ÉTUDIEZ, MAINTENANT, LA MÊME CONVERSATION EXPRIMÉE AU DISCOURS INDIRECT :

L'agent de police *a commencé* par dire au jeune homme *qu'il* **allait** beaucoup trop vite. *Il lui a demandé* d'un air sarcastique *s'il* **allait** toujours aussi vite.

Le jeune homme *a répondu que non; qu'il* **conduisait** très lentement quand *il* **savait** *qu'il* **y avait** un agent de police derrière lui. *Il a ajouté qu'il* **n'avait pas vu** l'agent.

Celui-ci, *touché par cette sincérité, a répliqué* qu'au moins, ce jeune homme **n'était** pas comme tous les autres et *qu'il* ne lui **disait** pas *qu'il* **avait** besoin de lunettes. *Il a décidé de* faire une exception, et pour cette fois, *de* ne pas lui donner de P.V. Mais *il lui a recommandé de* faire attention à l'avenir.

EXERCICES ORAUX

I.   *Quel est la forme du verbe au plus-que-parfait ?*

1. je dis	9. nous sortons	17. avez-vous ?
2. vous finissez	10. je lis	18. sait-il ?
3. il a	11. vous dînez	19. faisons-nous ?
4. nous sommes	12. on entre	20. écris-tu ?
5. ils peuvent	13. je veux	21. vas-tu ?
6. vous dormez	14. tu vois	22. reste-t-elle ?
7. je pars	15. ils déjeunent	23. partez-vous ?
8. j'arrive	16. il sait	24. comprenez-vous ?

II.   *Répondez à la question.*

La réponse est au même temps que la question.

Exemple :   Etes-vous arrivé à six heures ?
Oui, je suis arrivé à six heures.

Etiez-vous arrivé à six heures ?
Oui, j'étais arrivé à six heures.

1. Aviez-vous déjeuné quand le téléphone a sonné ?
2. Etiez-vous sorti quand je suis venu vous voir ?
3. Avez-vous préparé votre travail pour demain ?
4. Etes-vous venu à l'université en voiture ?
5. Etiez-vous entré dans la classe quand la cloche a sonné ?

---

* un **P.V.** : abréviation de **Procès Verbal**, le petit papier que vous donne l'agent de police quand vous ne respectez pas le code de la route.

6. Aviez-vous promis à un ami de lui téléphoner ?
7. Etes-vous sorti sous la pluie sans imperméable ?
8. Avez-vous emporté votre déjeuner ce matin ?
9. Etiez-vous parti de chez vous à huit heures ?
10. Etes-vous parti de chez vous à huit heures ?

III. *Mettez au discours indirect passé.*

Exemple : « Je suis fatigué. »   (il nous dit)
Il nous a dit qu'il était fatigué.

1. « Je vous aime et je vous adore. »   (il lui dit)
2. « Nous ne savons pas que vous êtes là. »   (nous disons)
3. « Où avez-vous passé vos vacances ? »   (il vous demande)
4. « Vous ne faites pas attention ! »   (il vous répète)
5. « Vous allez beaucoup trop vite ! »   (l'agent lui crie)
6. « Je suis en retard parce que j'ai eu une
   panne. »   (il nous explique)
7. « Je regrette, mais j'ai oublié mes
   affaires. »   (vous me dites)
8. « Je crois que vous avez raison. »   (ce monsieur ajoute)
9. « J'ai eu un P.V., mais ce n'était pas ma
   faute. »   (le jeune homme explique)
10. « Je ne vous ai pas vu, je ne savais pas où
    vous étiez. »   (vous me dites)

LECTURE

Le texte suivant est une adaptation d'une scène de
la célèbre pièce de Ionesco, *La Leçon*. Ionesco est
un dramaturge contemporain. On appelle son théâtre
« Théâtre de l'absurde » mais l'absurde est souvent en
réalité un déguisement comique de la vérité.
Les personnages sont le professeur et l'élève à qui
le professeur donne une leçon.

La leçon d'arithmétique

Le professeur: Quel examen préparez-vous, Mademoiselle ? Voulez-vous le
doctorat de sciences ou le doctorat de lettres ?

L'élève: J'espère bien passer le doctorat total si je suis assez bonne. Mais il est
difficile !

Le professeur: Nous allons commencer par l'arithmétique. Combien font un et un ?

L'élève: Deux !

Le professeur: Mais c'est très bien ! Vous êtes forte en arithmétique. Vous allez
avoir votre doctorat total sans difficultés. Deux et un ?

L'élève: Trois !

Le professeur: Trois et un ?

L'élève: Quatre !

Le professeur: Vous êtes magnifique ! Je vous félicite ! Pour l'addition vous êtes
magistrale... Maintenant, je vais vous poser quelques questions sur la
soustraction. Combien font quatre moins trois ?

L'élève: (*elle hésite*) Je ne sais pas... Quatre moins trois font sept, peut-être ?

Le professeur: Je regrette d'être obligé de vous contredire ! Quatre moins trois
ne font pas sept ! Il faut réfléchir...

L'élève: (*elle essaie de comprendre*) Je ne vois pas très bien... Est-ce que quatre
moins trois font quatre... Ou dix, peut-être, mais je ne crois pas...

Le professeur: Vous essayez de deviner. Non ! Il faut réfléchir ! Je vais vous aider.
Vous savez compter, n'est-ce pas ? Jusqu'où savez-vous compter ?

L'élève: Jusqu'à l'infini...

Le professeur: (*sévère*) C'est impossible, Mademoiselle, l'infini n'existe pas.

L'élève: Alors... jusqu'à seize.

Le professeur: C'est assez. Il faut savoir se limiter. Alors, comptez, s'il vous
plaît.

PIET MONDRIAN, *Composition*   Collection, The Museum of Modern Art, New York

''C'est une chose qu'on ne peut pas expliquer. On peut seulement la comprendre par un . . . un . . . un raisonnement mathématique intérieur: on a le sens des mathématiques, ou on ne l'a pas . . .''

L'élève: Un, deux... et puis après deux, il y a trois et quatre...

Le professeur: Bien. Quel nombre est le plus grand, trois ou quatre ?

L'élève: Le plus grand ? Dans quel sens ?

Le professeur: Il y a des nombres plus grands et d'autres plus petits. Dans les nombres plus grands, il y a plus d'unités que dans les petits nombres, excepté quand les petits nombres ont des unités plus petites. Si les unités sont très petites il y a peut-être plus d'unités dans les petits nombres que dans les grands...

L'élève: Alors, les petits nombres sont souvent plus grands que les grands nombres ?

Le professeur: (*déconcerté*) Ce n'est pas du tout la question... Les plus grands sont les nombres qui ont le plus d'unités de qualité égale.

L'élève: Ah, je comprends ! Vous identifiez la qualité et la quantité !

Le professeur: Euh !... dans la théorie, peut-être. Mais nous sommes dans la pratique, Mademoiselle. Voyons. Est-ce que quatre est plus grand ou plus petit que trois ?

L'élève: Plus petit... non ! Moins petit !

Le professeur: C'est une excellente réponse. Combien d'unités entre trois et quatre ?

L'élève: Il n'y a pas d'unité, Monsieur, entre trois et quatre. Quatre vient tout de suite après trois. Il n'y a rien du tout entre trois et quatre.

Le professeur: Vous avez tort, mais c'est ma faute ! Mon explication n'est pas assez claire. Nous allons prendre un autre exemple. Voilà trois allumettes. En voilà une autre. Regardez bien ! Vous en avez quatre. Maintenant j'en mets une dans ma poche. Combien en avez-vous ?

L'élève: Cinq ! Si trois et un font quatre, quatre et un font cinq !

Le professeur: Ce n'est pas correct du tout ! Vous avez toujours tendance à additionner ! Il faut aussi savoir soustraire ! Il ne faut pas uniquement intégrer, il faut aussi désintégrer ! C'est ça la vie, la science, le progrès, la civilisation !

L'élève: (*docile*) Oui, Monsieur !

Le professeur: Ce n'est pas facile, je l'admets ! Voilà un autre exemple. Je dessine des bâtons au tableau. Un, deux, trois, quatre, cinq bâtons. Un, deux, trois, quatre, cinq, ce sont des nombres, Mademoiselle. Quand on compte des bâtons, chaque bâton est une unité. (*exaspéré*) Qu'est-ce que je viens de dire, Mademoiselle ?

L'élève: « Est une unité. Qu'est-ce que je viens de dire, Mademoiselle ? »

Le professeur: Une unité, c'est un nombre, c'est un chiffre, c'est un des éléments de la numération.

L'élève: Est-ce aussi un bâton, Monsieur ? Des éléments, des bâtons, des nombres, des chiffres, des quantités... C'est très clair maintenant, Monsieur. Merci, Monsieur !

Le professeur: Alors, maintenant, faites votre soustraction.

L'élève: (*elle murmure, pour imprimer dans sa mémoire*) Les bâtons sont des chiffres et les nombres sont des unités.

Le professeur: Hum... Si vous voulez. Alors ?

L'élève: On peut soustraire deux unités de trois unités, mais peut-on soustraire deux deux de trois trois ? et deux chiffres de quatre nombres ? Et trois nombres d'une unité ?

Le professeur: Non, Mademoiselle !

L'élève: Pourquoi, Monsieur ?

Le professeur: Parce que, Mademoiselle.

L'élève: Parce que quoi, Monsieur ? Si les uns sont les autres ?

Le professeur: C'est une chose qu'on ne peut pas expliquer. On peut seulement la comprendre par un... un... un raisonnement mathématique intérieur ; on a le sens des mathématiques ou on ne l'a pas. Ecoutez, Mademoiselle, il faut, pour le doctorat total, comprendre ces archétypes arithmétiques. Pour l'École Polytechnique aussi et même pour l'École Maternelle Supérieure. Comment pouvez-vous (et c'est un problème très ordinaire pour un ingénieur) faire la multiplication de trois milliards* sept cent cinquante-cinq millions neuf cent quatre-vingt-dix-huit mille deux cent cinquante et un par cinq milliards cent soixante-deux millions trois cent trois mille cinq cent huit ?

L'élève: (*très vite*) Ça fait dix-neuf quintillions trois cent quatre-vingt-dix quatrillions deux trillions huit cent quarante-quatre milliards deux cent dix-neuf millions cent soixante-quatre mille cinq cent huit...**

Le professeur: (*surpris*) Non... Je ne crois pas... Attendez... Voyons... cinq cent *neuf*...

L'élève: Non. Cinq cent *huit*.

Le professeur: (*il calcule mentalement*) Vous avez raison ! (*stupéfait*) Mais comment le savez-vous ?

L'élève: C'est simple. Comme mon raisonnement n'est pas bon, j'ai appris par cœur tous les résultats possibles de toutes les multiplications possibles.

PRONONCIATION

il a dit / il l'a dit / il lui a dit / il le lui a dit
il a demandé / il l'a demandé / il lui a demandé / il le lui a demandé
je regrette / j'ai regretté / je l'ai regretté
je regrettais / je le regrettais

QUESTIONS SUR LA LECTURE

(Répondez aux questions en employant le discours indirect.)

   Exemple :   Quelle question le professeur a-t-il posée à l'élève ?
         Il a commencé par lui demander...

---

* **Milliard** : mille millions (*a billion*)
** $3.755.998.251 \times 5.162.303.508 = 19.390.002.844.219.164.508$

1. Quelle question le professeur a-t-il commencé par poser à l'élève ?
2. Qu'est-ce qu'elle a répondu à cette question ? Par quel sujet le professeur a-t-il décidé de commencer ?
3. Qu'est-ce que l'élève a répondu au professeur quand celui-ci lui a demandé combien faisaient quatre moins trois ?
4. Le professeur dit : « Je regrette d'être obligé de vous contredire ! Quatre moins trois ne font pas sept. Il faut réfléchir ! » Qu'est-ce qu'il a dit ?
5. Qu'est-ce que l'élève a répondu quand le professeur lui a demandé jusqu'où elle savait compter ?
6. Qu'est-ce que le professeur a répliqué ?
7. Qu'est-ce que l'élève a répondu quand le professeur lui a demandé combien d'unités il y avait entre trois et quatre ? Comment a-t-elle expliqué sa réponse ?
8. Comment le professeur a-t-il expliqué le concept d'unité ? Son explication était-elle claire ? Est-ce que l'élève l'a comprise ? Mais qu'est-ce qu'elle a dit ?

EXPLICATIONS

I. Le plus-que-parfait

Bob **a fait** un bon voyage.   (*Passé composé*)
Bob a dit qu'il **avait fait** un bon voyage.   (*Plus-que-parfait*)

Jean-Pierre **est allé** à la campagne.   (*Passé composé*)
Jean-Pierre a dit qu'il **était allé** à la campagne. (*Plus-que-parfait*)

Le plus-que-parfait est formé de l'imparfait de **avoir** ou **être** + *le participe passé du verbe.*

Conjugaison du plus-que-parfait

	Avec **avoir**			*Avec* **être**		
	regarder, dire, voir			**aller, arriver, venir**		
j' avais	regardé,	dit,	vu	j' étais	allé,	arrivé,	venu
tu avais	regardé,	dit,	vu	tu étais	allé,	arrivé,	venu
il avait	regardé,	dit,	vu	il était	allé,	arrivé,	venu
nous avions	regardé,	dit,	vu	nous étions	allés,	arrivés,	venus
vous aviez	regardé,	dit,	vu	vous étiez	allé(-s),	arrivé(-s),	venu(-s)
ils avaient	regardé,	dit,	vu	ils étaient	allés,	arrivés,	venus

II. Passage du discours direct au discours indirect

L'élève :   « **Je comprends.** »   (C'est le discours *direct*.)
L'élève *a dit* qu'elle **comprenait**. (C'est le discours *indirect*.)

Vous employez le discours direct quand vous citez (*quote*) exactement les paroles d'une personne. Un dialogue est au discours direct, une pièce de théâtre est au discours direct.

Vous employez le discours indirect quand vous racontez ce qu'une personne a dit, une remarque, une conversation en forme de narration.

A. Changement de temps des verbes. Voilà quelques exemples :

> *L'élève* : « **Je comprends.** »
> L'élève *a dit* qu'**elle comprenait**.

> *L'élève* : « **J'ai compris**, Monsieur. Votre explication **était** très claire. »
> L'élève *a dit* qu'**elle avait compris**, que l'explication du professeur **était** très claire.

> *Bob* : « **Je suis** fatigué parce qu'**il fait** chaud et que **j'ai travaillé** au soleil. **J'avais** un rendez-vous important, mais ma voiture ne **marche** pas et je n'**ai** pas d'argent pour payer la réparation. »
> *Bob a dit* qu'**il était fatigué** parce qu'**il faisait** chaud et qu'**il avait travaillé** au soleil. *Il a expliqué* qu'**il avait** un rendez-vous important mais que sa voiture ne **marchait** pas et qu'**il** n'**avait** pas d'argent pour payer la réparation.

Vous remarquez que le temps des verbes change quand vous passez du discours direct au discours indirect. La règle qui gouverne le changement de temps des verbes s'appelle la **concordance des temps**.

Tableau du changement de temps des verbes

Dans le discours indirect passé :	le présent	devient → **imparfait**
	le passé composé	devient → **plus-que-parfait**
	le futur	devient → **conditionnel** *
	l'imparfait	} **ne changent pas**
	le plus-que-parfait	

B. Ajoutez les verbes de communication nécessaires.

Relisez le dialogue entre le jeune homme et l'agent de police. Quand le dialogue est raconté au discours indirect, il est nécessaire d'ajouter certains verbes, certaines expressions qui donnent la cohérence à votre narration. Ce sont les verbes de communication (*voir Leçon 20, page 250.*)

> *L'agent:* « Allez-vous toujours aussi vite ? »
> L'agent lui **a demandé** s'il allait toujours aussi vite.

* Vous étudierez le conditionnel dans la Leçon 11, page 404.

Le jeune homme : « Non. Quand je sais qu'il y a un agent derrière moi, je conduis très lentement. »

Le jeune homme **a répondu** (*ou :* **a répliqué**) que non ; **il a expliqué que** quand il savait qu'il y avait un agent derrière lui, il conduisait très lentement.

Voilà certains verbes qui sont utiles pour le discours indirect :

dire	ajouter	expliquer
demander	continuer	interrompre
répondre	répliquer	conclure

Le professeur **a demandé** à l'élève quel examen elle voulait passer. Elle **a répondu** qu'elle voulait essayer de passer le doctorat total, mais elle **a ajouté** que celui-ci était difficile.

Le professeur **l'a interrompue** en disant qu'il allait lui poser des questions d'arithmétique. Il **a expliqué** que l'arithmétique était fondamentale et il **a conclu en disant** que, si elle n'était pas capable de faire une soustraction, elle ne pouvait sans doute pas passer le doctorat total (ou même partiel).

C. Comment exprimer **aujourd'hui, hier, demain** au discours indirect passé.

Bob : « **Aujourd'hui**, je reste à la maison, parce que je suis sorti **hier** et que je vais sortir **demain**. »

Bob a dit que **ce jour-là** il restait à la maison parce qu'il était sorti **la veille** et qu'il allait sortir **le lendemain**.

Voilà comment les termes de temps changent quand on passe du présent au passé :

LE TERME	DEVIENT AU PASSÉ
aujourd'hui	ce jour-là (*ou :* un jour)
hier	la veille
demain	le lendemain
ce matin	ce matin-là (*ou :* un matin)
ce soir	ce soir-là (*ou :* un soir)
cette année	cette année-là (*ou :* une année)

D. **qu'est-ce que/qu'est-ce qui** devient **ce que/ce qui** au discours indirect.

« **Qu'est-ce que** vous dites ? »
Il m'a demandé **ce que** je disais.

« **Qu'est-ce qui** est arrivé pendant mon absence ? »
Il voulait savoir **ce qui** était arrivé pendant son absence.

E. Ajoutez des éléments personnels.

Le professeur : « Non, non, vous êtes stupide, Mademoiselle ! »
Le professeur, **furieux**, lui a dit qu'elle était stupide.

L'agent, **touché par la sincérité** (ou la naïveté) du jeune homme a décidé de ne pas lui donner de P.V.

Le professeur lui a demandé **avec surprise** comment elle savait la réponse.

Quand vous avez l'impression de rendre ainsi votre narration plus vivante, plus pittoresque, vous pouvez indiquer, par une notation personnelle, *comment* la personne en question a dit cette chose.

F. Employez **celui-ci.**

« J'ai rencontré un monsieur très gentil. Il m'a donné des conseils. »
Il a dit qu'il avait rencontré un monsieur très gentil et que **celui-ci** lui avait donné des conseils.

EXERCICES ÉCRITS et/ou ORAUX

I. *Mettez les phrases au discours indirect passé, et remplacez* qu'est-ce qui/ qu'est-ce que *par* ce qui/ce que.

Exemple : « Qu'est-ce que vous avez vu ? »
Qu'est-ce que je vous ai demandé ?

Vous m'avez demandé ce que j'avais vu.

Qu'est-ce que je vous ai demandé ?
1. « Qu'est-ce que vous avez fait ? »
2. « Qu'est-ce qui est arrivé en mon absence ? »
3. « Qu'est-ce qui est dans votre poche ? »
4. « Qu'est-ce que vous voulez me dire ? »
5. « Qu'est-ce qui passe dans la rue ? »
6. « Qu'est-ce que vous avez acheté cette semaine ? »
7. « Qu'est-ce qui vous intéresse dans la vie ? »
8. « Qu'est-ce que vous avez mangé pour votre déjeuner ? »
9. « Qu'est-ce qui est le plus difficile en français ? »
10. « Qu'est-ce que vous avez dit quand vous avez vu cet accident ? »

II. *Mettez les phrases au discours indirect passé, en employant* le lendemain, la veille, ce jour-là, cette année-là, *etc.*

Exemple : Je vous dis : « Hier, j'ai rencontré un vieil ami. »
Vous m'avez dit que la veille vous aviez rencontré un vieil ami.

1. Je vous demande : « Etes-vous libre demain ? »
2. Vos parents vous demandent : « Pourquoi n'as-tu pas téléphoné hier ? »
3. Un ami m'a dit : « Aujourd'hui, j'ai vingt ans, et demain, je pars. »
4. Le haut-parleur répète : « Ce soir, il y a une importante réunion. »
5. Le professeur nous explique : « J'étais absent hier. »
6. Des voix disent à Jeanne d'Arc : « Pars demain et va délivrer la France ! »
7. Ma mère ajoute : « Si tu passes une heure au téléphone ce soir, tu paies la note ! »
8. Le peintre dit : « Je ne comprends pas ce que le public veut, cette année. »

III. *Mettez les phrases suivantes au discours indirect passé.* (*Ajoutez les verbes* **dire, demander, ajouter, expliquer,** *etc.*)

1. *La dame :* « Monsieur l'agent, je crois que vous avez besoin de lunettes ! Avez-vous vu un psychiatre, récemment ? Je suis absolument certaine que je n'allais pas à plus de cinquante à l'heure ! »

2. *Le professeur :* (*à l'élève*) « Vous avez tort ! Vous ne savez pas la réponse parce que vous n'avez pas étudié. C'était la même chose le jour de l'examen. »

3. *Un étudiant :* (*à ses parents*) « J'ai vu une voiture épatante et pas chère. Si vous me donnez l'argent pour l'acheter, je vous promets d'avoir des bonnes notes. »

IV. *Mettez la conversation suivante au discours indirect passé et changez les termes de temps* (**aujourd'hui, hier, demain,** *etc.*) *comme il sera nécessaire.*

Véronique : Allô, Barbara ? Qu'est-ce que vous faites aujourd'hui ? Moi, je pense rester à la maison, parce que je suis sortie hier et que je vais sortir demain. J'ai passé deux heures à la bibliothèque ce matin mais je n'ai pas trouvé ce que je cherchais.

Barbara : J'ai des projets pour ce soir. Une amie de ma mère m'a invitée à dîner chez elle pour faire la connaissance de son neveu qui est arrivé d'Europe hier. Alors, cet après-midi, je vais aller chez le coiffeur... Je regrette d'y aller aujourd'hui, parce que demain je vais nager à la piscine et c'est toujours un désastre pour la coiffure !

COMPOSITIONS

Composition orale et/ou écrite.

Vous avez le choix entre trois sujets :

A. Racontez un souvenir d'enfance, ou une journée mémorable de votre vie. Racontez les conversations qui ont eu lieu au discours indirect passé, et employez **la veille, le lendemain, ce jour-là, cette année-là.**

B. Racontez une conversation que vous avez eue récemment (c'était peut-être une dispute...) au discours indirect passé. Expliquez les circonstances et la conclusion.

C. Vous avez probablement entendu récemment une conférence intéressante, ou un discours. (Conférence dans un de vos cours ? Discours politique ?) Résumez les idées principales de cette conférence (ou de ce discours) au discours indirect passé.

VOCABULAIRE

NOMS

Noms masculins

le bâton	le dramaturge	le P.V. (procès-verbal)
le concept	l'infini	le progrès
le conseil	le lendemain	le raisonnement
le déguisement	le nombre	le sens
le doctorat	le personnage	

Noms féminins

l'adaptation	la mémoire	la quantité
l'allumette	la narration	la réparation
l'arithmétique	la notation	la scène
la civilisation	la numération	la sincérité
la cohérence	la pièce	l'unité
l'exception	la pratique ≠ la théorie	la veille
les lunettes (*pl.*)	la qualité	

ADJECTIFS

comique	intérieur (-e)	surpris (-e)
compliqué (-e)	magistral (-e)	total (-e) ≠ partiel,
contemporain (-e)	obligé (-e)	partielle
déconcerté (-e)	sarcastique	touché (-e)
fondamental (-e)	sévère	vivant (-e)

VERBES

additionner ≠ soustraire	citer	expliquer
admettre	conclure	imprimer
aider	contredire	intégrer ≠ désintégrer
ajouter	essayer (de)	murmurer
calculer	exister	répliquer

ADVERBES

correctement	mentalement	vraiment

DIVERS

apprendre par cœur

VOCABULAIRE DES EXERCICES:

NOMS

Noms masculins

l'accident	le coiffeur	le psychiatre

Noms féminins

la coiffure	la réunion

ADJECTIF

certain (-e)

LEÇON 4
Pendant une représentation

Les expressions de temps :

temps et **fois**   **pendant** et **pendant que**
depuis   **il y a**   **an** et **année**

Les termes de cohérence

Introduction

DÉCLARATION ET QUESTION	RÉPONSE
Je n'ai pas beaucoup de **temps** libre ce trimestre. Et vous ?	Moi, j'ai moins de **temps** que le trimestre dernier.
Je vais au cinéma une **fois** par semaine. Et vous ?	Quand j'ai le temps, j'y vais deux **fois** par semaine.
Je n'aime pas rester assis **pendant** trois heures. Et vous ?	Si je reste assis **pendant** une heure, c'est assez.
Peut-on fumer **pendant que** le film passe ?	Non, mais on peut fumer **pendant** l'entr'acte.
Depuis combien de temps habitez-vous cette ville ? *ou :*	J'y habite **depuis cinq ans.**
Depuis quand habitez-vous dans cette ville ?	J'y habite **depuis 1969.**
Il y a un an que je suis dans cette université. Et vous ?	**Il y a eu** un an le trimestre dernier.
Quand dit-on **an** et **année** ?	En général, on emploie le mot **an** avec un nombre : **un an, deux ans, trois ans, dix ans.** Dans les autres cas, on dit **année : Bonne année !,** la **première année,** etc.

Etudiez le texte suivant, et faites partculièrement attention aux termes en caractères gras.

D'abord, pendant les premiers jours de ce cours, **j'ai commencé par** penser que le professeur avait tort de parler toujours français en classe. **Ensuite,** j'ai commencé à comprendre ce qu'il disait, **et puis** j'ai répondu à quelques questions, **et puis** à toutes les questions, **et puis** j'ai ri quand il faisait une plaisanterie. **Bientôt,** j'attendais chaque jour la classe avec impatience. **Enfin,** une nuit, j'ai fait un rêve, et dans ce rêve, je parlais français !

Pourtant, ce n'était pas la fin de mes difficultés. Je faisais souvent des fautes, **alors** j'avais des mauvaises notes. **Mais** c'étaient des fautes d'inattention, pas des fautes d'ignorance, et **malgré** celles-ci, je voyais bien que je faisais des progrès. **D'ailleurs,** les notes qu'on a ne reflètent pas toujours exactement les progrès qu'on fait, **car,** apprendre quelque chose représente un procédé d'incubation lente. **Enfin,** un jour, **grâce à** mes efforts et à la patience du professeur, **j'ai fini par** avoir la conviction que je savais le français. C'est **à cause de** cette conviction que j'ai décidé de continuer mes études et de me spécialiser dans les langues. Un jour, **je finirai** peut-être **par** être un linguiste distingué.

EXERCICES ORAUX

I. *Complétez la phrase avec* **pendant** *ou* **pendant que.**

Exemple : Où étiez-vous *pendant que* le téléphone sonnait ?
Où étiez-vous *pendant* le week-end ?

1. _____ les vacances, et _____ vous étiez en voyage, j'ai travaillé.
2. _____ vous êtes debout, donnez-moi un verre d'eau.
3. _____ la guerre, les gens étaient dans les abris (*shelters*) _____ les bombes tombaient.
4. Les touristes pensent à leur voyage _____ longtemps, mais ils sont trop occupés à écrire des cartes postales _____ leur séjour pour voir beaucoup.
5. _____ Louis XVI était à Versailles, le peuple avait souvent faim _____ les périodes de famine.
6. _____ il faisait son discours, nous sommes restés assis _____ deux heures. Et _____ ce monsieur parlait, je pensais : « _____ combien de temps va-t-il continuer ? »

II. *Complétez la phrase avec* **temps** *ou* **fois**.

> Exemple : Combien de _fois_ par semaine allez-vous à la bibliothèque ?

1. Combien de _____ par jour mangez-vous et combien de _____ passez-vous à chaque repas ?
2. Je n'ai pas _____ de sortir ce soir. Un(e) autre _____, peut-être.
3. Combien de _____ vous faut-il pour aller d'une classe à l'autre ? Combien de _____ par jour changez-vous de classe ?
4. Vous n'avez pas souvent _____ de prendre des vacances. Mais ce (cette) _____, j'espère que vous allez faire un petit voyage.
5. Les contes de fées *(fairy tales)* commencent toujours par : « Il était un(e) _____. » Mais peu de parents ont _____ d'en raconter à leurs enfants.
6. Le(la) prochain(e) _____, je prendrais plus de _____ pour préparer mon examen.

III. *Complétez la phrase avec* **an** *ou* **année**.

> Exemple : C'est le(la) premier(-ère) _année_ que je suis ici.
>
> Je suis ici depuis deux _ans_.

1. J'ai étudié l'espagnol pendant quatre _____.
2. C'est mon(ma) dernier(-e) _____ ici. J'y suis depuis trois _____.
3. Depuis quelques _____, les films sont meilleurs qu'il y a dix _____.
4. Habitez-vous tout(-e) _____ dans la montagne ? Non, seulement une partie de _____.
5. Joyeux Noël et Bon(-ne) _____ !
6. Quelles sont les meilleurs(-es) _____ de votre vie ? Probablement les _____ où j'avais de douze à seize _____.

LECTURE

Pendant une représentation

Mes copains et moi, nous allons au cinéma environ une fois par semaine. Nous choisissons toujours une représentation à film unique car nous n'aimons pas rester assis pendant trois heures. Pendant la représentation, je mange souvent des bonbons ou une glace, mais je ne mets pas les pieds sur le dossier de la chaise qui est devant moi (ou très rarement... une fois de temps en temps !)

D'abord, il y a les actualités. Celles-ci ne durent pas longtemps, et depuis que tout le monde a la télévision, elles sont bien moins importantes qu'avant. Elles commencent par les nouvelles politiques, ensuite il y a les événements divers, et puis les sports, et elles finissent par des faits divers. Mais grâce à la télévision, nous connaissons toutes les nouvelles depuis plusieurs jours.

Ensuite, vient le dessin animé. Ceux de Walt Disney sont les plus célèbres : ce sont des caricatures d'animaux qui sont drôles, parce qu'évidemment, ils ressemblent à des humains. D'ailleurs, les animaux ne sont drôles que quand ils ressemblent à des humains. On y voit des courses folles, des poursuites, des accidents terrifiants. Et pendant ce temps, l'auditoire rit et applaudit... Est-ce parce que nous avons le goût de la cruauté et que, malgré notre civilisation, nous aimons la violence ? Mais tout finit bien : le chat féroce, le grand méchant loup sont punis, car la souris et le lapin sont habiles et la ruse finit par triompher de la force.

Après, il y a parfois un documentaire : vie de peuples exotiques, voyages dans des pays lointains, science, aventures. J'aime bien les documentaires et le temps passe vite pendant cette partie de la représentation.

L'entr'acte dure environ dix minutes, et pendant l'entr'acte, je sors un moment. Dans le foyer, on rencontre des gens qu'on connaît ; ceux qui fument, fument une cigarette, les autres bavardent, boivent une boisson fraîche ou une tasse de café.

Enfin, le film principal commence. D'abord vient le générique qui donne le nom des vedettes, et puis ceux des autres acteurs, ceux du metteur en scène et de ses assistants, du directeur et des siens, enfin celui du compositeur, s'il y a une partition musicale, et celui de l'auteur du livre, si le film est l'adaptation cinématographique d'un roman.

terreur

violence

Yves Montand · Irene Papas · Jean-Louis Trintignant

A Film by Costa-Gavras · Music by Mikis Theodorakis **Z** A Cinema V Presentation · Eastmancolor

rébellion

force

justice

EXTRAITS
DU FILM **Z**

amour

A Cinéma V motion picture release starring Yves Montand, Irene Papas,
and Jean Louis Trintignant, directed by Costa-Gavras.

Un film comme **Z** a donné un visage aux problèmes sociaux et politiques de son époque.

Il y a dix ans, beaucoup de films méritaient le nom de « navet » que les Français donnent à une mauvaise production : les films d'amour idiots qui finissent par un baiser… photogénique ! Ceux où le détective privé donne la solution avec condescendance. Tous ceux où, pour le prix de votre billet, Hollywood vous donne aussi une leçon de morale : le crime est toujours puni, le mérite est récompensé… Maintenant, de temps en temps, on en voit d'autres. Depuis qu'on reconnaît les possibilités de l'écran, le cinéma est en train de devenir un moyen d'expression original. Il est probable qu'il va devenir une forme d'art majeure.

PRONONCIATION

La syllabation: (ou : *La syllabisation*)

ci / né / ma / to / gra / phi / que   con / de / scen / dan / ce   pa / rti / tion
ci / vi / li / sa / tion   de / puis / qu'on   re / co / nnaît les   po / ssi / bi / li / tés
a / rti / sti / ques   de l'é / cran

Terminez chaque syllabe sur une voyelle (syllabe ouverte) et vous prononcerez la consonne plus correctement.

QUESTIONS SUR LA LECTURE

1. Ce jeune homme va-t-il souvent au cinéma ? Y allez-vous plus ou moins souvent que lui ?
2. Préfère-t-il aller voir une représentation à un ou à deux films ?
3. Qu'est-ce qu'on mange pendant la représentation ? Mettez-vous les pieds sur le dossier de la chaise qui est devant vous ? Et ce jeune homme, les y met-il ?
4. Qu'est-ce que les actualités ? Pourquoi sont-elles moins importantes depuis qu'on a la télévision ?
5. Expliquez-moi ce que c'est qu'un « dessin animé » ? un documentaire ?
6. N'y a-t-il que les enfants qui aiment les dessins animés ? Pourquoi ?
7. Combien de temps dure l'entr'acte ? Que fait-on pendant l'entr'acte ?
8. Qu'est-ce que le générique d'un film ?
9. Qui fait la partition musicale d'un film ? Est-ce que le film ressemble toujours beaucoup au livre ? Pourquoi ?
10. Depuis combien de temps environ est-ce que le cinéma existe ? Les films ont-ils beaucoup changé depuis Charlie Chaplin ?
11. Est-ce que le cinéma va devenir une forme d'art majeure ? Pourquoi ?
12. Récapitulez ce qu'on voit et ce qu'on fait quand on va au cinéma.

EXPLICATIONS

I.   Les expressions de temps

     1. **une fois, deux fois** (*one time, two times*) **quelquefois** et **parfois** (*sometimes*)

        Quand j'aime un film, je vais le voir deux **fois**.
        La dernière **fois** que je suis allé à Paris, c'était en 1970.

2. **le temps** (*time*) est toujours singulier.

> Combien de **temps** passez-vous à la bibliothèque ?
> Le **temps** passe trop vite !

3. **pendant** (*during, for*) et **pendant que** (*while*)

> Nous ferons un voyage **pendant** le week-end.   (*during*)
> On reste à l'université **pendant** quatre ans.   (*for*)
> **Pendant que** vous êtes au cinéma, le temps passe vite. (*while*)

4. **depuis** (*since*) indique une situation qui a commencé et qui continue. Employez **depuis** avec le présent si la situation existe maintenant. Si elle existe maintenant, elle est logiquement présente du point de vue du français :

> J'ai dix-huit ans **depuis** le 15 mars.
> Il pleut **depuis** hier, et il va pleuvoir toute la journée.

REMARQUEZ : Il y a une distinction dans la réponse avec **depuis**. Cette distinction dépend de la question :

(a) la réponse à : **Depuis quand**... ?

> **Depuis quand** avez-vous dix-huit ans ? J'ai dix-huit ans **depuis le 15 mars.**

(b) la réponse à : **Depuis combien de temps**... ?

> **Depuis combien de temps** avez-vous dix-huit ans ? J'ai dix-huit ans **depuis un mois.** (Nous sommes le 15 avril.)

5. **il y a** + *un terme de temps* (*ago*)

> Le directeur ? Je regrette, il est parti **il y a cinq minutes.**
> **Il y a trente ans,** peu de gens avaient la télévision.

Au passé, **il y a**, au sens de *ago*, est généralement au passé composé :

> **Il y a eu un an** hier que je suis arrivé dans cette ville.

II. Les termes de cohérence

Quand vous écrivez plus d'une phrase, ou un paragraphe, vous avez besoin de termes pour donner de la cohérence à votre style. C'est, naturellement, la même chose quand vous parlez. Regardez l'exemple suivant :

> J'aime les voyages. Je reste toujours à la maison.

Ces deux phrases sont incohérentes. Mais si vous dites :

> J'aime les voyages, **pourtant** je reste toujours à la maison.

Vos phrases ont un sens et elles sont cohérentes, parce que vous avez employé **pourtant** (*yet, however*).

A. Actions successives

1. **d'abord** (*first*)

   D'abord on réfléchit, et ensuite on parle.

2. **ensuite, puis, et puis** (*then, next*)

   Nous avons dîné, **et puis** nous sommes sortis.
   ou:
   Nous avons dîné, **ensuite** nous sommes sortis.

3. **commencer par, finir par** (*to first do something ; to finally do something*)

   J'ai commencé par penser que le français était difficile, mais **j'ai fini par** le trouver facile.

B. Cause et conséquence

1. **alors** (*then, meaning therefore*)

   Je n'ai pas dormi, **alors** j'ai mal à la tête.

2. **parce que** (*because*), **car** (*for, because*)

   Nous sommes tristes **parce que** vous partez.
   Le peuple était triste à la mort d'Henri IV, **car** c'était un bon roi. (**car** est plus littéraire que **parce que**)

3. **à cause de** (*because of, on account of*), est suivi d'un nom. (**parce que** est suivi d'une proposition avec un verbe.)

   Je ne sors pas **à cause de la pluie**.

4. **grâce à** (*thanks to*) et son contraire : **malgré** (*in spite of*)

   Grâce à vos efforts, et **malgré** l'adversité, vous avez réussi.

C. Restriction, corrélation

1. **pourtant** (*yet, however*)

   Ce film a beaucoup de succès. **Pourtant**, les critiques sont mauvaises.

2. **d'ailleurs** (*anyway, at any rate, besides*)

   Il fait chaud aujourd'hui. **D'ailleurs**, il fait souvent chaud en cette saison.

III. L'expression verbale **être en train de***

> Allô ! Excusez-moi. **Etiez-vous en train de** dîner ?
> **Nous sommes en train d'**apprendre le français.
> Il ne faut pas interrompre quelqu'un qui **est en train de** parler.

Au passé, **être en train de** est généralement à l'imparfait :

> Le téléphone a sonné pendant que **nous étions en train de** dîner.

IV. L'emploi de **an** et **année**

1. Employez **an** avec un nombre :

> J'ai passé **deux ans** en Europe et **trois ans** en Afrique.
> Vous avez étudié le français pendant **cinq ans.**
> **Vingt ans après** est le titre d'un roman de Dumas.

2. Employez **année** dans les autres cas :

> J'ai passé une excellente **année** en France.
> La première **année** d'université est-elle plus difficile que la dernière **année** ?
> Quelles sont les meilleures **années** de votre vie ?

EXCEPTION : On dit **tous les ans** (*every year*) (mais **toute l'année** [*all year long*])

V. Le verbe **devenir** (*to become*)

Il est composé de **de** + **venir** et il a la même conjugaison que **venir** :

> **je deviens, tu deviens, il devient, nous devenons, vous devenez, ils deviennent**

Le passé composé est avec **être: je suis devenu.**
Le futur est comme celui de **venir: je deviendrai.**

EXERCICES ÉCRITS et/ou ORAUX

I. *Complétez les phrases suivantes par des termes de cohérence.*

A. *Par des termes qui indiquent des actions successives.*

> d'abord, ensuite *ou* et puis, commencer par, finir par

1. Ma mère _____ toujours _____ dire « Non », et elle _____ dire « Oui ».

---

* to be doing something, to be in the process of..., to be engaged in...: *In English, there is a tense to indicate the action in progress. It is the progressive form:* I am having dinner, I was having dinner. *But, as you know, that tense does not exist in French. The expression* **être en train de** *is used when there is emphasis on the fact that an action is in progress.*

2. Le secret de la fortune? Eh bien, _____, il faut gagner de l'argent. _____ il faut faire des économies. (Mais c'est le secret d'une petite fortune. Je ne sais pas celui des grandes.)
3. Le problème de la pollution des rivières _____ l'indifférence des autorités et _____ une épidémie générale.
4. Que faites-vous chaque matin? Eh bien _____, je déjeune, _____ je pars, _____ j'arrive à ma première classe.
5. Vous resterez à l'université pendant quatre ans, et un jour, vous _____ avoir votre diplôme.

B. *Par des termes qui indiquent la cause et la conséquence.*

alors, parce que, à cause de, grâce à, malgré, car

1. Vous êtes prêt? Eh bien _____, partons.
2. Je vous raconte cette histoire _____ vous êtes mon meilleur ami.
3. La prise de la Bastille est la fête nationale de la France _____ on considère qu'elle marque la fin de l'Ancien Régime (*phrase historique*).
4. Vous êtes gentil. _____ vous et à votre aide, mon travail est fini.
5. Je suis souvent en retard _____ du mauvais temps et _____ ma voiture ne marche pas bien.
6. Vous êtes très courageux de venir _____ la pluie et la neige.
7. Vous comprenez bien l'emploi de ces termes? _____ je finis l'exercice.

II. *La combinaison du discours indirect et des termes de cohérence.*

Racontez, au discours indirect passé, en 10 à 15 lignes, la scène de **La leçon d'arithmétique** (*Leçon 3, page 305*), *en employant les expressions* **commencer par, finir par, alors, ensuite, à cause de, grâce à, malgré, pourtant, d'ailleurs.**

III. *Répondez aux questions suivantes.*
1. Quel âge avez-vous? Depuis quand?
2. Depuis combien de temps habitez-vous cette ville?
3. Depuis quand le président est-il à la Maison-Blanche?
4. Y a-t-il longtemps que vous étudiez le français?
5. Depuis quand êtes-vous étudiant ici? Pendant combien de temps le serez-vous?
6. Depuis combien de temps cette université existe-t-elle?
7. Combien de temps y a-t-il que vous n'êtes pas allé à la plage?
8. Depuis quand savez-vous lire et écrire?
9. Combien de temps y a-t-il que la Révolution américaine a commencé?
10. La Révolution française a commencé en 1789. Combien de temps y a-t-il qu'elle a commencé?

COMPOSITIONS

Composition orale et/ou écrite.

Vous avez le choix entre deux sujets :

A. Racontez l'histoire de votre vie. Employez les termes de cohérence et les expressions de temps : **fois, pendant, depuis, il y a.**

B. Une représentation au cinéma. Racontez un film que vous avez vu. Employez le discours indirect pour raconter le dialogue, employez aussi des termes de cohérence et des expressions de temps.

VOCABULAIRE

NOMS

Noms masculins

l'assistant	le dossier	le loup
l'auditoire	l'entr'acte	le mérite
l'auteur	l'événement	le metteur en scène
le baiser	le film	le navet
le compositeur	le foyer	le procédé
le concours	le générique	le raffinement
le dessin animé	l'humain	le rêve
le documentaire	le linguiste	le trimestre

Noms féminins

l'actualité	la force	la poursuite
la boisson	l'ignorance	la production
la caricature	l'inattention ≠ l'attention	la représentation
la condescendance	l'incubation	la ruse
la conviction	la morale	la vedette
la course	la partition	la violence
la cruauté	la patience ≠ l'impatience	
la difficulté	la plaisanterie	

ADJECTIFS

---

cinématographique	habile	puni (-e) ≠ récompensé (-e)
commercial (-e)	lointain (-e)	terrifiant (-e)
distingué (-e)	majeur (-e)	
drôle	photogénique	

VERBES

---

récapituler	refléter	se spécialiser

VOCABULAIRE DES EXERCICES:

NOMS

Noms masculins

l'abri   le conte de fées

Noms féminins

l'épidémie   l'indifférence   la prise
la famine   la pollution   la rivière

LEÇON 5
Qu'est-ce qu'on fait ce soir?

Les négations irrégulières :
**ni, jamais, rien, personne, plus, pas encore, pas non plus
quelque chose de** et **quelque chose à**

Introduction

DÉCLARATION ET QUESTION	RÉPONSE
J'aime la musique **et** la peinture.	Je n'aime **ni** la musique, **ni** la peinture.
Je fume des cigarettes **et** je bois du vin. Et vous ?	Je **ne** fume, **ni ne** bois de vin.
Je vais **toujours** (*ou:* **souvent**) aux concerts.	Je **ne** vais **jamais** aux concerts. (*ou :* **Jamais** je **ne** vais aux concerts.)
Avez-vous **quelque chose** dans votre poche ?	Non, je n'ai **rien** dans ma poche.
Est-ce que **quelque chose** est tombé ?	Non, **rien** n'est tombé.
Y a-t-il **quelqu'un** à la porte ?	Non, il n'y a **personne** à la porte.
Est-ce que **quelqu'un** a sonné ?	Non, **personne** n'a sonné.
Allez-vous **encore** à l'école secondaire ?	Non, je n'y vais **plus**.
Avez-vous (**déjà**) fini vos études ?	Non je n'ai **pas encore** fini mes études. (*ou:* Je **ne** les ai **pas encore** finies.)
Je parle anglais et espagnol. Je sais **aussi** lire l'allemand. Et vous ?	Je **ne** parle **ni** anglais, **ni** espagnol. Je **ne** sais **pas non plus** lire l'allemand.
Je **ne** sais **pas** le russe. Et vous ?	Je **ne** le sais **pas non plus**.
Y a-t-il **quelque chose de** nouveau ?	Non, il n'y a **rien de** nouveau. Non, il n'y a **pas grand-chose de** nouveau.
Avez-vous **quelque chose à** faire ce soir ?	Non, je n'ai **rien à** faire. Non, je n'ai **pas grand-chose à** faire.

Connaissez-vous **quelqu'un** d'important ?	Non, je **ne** connais **personne*** d'important.

Connaissez-vous **quelqu'un**
d'important ?

Non, je **ne** connais **personne***
d'important.

Avez-vous **quelqu'un à voir** ce soir ?

Non, je n'ai **personne à voir** ce soir.

Y a-t-il **quelque chose** d'intéressant
et d'amusant **à** faire dans cette
ville ?

Hélas, **il n'**y a **rien, ni** d'intéressant,
ni d'amusant **à** y faire.

EXERCICES ORAUX

I. *Mettez les phrases suivantes à la forme négative avec* **ne…ni…ni** *(ou*
ni…ni…ne, *ou* **ne…ne…ni**).

> Exemple : Parlez-vous espagnol ou russe ?
> *Je ne parle ni espagnol, ni russe.*
>
> Chantez-vous et jouez-vous d'un instrument ?
> *Je ne chante ni ne joue d'un instrument.*

1. Nous avons faim, soif et chaud.
2. Vous êtes monté en ballon, en hélicoptère et en soucoupe volante (*flying saucer*).
3. Les horoscopes et le zodiaque m'intéressent.
4. Je parle et je lis le chinois.
5. Vous êtes allé à Londres et à Madrid.
6. Il a voyagé et vu le monde.
7. La France et le Canada sont les seuls pays de langue française.
8. Les escargots et les grenouilles sont mes plats préférés.
9. Mon père et ma mère aiment le décor de ma chambre.
10. Vous faites des discours et des manifestations.

II. *Mettez à la forme négative avec* **jamais, personne, rien.**

> Exemple : Je comprends tout.
> *Je ne comprends rien.*

1. Il pleut toujours en cette saison.
2. Tout le monde est malade aujourd'hui.
3. Des ouvriers satisfaits font quelquefois la grève.
4. Vous avez quelque chose dans votre poche.
5. Vous mangez quelque chose à midi.
6. Tout intéresse une personne stupide.
7. Quelqu'un a besoin de moi.

---

* *The form parallel to* **pas grand-chose** *is* **pas grand-monde** (not many people, not much of anybody).

8. Je suis souvent allé à Madrid.
9. Tout le monde aime un homme stupide et cruel.
10. Il neige parfois en été.

III. *Mettez au négatif avec* ne... plus, ne... pas encore, ne... pas non plus.

Exemple : Avez-vous lu le journal d'aujourd'hui ?
Non, je ne l'ai pas encore lu.

1. Nous sommes encore en 1970.
2. Votre sœur est mariée. Vous avez un beau-frère.
3. A trois heures, notre journée est déjà finie.
4. Il joue du piano et il joue aussi du violon.
5. Vous êtes encore des enfants !
6. Les négociations sont finies et les ouvriers sont retournés à leur travail.
7. Je connais votre mère, et j'ai aussi rencontré votre sœur.
8. Nous avons déjà lu tout le théâtre de Shakespeare.
9. Vous serez encore à l'université dans cinq ans.
10. Je suis (déjà) allé à Hong Kong et je suis allé à Tokyo aussi.

IV. *Complétez les phrases suivantes par* quelque chose, quelqu'un, pas grand-chose, personne *et* à *ou* de.

1. Vous voyez ce monsieur qui passe ? C'est _____ brillant, et aussi _____ célèbre. Il a écrit _____ important, _____ lire et _____ connaître.

2. Avez-vous lu _____ intéressant ? Oui, j'ai lu _____ sensationnel. Avez-vous _____ bon _____ lire ? Non, je n'ai _____ autre _____ bon _____ lire ni _____ vous recommander.

3. Avez-vous _____ utile _____ emporter en voyage ? Non, je n'ai _____ utile _____ emporter, mais j'ai _____ sympathique _____ emmener.

LECTURE

Qu'est-ce qu'on* fait ce soir?

Jean-Pierre n'a ni examens à préparer, ni compositions à écrire. Il est libre et il voudrait bien organiser quelque chose pour ce soir. Il téléphone à son copain André.

Jean-Pierre: Allô, allô, ici Jean-Pierre. Bonjour, Madame. Est-ce qu'André est à la maison? Voulez-vous lui dire que je voudrais lui parler? Merci, Madame. Oui, je reste à l'appareil... Ah, André? Dis donc, mon vieux, tu veux aller au concert avec moi ce soir?

André: Ça dépend... Quelle sorte de concert? Tu sais que je n'aime ni le jazz, ni la musique classique.

Jean-Pierre: Justement, ce n'est ni l'un ni l'autre. C'est un concert de musique folklorique. On* jouera de chansons que tu connais déjà et d'autres que tu ne connais pas encore.

André: Avec qui y allons-nous?

Jean-Pierre: Eh bien, voilà. Ma sœur? Pas question. J'ai commencé par téléphoner à Barbara, mais ni elle, ni Carol ne sont libres ce soir. Elles ont quelqu'un d'important à voir. J'ai quatre billets, mais je ne connais personne d'autre de sympa. Et il n'y a rien non plus dans mon carnet d'adresses.

André: Je ne vois personne d'autre non plus... Si, si, attends... Mais si, il y a ces deux filles qui habitent en face de chez moi. Je ne leur ai jamais parlé, mais elles ne sont pas mal du tout. Tu veux que je leur donne un coup de fil?

Jean-Pierre: En principe, je ne sors ni avec une fille que je ne connais pas, ni avec celles que mes amis me recommandent... (*magnanime*) Mais je ferai une exception...

André: (*pas impressionné*) Oh ça va, ça va... Pas tant de manières. Je te rappellerai dans un moment.

(*Maintenant André donne un coup de fil aux jeunes filles qui habitent en face de chez lui. Si elles n'ont rien de spécial à faire, il voudrait les inviter à aller au concert avec son copain et lui.*)

---

* *Notice once more the uses of* on: Qu'est-ce qu'on fait ce soir? (What do we do tonight?) *and* on jouera (they will play). On *is very commonly used to mean:* we (*with special frequency in conversational style as above*), you (*impersonal*), they (*impersonal*) *as well as* one. (On *is introduced in Lesson 13, p. 125.*)

QUELQUES VEDETTES
DE LA CHANSON FRANÇAISE

Un poème chanté qui parle d'un amour
triste, tendre, cynique ou passionné, voilà
la chanson française traditionnelle. Mais il
y a aussi des imitations des rythmes américains à succès.

André: Allô, ici André Ancelin. Je suis votre voisin, celui qui habite la maison verte en face de la vôtre. Oui, celui avec la Renault, c'est ça.

Geneviève: Je vois très bien qui vous êtes... C'est gentil de nous téléphoner. Qu'est-ce qu'il y a de nouveau?

André: Eh bien, voilà. Mon copain Jean-Pierre et moi, nous avons quatre billets pour un concert ce soir. Nous pensions que peut-être votre sœur et vous... Jean-Pierre est très sympa, vous savez.

Geneviève: Ce soir? Voyons... Attendez, je vais parler à ma sœur. Monique! Sommes-nous libres ce soir? Oui, je sais nous avons du travail à faire, mais ce n'est rien d'urgent, nous sommes vendredi. Veux-tu aller au concert avec ce jeune homme brun qui habite en face — tu vois qui c'est? — et son copain? Tu n'as rien d'autre de spécial à faire? Bon... Eh bien, André, nous acceptons avec plaisir. Nous serons prêtes et nous vous attendrons à huit heures.

André: Epatant! D'accord pour huit heures. A tout à l'heure.

PRONONCIATION

moi si / moi aussi
ne / ni
un coup de fil   encore / pas encore

QUESTIONS SUR LA LECTURE

(Les mots en italique indiquent qu'il faut employer une négation dans la réponse.)

1. Jean-Pierre a-t-il des examens à préparer *et* des compositions à écrire?
2. André aime-t-il le jazz *ou* la musique classique?
3. Ce concert, est-ce du jazz *ou* de la musique classique? Qu'est-ce que c'est?
4. Est-ce que Carol *ou* Barbara est libre ce soir?
5. Pourquoi ne sont-elles pas libres?
6. D'abord, André pense-t-il à *quelqu'un d'autre*?
7. Qu'est-ce que Geneviève demande d'abord à André?
8. Geneviève et sa sœur ont-elles *quelque chose* d'urgent à faire ce soir?
9. Monique a-t-elle *autre chose* de spécial à faire ce soir?
10. Quelle est la conclusion de Geneviève? Et que répond André?

EXPLICATIONS

I.   La négation

Vous connaissez déjà **ne... pas**, qui est la forme générale de la négation. **ne... pas** exprime une négation pure et simple. Il y a beaucoup d'autres formes de négation.

Dans les autres négations, **pas** peut être remplacé par un autre terme (**ni, jamais, rien, personne, pas encore,** etc.), mais il y a toujours **ne** devant le verbe.

A. La négation de **et** : **ne**... **ni**... **ni** (*neither*... *nor*)

Je n'aime **ni** la musique, **ni** la peinture.

L'ordre peut être différent si la négation est sur le sujet :

Ni la musique, **ni** l'art **ne** m'intéressent.

S'il y a deux (ou plusieurs) verbes, il y a un **ne** devant chaque verbe :

Je **ne** chante, **ni ne** joue d'un instrument.

ne... **ni**... **ni** est aussi la négation de :

1. **soit**... **soit** (*either*... *or*)

On prend **soit** le bateau, **soit** l'avion.
On **ne** prend **ni** le bateau, **ni** l'avion.

2. **ou**... **ou** (*or*... *or*)

Allez-vous au restaurant **ou** au cinéma ?
Je **ne** vais **ni** au restaurant, **ni** au cinéma.

B. La négation de **toujours** (ou **souvent, quelquefois, parfois**) : **ne** ... **jamais**

Je parle **toujours** français.
Je **ne** parle **jamais** français. (*Attention ! Le sens demande peut-être* Je **ne** parle **pas toujours** français.)

Nous allons **quelquefois** à la plage.
Nous **n'**allons **jamais** à la plage. (*ou :* Nous **n'**allons **pas souvent** à la plage.)

Il vient **souvent** me voir.
Il **ne** vient **jamais** me voir. (*ou :* Il **ne** vient **pas souvent** me voir.)

C. La négation de **quelque chose** : **ne** ... **rien**

Avez-vous besoin de **quelque chose** ? Non, je **n'**ai besoin de **rien**.

L'ordre peut être différent si la négation est sur le sujet :

Est-ce que **quelque chose** vous intéresse ? Non, **rien ne** m'intéresse.

D. La négation de **quelqu'un** : **ne** ... **personne**

Connaissez-vous **quelqu'un** à Tahiti ? Non, je **n'**y connais **personne**.

L'ordre des mots peut être différent si la négation est sur le sujet :

Est-ce que **quelqu'un** a téléphoné ? Non, **personne n'**a téléphoné.

E. La négation de **encore** (*still*) : **ne... plus** (*no longer*)

> Allez-vous **encore** au zoo ? Non, je **n**'y vais **plus**.
> Cette vieille dame a **encore** toutes ses facultés, mais elle **n**'a **plus** sa beauté.

F. La négation de **déjà** (exprimé ou sous-entendu [*implied*]) : **ne... pas encore** (*not yet*)

> Connaissez-vous **déjà** cette jeune fille ? Non, je **ne** la connais **pas encore**.   .

déjà n'est pas toujours exprimé, mais il faut employer **pas encore** quand il est sous-entendu dans la question :

> Est-ce que le courrier (*mail*) est arrivé ? Non, il **n**'est **pas encore** arrivé.
> Avez-vous lu le journal de ce soir ? Non, **pas encore**.

G. La négation de **aussi** : **ne ... pas non plus** (*not either*)

> Je parle anglais et espagnol. Je lis **aussi** l'allemand. Et vous ?
> Je ne parle ni anglais ni espagnol. Je **ne** sais **pas non plus** lire l'allemand.

> Je ne suis jamais allé à Marseille. Et **vous** ?
> Je **n**'y suis **pas** allé **non plus**. (*ou*: **Moi non plus**.)

REMARQUEZ : **jamais, rien, personne, plus, pas encore, pas non plus** sont des adverbes. Il faut les placer comme on place les adverbes, après le verbe :

> Je ne comprends pas **encore**. Je n'ai pas **encore** compris.
> Nous n'y allons **jamais**. Nous n'y sommes **jamais** allés.
> Vous n'avez pas **encore** fini.

II. La combinaison de plusieurs négations : **plus jamais, plus rien, plus personne, encore rien, encore personne, plus jamais rien**, etc.

Voilà quelques exemples de ces négations combinées :

> Allez-vous encore parfois au zoo ? Non, je **n**'y vais **plus jamais**. Je **ne** vais **plus jamais** au cirque (*circus*) **non plus**.

> Y a-t-il **encore quelque chose** à manger ? Non, il **n**'y a **plus rien** à manger. D'ailleurs, il **n**'y a **plus jamais rien** à manger à cette heure.

> Est-ce que **quelqu'un** est arrivé ? Non, **personne n**'est (**encore**) arrivé.

> Avez-vous des nouvelles de votre mère ? Non, **encore rien**.

> Il est idiot. Je ne discute plus jamais avec lui. Et vous ? **Moi non plus**. Je **ne** dis **plus jamais rien non plus**. (*I never say anything anymore either.*)

III. Quand dit-on **si** à la place de **oui**?

Beaucoup de gens sont surpris d'entendre les Français dire **si**, ou plus souvent:
mais si! car ils croient que **si** est réservé à l'espagnol et à l'italien. **si** existe en
français aussi bien que **oui**, et on dit **si** pour répondre affirmativement à une
question négative:

Vous n'aimez **pas** la musique? **Si** (mais si!), je l'aime.

IV. **quelque chose** avec un adjectif ou un verbe

A. **quelque chose de** + *adjectif*

J'ai **quelque chose d'important**.
Il n'y a **rien d'intéressant** dans ce journal.
Cette dame? C'est **quelqu'un de** très **spécial** et de très **important**.
Il n'y a **personne de célèbre** dans la classe.
Avez-vous **quelque chose de bon**? Non, je n'ai **pas grand-chose de bon**.
Cette ville est moderne: il n'y a **rien d'historique** et **pas grand-chose
d'ancien**.

> quelque chose, rien ⎫
> quelqu'un, personne ⎬ de + *adjectif*
> pas grand-chose ⎭

REMARQUEZ: L'adjectif est masculin:

Une voiture, c'est **quelque chose d'important** pour un jeune homme.

B. **quelque chose à** + *verbe*

J'ai **quelque chose à faire**.
Il n'y a **rien à lire** dans ce journal.
Avez-vous **quelqu'un à voir**? Je n'ai **personne à voir**.
Il n'y a **pas grand-chose à visiter**, dans cette ville.

> quelque chose, rien ⎫
> quelqu'un, personne ⎬ à + *verbe*
> pas grand-chose ⎭

J'ai **du** travail **à faire**.
Il a **des amis à voir**.
Y a-t-il **des monuments à visiter**?

L'emploi de **à** + *verbe infinitif* n'est pas limité à **quelque chose, quelqu'un,**
etc. On emploie cette construction avec n'importe quel (*any*) nom :

J'ai une voiture **à vendre.**
Connaissez-vous une voiture **à vendre** ?

C. quelque chose de... à...

Y a-t-il **quelque chose de** bon **à** manger ? Non, il n'y a jamais **rien de**
bon **à** manger.
Avez-vous **quelque chose d'**intéressant **à** faire ? Non, hélas ! Depuis que
je n'ai plus ma voiture, je n'ai jamais plus **rien d'**intéressant **à** faire.

REMARQUEZ: N'oubliez pas l'expression que vous avez déjà apprise,
avoir le temps de... :

Je n'ai pas **le temps de** faire grand-chose.

EXERCICES ÉCRITS et/ou ORAUX

I. *Mettez les phrases suivantes au négatif.*

Exemple : Je vais à Paris et à New York.
Je ne vais ni à Paris, ni à New York.

1. Il y a du lait, du beurre, du fromage et des œufs dans le réfrigérateur.
2. Il y a toujours des concerts dans cette ville.
3. Nous parlons toujours anglais en classe.
4. Il a quelque chose à vous dire.
5. J'ai entendu quelque chose.
6. Nous avons rencontré quelqu'un.
7. André connaît la musique de Rameau, et Jean-Pierre la connaît aussi.
8. Je vais souvent au zoo, et mon frère y va aussi.
9. Ce monsieur ? C'est soit le père, soit l'oncle de Bob.
10. Jean-Pierre connaît tout le monde et sa sœur aussi.
11. Il pleut encore.
12. Le courrier est déjà arrivé.
13. Je fais encore souvent des fautes de français.
14. Il y a encore quelque chose à manger à trois heures.

II. *Répondez négativement aux questions suivantes.*

1. Avez-vous encore faim ?
2. Est-ce votre voiture (la vôtre) ou celle d'un copain ?
3. Est-ce que quelqu'un a besoin de moi ?
4. Allez-vous souvent à des concerts ?
5. Avez-vous déjeuné ou dîné au restaurant hier ?
6. Etes-vous allé à Tanger ou à Tombouctou ?
7. Est-ce que quelqu'un dans cette classe y est allé ?

8. Je n'ai pas de voiture de sport. En avez-vous une ?
9. Avez-vous entendu quelque chose ?
10. Va-t-on souvent à la plage en hiver ?
11. Avez-vous le mal de l'air ou le mal de mer ?
12. Est-ce que vous voyez encore Bill ?
13. Est-ce que tout le monde a déjà fini ?
14. Y a-t-il encore quelqu'un dans la classe à dix heures du soir ?
15. Parlez-vous et comprenez-vous le turc ?
16. Jean-Pierre est-il déjà sorti avec l'une ou l'autre de ces jeunes filles ?

III. *Transformez le paragraphe suivant en mettant les verbes au négatif et en employant les négations de la leçon.*

Tout le monde m'aime ! *Quelqu'un* a téléphoné ce soir. Ma mère *est* contente de moi, et mon père *aussi*. Il y *a quelque chose* d'intéressant à la télévision. Mon copain Bill *est déjà* de retour de New York. Mon autre copain Bob me *parle encore*. Il dit qu'il me *parlera encore toujours* parce qu'il *veut encore toujours* être mon ami. *Tout est* en ordre dans ma chambre, et je *trouve tout*. Je *suis* systématique *et* bien organisé. *Tout le monde* me *comprend* et *tout le monde* m'*approuve*. J'*ai déjà préparé* l'examen pour demain. J'*ai aussi étudié* mes maths *et* mon anglais. Ma vie *est* heureuse *et* agréable ce soir !

IV. *Quand employez-vous* **oui** *et* **si** *?*

Répondez avec **oui** *ou* **si**.

Exemple :   Vous n'aimez pas les animaux ?
            Si, je les aime.

1. Vous n'avez rien à faire ce soir ?
2. Vous ne faites jamais de fautes ?
3. Pleut-il quelquefois en novembre ?
4. André ne connaît personne, n'est-ce pas ?
5. Vous n'êtes jamais allé à New York ?
6. Vous n'avez rien compris à cette leçon, n'est-ce pas ?
7. Vous connaissez quelqu'un de sympa, n'est-ce pas ?
8. Vos parents n'ont pas de voiture, n'est-ce pas ?
9. Vous aimez le français, n'est-ce pas ?
10. La politique ne vous intéresse pas ?

V. *Exercice sur le vocabulaire.*

Expliquez les expressions ou les termes suivants.

rester à l'appareil, faire des manières, donner un coup de fil, un voisin, en face, être libre, être prêt, épatant

COMPOSITIONS

Composition orale et/ou écrite.

Vous avez le choix entre deux sujets :

A. Vous avez certainement parfois le « cafard » (*to feel low, depressed, blue*). Faites une description d'un de ces jours, avec celle de votre état d'esprit et de la vue que vous avez des choses.

> (*Par exemple :* « Je ne suis ni beau, ni intelligent. Personne ne me téléphone parce que personne ne m'aime. D'ailleurs, je n'aime personne non plus, etc...»)

B. L'autre jour, un de vos amis avait le cafard... Vous avez fait beaucoup d'efforts pour lui remonter le moral (*to cheer him up*). Racontez ce que vous avez fait, votre conversation avec lui, au discours indirect passé, avec beaucoup de négations irrégulières.

VOCABULAIRE

NOMS

Noms masculins

l'allemand (la langue)	le coup de fil	le voisin
l'appareil	l'espagnol (la langue)	
le cirque	le russe (la langue)	

Noms féminins

la beauté	la faculté	la voisine
la cigarette	la peinture	

ADJECTIFS

illogique	sympa (sympathique)	urgent (-e)
impressionné (-e)		

DIVERS

en face (d'en face)	pas grand-chose	pas mal du tout (très bien)
faire des manières	pas grand-monde	soit... soit... ≠ ni... ni...

VOCABULAIRE DES EXERCICES :

NOMS

Noms masculins

le ballon	le décor	le turc
le cafard	l'hélicoptère	le zodiaque

Noms féminins

la négociation	la soucoupe volante

ADJECTIF

systématique

PABLO PICASSO, *Le chardonneret*

...Faire ensuite le portrait de l'arbre en choisissant la plus belle de ses branches pour l'oiseau...

Jacques Prévert

(1900–   )

Jacques Prévert vous donne une «recette» pour
faire le portrait d'un oiseau. Il emploie l'infinitif,
comme dans les recettes de cuisine et les instructions.
　　Mais, en réalité, ce n'est pas seulement le portrait
d'un oiseau : ce que le poète définit et explique en
termes poétiques, c'est le procédé tout entier de la
création artistique.

Pour faire le portrait d'un oiseau

Peindre d'abord une cage.
avec une porte ouverte
peindre ensuite
quelque chose de joli
quelque chose de simple
quelque chose d'utile
pour l'oiseau
placer ensuite la toile contre un arbre
dans un jardin
dans un bois
ou dans une forêt
se cacher derrière l'arbre
sans rien dire
sans bouger…
Parfois l'oiseau arrive vite
mais il peut aussi bien mettre de longues années
avant de se décider
Ne pas se décourager
Attendre
Attendre s'il le faut pendant des années
la vitesse ou la lenteur de l'arrivée
de l'oiseau n'ayant aucun rapport

avec la réussite du tableau
Quand l'oiseau arrive
s'il arrive
observer le plus profond silence
attendre que l'oiseau entre dans la cage
et quand il est entré
fermer doucement la porte avec le pinceau
puis
effacer un à un tous les barreaux
en ayant soin de ne toucher aucune des plumes de l'oiseau
Faire ensuite le portrait de l'arbre
en choisissant la plus belle de ses branches
pour l'oiseau
peindre aussi le vert feuillage et la fraîcheur du vent
la poussière du soleil
et le bruit des bêtes de l'herbe dans la chaleur de l'été
et puis attendre que l'oiseau se décide à chanter
Si l'oiseau ne chante pas
c'est mauvais signe
signe que le tableau est mauvais
mais s'il chante c'est bon signe
signe que vous pouvez signer
alors vous arrachez tout doucement
une des plumes de l'oiseau
et vous écrivez votre nom dans un coin du tableau

Paroles. © Editions Gallimard.

LEÇON 6
Du matin au soir

Les verbes pronominaux réfléchis

Introduction*

DÉCLARATION ET QUESTION	RÉPONSE
Le matin, **je me réveille** de bonne heure. A quelle heure **vous réveillez-vous**?	**Je me réveille** à sept heures.
Je me lève tout de suite. **Vous levez-vous** tout de suite?	Non, **je** ne **me lève** pas tout de suite. **Je** n'aime pas **me lever** tout de suite.
Ensuite, je fais ma toilette: **je me lave** (avec de l'eau et du savon), **je me brosse les dents** (avec une brosse à dents) et **je me brosse les cheveux** (avec une brosse à cheveux). Et puis **je me peigne. Vous peignez-vous**?	Oui, **je me peigne.**
Une homme **se rase** le matin (probablement avec un rasoir électrique) **Vous rasez-vous**, Monsieur?	Oui, **je me rase**, mais **je me laisse pousser** des pattes et la moustache.**
Vous coupez-vous souvent les cheveux?	Non, pas souvent. Je me les laisse pousser aussi.
Une jeune fille (ou une dame) **se maquille** (on dit aussi: **se farde**) avec des produits de beauté. Elle **se met** du fond de teint, du rouge à lèvres, etc. **Vous maquillez-vous** tous les matins?	**Je** ne **me maquille** presque jamais.

---

* *Since the reflexive verbs themselves constitute both the new structure and the new vocabulary, the pattern of this lesson will be slightly different from that of the others. In Lesson 6, the* **Introduction** *will also serve as the reading, and therefore there will be no* **Lecture** *added.*

** *Novelist Kurt Vonnegut, Jr. says: "Every book is a period piece now—since years, or even weeks in America no longer resemble each other at all." So if, by the time you are using this book, you are no longer wearing sideburns (***des pattes**), *nor letting your hair grow long (***se laisser pousser les cheveux**), *and are perhaps shaving your head, be creative and say instead:* **Je me rase la tête**.

BERTHE MORISOT, *Le lever*

Tous les jours, je fais deux choses que je déteste: je me lève et je me couche.

Si une jeune fille arrange ses cheveux artistiquement, **elle se coiffe. Vous coiffez-vous ?**

Pas moi, mais je connais une fille qui **se coiffe** pendant une heure tous les jours !

On met ses vêtements, **on s'habille. Vous habillez-vous** vite ?

Oui, **je m'habille** en cinq minutes.

Si vous êtes en retard, **vous vous dépêchez.** Quand **se dépêche-t-on ?**

On se dépêche quand on a une classe à huit heures.

Quand vous êtes prêt, **vous vous mettez** en route. **Je me mets** en route à sept heures. A quelle heure vous **mettez-vous** en route ?

Nous ne **nous mettons** jamais en route avant sept heures et demie.

Si je rencontre un copain, **je m'arrête** et je lui dis : « Bonjour. » **Vous arrêtez-vous ?**

Non, je ne **m'arrête** pas quand **je me dépêche.**

Quand j'arrive en classe, je prends une chaise. Je mets mes affaires autour de moi : **je m'installe.** Comment **s'installe-t-on** dans une ville ?

Pour **s'installer,** on cherche un appartement, des meubles, etc.

Au commencement du semestre, **je me demande** si le cours sera intéressant. **Vous demandez-vous** la même chose ?

Moi, **je me demande** plutôt si le professeur sera content de moi.

Il y a des classes où **on s'ennuie,** et des classes où on ne s'ennuie pas. Comment est une classe où **vous vous ennuyez ?**

Dans une classe où **je m'ennuie,** le professeur parle d'une voix monotone d'un sujet qui ne m'intéresse pas. **Je m'ennuie à mourir** dans certaines classes.

Je m'amuse quand je passe une bonne soirée avec mes amis. Quand **vous amusez-vous ?**

Je m'amuse bien quand je sors avec Jean-Pierre, il est si drôle !

Jean-Pierre n'est pas gentil. **Il se moque** toujours des gens. Faut-il **se moquer** des gens ?

Evidemment, non. Et **je ne me moque** jamais de vous...

Quand l'élève dit que 2 et 2 font 4, elle a raison, c'est vrai. Mais quand elle dit que 4 moins 3 font 7, **elle se trompe**. Le professeur **se trompe-t-il** souvent ?

Il **ne se trompe** jamais. Mais quand **je me trompe**, il est sans pitié !

« On se trompe de » a aussi un autre sens. Si vous avez la Leçon 6 pour aujourd'hui et si vous étudiez la Leçon 4, **vous vous trompez de leçon**. Quand **se trompe-t-on de livre** ?

On se trompe de livre quand on en a deux qui ont exactement la même couverture.

Après une longue journée, **je me mets en route** pour rentrer chez moi. Après être rentré, **je me mets au travail** dans ma chambre. **Nous nous mettons à table** à sept heures. Après dîner, **je me remets au travail**. A quelle heure **se met-on à table**, chez vous ?

Ça dépend. **On ne se met** jamais **à table** avant huit heures.

Le soir, je suis mort de fatigue ! J'ai besoin de **me reposer**. Quand **vous reposez-vous** ?

Je me repose pendant le week-end et parfois (c'est un secret) pendant la classe de philosophie.

Quand ma journée est finie, **je me déshabille**, **je me couche** et je **m'endors**. Si je me réveille pendant la nuit, **je me rendors** très vite. Vous réveillez-vous souvent pendant la nuit ?

Non, je ne me réveille que rarement.

Je dors si profondément que je n'entends pas mon réveil qui sonne le matin. Alors, après, je suis bien obligé de me réveiller, parce qu'on me crie de tous les côtés : « **Réveillez-vous ! Levez-vous ! Dépêchez-vous !** »

EXERCICES ORAUX

I. *Quelle est la forme du verbe?*

1. (se lever)
je _____
il _____
vous _____
on _____

2. (se réveiller)
nous _____
je _____
ils _____
vous _____

3. (se dépêcher)
je _____
vous _____
on _____
vous _____

4. (s'arrêter)
vous _____
je _____
tu _____
nous _____

5. (se reposer)
vous _____
nous _____
ils _____
je _____

6. (se mettre en route)
je _____
nous _____
tu _____
on _____

II. *Quelle est la réponse?*

Exemple: Vous arrêtez-vous?
Je m'arrête.

A. *Affirmative.*

1. Vous reposez-vous?
2. Vous amusez-vous?
3. Vous endormez-vous?
4. Vous trompez-vous?
5. Vous habillez-vous?
6. Vous ennuyez-vous?
7. Vous demandez-vous?
8. Vous lavez-vous?
9. Vous peignez-vous?
10. Vous installez-vous?
11. Vous rasez-vous?
12. Vous levez-vous?
13. Vous couchez-vous?
14. Vous moquez-vous?
15. Vous réveillez-vous?
16. Vous rendormez-vous?
17. Vous regardez-vous?
18. Vous parlez-vous?

Maintenant, avec une variété de personnes:

19. S'amuse-t-on?
20. Nous ennuyons-nous?
21. Vous endormez-vous?
22. Se moque-t-il?
23. Nous dépêchons-nous?
24. Se coiffe-t-elle?
25. Se rase-t-il?
26. Te mets-tu à table?
27. T'habilles-tu?
28. Vous installez-vous?
29. Se reposent-elles?
30. Nous arrêtons-nous?

B. *Négative.*

1. Vous ennuyez-vous?
2. Nous amusons-nous?
3. S'habille-t-elle?
4. Se demande-t-on?
5. Te rases-tu?
6. Vous coiffez-vous?
7. Vous installez-vous?
8. Se trompe-t-elle?
9. Se moque-t-il?
10. Vous reposez-vous?
11. Nous arrêtons-nous?
12. Vous endormez-vous?
13. Te lèves-tu?
14. Se maquille-t-elle?
15. Nous réveillons-nous?
16. Se demandent-ils?
17. Se lèvent-elles?
18. Se déshabille-t-on?

III. *Quelle est la forme du verbe à l'impératif ?*

A. *Affirmative.*

Exemple : Dites-moi de me lever.
Levez-vous.

Dites-moi de...

1. me réveiller
2. me reposer
3. m'arrêter
4. m'installer
5. me dépêcher
6. me lever
7. m'amuser
8. m'endormir
9. me mettre au travail
10. me couper les cheveux
11. me laisser pousser des pattes
12. me mettre en route

B. *Négative.*

Exemple : Dites-moi de ne pas me lever.
Ne vous levez pas.

Dites-moi de ne pas...

1. me dépêcher
2. me moquer
3. me tromper
4. m'ennuyer
5. me maquiller
6. m'arrêter
7. m'habiller
8. me lever
9. me couper la moustache
10. me raser les cheveux
11. me mettre à table
12. me laisser pousser la barbe

IV. *Le verbe pronominal à l'infinitif.*

Répondez aux questions suivantes.

Exemple : Allez-vous vous arrêter ?
Oui, je vais m'arrêter.
ou :
Non, je ne vais pas m'arrêter.

1. Voulez-vous vous amuser ?
2. Savez-vous vous maquiller ?
3. Préférez-vous vous ennuyer ?
4. Espérez-vous vous installer ?
5. Pouvez-vous vous reposer ?
6. Allez-vous vous habiller ?
7. Voulez-vous vous dépêcher ?
8. Croyez-vous vous tromper ?
9. Pensez-vous vous réveiller ?
10. Allez-vous vous endormir ?

11. Savez-vous vous reposer ?
12. Pouvez-vous vous mettre en route ?
13. Préférez-vous vous mettre à table ?
14. Commencez-vous à vous installer ?
15. Finissez-vous de vous habiller ?
16. Oubliez-vous de vous réveiller ?

PRONONCIATION

je me lève / vous vous levez
je me lave / vous vous lavez
je m'ennuie / vous vous ennuyez
je me réveille / vous vous réveillez

Etude de son : -ille, -il

une **fille**	une fa**mille**
une pa**ille**	je trava**ille** le trava**il**
un fauteu**il**	une feu**ille**
je me rével**ille**	pare**il**

QUESTIONS SUR L'INTRODUCTION

1. A quelle heure vous levez-vous ? Pourquoi ? Aimez-vous vous lever de bonne heure ?
2. A quelle heure vous couchez-vous généralement ? Aimez-vous vous coucher de bonne heure ou tard ? Les enfants aiment-ils se coucher à sept heures du soir ?
3. Vous réveillez-vous vite ? Vous levez-vous tout de suite ? Pourquoi ?
4. Mademoiselle, vous maquillez-vous ? Un peu ? Beaucoup ? Pas du tout ?
5. Monsieur, aimez-vous les jeunes filles qui se maquillent beaucoup ? Ou préférez-vous celles qui sont plus naturelles ? Pourquoi ?
6. Vous habillez-vous vite ou lentement quand vous avez une classe à 8 heures ?
7. Qu'est-ce que vous faites quand vous êtes en retard ?
8. A quelle heure vous mettez-vous en route le matin ? Combien de temps vous faut-il pour venir en classe ?
9. Qu'est-ce que vous faites si vous voyez un feu rouge *(a red light)* ?
10. Le verbe **s'installer**. Quelles sont les actions que fait une personne qui s'installe dans une ville ? D'un voyageur qui s'installe dans l'avion ?
11. Quand vous amusez-vous ? Quand vous ennuyez-vous ? Comment est une classe où on s'ennuie ? (Description.)
12. Donnez une expression synonyme de **je fais une erreur**.
13. L'expression **se tromper de**. De quoi vous trompez-vous quelquefois ? jamais ?
14. Vous moquez-vous quelquefois de votre professeur de français ? Pourquoi ?
15. Comment dites-vous à quelqu'un de se réveiller ? de se lever ? de se dépêcher ?

EXPLICATIONS

I.   Le concept du verbe pronominal

Je me réveille.   Je me lave.
Je me lève.   Je m'habille.

Pour un verbe pronominal, le sujet et l'objet (indiqué par un pronom) sont la même personne. Le sujet des verbes ci-dessus est **je**, l'objet est **me**.

Ces verbes (et les autres verbes de la leçon) sont des **verbes pronominaux réfléchis** (*purely reflexive verbs*). L'action est réfléchie sur le sujet. Il y a d'autres groupes de verbes pronominaux que vous verrez dans les leçons suivantes. *

II. La conjugaison du verbe pronominal

Le verbe pronominal

Exemple :   **se demander** (*to wonder*)

Affirmative		*Négative*			
je me	demande	je ne me	demande	pas	
tu te	demandes	tu ne te	demandes	pas	
il se	demande	il ne se	demande	pas	
nous nous	demandons	nous ne nous	demandons	pas	
vous vous	demandez	vous ne vous	demandez	pas	
ils se	demandent	ils ne se	demandent	pas	

Interrogative

Il y a deux formes : { avec **est-ce que**
avec l'inversion. (excepté pour la 1ère personne du singulier)

Avec **est-ce que**			*Avec l'inversion*
est-ce que	je me	demande ?	est-ce que je me demande ?
est-ce que	tu te	demandes ?	te demandes-tu ?
est-ce qu'	il se	demande ?	se demande-t-il ?
est-ce que nous nous		demandons ?	nous demandons-nous ?
est-ce que vous vous		demandez ?	vous demandez-vous ?
est-ce qu'	ils se	demandent ?	se demandent-ils ?

Quelle forme est préférable ? La forme **est-ce que**... ? est toujours correcte et elle est acceptable dans la conversation. Naturellement, quand vous écrivez, il ne faut pas répéter trop souvent **est-ce que**.

---

* *There are four groups of* **verbes pronominaux** : *purely reflexive, which are studied in this lesson; reciprocal (Lesson 8, page 367); those with a passive meaning (Lesson 9, page 375); and those with an idiomatic meaning (Lesson 9, page 375).*

III. L'impératif du verbe pronominal

Exemples : **se lever, se dépêcher, se mettre en route**

se lever $\begin{cases} \text{lève*-toi} \\ \text{levons-nous} \\ \text{levez-vous} \end{cases}$ se dépêcher $\begin{cases} \text{dépêche*-toi} \\ \text{dépêchons-nous} \\ \text{dépêchez-vous} \end{cases}$

se mettre en route $\begin{cases} \text{mets-toi en route} \\ \text{mettons-nous en route} \\ \text{mettez-vous en route} \end{cases}$

REMARQUEZ : Dans l'impératif, on n'emploie pas le sujet du verbe. Dans l'impératif des verbes pronominaux, on emploie le *pronom d'objet après le verbe.*

IV. La construction de la phrase avec les verbes pronominaux

Tout ce que vous avez appris au sujet de la construction générale de la phrase s'applique à la phrase construite avec un verbe pronominal.

A. Avec deux verbes ensemble

1. Sans préposition, comme avec les verbes **aimer, espérer, penser, croire, vouloir,** etc. (*voir Appendix B, pour la liste de ces verbes*) :

Aimez-vous vous lever de bonne heure ?
Non, et **je n'aime pas me coucher** de bonne heure non plus.

2. Avec une préposition, comme **oublier de, inviter à, finir de, commencer à** (*voir Appendix B*) ou comme **commencer par** et **finir par** (*voir Leçon 4, page 315*) :

Oubliez-vous quelquefois **de vous peigner** ?
Non, **je n'oublie** jamais **de me peigner.**

B. Le pronom change à l'infinitif.

L'infinitif **se** + *verbe* (**se lever, se dépêcher,** etc.) est la forme impersonnelle, générale de l'infinitif. Mais le pronom change suivant la personne :

se lever : Je vais **me** lever.   Est-ce que je vais **me** lever ?
Tu vas **te** lever.   Vas-tu **te** lever ?
Il va **se** lever.   Va-t-il **se** lever ? etc.

---

* *You know that all verbs have an -s in the second person singular* (**tu**). *Verbs of the first group (including* **vas** : **va**) *drop it in the imperative. (The -s is restored only when the imperative is followed by* **y** *or* **en** *as in:* **vas-y,** *or* **parles-en,** *but that cannot be the case with reflexive verbs, which will always be followed by their object pronoun in the imperative.)*

EXERCICES ÉCRITS et/ou ORAUX

I.   *Faites la liste des verbes pronominaux de cette leçon.*

II. *Répondez aux questions suivantes par quelques phrases complètes et en employant des verbes pronominaux.*

> Exemple :   A quelle heure vous levez-vous ? Pourquoi ?
> *Je me lève à huit heures, parce que j'ai une classe à neuf heures, mais je préfère me lever à midi.*

1. A quelle heure aimez-vous vous lever ? Pourquoi ?
2. Aimez-vous vous coucher tôt ou tard ? Pourquoi ?
3. Comment vous reposez-vous le mieux ?
4. Que fait-on quand on est en retard ? Pourquoi ?
5. Quels sont les moments de votre vie où vous vous amusez bien ?
6. Quels sont les moments de votre vie où vous vous ennuyez (à mourir, peut-être) ?
7. Vous moquez-vous quelquefois des gens ? Expliquez.
8. Que faites-vous quand vous ne pouvez pas vous endormir le soir ? Pourquoi ?

III. *Voilà la réponse. Formulez la question avec un verbe pronominal.*

> Exemple :   *Je m'ennuie* parce que je n'ai rien à faire.
> Pourquoi *vous ennuyez-vous ?*

1. *Je me moque* de vous parce que vous êtes drôle.
2. *Je me repose* quand je suis fatigué.
3. Non, *je dors* toute la nuit sans me réveiller.
4. Oui, *je veux m'*arrêter un moment.
5. Oui, mais *je me laisse* pousser la moustache et des pattes.
6. *Je ne sais pas* pourquoi elle se coiffe comme ça.
7. Oh oui, *elle se maquille* beaucoup : comme une actrice d'opéra.
8. Oui, j'ai trouvé un appartement, j'ai un téléphone, et j'attends mes meubles.
9. Oui, très vite. Mon costume est très simple, et je suis toujours en retard.
10. Parce que je n'ai pas le sens de la direction, et toutes les rues sont exactement les mêmes, dans cette ville.

IV. *Avec des verbes pronominaux (au moins un, et deux ou trois si vous avez beaucoup d'imagination) dites ce que fait :*

> Exemple :   un monsieur pressé ?
> *Il se dépêche, il ne s'arrête pas en route.*

1. une dame coquette ?
2. un professeur distrait (*absent-minded*) ?
3. un voyageur qui n'est pas nerveux ?
4. un étudiant studieux ?
5. un jeune homme à la mode ?

6. une personne qui ne sait pas organiser sa vie ?
7. une personne qui a des insomnies ?
8. quelqu'un qui est toujours en retard ?
9. une personne qui est matinale (*an early riser*) ?
10. ce que vous faites, la veille d'un examen important ?

COMPOSITIONS

Composition orale et/ou écrite.

Vous avez le choix entre deux sujets :

A. Votre journée ordinaire. Racontez une de vos journées. Naturellement, il ne faut pas écrire seulement une succession de phrases comme : **je me lève, je me lave,** etc. Il faut écrire une composition originale et intéressante. Expliquez pourquoi et comment vous faites une certaine action, parlez des autres personnes qui ont un rôle dans votre journée, etc.

(*Par exemple:* « Je déteste me lever de bonne heure, et quelquefois, je ne me réveille pas à l'heure. Alors, ma mère est furieuse et je suis obligé de me mettre en route sans déjeuner, etc. »)

B. Une journée où tout va mal (un vrai désastre !) ou une journée où tout va bien. (Vous en avez quelquefois.)

(*Par exemple:* « Ce matin, je me lève trop tard, et quand je me mets en route, il pleut et je n'ai pas mon imperméable. Je cours pour attraper l'autobus, mais il ne s'arrête pas, etc. »)

VOCABULAIRE

NOMS

Noms masculins

les cheveux (*pl.*)	le peigne	le rouge à lèvres
le feu rouge	le produit de beauté	le savon
les feux (*pl.*)	le rasoir	le teint
le fond de teint	le réveil	

Noms féminins

la brosse (à cheveux, à dents, à habits)	l'insomnie la lèvre	la moustache la patte

VERBES

Verbes pronominaux

s'amuser	se coiffer	se demander
s'arrêter	se coucher	se dépêcher
se brosser (les cheveux, les dents)	se couper (les cheveux) ≠ se laisser pousser (les cheveux)	s'ennuyer ≠ s'amuser se farder

s'habiller ╪ se
   déshabiller
se laver
se lever
se maquiller

se mettre (à table, au travail,
   en route)
se moquer de
se peigner
se raser

se rendormir
se reposer
se réveiller ╪ s'endormir
se tromper (de)

VOCABULAIRE DES EXERCICES:

ADJECTIFS

---

coquet, coquette
distrait (-e)

matinal (-e)

studieux, studieuse

DIVERS

ça dépend

LEÇON 7
Parlons d'un roman (suite et fin)

Le passé des verbes pronominaux réfléchis

Introduction

PRÉSENT	PASSÉ
Le matin, **je me lève**.	Ce matin, **je me suis levé(-e)**.
Le matin, Jean-Pierre **se réveille**.	Ce matin, Jean-Pierre **s'est réveillé**. Véronique **s'est réveillée**.
Nous allons dans la salle de bain et **nous nous lavons**.	Nous sommes allé(-e)s dans la salle de bain et **nous nous sommes lavé(-e)s**.
Vous vous demandez si cette classe va être intéressante.	**Vous vous êtes demandé** si cette classe allait être intéressante.
Les voyageurs **s'installent** dans l'avion.	Les voyageurs **se sont installés** dans l'avion.
Je me mets en route pour l'école à sept heures et demie.	**Je me suis mis(-e)** en route pour l'école à sept heures et demie.
Je m'endors vite.	**Je me suis vite endormi(-e)**.

DÉCLARATION ET QUESTION	RÉPONSE
Vous êtes-vous levé tard ce matin ?	Oui, je me suis levé(-e) tard. Non, je ne me suis pas levé(-e) tard.
S'est-elle mise au travail ?	Oui, elle s'est mise au travail. Non, elle ne s'est pas mise au travail.
Vos parents **se sont-ils installés** dans leur nouvelle maison ?	Oui, ils s'y sont installés. Non, ils ne s'y sont pas encore installés.
Vous êtes-vous endormi(-e) pendant la classe ?	Non, je ne me suis pas endormi(-e). Personne ne s'est endormi parce que personne ne s'ennuyait.

Qu'est-ce que le professeur **se demandait** quand il a vu votre examen ?

Il se demandait pourquoi j'avais fait tant de fautes.

EXERCICES ORAUX

I.   *Quelle est la forme du verbe au passé composé ?*

1. (se lever)
je ＿＿＿
nous ＿＿＿
on ＿＿＿
vous ＿＿＿

2. (s'endormir)
nous ＿＿＿
je ＿＿＿
tu ＿＿＿
elles ＿＿＿

3. (se laver)
elle ＿＿＿
tu ＿＿＿
nous ＿＿＿
on ＿＿＿

4. (s'arrêter)
je ＿＿＿
nous ＿＿＿
il ＿＿＿
tu ＿＿＿

5. (se reposer)
il ＿＿＿
vous ＿＿＿
nous ＿＿＿
ils ＿＿＿

6. (se mettre au soleil)
elle ＿＿＿
je ＿＿＿
on ＿＿＿
il ＿＿＿

II.   *La négation et la question.*

A. *Quelle est la réponse négative ?*

Exemple :   Vous êtes-vous trompé ?
Je ne me suis pas trompé.

1. Vous êtes-vous amusé ?
2. Vous êtes-vous endormi ?
3. Vous êtes-vous arrêté ?
4. Vous êtes-vous réveillé ?
5. Vous êtes-vous reposé ?
6. Vous êtes-vous ennuyé ?
7. T'es-tu levé tard ?
8. S'est-il habillé ?
9. Nous sommes-nous dépêchés ?
10. Se sont-ils moqués ?
11. S'est-on mis à table sans moi ?
12. S'est-elle mise au soleil ?

B. *Voilà la réponse. Quelle est la question ?*

1. Ils se sont mis en route.
2. Nous nous sommes moqués.
3. Elle s'est peignée.
4. Il s'est rasé.
5. Vous vous êtes habillé.
6. Tu te laisses pousser des pattes.
7. Vous vous êtes mis au travail.
8. Vous vous êtes dépêché.
9. Je me suis arrêté.
10. Je me suis trompé.
11. On s'est amusé.
12. Il s'est rasé les cheveux.

III.   *Répondez aux questions suivantes.*

Exemple :   Vous êtes-vous réveillé de bonne heure ?
Oui, je me suis réveillé de bonne heure.
ou :
Non, je ne me suis pas réveillé de bonne heure.

1. Vous êtes-vous mis en route à cinq heures du matin ?
2. Beaucoup d'hommes se sont-ils rasés ce matin ?
3. Vous êtes-vous demandé quel temps il allait faire aujourd'hui ?
4. Est-ce que vous vous êtes bien amusé le week-end dernier ?
5. Vous êtes-vous admiré dans le miroir ce matin ?
6. Pourquoi vous êtes-vous quelquefois moqué des gens ?
7. Vous êtes-vous quelquefois trompé de porte dans l'université ?
8. Vous êtes-vous vite endormi hier soir ?
9. Vos parents se sont-ils mis à table sans vous hier ?
10. Est-ce que beaucoup de dames se sont coiffées et maquillées ce matin ?

RAOUL DUFY, *Nice*

Collection, The Museum of Modern Art, New York.
Gift of Fania Marinoff Van Vechten in memory of Carl Van Vechten

Sur la Côte d'Azur d'aujourd'hui, les personnages ont beaucoup changé, mais le décor reste à peu près le même.

LECTURE

Françoise Sagan est un écrivain* célèbre. Quand elle avait environ dix-sept ans, elle s'est mise à écrire et son premier roman est très vite devenu célèbre dans beaucoup de pays. Il s'appelle *Bonjour Tristesse*.

Parlons d'un roman: Bonjour Tristesse de Françoise Sagan

Ce roman se passe sur la Côte d'Azur. Le personnage principal commence par se présenter au lecteur : elle s'appelle Cécile, elle a dix-sept ans. Pendant la première page, elle se demande le nom du sentiment qu'elle éprouve : est-ce le remords ? Est-ce la tristesse ? Elle ne sait pas. Elle sait seulement que c'est un sentiment nouveau et qu'il est causé par les événements de l'été précédent.

Cet été-là, elle avait dix-sept ans. Sa mère était morte depuis longtemps et elle vivait avec son père. Celui-ci était un homme d'une quarantaine d'années, encore jeune, qui gagnait beaucoup d'argent et qui était pour sa fille un ami, un « copain » plus qu'un père.

Cécile, son père et la maîtresse de celui-ci, nommée Elsa, étaient en vacances sur la Côte d'Azur, où ils s'étaient installés dans une grande villa près de la plage. C'était, pour Cécile, une vie idéale : elle se levait tard, elle descendait sur la terrasse sans s'habiller et y passait la matinée en pyjama. Vers onze heures, elle allait se baigner. Et puis, elle s'allongeait sur le sable chaud... Le soir, son père l'emmenait dîner et danser dans les cabarets et les « boîtes »** de Saint Tropez.

Pour comble de chance, quelque chose de très intéressant a eu lieu : un jour, un bateau à voile a chaviré devant la petite plage privée de la villa. C'était celui de Cyril, un jeune étudiant en droit qui venait de s'installer dans la villa voisine avec

---

* Un écrivain: écrivain, comme **professeur**, n'a pas de féminin. On dit : « Elle est écrivain », ou : « C'est une femme écrivain. » Ici, la phrase est suffisamment claire car si elle s'appelle Françoise, c'est certainement une femme.
** une « boîte » : C'est un endroit où on dîne, où on danse, où on écoute de la musique (*a night club, a joint*).

sa mère, une dame veuve assez âgée. Naturellement, Cécile s'est mise à nager dans la direction du bateau et elle a aidé Cyril. Ils ont bien ri de la mésaventure de celui-ci. Ils ont fait connaissance et Cyril a offert de venir chaque jour donner des leçons de navigation à Cécile. Tout allait parfaitement bien jusqu'au jour où Raymond a annoncé à sa fille l'arrivée d'Anne.

Anne Larsen était une dame du même âge que Raymond. C'était une amie de la mère de Cécile, et elle était restée en termes d'amitié avec celle-ci et son père. Il était naturel, dans ces conditions, que Raymond l'invite à venir passer quelque temps avec eux sur la Côte d'Azur. Mais Cécile se demandait si c'était une bonne idée : Anne était une de ces personnes disciplinées et parfaites qui demandent beaucoup des autres... Et puis, il y avait Elsa, la jeune fille rousse, amie de Raymond. C'était une starlet de cinéma, jolie, mais pas très cultivée, certainement pas le genre de personne pour Anne... Cécile s'inquiétait, elle se demandait ce qui allait se passer.

En attendant, les vacances continuaient. Cyril était un beau grand garçon brun, un type de latin, avec quelque chose de protecteur que Cécile trouvait très séduisant. De son côté, il était clairement en train de tomber amoureux de Cécile. Les jours se succédaient : ils allaient se baigner dans l'eau transparente de la Méditerranée, ils faisaient une promenade en bateau à voile. Bientôt, Cécile a compris que Cyril l'aimait et voulait l'épouser. Mais de son côté, elle n'était pas sûre : il lui plaisait, elle le trouvait charmant. Pourtant, à dix-sept ans, elle était plutôt disposée à un petit flirt de vacances qu'à prendre la grande décision de sa vie. En attendant, la présence de Cyril était bien agréable...

(Suite du résumé de *Bonjour Tristesse* dans la lecture de la Leçon 9, page 379.)

PRONONCIATION

elle se demande / elle s'est demandé
il se passe / il s'est passé

il emmène / il l'emmène
il l'a emmenée / il l'emmenait

QUESTIONS SUR LA LECTURE

1. Quel âge avait Françoise Sagan quand elle s'est mise à écrire son premier roman ? Comment s'appelle-t-il ?
2. Où se passe ce roman ? Que se demande Cécile, à la première page ?
3. Quelle était la situation de famille de Cécile ?
4. Où Cécile, son père et Elsa se sont-ils installés pour les vacances ?
5. Comment Cécile passait-elle ses journées ?
6. Surprise... Qu'est-ce qui s'est passé un jour ?
7. Pourquoi Raymond a-t-il invité Anne ? Pourquoi Cécile se demandait-elle si c'était une bonne idée ?

8. Pourquoi Cécile s'inquiétait-elle ?

9. Que faisaient Cécile et Cyril dans les jours qui se succédaient ?

10. Comment vous représentez-vous : Raymond ? Elsa ? Anne ? Cyril ? Et Cécile (si vous avez de l'imagination) ?

EXPLICATIONS

I. Le passé composé des verbes pronominaux

> Je me lève de bonne heure.
>
> **Je me suis levé** de bonne heure.

Le passé composé des verbes pronominaux est formé avec **être**.

La conjugaison des verbes pronominaux au passé composé

Exemple : **se lever**

Affirmative		Négative	
je me suis	levé(-e)	je ne me suis pas	levé(-e)
tu t'es	levé(-e)	tu ne t'es pas	levé(-e)
il s'est	levé	il ne s'est pas	levé
nous nous sommes	levés(-es)	nous ne nous sommes pas	levé(-es)
vous vous êtes	levé(-s), (-e) (-es)	vous ne vous êtes pas	levé(-s), (-e) (-es)
ils se sont	levés	ils ne se sont pas	levés

Interrogative

Il y a deux formes : { avec **est-ce que**
{ avec l'inversion (excepté pour la 1ère personne du singulier)

Avec **est-ce que**

est-ce que je me suis	levé(-e) ?
est-ce que tu t'es	levé(-e) ?
est-ce qu'il s'est	levé ?
est-ce que nous nous sommes	levés(-es) ?
est-ce que vous vous êtes	levé(-s), (-e) (-es) ?
est-ce qu'ils se sont	levés ?

Avec l'inversion

est-ce que je me suis	levé(-e) ?
t'es-tu	levé(-e) ?
s'est-il	levé ?
nous sommes-nous	levés(-es) ?
se sont-ils	levés ?
vous êtes-vous	levé(-s), (-e) (-es) ?

II. Comment formuler une question avec un verbe pronominal au passé

A. Avec **est-ce que** (pour la conversation)

Adverbe interrogatif	est-ce que	Phrase dans son ordre normal
Pourquoi	est-ce que	Jean-Pierre s'est lavé ?
Comment	est-ce que	vous vous êtes habillé ?
Quand	est-ce que	votre montre s'est arrêtée ?

B. Sans **est-ce que** (quand vous écrivez)

Adverbe interrogatif	Nom de la personne ou de l'objet	Phrase dans l'ordre de la question
Pourquoi	Jean-Pierre	s'est-il levé ?
Comment	_____	vous êtes-vous habillé ?
Quand	votre montre	s'est-elle arrêtée ?

III. Le verbe pronominal avec **avant de** … **après s'être** …

A. Vous connaissez déjà la construction **avant de** + *infinitif,* comme :

Avant de commencer à parler, il a réfléchi.

La même construction est naturellement possible avec les verbes pronominaux :

Avant de se lever, il est resté un moment dans son lit.
Avant de me mettre en route, je prends mes affaires.

B. Vous connaissez aussi la construction **après** + *infinitif passé,* comme :

Après avoir lu ce livre, j'ai compris les idées de l'auteur.

La même construction est naturellement possible avec les verbes pronominaux, et leur infinitif passé est formé avec **être** :

Après s'être levé, il a fermé la fenêtre.
Après m'être mis en route, j'ai vu que j'avais oublié ma clé.

IV. L'accord du participe passé du verbe pronominal

1. « Je me suis baign**ée** dans la Méditerranée », dit Cécile.
« Je me suis baign**é** dans la Méditerranée », dit Cyril.
Il s'est ras**é.**
Elle s'est maquill**ée.**
Elles se sont maquill**ées.**

Le participe passé s'accorde avec le complément d'*objet direct,* qui est généralement le pronom objet **me, te, se, nous, vous.**

2. Ils se sont parl**é**.
   Elles se sont demand**é**.

Le pronom d'objet **me, te, se, nous, vous** n'est pas toujours un complément d'objet direct. Il est parfois *indirect*. Dans ce cas, le participe passé reste *invariable* :

On parle **à** quelqu'un, on demande **à** quelqu'un.

3. Elle s'est maquill**ée**.
   Elle s'est maquill**é** les yeux.

Dans la phrase **Elle s'est maquillée**, le participe passé s'accorde avec le pronom **se** qui est un complément d'*objet direct*.

Mais vous savez qu'un verbe ne peut pas avoir plus d'un complément d'objet direct. Donc, dans la phrase **Elle s'est maquillé les yeux**, le complément d'objet direct est **les yeux**, et **se** n'est plus le complément direct : c'est maintenant un complément *indirect* :

Elle a maquillé quoi ? Les yeux. A qui ? A elle (**se**).

REMARQUEZ: Cette règle semble compliquée, mais c'est en réalité la même règle que celle que vous employez pour les verbes conjugués avec **avoir** :

J'ai achet**é** une jolie voiture.
La voiture que j'ai achet**ée** est jolie.

V. Le temps des verbes pronominaux

L'emploi des temps de verbes pronominaux est exactement le même que celui des autres verbes :

A. Action : *passé compos*é

Il **s'est levé**, ensuite il **s'est habillé** et puis il **s'est mis** en route.

B. Description (ou état de choses, ou état d'esprit) : *imparfait*

Que faisait Cécile pendant ses vacances ? **Elle se levait** tard, **elle se baignait** tous les jours et **elle s'amusait** beaucoup. **Elle ne s'ennuyait pas** du tout.

C. Dans le *discours indirect*

présent	devient ⟶	imparfait
passé composé	devient ⟶	plus-que-parfait
imparfait	reste ⟶	imparfait

« **Je me suis couché** de bonne heure parce que **je m'étais levé** de bonne heure. D'ailleurs, **je m'endormais** sur ma chaise ! » Qu'est-ce qu'il a dit ?

Il a dit qu'**il s'était couché** de bonne heure, parce qu'**il s'était levé** de bonne heure. Il a ajouté que d'ailleurs, **il s'endormait** sur sa chaise !

EXERCICES ÉCRITS et/ou ORAUX

I. *Les nouveaux verbes de la lecture.*

Répondez aux questions suivantes.

1. (se passer)
    Qu'est-ce qui s'est passé quand Françoise Sagan avait dix-sept ans ?
    Qu'est-ce qui s'est passé un jour où Cécile était sur la plage ?
    Qu'est-ce qui était en train de se passer entre Cyril et Cécile ?
    Qu'est-ce qui se passera peut-être quand Anne sera là ?

2. (se baigner)
    Vers quelle heure Cécile allait-elle se baigner ?
    Vous êtes-vous baigné récemment dans la mer ? dans une piscine ?
    Dans quelle mer Cécile se baignait-elle ?
    Vous baignerez-vous cet été ?

3. (s'allonger)
    Où Cécile s'allongeait-elle ?
    Vous allongez-vous en classe ?
    Vous êtes-vous allongé avec plaisir dans votre lit hier soir ?

4. (s'inquiéter)
    Quand vous inquiétez-vous ?
    Vos parents se sont-ils quelquefois inquiétés à cause de vous ? Qu'est-ce qu'ils se demandaient ?
    Comment dites-vous à quelqu'un de ne pas s'inquiéter ?

II. *Mettez au passé. (Passé composé et imparfait)*

Dans la première page du roman, Cécile *se présente* au lecteur. *C'est* une jeune fille de dix-sept ans qui *ressemble* probablement à Françoise Sagan. Sa mère *est* morte, et son père qui *est* encore assez jeune, *gagne* beaucoup d'argent. Celui-ci *décide* de passer ses vacances sur la Côte d'Azur, et il *invite* Elsa qui *est* son amie du moment. Sa fille y *va* aussi, naturellement. Ils y *arrivent* en juillet. Il *fait* un temps splendide, et pendant quelques jours, Cécile *se repose*, ne *fait* rien et *se lève* très tard. Il y *a* aussi une petite plage devant la villa, et la mer *brille* au soleil.

Après quelques jours, Cécile *se demande* s'il y *a* des distractions, et elle *rencontre* Cyril, un jour où elle *va* se baigner. Il *se présente* (dans l'eau...), ils *rient* beaucoup, et ils *font* connaissance. Tout *se passe* très bien.

III. *Voilà la réponse. Quelle est la question ?*

Exemple : Elle s'est allongée au soleil.
Où s'est-elle allongée ?

1. Je ne sais pas ce qui s'est passé.
2. Oui, nous nous y sommes bien amusés.
3. Je ne me maquille pas non plus.
4. Ma montre s'est arrêtée parce que je me suis baigné avec.
5. Personne ne s'est trompé.
6. Non, je ne me moquais pas de vous !
7. Non, rien d'intéressant ne s'est passé.
8. Elle s'inquiétait parce que vous étiez en retard.
9. Non, il ne s'est pas encore réveillé.
10. Elle s'est baignée à onze heures ce matin.

IV. *L'accord du participe passé.*

Faites l'accord du participe passé quand il est nécessaire.

1. Elle s'est réveillé__ et elle s'est levé__.
2. « Je me suis trompé__ », dit Cécile. « Je me suis trompé__ aussi », dit Cyril.
3. Elle s'est peigné__, elle s'est brossé__ les dents, elle s'est lavé__ les mains, et elle a déjeuné__.
4. Vous êtes-vous bien reposé__, Mesdemoiselles ? Et avez-vous vu__ les fleurs que je vous ai apporté__ ?
5. Elle s'est coiffé__ pendant une heure. Ensuite, elle s'est regardé__ dans le miroir, et elle s'est demandé__ si le résultat correspondait à l'effort !
6. Ils sont arrivé__ ce matin, et ils sont venu__ nous voir. Ils nous ont donné__ de vos nouvelles, et les nouvelles qu'ils nous ont donné__ étaient excellentes.
7. Cécile ne s'est pas mis__ de produits de beauté. Mais elle est allé__ à la plage, elle s'est mis__ au soleil et elle a lu__ une histoire dans une revue.

V. *L'emploi de* avant de *et* après avoir.

Transformez les phrases suivantes.

Exemple : Avant de me coucher, je regarde la télévision.
Après avoir regardé la télévision, je me suis couché.

1. Elle s'habillait avant de descendre sur la terrasse.
2. Vous avez fermé la maison avant de vous mettre en route.

3. On finit son travail avant de se reposer.
4. On se lave les mains avant de se mettre à table.
5. Il est parti après avoir dit au revoir à tout le monde.
6. Vous vous êtes endormi après avoir lu un moment.
7. Ils ont acheté des meubles après avoir trouvé un appartement.
8. Elle s'est mise au travail après s'être installée.

COMPOSITIONS

Composition orale et/ou écrite.

Vous avez le choix entre trois sujets :

A. Une journée idéale de vacances au passé, avec beaucoup de verbes pronominaux.

B. Un souvenir d'enfance, avec beaucoup de verbes pronominaux.

C. Vous avez décidé d'écrire un roman, comme Françoise Sagan. Alors, qu'est-ce que vous avez fait ? Employez beaucoup de verbes pronominaux.

(*Par exemple :* « Je me suis demandé si j'avais assez de talent pour écrire un roman, et je me suis dit que oui. Alors, je me suis installé sur une chaise et je me suis mis au travail, etc. »)

VOCABULAIRE

NOMS

Noms masculins

le cabaret	le miroir	le sentiment
le droit	le pyjama (*sing.*)	le talent
le flirt	le remords	
le genre	le résumé	

Noms féminins

la boîte	la navigation	la veuve
la Côte d'Azur	la quarantaine	la villa
la Méditerranée	la suite	la voile
la mésaventure	la tristesse	

ADJECTIFS

agréable	discipliné (-e)	protecteur, protectrice
cultivé (-e)	disposé (-e) (à)	transparent (-e)

VERBES

Verbes pronominaux

s'allonger	s'inquiéter	se succéder
se baigner	se présenter	

Autres

causer	éprouver	tomber amoureux (de)
chavirer	plaire	

DIVERS

en attendant	être en termes d'amitié	pour comble
		pour comble de chance

PABLO PICASSO, *Les amants* National Gallery of Art, Washington, D.C. Chester Dale Collection

Ils se sont disputés, et puis ils se sont réconciliés.

LEÇON 8
Une idylle accélérée

Les verbes pronominaux réciproques

Introduction*

PRÉSENT	PASSÉ
Voilà un jeune homme et une jeune fille. Un jour, **ils se rencontrent**.	Un jour, **ils se sont rencontrés**.
Ils se regardent, et puis ils se regardent de nouveau.	**Ils se sont regardés**, et puis ils se sont regardés de nouveau.
Ils se disent qu'ils **se trouvent** très bien.	**Ils se sont dit** qu'ils **se trouvaient** très bien.
Ils se parlent. Ils se plaisent.	**Ils se sont parlé. Ils se sont plu.**
Ils décident de **se revoir**.	Ils ont décidé de **se revoir**.
Ils se revoient souvent. Maintenant, ils s'aiment.	**Ils se sont revus** souvent. Maintenant ils s'aiment.
Un soir, **ils s'embrassent**. Ils ne veulent plus **se séparer**. Alors, ils décident de **se fiancer**.	Un soir, **ils se sont embrassés**. Ils ne voulaient plus **se séparer**. Alors, ils ont décidé de **se fiancer**.
Ils se fiancent et ils sont très heureux.	**Ils se sont fiancés** et ils étaient très heureux.
Bientôt, **ils se marient**. Ils s'installent dans un petit appartement.	Bientôt, **ils se sont mariés**. Ils se sont installés dans un petit appartement.
Au commencement, tout va bien. **Ils s'entendent bien**. Il la trouve délicieuse, et elle le trouve si intelligent !	Au commencement, tout allait bien. **Ils s'entendaient** bien. Il la trouvait délicieuse et elle le trouvait si intelligent !
Mais un jour, il la regarde et il se dit : « Elle n'est pas délicieuse du tout. C'est simplement une petite fille un	Mais un jour, il l'a regardée et il s'est dit : « Elle n'est pas délicieuse du tout. C'est simplement une petite

---

* *As in Lesson 6, the reciprocal verbs constitute both the new structure and the major part of the new vocabulary. A few new terms are introduced, along with the reciprocal verbs, so no* **Lecture** *will appear in this lesson.*

peu sotte. » Et quand elle arrive avec une robe ridicule, il se moque d'elle.

D'abord, elle est surprise. Puis, elle se fâche et elle se met en colère.

Il répond sur le même ton. Et les voilà qui **se disputent**.

Elle ne le trouve plus intelligent, ni beau. Elle se met à le détester.

De son côté, il s'ennuie à la maison. Enfin, un jour, les choses vont de plus en plus mal, ils décident de **se séparer**.

Ils se séparent. Ils ne se parlent plus, **ils se brouillent**. Quand ils se rencontrent dans la rue, chacun regarde de l'autre côté.

Ils veulent divorcer.*

Cette situation dure pendant quelque temps. Un jour, il la rencontre dans la rue. Elle est jolie et il se demande qui est ce jeune homme avec elle. Elle le voit aussi. **Ils se sourient**, et ils ont envie de se revoir.

Devinez ce qui se passe ? Vous avez deviné ! **Ils se réconcilient**. Ils s'aiment encore, ils ne veulent plus se séparer. Ils ne divorcent pas.

fille un peu sotte. » Et quand elle est arrivée avec une robe ridicule, il s'est moqué d'elle.

D'abord, elle était surprise. Puis, elle s'est fâchée et elle s'est mise en colère.

Il a répondu sur le même ton. Et les voilà qui **se disputaient**.

Elle ne le trouvait plus intelligent, ni beau. Elle s'est mise à le détester.

De son côté, il s'ennuyait à la maison. Enfin, un jour, les choses allaient de plus en plus mal, ils ont décidé de **se séparer**.

Ils se sont séparés. Ils ne se parlaient plus, **ils se sont brouillés**. Quand ils se rencontraient dans la rue, chacun regardait de l'autre côté.

Ils voulaient divorcer.*

Cette situation a duré pendant quelque temps. Un jour, il l'a rencontrée dans la rue. Elle était jolie et il se demandait qui était ce jeune homme avec elle. Elle l'a vu aussi. **Ils se sont souri,** et ils avaient envie de se revoir.

Devinez ce qui s'est passé ? Vous avez deviné ! **Ils se sont réconciliés**. Ils s'aimaient encore et ils ne voulaient plus se séparer. Ils n'ont pas divorcé.

PRONONCIATION

ils se marient / ils se sont mariés
un mari

ils se fiancent / ils se sont fiancés
un fiancé   une fiancée

* divorcer n'est pas pronominal. On dit : **je me marie, je me suis marié**, mais : **je divorce, j'ai divorcé**. Et on ne dit certainement pas : Il a divorcé **sa femme !** (Qui d'autre ?)

QUESTIONS SUR L'INTRODUCTION

1. Qu'ont-ils fait quand ils se sont rencontrés ?
2. Qu'est-ce qu'ils se sont dit ?
3. Pourquoi ont-ils décidé de se revoir ?
4. Ils s'aiment... Alors, qu'est-ce qu'ils ont décidé de faire ?
5. Comment vont les choses au commencement de leur mariage ?
6. Pourquoi se sont-ils disputés ?
7. Les choses vont très mal... Alors, qu'ont-ils décidé de faire ?
8. Comment se revoient-ils ?
9. Est-ce qu'ils divorcent ? Non ? Alors, que font-ils ?
10. Si deux personnes ne veulent plus se voir, ni se parler, on dit : ces deux personnes se... (Quel est le verbe ?)

EXERCICES ORAUX

I. *Mettez les verbes réciproques à la forme indiquée.*

A. *Négative.*

1. Nous nous parlons.
2. Ils se parlent.
3. Vous vous revoyez.
4. Ils se marient.
5. Ils s'entendent bien.
6. Ils s'embrassent.
7. Vous vous rencontrez.
8. Nous nous plaisons.
9. Ils se disputent.
10. Ils se fâchent.

B. *Interrogative.*

1. Ils se rencontrent.
2. Ils se plaisent.
3. Nous nous séparons.
4. Vous vous aimez.
5. Ils se trouvent très bien.
6. Ils se disputent.
7. Nous nous réconcilions.
8. Vous vous brouillez.
9. Ils s'entendent bien.
10. Vous vous dites.

C. *Passé composé. (Attention à la place de l'adverbe!)*

1. Ils se revoient souvent.
2. Vous vous parlez quelquefois.
3. Nous ne nous disputons jamais.
4. Ils se fiancent déjà.
5. Ils ne se séparent jamais.
6. Ils ne se plaisent pas beaucoup.
7. Nous ne nous revoyons plus.
8. Vous vous aimez beaucoup.
9. Elles ne se parlent plus.
10. Vous ne vous trouvez pas très bien.

II. *Répondez à la question. (La réponse est au même temps que la question.)*

Exemple : Se sont-ils mariés ?
Oui, ils se sont mariés.

1. Se sont-ils fiancés ?
2. Se sont-ils disputés ?
3. Se sont-ils plu ?
4. Se sont-ils aimés ?

5. Se sont-ils bien entendus ?
6. Se sont-ils réconciliés ?
7. Vous reverrez-vous ?
8. Nous disputerons-nous ?
9. Vous plaisez-vous ?
10. Nous embrasserons-nous ?
11. S'écriront-ils ?
12. Nous séparerons-nous ?

EXPLICATIONS

I. Les verbes pronominaux réciproques

Les verbes pronominaux réciproques sont ceux où l'action est mutuelle et réciproque d'une personne à l'autre : *

Ils se voient. (*They see each other.*)
Ils se parlent. (*They speak to each other.*)
Ils se rencontrent. (*They meet one another.*)

Les verbes pronominaux réciproques sont généralement pluriels, car pour une action réciproque il y a au moins deux personnes.

II. La conjugaison des verbes réciproques

Leur conjugaison est exactement la même que celle des autres verbes pronominaux. Voilà, comme révision, les personnes du pluriel d'un de ces verbes.

Le pluriel des verbes réciproques

Exemple :   **se rencontrer**

Affirmative	*Négative*
nous nous rencontrons	nous ne nous rencontrons pas
vous vous rencontrez	vous ne vous rencontrez pas
ils se rencontrent	ils ne se rencontrent pas

Interrogative

Il y a deux formes : { avec **est-ce que** / avec l'inversion

Avec **est-ce que**	*Avec l'inversion*
est-ce que nous nous rencontrons ?	nous rencontrons-nous ?
est-ce que vous vous rencontrez ?	vous rencontrez-vous ?
est-ce qu' ils se rencontrent ?	se rencontrent-ils ?

---

* *The translation of these verbs into English would vary. For instance* in **Ils se voient** (They see each other) **Ils se regardent** (They look at each other), *the reciprocal idea is as clear in English as it is in French. But in* **Ils se rencontrent** (They meet) *or in* **Ils s'aiment** (They are in love) *the idea of a reciprocal action is not as clearly expressed through the English structure as in the French form.*

III. Le passé de ces verbes

Leur passé est exactement le même que celui des autres verbes pronominaux. Ils forment aussi leur passé composé avec **être**. Voilà, comme révision, le passé composé d'un de ces verbes.

Le passé composé des verbes réciproques (conjugaison au pluriel)

Exemple : **se rencontrer**

Affirmative	*Négative*
nous nous sommes rencontrés	nous ne nous sommes pas rencontrés
vous vous êtes rencontrés	vous ne vous êtes pas rencontrés
ils se sont rencontrés	ils ne se sont pas rencontrés

Interrogative

Il y a deux formes : { avec **est-ce que** / avec l'inversion

Avec **est-ce que**	*Avec l'inversion*
est-ce que nous nous sommes rencontrés ?	nous sommes-nous rencontrés ?
est-ce que vous vous êtes rencontrés ?	vous êtes-vous rencontrés ?
est-ce qu' ils se sont rencontrés ?	se sont-ils rencontrés ?

IV. L'accord du participe passé

Il suit exactement la même règle que pour les autres verbes réfléchis :

Ils se sont vu**s**.	(On voit quelqu'un.)
Ils se sont rencontré**s**.	(On rencontre quelqu'un.)
Ils se sont plu.	(On plaît **à** quelqu'un.)
Ils se sont souri.	(On sourit **à** quelqu'un.)

Le participe passé s'accorde avec le complément d'objet direct, s'il est avant le participe. S'il est après le participe, celui-ci est invariable.

V. Le verbe **plaire**

Le seul nouveau verbe irrégulier de cette leçon est le verbe **plaire**. (Tous les autres verbes sont du premier groupe, et réguliers.)

A. plaire à (*to be attractive to; to please someone*)

Conjugaison de *plaire* au présent et au passé composé

Présent	Passé composé
je plais	j'ai plu
tu plais	tu as plu
il plaît	il a plu
nous plaisons	nous avons plu
vous plaisez	vous avez plu
ils plaisent	ils ont plu

Cette couleur **me plaît**. (=J'aime cette couleur.)
Le film vous **a-t-il plu** ? (*Did you like the movie?*)
Cyril **a plu** à Cécile. (*Cecile liked him, found him attractive.*)

B. se plaire (*to be attractive to; to like each other*)

Conjugaison de *se plaire* au présent et au passé composé

	Présent	Passé composé
Les trois	nous nous plaisons	nous nous sommes plu
personnes	vous vous plaisez	vous vous êtes plu
du pluriel	ils se plaisent	ils se sont plu

Cyril et Cécile **se plaisent**. (*They like each other.*)
Ils se sont vus et **ils se sont plu**. (*They saw each other and liked each other.*)

EXERCICES ÉCRITS et/ou ORAUX

I. *Comment dit-on, avec un verbe pronominal réfléchi ?*

   (Employez un des verbes de la leçon qui peut être différent du verbe de la question.)

   Exemple : Il aime sa fiancée et elle l'aime.
   Ils s'aiment.

   1. Il l'a rencontrée et elle l'a rencontré.
   2. Il m'a souri, et je lui ai souri.
   3. Il ne lui parle plus, et elle le déteste.
   4. Leur querelle est finie et tout va bien.
   5. Elle le trouve très bien et il la trouve charmante.
   6. Vous vous êtes parlé fort, et en colère.

7. Cette jeune femme et sa belle-mère se disputent souvent.
8. Il lui a donné une bague de fiançailles.
9. Il m'a regardée, et je l'ai regardé.
10. Il lui a demandé un rendez-vous et elle a accepté.

II. *Voilà la réponse. Quelle est la question ?*

Exemple : Non, il ne me plaît pas du tout.
Vous plaît-il beaucoup ?

1. Non, ils ne se sont pas revus.
2. Je ne sais pas pourquoi ils se sont disputés.
3. Ils se sont embrassés parce qu'ils se plaisent.
4. Je crois qu'ils se sont rencontrés à une manifestation politique.
5. Nous nous sommes brouillés parce qu'il m'a dit que j'étais sotte.
6. Oh, nous nous aimons beaucoup.
7. Non, nous ne voulons pas nous marier.
8. Je me suis mise en colère quand vous vous êtes moqué de moi.
9. Si, ils se sont réconciliés.
10. Mais si, nous nous entendons très bien, au contraire.

III. *Mettez le passage suivant au passé. (Passé composé et imparfait)*

Quand ils *s'installent* dans leur petit appartement, Lise *se dit* qu'elle *a* beaucoup de chance et que tout *est* parfait. Maurice et elle *s'entendent* si bien, ils *ont* les mêmes goûts. Ils *s'amusent* comme des enfants, ils *se lèvent* tard le dimanche matin, *se lisent* les passages amusants du journal au lit. Ils *s'adorent**.

Mais un jour, la mère de Maurice *vient* les voir. Elle *arrive* — surprise ! — et elle *se fâche* parce que l'appartement *est* en désordre, que les affaires du pauvre Maurice ne *sont* pas en ordre. Alors Lise *se met* en colère, et elle *demande* à son mari s'il *a* besoin d'une femme ou d'une mère. Le pauvre Maurice, qui ne *sait* pas quoi faire et qui *veut* la paix ne *répond* pas. Alors, sa mère et sa femme *se disputent* et *se brouillent*.

COMPOSITIONS

Composition orale et/ou écrite.

Vous avez le choix entre deux sujets :

A. Une rencontre. Si vous êtes marié, racontez comment votre femme (ou : votre mari) et vous, vous vous êtes rencontrés. Si vous êtes célibataire, racontez comment vous avez rencontré quelqu'un que vous considérez très spécial. Ou, si vous voulez, racontez comment vos parents se sont rencontrés.

* *Note that this part, from* **Maurice et elle**…, *is a description of their situation.*

B. **Une belle histoire d'amour.** Racontez une belle histoire d'amour, et expliquez pourquoi elle est belle. (Cette histoire peut être un classique comme *Tristan et Yseult* ou *Roméo et Juliette*, ou elle peut être dans un film que vous avez vu ou dans un roman que vous avez lu. C'est peut-être aussi l'histoire d'un couple que vous connaissez.)

VOCABULAIRE

NOMS

Noms masculins

le couple	le hasard

Noms féminins

la bague	l'idylle

ADJECTIFS

accéléré (-e)	sot, sotte

VERBES

Verbes pronominaux

s'aimer	se fâcher	se regarder
se brouiller	se fiancer	se rencontrer
se dire	se marier	se revoir
se disputer	se mettre en colère	se séparer
s'embrasser	se plaire	se sourire
s'entendre	se réconcilier	se trouver

DIVERS

par hasard

LEÇON 9
Parlons d'un roman (suite et fin)

Les verbes pronominaux idiomatiques
Les verbes pronominaux à sens passif

Introduction

PRÉSENT

Si vous faites très bien quelque chose, si vous êtes expert, vous dites : « **Je m'y connais en...** »(en mécanique, par exemple). **En quoi vous y connais-sez-vous** ?

Si vous êtes raisonnable, si vous ne faites rien de mal, **vous vous conduisez bien. Vous conduisez-vous** bien ?

Quand quelque chose change, il faut **s'habituer à** la nouvelle chose. On dit aussi **se faire à** quelque chose. **Vous êtes-vous fait à** la vie d'étudiant ?

Vous connaissez le verbe **partir**. On dit aussi « **Je m'en vais** », c'est-à-dire, **je pars**.

Quand **s'en va-t-on** en vacances cette année ?

Si vous réalisez* quelque chose, **vous vous en apercevez**. De quoi **vous êtes-vous aperçu** au com-mencement de cette classe ? (On dit aussi : « **Je m'en suis rendu compte.** »)

PRÉSENT ET PASSÉ

Je m'y connais en politique. Mais je ne m'y connais pas en sports.

Je me conduis bien. Quand je **me conduis mal**, c'est exceptionnel.

Oui, **je m'y suis fait.** Maintenant, **je m'y suis habitué.**

On s'en va à la fin du mois de juin.

Je me suis aperçu de la nécessité de parler français. Je m'en suis aperçu tout de suite. (*ou* : Je m'en suis rendu compte tout de suite.)

---

* Le verbe **réaliser**, au sens de *to make come true, to materialize* comme dans **réaliser un rêve**, **réaliser un capital**, existe depuis longtemps dans la langue française.
Le nouveau sens de *to understand, to perceive*, semblable au sens anglais de *to realize*, longtemps considéré comme un anglicisme, est maintenant officiellement accepté. Le *Petit Larousse* (Edition de 1966) le définit comme : **concevoir d'une manière nette, se rendre compte.**

Si vous avez absolument besoin de voiture, par exemple, vous dites : « Je ne peux pas **me passer de** voiture. » **Vous êtes-vous** souvent **passé de** certaines choses ?

Hélas, oui ! **Je me suis** souvent **passé de** petit déjeuner.

J'ai très bonne mémoire : **je me rappelle** toujours tout ce que j'entends. **Vous rappelez-vous** tout ?

Je ne me suis rappelé ni les dates, ni les faits pour l'examen d'histoire.

Les verbes pronominaux à sens passif

DÉCLARATION ET QUESTION

RÉPONSE

Il y a beaucoup de gens qui parlent français au Canada. On parle français, le français **se parle** au Canada. Quelle est la langue qui **se parle** aux Etats-Unis ?

C'est l'anglais, naturellement, qui **se parle** aux Etats-Unis.

Si vous vous mettez à danser pendant la classe, tout le monde est surpris, parce que **ça ne se fait pas.** Qu'est-ce qui **ne se fait pas** dans votre école ?

Eh bien, par exemple, aller en classe avec un chapeau, **ne se fait pas** du tout.

Si vous dites à un professeur : « Je vous trouve ridicule et je m'ennuie dans votre classe », il est furieux. **Ça ne se dit pas !** Est-ce que toutes les vérités **se disent** ?

Non ! Beaucoup de choses **ne se disent pas,** même si elles sont vraies.

Vous êtes pâle, vous avez l'air fatigué. Vous me dites : « Je n'ai pas dormi de la nuit. » Je vous réponds : « **Ça se voit !** »

Est-ce que ça se voit, quand vous n'avez pas préparé votre composition orale ?

Non seulement ça se voit, mais **ça s'entend !**

Quel journal **se vend** le plus à Paris ?

C'est probablement *France-Soir* qui se vend le plus.

Savez-vous si le film qui **se joue** au Ciné-Bijou est bon ?

Je ne sais même pas lequel s'y joue maintenant.

EXERCICES ORAUX

I. *Quelle est la forme du verbe ?*

    A. *Au présent.* (*Affirmative*)

      1. (s'y connaître)
        je _____
        nous _____
        tu _____

      4. (s'en aller)
        vous _____
        on _____
        je _____

      7. (se conduire)
        il _____ bien
        vous _____ bien
        elle _____ mal

      2. (s'y habituer)
        il _____
        on _____
        je _____

      5. (s'en passer)
        tu _____
        il _____
        vous _____

      8. (s'en rendre compte)
        nous _____
        tu _____
        je _____

      3. (s'y faire)
        vous _____
        je _____
        ils _____

      6. (se rappeler)
        je _____
        nous _____
        ils _____

      9. (s'en apercevoir)
        ils _____
        nous _____
        on _____

    B. *Au présent.* (*Négative*)

      1. (se rappeler)
        tu _____
        je _____
        vous _____

      2. (s'en rendre compte)
        il _____
        vous _____
        ils _____

      3. (s'en aller)
        il _____
        nous _____
        ils _____

    C. *Au passé composé.* (*Affirmative*)

      1. (s'y habituer)
        je _____
        vous _____
        ils _____

      2. (s'en apercevoir)
        nous _____
        tu _____
        je _____

      3. (s'en aller)
        il _____
        vous _____
        je _____

    D. *Au passé composé.* (*Négative*)

      1. (s'y faire)
        je _____
        nous _____
        tu _____

      2. (s'en aller)
        il _____
        je _____
        nous _____

      3. (se rappeler)
        je _____
        vous _____
        ils _____

II. *Voilà la réponse. Quelle est la question ?*

    Exemple : Je m'y suis habitué.   (à la cuisine de l'université)
            Vous êtes-vous habitué à la cuisine de l'université ?

    1. Je ne m'en suis pas aperçu.   (de l'heure qu'il est)
    2. On ne peut pas s'en passer.   (de téléphone)
    3. Il s'est très bien rendu compte.   (de son erreur)

4. Je m'y fais sans difficultés. (au climat de cette région)
5. Je ne me la rappelle pas. (la date de l'examen)
6. Oui, je m'y suis mis hier matin. (au travail)
7. Ma mère s'en passe très bien. (de voiture)
8. Oui, mon petit frère s'est très bien conduit. (chez sa grand-mère)

III. *Donnez l'équivalent de la phrase avec un verbe pronominal à sens passif.*

Exemple : Ce journal est vendu à Paris.
Ce journal se vend à Paris.

1. Le français est parlé en Afrique de l'Ouest.
2. On a joué ce film la semaine dernière au cinéma du coin.
3. On joue les fugues de Bach au piano.
4. La station (radio et télévision) Tour Eiffel est vue et entendue dans toute la France.
5. On ne dit pas « Bon matin » en français. On dit « Bonjour ».
6. Les gens savent (= on sait) les nouvelles en quelques heures.
7. La bouillabaisse est faite avec une variété de poissons et du safran.
8. On sert le vin blanc frais, mais on sert le vin rouge à la température de la pièce. On ne sert jamais le vin glacé.
9. En France, le gigot est mangé avec des haricots* et une salade.
10. On trouve les légumes congelés dans un bac de congélation.**

IV. *A votre avis, dites-moi si...?*

Répondez en employant une des expressions suivantes (ou sa forme négative).

ça se voit, ça se sait, ça se dit, ça se fait, ça s'entend, ça se comprend, ça se vend

Exemple : Je suis malade.
Ça ne se voit pas!

1. J'ai soixante-dix ans.
2. Je parle anglais, mais je suis né en France.
3. Je me demande pourquoi les magasins sont pleins de ces horreurs !
4. Les gens savent-ils que les politiciens ne sont pas tous honnêtes ?
5. J'adore les pattes et la moustache.
6. Quand j'ai corrigé cinquante compositions, je suis... fatigué !
7. Pourquoi dites-vous *Hi!* quand vous rencontrez un copain ?
8. Pourquoi ne venez-vous pas en classe en smoking (*tuxedo*) ?
9. Nous sommes près d'un aéroport, et il y a des avions toute la journée !
10. Pourquoi ne vous rasez-vous pas la tête ?

---

* le gigot (*leg of lamb*) et les haricots (*beans*). *Remember Mme Sernin's menu, Lesson 12, page 117 ?*
** bac de congélation : *freezer compartment* (*as in a supermarket*)

LECTURE

Parlons d'un roman:
Bonjour Tristesse
de Françoise Sagan

(Suite du résumé, lecture de la Leçon 7.)

L'arrivée d'Anne, le complot de Cécile et le désastre.

Donc, le bonheur et le calme des vacances de Cécile allaient s'interrompre à l'arrivée d'Anne. Mais, en attendant ce jour-là, l'idylle de Cécile et de Cyril continuait. Ils se rencontraient tous les jours sur la plage et passaient la journée ensemble. Ils étaient en train de s'embrasser, un après-midi, quand un coup de klaxon a annoncé l'arrivée d'Anne. Celle-ci, toujours aussi belle que Cécile se la rappelait, s'est installée à la villa et d'abord, tout allait bien, jusqu'au jour où Raymond a emmené Cécile, Elsa et Anne danser au Casino de Cannes. Ce soir-là, Anne est descendue de sa chambre dans une robe de satin gris pâle, et elle était si belle, si lumineuse que Raymond l'a regardée pour la première fois comme une femme et non pas comme une vieille amie. Et en effet, le lendemain, Raymond et Anne ont décidé de se marier, après avoir demandé à Cécile son approbation.

Celle-ci, assez intelligente pour se rendre compte qu'elle était un peu fatiguée de cette vie agréable, mais sans discipline, a exprimé son bonheur à la perspective d'avoir enfin une mère, une maison bien organisée, des heures régulières, bref, l'autorité d'un adulte. Elle ne voyait pas encore qu'elle allait être obligée de sacrifier son indépendance...

Pourtant, son idylle avec Cyril continuait... Elle lui a expliqué, un jour, ce que le lecteur avait déjà compris : c'est qu'elle commençait à être un peu jalouse de l'amour de son père pour Anne. Raymond n'était plus son « copain ». Anne était maintenant la première dans l'affection de celui-ci.

C'est Anne qui, sans le vouloir, a précipité les événements. Un jour où elle se promenait dans le petit bois de pins près de la villa, elle a vu Cécile et Cyril qui s'embrassaient. Pour une personne comme Anne, ce genre de choses ne se fait absolument pas. Elle s'est fâchée, a parlé très froidement à Cyril et a ramené Cécile à la maison. Cécile s'est mise en colère, a pleuré, a essayé d'expliquer. Anne est restée inflexible, « Je m'aperçois que vous usez mal de votre liberté ; vous vous êtes très mal conduite et je vais parler à votre père... » a-t-elle dit. Alors, ce soir-là, Raymond, très gêné mais qui voulait la paix, sans regarder sa fille dans les yeux,

DAVID SEYMOUR, *Françoise Sagan*

Le succès de *Bonjour Tristesse* a changé la vie de Françoise Sagan. La voilà, à cette époque, sur la Côte d'Azur, avec sa nouvelle voiture.

lui a dit qu'il était d'accord avec Anne, qu'il ne fallait plus revoir Cyril et qu'il fallait passer ses après-midi dans sa chambre (pour comble de malheur, Cécile avait un examen à passer en octobre !), à étudier sa philosophie et sa littérature.

Enfermée dans sa chambre avec ses livres, Cécile en voulait trop à Anne, et elle était trop furieuse pour travailler. Pour elle, Anne n'était plus la mère, bonne, mais ferme qu'elle cherchait, mais un beau serpent qui lui avait volé son père, pris sa liberté, et qui avait interrompu son idylle avec Cyril. Cécile voulait se venger et surtout se débarrasser d'Anne. Elle a fini par organiser un complot, avec l'aide d'Elsa : celle-ci allait faire semblant d'être amoureuse de Raymond et arranger un rendez-vous avec lui dans le petit bois de pins... naturellement, à l'heure où Anne allait se promener dans le bois.

Hélas, le complot a trop bien réussi ! Anne a surpris Raymond et Elsa dans le petit bois, et elle s'est dit qu'elle s'était trompée, que Raymond ne l'aimait pas, qu'elle avait tort de vouloir se marier avec lui. Elle est rentrée à la villa, a fait ses bagages et elle s'en est allée, sans revoir Raymond, sans explication, après avoir simplement dit à Cécile : « J'espère qu'un jour vous comprendrez... »

Deux heures plus tard, le téléphone a sonné. Raymond, qui était rentré, très gêné, s'est précipité pour y répondre : c'était un hôpital qui téléphonait. Anne avait eu un accident, sa voiture était tombée dans un précipice et elle était morte... Cécile et son père se sont regardés, pleins de terreur. Etait-ce vraiment un « accident » ? « Je ne le saurai jamais », se dit Cécile, « toute ma vie, je me demanderai ce qu'Anne a vraiment compris, et si, par délicatesse ou par pitié pour moi, elle a choisi cette manière de mourir... »

Maintenant, de retour à Paris, c'est une autre Cécile, une Cécile changée, qui se rend compte de ses responsabilités qui dit : « Bonjour, Tristesse » à ce sentiment nouveau, moitié remords, moitié tristesse, qui est peut-être, tout simplement, le commencement de la maturité.

PRONONCIATION

je vais / je m'en vais / je m'en suis allé
je m'y connais / je me connais
je m'en aperçois / je m'en suis aperçu

QUESTIONS SUR LA LECTURE

1. Comment le calme des vacances de Cécile allait-il s'interrompre ?
2. Mais avant cette date, que faisaient Cécile et Cyril ?
3. Comment et pourquoi Raymond et Anne ont-ils décidé de se marier ?
4. Qu'a fait Anne quand elle a vu Cécile et Cyril qui s'embrassaient ?
5. Comment l'attitude de Raymond envers Cécile a-t-elle changé ?

6. De quoi Cécile s'est-elle rendu compte ?
7. Pourquoi en voulait-elle à Anne ?
8. Qu'est-ce qu'elle a fait pour se débarrasser d'Anne ?
9. Le complot a-t-il réussi ? Qu'est-ce qui s'est passé ?
10. Comment l'affaire a-t-elle fini ?
11. A votre avis, Cécile est-elle à blâmer (un peu ? complètement ? pas du tout ?) pour la mort d'Anne ?
12. Après avoir fini l'histoire, comprenez-vous maintenant la première page du livre (*voir Leçon 7, page 357*) où Cécile se demande le nom du sentiment qu'elle éprouve ? Expliquez.

EXPLICATIONS

I. Les verbes pronominaux à sens idiomatique *

A. Leur définition

Ce sont des verbes qui changent de sens quand ils sont pronominaux.

Vous faites quelque chose. (*You* do *something.*)
mais :
Vous vous faites à quelque chose. (*You* get used to *something.*)

B. Les verbes pronominaux idomatiques de la leçon

s'y connaître (*to be good at something; to be an expert in*)
a un sens différent de **connaître** (*to know; to be acquainted with*)

se conduire (*to behave*)
a un sens différent de **conduire** (*to drive; to conduct*) **

s'habituer à, se faire à (*to get used to*) †
se faire a un sens différent de **faire** (*to do; to make*)

s'en aller (*to go away*)
a un sens différent de **aller** (*to go*)

s'apercevoir de, se rendre compte de (*to realize*)
Ces deux verbes ont le même sens. Mais vous voyez que **s'apercevoir de** a un sens différent de **apercevoir** (*to glimpse*), et **se rendre** (**compte**) a un sens différent de **rendre** (*to return; to give back*)

---

* *These are very numerous and used frequently in French. One might compare them to verbs formed in English on a simple verb like* to get, *with the adjunct of a postposition:* to get up, to get through, to get off, to get along, *etc., in the sort of problem they present to a student of the new language.*
** *Although you can understand it as* to conduct oneself.
† *There is also* s'en faire (*to worry*) *a little familiar, but commonly used in:* **Ne t'en fais pas** *or:* **Ne vous en faites pas** (Don't worry).

se passer de (*to do without*)

a un sens différent de **passer** (*to pass*) et **se passer** (*to happen*)

s'entendre (*to get along*) (*voir Leçon 8, page 367*)

a un sens différent de **entendre** (*to hear*)

Il y a beaucoup d'autres verbes pronominaux à sens idiomatique, et vous les rencontrerez au cours de vos lectures et de vos conversations. Employez ces verbes chaque fois qu'il est possible de le faire ; leur usage est une des caractéristiques du français.

C. La construction de ces verbes et leurs temps

Leur construction et leurs temps sont exactement les mêmes que pour les autres verbes pronominaux. Remarquez pourtant :

1. Certains de ces verbes emploient une préposition.

Verbes comme **se passer de, se faire à, s'apercevoir de** ont une préposition qui devient le pronom **y** ou **en** quand l'objet n'est pas exprimé :

Vous passez-vous **de voiture** ? Oui, je m'**en** passe très bien.
Vous faites-vous **à ce climat** ? Non, je ne m'**y** fais pas.
Vous êtes-vous aperçu **de votre erreur** ? Oui, je m'**en** suis aperçu.

2. Certains de ces verbes comprennent (*comprise*) un **y** ou **en** sans antécédent, mais qui fait partie de (*is a part of*) l'expression.

Ne vous **en** faites pas.   (s'**en** faire)
Il s'**y** connaît en musique.   (s'**y** connaître)

II. Les verbes pronominaux à sens passif

A. Leur définition

On peut employer beaucoup de verbes à forme pronominale, avec un sens passif :

Ce journal **se vend** partout.   (= *is sold*)
Le français **se parle** au Canada.   (= *is spoken*)
Ça ne **se fait** pas du tout.   (= *is not done*)

REMARQUEZ: Ces verbes sont toujours à la 3ème personne (singulier ou pluriel) **se vend, se parle, se fait**, etc., quand ils ont un sens passif.

B. Les trois alternatives pour exprimer la même idée

Il y a trois manières d'exprimer la même idée :

1. *Avec le verbe à sens passif:*   Ce journal **se vend** partout.
2. *Avec* **on**:   **On vend** ce journal partout.
3. *Avec le passif du verbe:*   Ce journal **est vendu** partout.

REMARQUEZ: La forme passive est la moins probable en français.

III. L'expression **faire semblant de** (*to pretend*)

Quand on ne sait pas la réponse, **on fait semblant de** réfléchir.

Il faut **faire semblant d**'être content quand on vous donne quelque chose, même si c'est un objet impossible.

EXERCICES ÉCRITS et/ou ORAUX

I. *Les nouveaux verbes idiomatiques de la leçon :*
en vouloir à, se venger, se débarrasser, se promener, se précipiter

Répondez aux questions suivantes, en montrant que vous comprenez le sens de ces verbes.

Exemple : Comment vous débarrassez-vous d'un livre ?
Si j'ai de la chance, je le vends à un copain.

1. Que faites-vous si vous voulez vous débarrasser d'un travail ennuyeux ?
2. Pourquoi vous précipitez-vous quand le courrier arrive ?
3. Comment se débarrasse-t-on d'un objet inutile ?
4. Quand en voulez-vous à quelqu'un ?
5. Où les étudiants de cette université vont-ils se promener ?
6. Comment vous vengez-vous si quelqu'un dit des mensonges (*lies*) sur vous ?
7. Comment vous débarrassez-vous d'un vendeur trop insistant ?
8. Vous précipitez-vous quand le téléphone sonne ? Pourquoi ?
9. Que pensez-vous des gens qui en veulent toujours à tout le monde ?
10. Préférez-vous aller vous promener à pied ou en voiture ?

II. *Mettez le passage suivant au passé.*

Cécile *se rend compte* que son père ne l'*aime* plus comme avant. Elle *s'aperçoit* vite* qu'Anne *a* beaucoup d'influence sur Raymond, alors elle *se met* en colère contre ce « beau serpent » qui lui *prend* son père.
Elle *se met* bientôt à détester Anne, et elle *se dit* qu'elle *va*** se venger. Elle lui en *veut* aussi parce qu'Anne la *sépare* de Cyril et l'*enferme* dans sa chambre avec ses livres. Le complot qu'elle *prépare réussit* très bien, et Anne *s'en va*.
Mais un peu plus tard, le téléphone *sonne*. C'*est* un hôpital qui *annonce* que la voiture d'Anne *est tombée* dans un précipice, et qu'Anne *est* morte. Cécile *se rend* alors *compte* de sa responsabilité, et *se fait* à l'idée de vivre avec le remords dans sa conscience.

* *Surely, you have not forgotten that the adverb goes* after *the verb. That means, of course, that in the* **passé composé** *it goes after the auxiliary (a verb, strictly speaking, is only something you can conjugate, so the auxiliary becomes the verb, technically speaking).* **Il parle bien,** *would be, in the* **passé composé** **Il a bien parlé.** *Now, apply that to this exercise.*
** *Note that when* **aller** *is used to indicate a future action (***Elle va se venger,** *for instance), its past will always be in the imperfect (***Elle allait se venger***).*

III. *Trouvez des questions possibles et imaginatives aux réponses suivantes.*

> Exemple : Oh, c'était terrible ! Il s'y est très mal conduit.
> *Comment votre fiancé s'est-il conduit quand vous l'avez emmené voir vos parents ?*

1. Non, mais j'ai fait semblant.
2. Parce que je voulais me débarrasser de lui.
3. Je ne sais pas si ça se fait en France. Aux Etats-Unis, ça ne se fait pas.
4. Oh, je crois qu'il voulait simplement se reposer.
5. Non, ça ne se voit pas du tout. Mes compliments !
6. Mais non, je ne vous en veux pas du tout.
7. Non, je ne me rappelle pas son nom non plus.
8. Si, si. Je me promène chaque fois que j'ai le temps.
9. Oui, je me le demande aussi.
10. Non, pas encore. Mais je vais m'y mettre demain, sans faute.

IV. *L'impératif des verbes pronominaux.*

A. *Complétez la phrase avec le verbe pronominal indiqué à l'impératif affirmatif.*

> Exemple : (se conduire)   *Conduisez-vous* bien quand on vous regarde !

1. (se rappeler)   Faites un effort de mémoire. _____ son nom !
2. (se mettre)   N'attendons plus. _____ à table sans lui.
3. (se débarrasser)   _____ de ces vieux papiers !
4. (se rendre compte)   Mais c'est très grave ! _____ de la situation.
5. (se promener)   Tu as besoin d'exercice. _____ plus souvent.

B. *Complétez par le verbe à l'impératif négatif.*

> Exemple : (se tromper)   *Ne vous trompez pas* de numéro quand vous téléphonez.

1. (se venger)   Pardonnez à vos ennemis. _____ !
2. (se mettre en colère) _____, je vous assure que c'était une plaisanterie.
3. (se disputer)   Discutez si vous voulez, mais _____.
4. (s'en aller)   Reste, s'il te plaît, reste. _____ !
5. (se conduire)   _____ mal. Nous ne sommes plus des enfants.

COMPOSITIONS

Composition orale et/ou écrite.

Vous avez le choix entre trois sujets :

A. Racontez une occasion où vous avez été obligé de « faire semblant ».

B. Vous — ou quelqu'un que vous connaissez — s'est vengé parce qu'il en voulait à quelqu'un. Racontez les circonstances, le complot, les conséquences.

C. Imaginez une autre fin pour *Bonjour Tristesse*. (Par exemple, la fin, si c'était un film de Hollywood de 1940 ? un film italien réaliste ? une pièce de Shakespeare ? votre roman ou votre film ?)

Naturellement, vous emploierez autant de verbes pronominaux, réfléchis, réciproques et idiomatiques que possible.

VOCABULAIRE

NOMS

Noms masculins

le bois de pins	le coup de klaxon	le malheur ≠ le bonheur
le calme	le fait	le précipice
le casino	l'hôpital	
le climat	le klaxon	

Noms féminins

l'affection	la délicatesse	la pitié
l'approbation	la maturité	la terreur
l'autorité	la paix	

ADJECTIFS

---

amoureux, amoureuse	expert (-e)	indifférent (-e)
changé (-e)	ferme	insistant (-e)
enfermé (-e)	gêné (-e)	lumineux, lumineuse

VERBES

Verbes pronominaux

s'apercevoir	s'habituer (à)	se rendre compte (de)
se conduire	se passer (de)	se venger (de)
se débarrasser (de)	se précipiter	s'y connaître (en)
s'en aller	se promener	
se faire (à)	se rappeler	

Autres

blâmer	précipiter	user (de)
faire semblant (de)	sacrifier	voler
pleurer		

ADVERBES

froidement   simplement

DIVERS

ça ne se dit pas   ça se voit   pour comble de malheur
ça ne se fait pas   ça s'entend

VOCABULAIRE DES EXERCICES :

NOMS

Noms masculins
le bac de congélation   le safran   le smoking

Noms féminins
la bouillabaisse   la fugue   la station

EDMOND AMAN-JEAN, *Mlle Moreno*

Collection, The Museum of Modern Art, New York.
Abby A. Rockefeller Purchase Fund

Comme celui de Barbara, un visage aperçu une fois laisse souvent un souvenir vague et mystérieux, mais persistant.

Jacques Prévert

Barbara

Rappelle-toi, Barbara
Il pleuvait sans cesse sur Brest ce jour-là
Et tu marchais souriante
Epanouie, ravie, ruisselante
Sous la pluie
Rappelle-toi Barbara
Il pleuvait sans cesse sur Brest
Et je t'ai croisée rue de Siam
Tu souriais
Et moi je souriais de même
Rappelle-toi Barbara
Toi qui ne me connaissais pas
Rappelle-toi
Rappelle-toi quand même ce jour-là
N'oublie pas
Un homme sous un porche s'abritait
Et il a crié ton nom
Et tu as couru vers lui sous la pluie
Ruisselante ravie épanouie
Et tu t'es jetée dans ses bras
Rappelle-toi ça Barbara
Et ne m'en veux pas si je te tutoie
Je dis tu à tous ceux que j'aime
Même si je ne les ai vus qu'une seule fois
Je dis tu à tous ceux qui s'aiment
Même si je ne les connais pas
Rappelle-toi, Barbara
N'oublie pas
Cette pluie sage et heureuse
Sur ton visage heureux
Cette pluie sur la mer...

Paroles. © Editions Gallimard.

LEÇON 10
Une interview exclusive

ça

Les pronoms disjoints :
moi, toi, lui, elle, nous, vous, eux, elles

Le concept de la construction affective

Introduction

DÉCLARATION ET QUESTION	RÉPONSE
Ça, c'est une histoire fantastique ! Où avez-vous entendu raconter **ça** ?	Oh, j'ai entendu raconter **ça** chez des amis.
Vous allez bien ? Et la famille, la santé, les affaires, **ça** va, tout **ça** ?	Oui, merci **ça** va.
Encore un peu de dessert ?	Non, merci, **ça** suffit comme **ça**.
Regardez ces photos : **ça** c'est moi à la plage. Et **ça**, savez-vous qui c'est ?	**Ça** ? Mais c'est moi, **ça** ! Je ne savais pas que j'étais si brun que **ça**, cet été !
Vous comprenez bien **ça** ?	Oui, je comprends **ça**.
Qu'est-ce que c'est que **ça** ?	**Ça** ? C'est un ornithorynque.* **Ça** vient d'Australie, où **ça** vit depuis des millions d'années.
Jean-Pierre est français. Et **vous**, êtes-vous français ?	Non. **Moi**, je suis américain.
Jean-Pierre, **lui**, il aime les escargots. Pas moi. Et **vous**, les aimez-vous ?	**Moi**, je ne les aime pas non plus. **Nous autres**, Américains, nous ne mangeons pas d'escargots.

* un ornithorynque : *a duck-bill platypus*

« **Vous autres**, Américains, vous aimez surtout les machines » me disent mes amis français. Qu'en pensez-vous, **vous qui êtes** américain ?

Moi qui suis américain, je sais que ce n'est pas vrai.

Nous autres, les jeunes, nous avons des vues sur la politique. Mais nos parents, **eux**, pensent encore comme en 1940. Et les vôtres, comment sont-ils, **eux** ?

Les miens ? Oh, ils ne sont pas comme ça. Ils sont modernes, **eux**.

Qui a dit ça ?
Où allez-vous ?

C'est moi (qui ai dit ça).
Chez moi (ou **chez nous**).

Pourquoi avez-vous acheté des fleurs ?

Parce que quand je dîne chez une dame, j'achète toujours des fleurs pour **elle**.

Ah, voilà ce jeune couple si sympathique. **Lui** et **elle** sont charmants. Voulez-vous me présenter à eux ?

Avec plaisir. **Lui** et **elle** sont mes amis. Ce sont eux qui habitent en face de chez moi.

EXERCICES ORAUX

I. *Complétez par le pronom disjoint approprié ou* **ça.**

1. _____, je ne sors pas pendant la semaine. Et _____, sortez-vous ? Non, _____ non plus.
2. _____, il est toujours prêt en cinq minutes. Mais sa femme, _____, elle met une heure. Alors, je ne les attends jamais à l'heure, _____.
3. Un ornithorynque ? Mon dieu ! Qu'est-ce que c'est que _____ ? Je n'ai jamais vu _____, _____ !
4. Oh, _____, vous vous y connaissez en tout. Vous savez tout faire, _____ ! Ce n'est pas comme _____. Je ne sais rien faire, _____.
5. La valse ? le menuet ? _____, je ne sais pas danser _____.
6. Les Français ont une longue histoire. Mais _____, Américains, nous en avons une beaucoup plus courte. C'est pour _____, que _____, Français, vous pensez plus au passé, et que _____, Américains, nous pensons plus au futur.

II. *Complétez par les pronoms appropriés.*

   (*Imaginez que Cécile et Cyril, de* Bonjour Tristesse, *sont dans le bateau à voile de Cyril. Celui-ci est en train de donner une leçon de navigation à Cécile.*)

   Cyril : Regardez, Cécile, on fait comme _____ ; on prend cette corde et ce morceau de bois et avec _____, on manœuvre le bateau.

Cécile : C'est difficile pour _____, mais pas pour _____. (*admirative*) Vous vous y connaissez, _____ !

Cyril : Oh, je ne suis pas si sensationnel que _____. Laissez-_____ manœuvrer le bateau et mettez-_____ là, au soleil. Oui, c'est _____. Racontez-_____ ce qui se passe chez vous depuis l'arrivée d'Anne.

Cécile : Oh, _____ alors ! Vous savez que mon père, Elsa et _____, nous nous entendions bien. _____, je demande surtout mon indépendance, Elsa, _____ voulait seulement brunir au soleil. Mais Anne a d'autres idées, _____ ! Ni mon père, ni _____ ne sommes des intellectuels. Et nous sommes très heureux comme _____ ! _____ nous suffit. Mais Madame, _____, a décidé qu'il fallait que _____, je passe des examens. Mon père a essayé de dire que _____, il n'avait pas de diplômes. Elle dit que pour _____, c'est différent. Et malgré _____, je ne la déteste pas. Elle est froide, distante, mais avec tout _____, elle a quelque chose de distingué, d'élégant, de discipliné. Et _____, qui ne suis ni distinguée, ni disciplinée, j'admire _____ malgré _____ !

Cyril : (*philosophique*) Ma pauvre Cécile ! Les dilemmes, les complications, c'est _____, la vie ! _____ aussi, j'en ai, vous savez.

III. *La construction affective.*

Les phrases suivantes ont une construction objective. Changez celles-ci pour en faire une construction subjective (= affective). Il y a probablement plusieurs constructions possibles.

Exemple : J'ai fait ce gâteau.
C'est moi qui ai fait ce gâteau.
ou :
Ce gâteau ? C'est moi qui l'ai fait.

1. Mon frère a fait cette sculpture.
2. Je voudrais avoir cette maison.
3. Nous avons besoin de vacances.
4. Richard n'a pas de talent. J'en ai.
5. Votre copain dit que je suis idiote.
6. Non. Il ne dit pas que vous êtes idiote. Bob le dit.
7. J'ai demandé le divorce. Je me débarrasse d'elle.
8. Non, je ne l'ai pas rencontré en Europe. Je l'ai rencontré à Chicago.
9. Nous voudrions bien savoir pourquoi nous sommes ici.
10. Louis XIV a dit : « L'état, c'est moi. » Louis XV a dit : « Après moi, le déluge. » Napoléon n'a dit ni l'un ni l'autre.

LECTURE

Ce qui suit est une adaptation d'une interview publiée dans une revue de cinéma. C'est aussi un exercice d'inanité, et si vous reconnaissez une certaine beauté dans la stupidité totale vous admirerez Mlle Belle, mais moins que ses fidèles admirateurs et admiratrices qui se précipitent pour acheter des revues chaque fois que sa photo est sur la couverture.

Une interview exclusive

De notre envoyé spécial à Saint-Tropez:

Saint-Tropez, le 15 juillet. Mlle Belle m'a accordé une interview et a accepté de répondre aux questions que je lui ai posées au nom des lecteurs et lectrices de *Ciné-Vérité*, la revue qui dit la vérité, toute la vérité et rien que la vérité sur le monde du cinéma.

Journaliste: Mlle Belle, vous venez de finir un film, n'est-ce pas?

Mlle Belle: Oui, c'est pour ça que j'avais besoin de repos.

Journaliste: Voulez-vous nous dire quelques mots sur ce film? De quoi s'agit-il?

Mlle Belle: Il s'agit de la démocratie qui régnait à la cour des rois de France. C'est à la fois une histoire d'amour et un film historique. Ça se passe à Versailles. Quand ça commence, je suis une servante dans la cuisine du palais. Quand ça finit, je suis mariée avec le cousin du roi, et c'est moi qui suis la meilleure amie de la reine!

Journaliste: Je vois... très vraisemblable! De quel roi et de quelle reine s'agit-il?

Mlle Belle: Eh bien, lui, c'est Louis XVI et elle, c'est Marie-Antoinette. Moi, je suis la duchesse d'Orléans.

Journaliste: Mais... Louis XVI et Marie-Antoinette, ce sont eux qui sont morts sur la guillotine, pendant la Révolution, n'est-ce pas?

Mlle Belle: *(vague)* Oui, en effet, on dit ça... *(animée)* Mais pas dans mon film à moi! Au moment où la pauvre Marie-Antoinette monte sur la guillotine, moi, j'arrive dans une robe absolument ravissante, rose, avec des rubans, et un grand chapeau de paille, et je la sauve. C'est beaucoup plus gai, comme ça.

Journaliste: En effet... Et après ça?

Mlle Belle: Après ça, tout le monde est invité à Versailles, il y a un grand dîner, un bal, et le peuple de Paris se réconcilie avec le roi et la reine. D'abord,

MARIE LAURENCIN, *Tête de jeune femme*

Un conseil de Jolie Belle à ses nombreuses admiratrices: «...penser n'est pas féminin, et puis d'ailleurs ça ne se fait plus du tout! Pour être à la mode, remplacez la pensée par la coiffure...»

Louis XVI en veut aux révolutionnaires, mais, moi, je suis là, n'est-ce pas, dans une robe mauve, alors, tout finit par s'arranger.

Journaliste: Je vois. C'est tout à fait historique, ça ! Et quel est le titre de ce film ?

Mlle Belle: *La Révolution n'aura pas lieu.* C'est mon premier film vraiment sérieux, vous savez ; le public va me voir enfin dans un rôle vraisemblable.

Journaliste: Parlez-nous un peu de votre vie privée... De votre mari, par exemple.

Mlle Belle: Lequel ? Oh, pardon, oui, bien sûr... Richard Legrand. Eh bien, nous nous adorons. Nous nous admirons, et nous nous respectons.

Journaliste: Mais il n'est pas ici ?

Mlle Belle: Non, mais nous nous téléphonons tous les soirs. Je vous l'ai dit, nous nous adorons !

Journaliste: Nous autres, journalistes, nous sommes sceptiques... La rumeur dit que Richard Legrand a demandé un divorce...

Mlle Belle: Ah, non, alors, ça c'est un mensonge. Ce n'est pas lui qui l'a demandé, c'est moi ! C'est moi qui me débarrasse de lui !

Journaliste: Et pourquoi ça ?

Mlle Belle: Parce qu'il n'a pas de conscience professionnelle, voilà pourquoi. Je le respecte et je l'admire, mais il est vulgaire, sans talent, il ment, et surtout... il manque d'humilité ! Moi, qui suis la plus grande actrice et la plus jolie femme de notre siècle, voyez comme je suis simple et modeste ! Mais pas lui ! Et je ne peux pas tolérer les films où il joue ! Des horreurs, qui falsifient l'histoire, des films qui manquent de sincérité ! D'ailleurs, j'ai le plaisir d'annoncer à vos lecteurs mes fiançailles avec le jeune acteur italien Tino Tenorino...

En possession d'une aussi importante nouvelle, notre reporter s'est excusé, a remercié Mlle Belle de son amabilité et s'en est allé, à toute vitesse, au bureau de poste, d'où il a câblé son reportage à nos bureaux de Paris.

Voilà comment, mes chers lecteurs et lectrices, votre *Ciné-Vérité* est le premier à vous apporter, en exclusivité, la grande nouvelle des fiançailles de Mlle Jolie Belle. Ne manquez pas d'aller la voir dans son prochain film, une aventure authentiquement historique, *La Révolution n'aura pas lieu !*

PRONONCIATION

C'est moi
C'est moi qui ai dit ça
vous autres / nous autres
eux (= eu)

C'est lui
C'est lui qui a dit ça

QUESTIONS SUR LA LECTURE

1. Quel film Jolie Belle vient-elle de finir ? Est-il vraisemblable ? Pourquoi ?
2. Marie-Antoinette... C'est elle qui est morte sur la guillotine, n'est-ce pas ? Est-ce que quelqu'un la sauve, en réalité ?
3. Qui est Jolie Belle quand ça commence, et qui est-elle quand ça finit ? C'est vraisemblable, ça ?
4. Eh bien, Marie-Antoinette est sauvée. Acceptons ça. Mais comment finit la journée ?
5. Que pensez-vous du mariage de Jolie Belle ? Et elle, que pense-t-elle de Richard ?
6. Lequel a demandé le divorce à votre avis ? Et pourquoi, probablement ?
7. Comment sont les films où Richard joue ? Et comment sont ceux où elle joue, elle ?
8. Une grande nouvelle... Importante ou intéressante, à votre avis ? Qu'est-ce que c'est ?
9. Moi, je n'achèterai pas *Ciné-Vérité* cette semaine. Et vous, l'achèterez-vous ? Pourquoi ?
10. Que pensez-vous des gens qui se précipitent sur les revues de cinéma et ce genre de littérature ?

EXPLICATIONS

I.   ça

Le pronom **ça** n'a pas d'existence théorique en français. Grammaticalement, c'est **ceci** ou **cela**. Pourtant, le mot **ça** est employé si libéralement dans la langue parlée et même écrite, qu'il faut connaître ses usages.

A. Sujet indéfini de tous les verbes, excepté **être** (*it or that*) :

Ça va ? Oui, merci, **ça va** mieux.
C'est une histoire triste : **ça commence** bien, mais **ça finit** mal.
Avez-vous assez de dessert ? Oui, **ça suffit** comme **ça**.

REMARQUEZ: Le sujet correspondant, pour le verbe **être** est **ce**, comme vous le savez depuis votre première leçon de français. On dit :

C'est assez.   *Mais on dit:* **ça** suffit.
C'est bien.   *Mais on dit:* **ça** va.

B. Pronom d'accentuation (*emphasis*) :

ça est aussi la forme accentuée de **ce** :

> **Ça,** c'est un bon film !
> C'est bon, **ça** !
> C'est vrai, **ça** ?

Remarquez que **ça** employé pour renforcer, pour insister sur **c'est**, peut être placé avant :

> **Ça,** c'est vrai !

ou après :

> C'est vrai, **ça** !

C. Objet indéfini de tous les verbes et de toutes les prépositions :

1. *Objet direct*

> Je prendrai **ça**, **ça** et **ça**.
> Vous comprenez **ça** ? Oui, je comprends **ça**.
> Le rock-n-roll ? Mais ce n'est plus à la mode ! Vous écoutez **ça** ?
> Et vous dansez **ça** ?

2. *Après une préposition*

> Ce n'est pas difficile. Regardez ! On fait comme **ça**.
> « Et avec **ça**, Madame ? » dit la vendeuse.
> J'ai étudié tard, c'est pour **ça** que je suis fatigué.
> J'ai besoin de **ça**.

ça a un usage très général : on l'emploie comme objet de tous les verbes, direct (sans préposition) ou indirect (après une préposition).

D. Qu'est-ce que c'est que ça ?

> Qu'est-ce que c'est que ça ? Ça, c'est un ornithorynque.
> Une fusée gigogne ?* **Qu'est-ce que c'est que ça ?**

On emploie la forme **Qu'est-ce que c'est que ça ?** quand on ne sait absolument pas ce que c'est (*What in the world is that?*). Si vous voyez un objet étrange, si on vous parle de quelque chose de bizarre, vous dites : **Qu'est-ce que c'est que ça ?** Le reste du temps, naturellement, vous continuez à employer **Qu'est-ce que c'est ?** que vous avez appris dans votre première leçon de français.

---

* **Une fusée gigogne :** *a multiple-stage rocket.*

E. Quand faut-il employer **ceci** ou **cela** et non pas **ça** ?

ça est la forme familière, employée dans la conversation, et dans le style écrit sans prétention littéraire. Vous pouvez employer **ça** dans presque tous les cas, sauf dans le cas d'une phrase littéraire ou formelle.

Voilà quelques exemples de l'emploi de **ceci** et **cela** :

Napoléon n'avait pas compris que l'expansion industrielle et non pas la conquête territoriale allait marquer le dix-neuvième siècle. Dans une large mesure, **cela** explique sa défaite. (*Formalité de la phrase historique.*)

Madame Bovary, petite bourgeoise, lisait des romans, rêvait d'aventures romanesques, tandis que son mari jouait aux cartes au café avec ses amis. **Ceci**, ajouté à **cela**, la rendait mécontente de son sort, avide d'autre chose. (*Formalité de la phrase littéraire.*)

II. Les pronoms disjoints

A. Leur forme

Vous employez déjà ces pronoms. Par exemple :

Je rentre chez **moi** à cinq heures.
Je ne veux pas sortir avec **lui**.

Pronoms disjoints

Singuliers	Pluriels
moi	nous, nous autres
toi	vous, vous autres
lui/elle	eux/elles

B. Leur usage

1. *Comme pronoms d'accentuation*

C'est la forme accentuée du pronom sujet, qui renforce le sujet; insiste par répétition :

Les escargots ? Vous aimez ça, **vous** ? **Moi**, je n'aime pas ça.
Je suis simple et modeste, **moi**. Mais **lui**, il est vulgaire.

Le pronom d'accentuation est placé soit avant le pronom sujet, soit à la fin.

2. *Accentuation du possessif*

C'est notre maison **à nous.**
Ce sont mes idées **à moi.**

On emploie **à** + *le pronom disjoint* pour insister sur l'idée de possession.

3. *Objet de préposition*

Venez **avec moi.** N'allez pas **avec eux.**
Nous comptons **sur vous.**
J'ai besoin **de lui.**
Il pense **à elle.** Mais elle ne pense pas **à lui.**

4. *Sujet ou objet multiple*

Mon mari et **moi,** nous nous entendons très bien.
Nous voyons souvent les Bertrand : **lui, elle,** ma femme et **moi,** nous
  jouons aux cartes ensemble.
Je les aime beaucoup, **elle** et **lui.**

REMARQUEZ : Il est plus poli de placer **moi** le dernier. On dit : **mes amis et moi.**

C. L'emploi de **nous autres** et **vous autres**

Employez **vous autres** et **nous autres** au lieu de **nous** et **vous** pour bien
marquer l'opposition entre un groupe et l'autre.

Nous autres, étudiants, nous avons des problèmes que **vous autres,**
professeurs, vous ne comprenez pas du tout.

REMARQUEZ : **vous autres** indique toujours un pluriel (*you people*).

III. Le concept de la construction affective

A. La construction affective avec **c'est**

J'ai demandé le divorce.
C'est moi qui ai demandé le divorce. **Ce n'est pas lui.**

Vous avez dit ça ?
C'est vous qui avez dit ça ?

Dans ces deux groupes de phrases, vous voyez deux exemples de la
construction affective, qui met l'accent, l'insistance sur le sujet ou sur
l'objet.

B. Récapitulation des moyens d'exprimer un point de vue affectif

1. Par l'emploi emphatique de **ça**

   Ah **ça**, alors ! (*Surprise*)
   Ça, c'est un film historique. (*Insistance*)
   Ah **ça**, c'est un mensonge ! (*Indignation*)

2. Par l'emploi accentué de **moi, toi, lui/elle, nous (nous autres), vous vous (vous autres), eux/elles**

   Vous croyez **ça**, **vous** ? **Moi**, je ne le crois pas.

3. Par la construction affective avec **c'est**. (*Voir paragraphe A.*)

CONCLUSION : Maintenant, vous pouvez mettre une note de subjectivité dans votre style. Ces constructions sont également acceptables dans le style parlé et dans le style écrit.

EXERCICES ÉCRITS et/ou ORAUX

I. *L'expression* **être à.**

   Répondez à la question avec l'expression **être à** + *le pronom disjoint.*

   Exemple : A qui est cette voiture ?   (Bob)
   Elle est à lui.

   1. A qui sont ces vêtements ?   (mes sœurs)
   2. A qui est cette maison ?   (vos parents)
   3. A qui sont ces livres et ces papiers ?   (vous et moi)
   4. A qui était la voiture en panne dans le parking ?   (Carol et Barbara)
   5. A qui étaient les affaires que j'ai trouvées ?   (Bob et André)
   6. A qui sont ces compositions ?   (les étudiants)
   7. A qui était le portefeuille qui est resté sur une chaise ? (moi)
   8. A qui étaient les chiens perdus dans la rue ?   (Mme Duval)

II. *Révision des pronoms.*

   Remplacez les mots en italique par des pronoms.
   (*C'est un exercice de révision, et vous aurez besoin de tous les pronoms que vous connaissez.*)

   Exemple : Allez-vous à l'aéroport avec M. Duval ?
   Y allez-vous avec lui ?

1. Jouez-vous *aux cartes* avec *les Bertrand*?
2. Vous entendez-vous bien avec *vos voisines* et parlez-vous *à vos voisines*?
3. Ecrivez-vous *vos compositions* avec *cet objet*?
4. Je me suis aperçu *de mon erreur* et j'ai corrigé *mon erreur*.
5. Il s'est fait *à sa nouvelle vie*.
6. Je ne comprends pas *ma mère*, mais je parle *à ma mère* et je reste avec *ma mère*.
7. Vous avez acheté *des disques*, et vous avez mis *les disques* sur l'étagère.
8. Vous ne vous rendez pas compte *du climat de l'Alaska!* Il fait très froid *en Alaska!*
9. Il passe *ses vacances à la campagne* avec *son amie*.
10. Cyril plaît *à Cécile et à Elsa*. Mais Anne trouve *Cyril* impossible et il ne plaît pas *à Anne*.

III. *Répondez brièvement.*

Répondez brièvement avec: **moi aussi, pas moi, moi non plus, moi si.**

A. *Vous êtes d'accord avec moi.*

Exemple : Je n'aime pas la pluie.
Moi non plus.

1. J'adore ce temps frais et clair.
2. Il ne nous a pas vus. Je ne vais pas lui dire bonjour.
3. Tiens, je vais prendre une tasse de café.
4. Je n'ai pas fini mon travail pour demain.
5. Nous ne nous étions pas aperçus qu'il était si tard.
6. Bob et ses copains vont à toutes les manifestations politiques.

B. *Vous n'êtes pas d'accord avec moi.*

Exemple : Moi, je n'aime pas la pluie.
Moi si.

1. Moi, je ne me mets jamais en colère.
2. Quand je suis furieux, je fais semblant d'être très calme.
3. Je pardonne toujours à mes ennemis.
4. Je sais qu'il ne faut pas en vouloir aux gens.
5. Tout le monde est d'accord avec moi.
6. Mais je crois que je vais avoir un ulcère à l'estomac.

COMPOSITIONS

Composition orale et/ou écrite.

Vous avez le choix entre quatre sujets :

(Employez des constructions affectives avec **c'est**, employez **ça** et les pronoms disjoints. Racontez votre conversation au passé, employez des verbes pronominaux... et n'oubliez pas les termes de cohérence.)

A. Une discussion politique entre deux personnes qui ont des idées complètement différentes.

B. Une dispute que vous avez eue récemment avec un de vos amis.

C. Vous êtes journaliste. Interviewez — ou imaginez que vous interviewez — une personnalité célèbre.

D. Une conversation entre deux personnes complètement opposées dans leurs goûts, leurs idées, leurs points de vue.

VOCABULAIRE

NOMS

Noms masculins

l'admirateur	l'intellectuel	le rôle
le bureau de poste	le journaliste	le ruban
le déluge	le mensonge ≠ la vérité	le siècle
le dilemme	le menuet	le titre
l'envoyé	l'ornithorynque	l'ulcère

Noms féminins

l'actrice	la duchesse	la rumeur
l'admiratrice	l'exclusivité	la santé
l'amabilité	la guillotine	la servante
l'Australie	l'histoire	la sincérité
la bourgeoise	l'horreur	la stupidité
la conscience	l'humilité	la subjectivité
la corde	l'inanité	la valse
la couverture	la paille	la vitesse
la démocratie	la revue	

ADJECTIFS

admiratif, admirative	mauve	sceptique
avide	professionnel, professionnelle	vague
distant (-e)	publié (-e)	vraisemblable ≠
fantastique	ravissant (-e)	invraisemblable

VERBES

Verbes pronominaux

s'arranger   s'excuser

Autres

accepter	présenter	sauver
câbler	raconter	suffire
falsifier	reconnaître	tolérer
manœuvrer	régner	
mentir	respecter	

DIVERS

à toute vitesse	il s'agit de	tout à fait
en possession de		

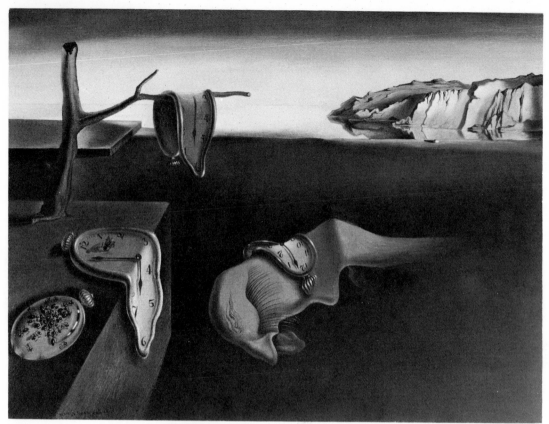

SALVADOR DALI, *La persistance de la mémoire*   Collection, The Museum of Modern Art, New York

La réalité, son souvenir et son image ont tant de formes qu'il est bien difficile de dire ce qui existe et ce qui n'existe pas ...

Et pour rassurer ceux qui refusent d'accepter une fourmi de dix-huit mètres, il y a des fourmis extrêmement « probables » sur des montres qui le sont beaucoup moins.

Robert Desnos

(1900–1945)

Un petit poème surréaliste, pour s'amuser... et
peut-être aussi pour mettre en doute toute la réalité ?

La fourmi

Une fourmi de dix-huit mètres
Avec un chapeau sur la tête
Ça n'existe pas, ça n'existe pas !
Une fourmi traînant un char
Plein de pingouins et de canards
Ça n'existe pas, ça n'existe pas !
Une fourmi parlant français,
Parlant latin et javanais
Ça n'existe pas, ça n'existe pas...
Et pourquoi pas ?

30 Chantefables pour enfants sages. © Editions Gallimard.

LEÇON 11
Je voudrais bien faire un voyage!

Le conditionnel
Les prépositions avec les noms de lieux
Le pronom relatif **dont** et **ce dont**

Introduction

Le conditionnel après **si**

PRÉSENT ET FUTUR	PASSÉ ET CONDITIONNEL
Si **j'ai** assez d'argent…	Si **j'avais** assez d'argent…
j'irai en Europe cet été.	**j'irais** en Europe cet été.
j'aurai beaucoup de choses à voir.	**j'aurais** beaucoup de choses à voir.
je ne serai pas un touriste typique.	**je ne serais pas** un touriste typique.
je ferai des rencontres intéressantes.	**je ferais** des rencontres intéressantes.
je verrai des pays nouveaux.	**je verrais** des pays nouveaux.
je saurai apprécier les bonnes choses.	**je saurais** apprécier les bonnes choses.
je me promènerai dans les petites villes.	**je me promènerais** dans les petites villes.
je choisirai les endroits peu connus.	**je choisirais** les endroits peu connus.
je ne perdrai pas un moment.	**je ne perdrais pas** un moment.

Le conditionnel dans le discours indirect

Il dit :	Qu'est-ce qu'il a dit ?
« **J'irai** en Europe cet été. »	Il a dit qu'il **irait** en Europe cet été.
« **J'aurai** beaucoup de choses à voir. »	Il a ajouté qu'il **aurait** beaucoup de choses à voir.
« **Je ne serai pas** un touriste typique, » etc.	Il a assuré qu'il **ne serait pas** un touriste typique.

Le conditionnel comme seul verbe de la phrase

Feriez-vous ça pour moi, s'il vous plaît ?	Oui, bien sûr, **j'en serais** très heureux.
Le croiriez-vous ? Daniel est devenu très conservateur !	D'un autre, **je ne le croirais pas.** Mais de vous, c'est différent.

Les prépositions avec les noms de lieux (*villes et pays*)

Irez-vous **à** Paris, **en** France ?

Oui. Et aussi **à** Rome, **en** Italie ;
à Madrid, **en** Espagne ; **à**
Lisbonne, **au** Portugal.

Reviendrez-vous **aux** Etats-Unis ?

Oui, je suis **des** Etats-Unis et je
reviendrai **à** Los Angeles, **en**
Californie, **aux** Etats-Unis.

Le pronom relatif **dont** *et* **ce dont**

Emportez tous les papiers **dont** vous
aurez besoin.

Oui, j'emporterai les papiers **dont**
j'aurai besoin : passeport, etc.
J'emporterai tout **ce dont** j'aurai
besoin.

EXERCICES ORAUX

I. *Quelle est la forme du verbe au conditionnel ?*

A. *Les conditionnels irréguliers.*

1. (faire)
   je _____
   nous _____
   il _____

2. (aller)
   on _____
   j' _____
   vous _____

3. (voir)
   je _____
   elle _____
   tu _____

4. (avoir)
   il _____
   nous _____
   vous _____

5. (être)
   vous _____
   on _____
   je _____

6. (pouvoir)
   tu _____
   vous _____
   je _____

7. (savoir)
   je _____
   on _____
   ils _____

8. (tenir)
   on _____
   tu _____
   nous _____

9. (vouloir)
   ils _____
   vous _____
   je _____

B. *Les conditionnels réguliers.*

1. (donner)
   je _____
   nous _____
   ils _____

2. (préférer)
   je _____
   vous _____
   on _____

3. (choisir)
   tu _____
   on _____
   vous _____.

4. (attendre)
   j' _____
   nous _____
   vous _____

5. (comprendre)
   nous _____
   on _____
   tu _____

II. *Mettez les phrases suivantes au conditionnel.*

> Exemple : Si tu me dis la vérité, j'ai confiance en toi.
> *Si tu me disais la vérité, j'aurais confiance en toi.*

1. Si vous êtes gentil, je reste avec vous.
2. Vous êtes surpris si je vous dis ce que je sais.
3. Si on me donne un million, je le donne à une bonne cause.
4. Moi, si j'ai un million, je ne serai pas ici longtemps.
5. Je ferai le tour du monde si je peux.
6. Mon père a l'air plus jeune s'il porte des pattes.
7. Si vous vous coupez les cheveux, vous êtes bien moins beau.
8. Il prendra son billet s'il a assez d'argent et s'il a fini ses études.
9. On a toujours des difficultés si on écoute les conseils de tout le monde.
10. Si tu vas en ville et si tu prends la voiture, tu emmèneras ta sœur.

III. *Mettez les phrases suivantes au discours indirect passé.*

> Exemple : « Je partirai demain. »   (il a dit)
> *Il a dit qu'il partirait demain.*

1. « Nous serons amis pour la vie. »   (il a déclaré)
2. « Je serais enchanté de faire ça pour toi. »   (il a affirmé)
3. « Vous ferez un excellent voyage, et reviendrez bientôt. » (elle a prédit)
4. « Celui qui rira le dernier, rira le mieux. »   (on a dit)
5. « Pourrez-vous venir avec nous ? »   (nous avons demandé)
6. « Saurez-vous trouver la solution de ce problème ? »   (nous avons demandé)
7. « Je n'aurai pas d'accident parce que je serai prudent. »   (il a répété)
8. « Il faudra faire attention si vous conduisez en France. » (on lui a dit)
9. « Il faudra conduire à gauche si vous allez en Angleterre. » (on lui a dit)
10. « Je n'achèterai pas tout ce que je verrai. »   (elle a promis)

IV. *Quelle est la préposition ?*

> Exemple : M. Duval habite *à* Paris, *en* France.

1. Cette dame vient _____ Londres, _____ Angleterre. Mais elle est née _____ Glasgow, _____ Ecosse. Maintenant, elle habite _____ Los Angeles, _____ Californie, _____ Etats-Unis.
2. Tokyo est _____ Japon, _____ Asie, et Pékin est _____ Chine. Saïgon et Hanoï sont _____ Viet-nam.

3. Si vous venez _____ Etats-Unis, et vous allez _____ Canada, _____ Québec, par exemple, vous avez souvent l'impression d'être _____ France.

4. Les Anglais habitent _____ Angleterre, les Portuguais _____ Portugal, les Israéliens _____ Israël et les Mexicains _____ Mexique. Les Français, eux, habitent _____ France.

5. M. Papadopoulos est _____ Athènes, _____ Grèce ; M. O'Donnell est _____ Dublin, _____ Irlande ; et M. Sörenson est _____ Copenhague, _____ Danemark.

RENÉ MAGRITTE, *L'avenir des voix*

Parke-Bernet Galleries, New York

Je voudrais faire un grand voyage…

Je voudrais bien faire un voyage!

Comme tout le monde, j'ai beaucoup de rêves, mais il y en a un surtout que je voudrais réaliser. Je voudrais bien faire un grand voyage !

Je partirais seul, ou avec un ou deux copains que j'aime bien. Nous n'irions pas dans les endroits où vont tous les autres touristes. Laissez-moi vous raconter le voyage que je voudrais faire.

D'abord, il faudrait partir en bateau, parce qu'en bateau, on se rend bien mieux compte de la distance qu'en avion. Et puis, je prendrais un bateau parce que pour moi, les bateaux ont un parfum d'aventure. Nous partirions donc de San Francisco, par exemple, sur un cargo qui irait en Europe en passant par le canal de Panama. Ce seraient des semaines enchantées, et nous nous arrêterions dans les ports dont le nom est magique : à Cristobal, au Panama, à Funchal dans l'île de Madère.

Nous arriverions enfin à Lisbonne, au Portugal, et de là, nous irions en Espagne. Nous traverserions l'Espagne et nous gagnerions la France. C'est surtout la France que je voudrais voir ! Je ne sais pas si j'aurais envie de voir les châteaux, les monuments historiques et les cathédrales, ou tout simplement de rester assis à la terrasse des cafés, de m'allonger sur les plages de la Méditerranée, de bavarder avec les gens… Ce dont je suis sûr, c'est que je ferais exactement ce qui me plairait.

Nous ferions sans doute un voyage en Allemagne, parce que c'est de là que viennent mes grands-parents ; une excursion en Suisse, pour acheter une montre et des objets en cuir. Si nous avions assez de temps et d'argent, nous verrions aussi les pays scandinaves, et nous passerions quelques jours au Danemark, en Suède et en Norvège. Il paraît qu'une bicyclette serait très pratique dans ces pays, comme en Belgique et en Hollande, d'ailleurs.

Un de mes amis m'a dit qu'il viendrait avec moi, mais que lui, il voudrait absolument voir les pays qui sont « derrière le rideau de fer ». Il pense que ce serait dommage de ne pas voir comment vivent les gens en Pologne, en Hongrie, en Russie. Il disait même que nous pourrions écrire des articles sur ce que nous y verrions et que le journal de notre ville serait très heureux de les publier. Ce serait, en effet, une façon de gagner un peu d'argent, et c'est justement ce dont nous aurions besoin !

Mon camarade de chambre a fait, il y a deux ans, une croisière sur la Méditerranée. Voilà un autre voyage que je voudrais faire ! On part de Marseille, on fait escale à Ajaccio, en Corse, et puis en Grèce. On passe quelques jours en Turquie, à Istamboul. On visite les îles grecques, et on se rappelle ses souvenirs d'histoire ancienne. De là, autre escale à Beyrouth, au Liban. Moi, si je faisais cette croisière, il me faudrait des mois, parce que je ne serais pas satisfait de quelques escales. Je voudrais tout voir, m'arrêter partout, j'aurais envie de faire connaissance avec les gens de chaque pays, de chaque ville.

Si je travaillais quelques heures par semaine et pendant les vacances, si je faisais des économies, si j'étais très raisonnable dans mes dépenses, je pourrais peut-être faire ce voyage dans deux ans, si tout allait bien. Même s'il faut attendre longtemps, je sais que tôt ou tard, je finirai par aller en Europe. C'est un projet que je n'abandonnerai jamais.

PRONONCIATION

La différence de prononciation entre le futur et le conditionnel à la 1ère personne est imperceptible :

j'irai = j'irais   je ferai = je ferais   je prendrai = je prendrais

je ferais ≠ je verrais

QUESTIONS SUR LA LECTURE

1. Qu'est-ce que ce jeune homme voudrait faire ?
2. Voudrait-il partir avec un groupe organisé ? Avec qui voudrait-il partir ? Si vous faisiez un grand voyage, voudriez-vous partir seul ? Pourquoi ?
3. Aimerait-il mieux partir en avion ou en bateau ? Pourquoi ?
4. D'où partirait-il ? Sur quelle sorte de bateau voyagerait-il ? Aimeriez-vous ce genre de bateau ? Pourquoi ?
5. Irait-il directement en Europe ? Où s'arrêterait-il ? Où arriverait-il en Europe ?
6. Après le Portugal, quel pays traverserait-il pour aller en France ?
7. Que ferait-il, en France ? Si vous alliez en France, que feriez-vous ? Visiteriez-vous des musées, ou iriez-vous sur la Côte d'Azur ? Ou feriez-vous les deux ? Pourquoi ?
8. Dans quels autres pays irait-il ? Pourquoi irait-il en Suisse ? en Allemagne ? Dans quels pays une bicyclette serait-elle pratique, et pourquoi ?
9. Comment ces jeunes gens pourraient-ils gagner un peu d'argent, s'ils allaient en Pologne et en Russie ?
10. Le camarade de chambre de ce jeune homme a fait un voyage intéressant. Qu'est-ce que c'était ? Comment fait-on une croisière — en avion ? à bicyclette ? Pourquoi ?

11. Dans quel pays seriez-vous à Athènes ? à Istamboul ? à Beyrouth ? à Alger ? à Tunis ?

12. Est-ce que ce jeune homme serait satisfait d'une croisière qui durerait un mois ? Lui faudrait-il plus longtemps ? Pourquoi ?

EXPLICATIONS

I.   Le conditionnel

    A. Définition

       Le conditionnel est un mode du verbe (comme l'indicatif et l'impératif, par exemple).

       Dans l'*Introduction*, vous voyez que les verbes qui sont au futur dans la colonne de gauche sont au conditionnel dans la colonne de droite. Donc, il y a un rapport entre le futur et le conditionnel : le conditionnel est le futur dans le passé. Par exemple :

                Il **fera** un voyage.
(Il a dit qu')   Il **ferait** un voyage.

       Si tu vas voir ce film, tu **passeras** une bonne soirée.
       Si tu allais voir ce film, tu **passerais** une bonne soirée.

    B. Conjugaison du conditionnel (et révision du futur)

Le futur et le conditionnel

Révision du futur

parler (*régulier*)		**aller** (*irrégulier*)		*Terminaisons*
je parler	**ai**	j' ir	**ai**	-ai
tu parler	**as**	tu ir	**as**	-as
il parler	**a**	il ir	**a**	-a
nous parler	**ons**	nous ir	**ons**	-ons
vous parler	**ez**	vous ir	**ez**	-ez
ils parler	**ont**	ils ir	**ont**	-ont

Conditionnel

parler (*régulier*)		**aller** (*irrégulier*)		*Terminaisons*
je parler	**ais**	j' ir	**ais**	-ais
tu parler	**ais**	tu ir	**ais**	-ais
il parler	**ait**	il ir	**ait**	-ait
nous parler	**ions**	nous ir	**ions**	-ions
vous parler	**iez**	vous ir	**iez**	-iez
ils parler	**aient**	ils ir	**aient**	-aient

1. *Terminaisons:*

La terminaison du conditionnel est toujours la même, et c'est celle de l'imparfait.

2. *Racine:*

La racine du conditionnel est la même que celle du futur.

Si le verbe est régulier, sa racine, c'est l'infinitif:

je **parler** ais,   je **demander** ais,   je **déjeuner** ais,
je **finir** ais,   je **choisir** ais,   je **bâtir** ais,
j'**attendr** ais,   je **vendr** ais,   je **perdr** ais

Si le verbe est irrégulier, sa racine est celle du futur:

aller:	j'**ir** ais	savoir:	je **saur** ais
avoir:	j'**aur** ais	tenir:	je **tiendr** ais
être:	je **ser** ais	venir:	je **viendr** ais
fair:	je **fer** ais	voir:	je **verr** ais
pouvoir:	je **pourr** ais	vouloir:	je **voudr** ais

C. Usage, ou syntaxe du conditionnel

1. Après **si** et le passé

Si vous **allez** voir ce film, vous **passerez** une bonne soirée.
    (Présent)   *(Futur)*

Si vous **alliez** voir ce film, vous **passeriez** une bonne soirée.
    (Imparfait)   *(Conditionnel)*

Le conditionnel exprime le résultat d'une *condition*. On emploie donc le le conditionnel après **si** et le passé.

REMARQUEZ: Le verbe après **si** n'est ni au futur, ni au conditionnel. C'est *l'autre verbe qui est au conditionnel.*

Si j'étais beau...   Si j'étais beau, **je serais** modeste.
Si vous m'aimiez...   Si vous m'aimiez, **vous seriez** gentil avec moi.
Si on me disait ça...   Si on me disait ça, **je ne le croirais** pas.

2. Dans le discours indirect*

 «Je ferai un voyage» a dit Bob. Qu'est-ce qu'il a dit?
   Il a dit qu'**il ferait** un voyage.
 «Où irez-vous?» «J'irai en Europe.»
   On lui a demandé où **il irait,** et il a répondu qu'**il irait** en Europe.

Au discours indirect passé, le futur devient conditionnel.

3. Le conditionnel dans la phrase avec un seul verbe

 Vous seriez le bienvenu. (*You'd be welcome.*)
 Oui, **je ferais** ça avec plaisir. (*I'd do that with pleasure.*)
 Je voudrais bien! (*I'd really like to.*)

On emploie le conditionnel dans une phrase où il n'y a pas d'autre verbe
pour exprimer ce que l'anglais exprime par *I would be..., You would be,* etc.

II. Prépositions avec les noms de lieux: villes et pays

   A. Avec les noms de ville

       Je suis **à Los Angeles.**
       Je viens **de Paris.**
       Je vais **à New York.**

   B. Avec les noms de pays

Féminins (*Les noms de pays qui se terminent par -e sont féminins***)	*Masculins* (*Les noms de pays qui ne se terminent pas par -e sont masculins†*)
Je suis **en France.** Je vais **en Italie.** Je viens **d'Espagne.**	Je suis **au Portugal.** Je vais **au Sénégal.** Je viens **du Congo.**

---

 * Revoyez le discours indirect, Leçon 3, page 300.
 ** *Exception*: **le Mexique** est masculin. (Sa capitale est **Mexico.**)
    On est **au** Mexique, **à** Mexico.
 † *Exception*: **l'Israël, l'Iran, l'Irak** sont féminins. On dit: **en Israël, en Iran, en Irak.**

Récapitulation des prépositions avec les noms de lieux (villes et pays)

	Ville	Pays	
		Féminin (avec -e final)	Masculin
aller → (to go to)	à à Paris, à Londres, à New York, à Rio	en en France, en Amérique	au au Japon, au Danemark
être → (to be in)	à à Paris, à Londres, à New York, à Rio	en en Europe, en Espagne	au au Brésil, au Chili
venir → (to come from)	de de Paris, de Londres, de New York, de Rio	de de France, d'Europe, d'Asie	du du Canada, du Brésil, du Dahomey

REMARQUEZ : Le nom des **Etats-Unis** est masculin pluriel :

> Je vais **aux Etats-Unis**.   (zéta-zuni)
> Je suis **aux Etats-Unis**.   (zéta-zuni)
> Je viens **des Etats-Unis**.   (zéta-zuni)

C. Quelques noms de pays et de leurs habitants

l'Afrique :	les Africains	l'Ecosse :	les Ecossais
l'Amérique :	les Américains	l'Espagne :	les Espagnols
l'Asie :	les Asiatiques	la France :	les Français
l'Australie :	les Australiens	la Grèce :	les Grecs
l'Europe :	les Européens	la Hollande :	les Hollandais
		la Hongrie :	les Hongrois
l'Allemagne :	les Allemands	l'Irlande :	les Irlandais
l'Angleterre :	les Anglais	l'Italie :	les Italiens
l'Autriche :	les Autrichiens	le Luxembourg :	les Luxembourgeois
la Belgique :	les Belges	la Norvège :	les Norvégiens
la Bulgarie :	les Bulgares	la Pologne :	les Polonais
le Canada :	les Canadiens	la Roumanie :	les Roumains
le Danemark :	les Danois	la Russie :	les Russes

etc.

III. Le pronom relatif **dont** et **ce dont**

A. **dont** (*of which; of whom; whose*)

J'ai besoin **de** ce livre. Voilà le livre **dont** j'ai besoin.
Voilà la dame **dont** je vous ai parlé.
Je vous présente M. Duval, **dont** la fille est votre amie.

dont est un pronom relatif qui remplace **de qui** ou **de quoi**. *

REMARQUEZ : On ne peut pas employer **dont** pour formuler une question. Pour exprimer *whose* dans une question on dit :

(*Whose car is that?*) **A qui** est cette voiture ? Elle est **à moi**.** C'est la mienne.

(*Whose key is that?*) **A qui** est cette clé ? Je ne sais pas **à qui** elle est.

B. **ce dont** (*that of which* = *what*)

Je vais vous donner la liste de **ce dont** j'ai besoin.
Ce dont je suis sûr, c'est que j'irai en Europe un jour.
Hélas, **ce dont** j'ai envie n'est pas toujours légal.

ce dont remplace **la chose/les choses dont** :

de ce
Je vais vous donner la liste ~~des choses~~ dont j'ai besoin.

Ce
~~La chose~~ dont je suis sûr, c'est que j'irai en Europe un jour.

ce   n'est
Hélas ! ~~les choses~~ dont j'ai envie ~~ne sont~~ pas toujours légal~~es~~.

REMARQUEZ : Le *what* que vous traduisez par **ce dont** n'est pas le *what* interrogatif. C'est le *what* relatif. Par exemple, *What do you need?* est **De quoi avez-vous besoin ?** (*Voir Leçon 13, page 440*) mais *Give me what I need* est **Donnez-moi ce dont j'ai besoin.**

EXERCICES ÉCRITS et/ou ORAUX

I. *Le conditionnel.*

A. *Mettez les passages suivants au passé.*

1. Si je *suis* sûr de ce que je veux, je n'*aurai* pas de problème à décider de mon avenir. Mais alors, je *serai* différent de mes contemporains.

---

* *Note that, while in English there is an inversion after* whose: the man whose daughter I know, *there is no such inversion in French:* **le monsieur dont je connais la fille.**
** *See Lesson 10, page 399.*

2. Ah, si seulement on me *comprend* ! Vous ne *penserez* pas que je suis stupide ou paresseux, mais vous *saurez* que je suis un génie. Vous vous *rendrez* compte que le monde *sera* meilleur s'il y *a* plus de génies comme moi.

3. Si vous vous *levez* à cinq heures du matin, et si vous *passez* une heure à faire de la gymnastique, si vous vous *mettez* à étudier à six heures... *Serez*-vous plus heureux ? *Aurez*-vous plus de succès ? *Verrez*-vous des résultats sensationnels ? *Pourrez*-vous répondre à toutes les questions ? Ou vous *endormirez*-vous sur votre chaise à onze heures ?

B. *Mettez les passages suivants au discours indirect.*

1. *Bob:*

« Je ne *veux* pas voyager par avion. Je *partirai* en bateau demain, je *ferai* escale dans des ports exotiques où tout *sera* différent et coloré. Si je *traverse* l'océan pas avion, je ne *verrai* rien. Et d'ailleurs, je ne *suis* pas pressé. »

(Bob a commencé par dire que...)

2. *Mme Duval, à sa fille:*

« Si tu *as* le temps, et si tu *rentres* de bonne heure, nous *irons* au marché, nous *achèterons* des fruits et nous *ferons* une tarte. Mais si tu *es* en retard, ça ne *fait* rien, je la *ferai* sans toi. »

3. *Salvador Dali (dans une interview pour la télévision française):*

« André Breton*a fait une anagramme de mon nom : *AVIDA DOLLARS*, et je le *remercierai* toujours. Depuis qu'il l'*a inventée*, la pluie de dollars n'*a* pas *cessé* de tomber sur moi avec une monotonie délicieuse. Et j'*espère* qu'elle *continuera*... La seule différence entre Dali et un fou, c'*est* que je ne *suis* pas fou et que je ne le *serai* jamais. »

II. *Les pronoms relatifs* **dont** *et* **ce dont**, **ce qui** *et* **ce que**.

Exemple : Donnez-lui *ce qu'* il veut.

Donnez-lui *ce dont* il a besoin.

1. Mangez _____ vous avez envie.
2. Voilà les gens _____ je vous ai parlé.
3. As-tu vu la fille _____ je t'ai donné l'adresse ?
4. Moi, _____ m'intéresse est bien simple : je voudrais juste avoir _____ il me faut pour une vie calme et paisible.
5. J'ai emporté tout _____ j'aurai besoin et tout _____ je pouvais mettre dans ma valise.

---

* *André Breton is a well-known French poet, the founder of the Surrealist school (and a friend of Salvador Dali).*

6. Salvador Dali a déclaré que _____ était important pour lui, et _____ il aimait parler, c'était l'argent.
7. La France, _____ la capitale est Paris, est pleine d'attractions pour le visiteur. Vous me demandez _____ est historique à Paris ? Et vous voulez savoir _____ je vous recommande ? Mon dieu, la liste de _____ il faut voir est interminable !
8. Je n'ai pas peur des événements. _____ j'ai peur, c'est de ma réaction, car ça, c'est _____ je ne peux pas prévoir.

III. *Complétez les phrases suivantes avec imagination.*

> Exemple : Aurais-je besoin de parler espagnol *si j'allais à Madrid* ?

1. _____ si nous allions en Russie.
2. J'achèterais beaucoup de souvenirs si _____ .
3. Il voudrait faire une croisière si _____ .
4. Si j'allais en Hollande _____ .
5. _____ , je ferais des économies pour mon voyage.
6. Passeriez-vous votre temps à visiter des musées si _____ ?
7. _____ si j'étais raisonnable.
8. M'emmèneriez-vous si _____ ?

IV. *Répondez aux questions suivantes.*

> Exemple : Que feriez-vous à Ajaccio ?
> *Je visiterais la maison de Napoléon, puisque que c'est à Ajaccio qu'il est né.*

1. Comment aimeriez-vous aller en Europe ? Pourquoi ?
2. Dans quel pays voudriez-vous passer le plus longtemps ? Pourquoi ?
3. Si vous alliez de Madrid à Paris, traverseriez-vous les Alpes ? Pourquoi ?
4. Aimeriez-vous aller derrière le « rideau de fer » ? Pourquoi ?
5. Préféreriez-vous visiter des monuments célèbres ou faire connaissance avec des gens ? Pourquoi ?
6. Que feriez-vous si vous étiez riche ?

COMPOSITIONS

Composition orale et/ou écrite.

Vous avez le choix entre trois sujets :

A. Racontez un voyage que vous voudriez faire.

B. Imaginez le voyage d'une personne qui ferait le tour du monde. (Vous, peut-être. D'où partiriez-vous ? Où feriez-vous escale ? Que verriez-vous ? Que mangeriez-vous ? Qu'achèteriez-vous ?)

C. Si j'étais... Lindbergh ? Christophe Colomb ? Magellan ? Que feriez-vous à leur place ?

VOCABULAIRE

NOMS

Noms masculins

le Brésil	le Danemark	le port
le canal	le Japon	le Portugal
le cargo	le Liban	le rideau (de fer)
le Chili	le Mexique	le Sénégal
le Congo	le musée	le Vietnam
le cuir	le parfum	
le Dahomey	le passeport	

Noms féminins

l'Allemagne	la croisière	la Norvège
l'Angleterre	l'escale	la Pologne
l'Asie	l'Espagne	la Russie
l'aventure	la Grèce	la Suède
la Californie	la Hollande	la terrasse
la Chine	la Hongrie	la Turquie
la coïncidence	l'Irlande	
la Corse	l'Italie	

ADJECTIFS

grec, grecque	magique	scandinave

VERBES

abandonner	prédire (dire)	publier
durer	promettre (mettre)	réaliser

ADVERBES

d'ailleurs	surtout	tôt ou tard

VOCABULAIRE DES EXERCICES :

NOMS

Noms masculins

le contemporain	le fou

Noms féminins

l'anagramme	la monotonie	la tarte
la gymnastique		

ADJECTIFS

coloré (-e) interminable	paisible	paresseux, paresseuse

VERBES

inventer	prévoir (voir)	remercier

ANDRÉ BAUCHANT, *La barge de Cléopâtre*

Puisqu'il s'agit de voyages dans la leçon aussi bien que dans le poème, considérez, si vous le voulez bien, cette autre façon de voyager, peu commune, il est vrai, mais qui n'est certes pas dépourvue de charme… ni « d'ordre » ou de « luxe » !

Charles Baudelaire

(1821–1867)

Le poète s'adresse à la femme qu'il aime — réelle ou imaginaire — et lui parle avec tendresse de partir pour un pays merveilleux. Quel est ce pays ? Il est sans doute imaginaire, lui aussi, comme pour le poète tourmenté qu'est Baudelaire, « l'ordre, le calme et la volupté » dont le poète répète le nom comme une incantation.
Est-il possible de comprendre ce poème d'une manière différente, et de voir dans cette femme et dans ce pays seulement des symboles ?

L'invitation au voyage

Mon enfant, ma sœur,
Songe à la douceur
D'aller là-bas vivre ensemble !
Aimer à loisir,
Aimer et mourir
Au pays qui te ressemble !
Les soleils mouillés
De ces ciels brouillés
Pour mon esprit ont les charmes
Si mystérieux
De tes traîtres yeux,
Brillant à travers leurs larmes.

Là, tout n'est qu'ordre et beauté,
Luxe, calme et volupté.

Des meubles luisants,
Polis par les ans,
Décoreraient notre chambre ;
Les plus rares fleurs
Mêlant leurs odeurs
Aux rares senteurs de l'ambre,
Les riches plafonds,
Les miroirs profonds,
La splendeur orientale,
Tout y parlerait
A l'âme en secret
Sa douce langue natale.

Là, tout n'est qu'ordre et beauté,
Luxe, calme et volupté.

Vois sur ces canaux
Dormir ces vaisseaux
Dont l'humeur est vagabonde ;
C'est pour assouvir
Ton moindre désir
Qu'ils viennent du bout du monde.
—Les soleils couchants
Revêtent les champs
Les canaux, la ville entière
D'hyacinthe et d'or ;
Le monde s'endort
Dans une chaude lumière.

Là, tout n'est qu'ordre et beauté
Luxe, calme et volupté.

Les Fleurs du mal.

LEÇON 12
Si j'avais su...!

Le conditionnel passé (conditionnel antérieur)

Le verbe **devoir** : **je devrais** et **j'aurais dû**

Introduction

CONDITIONNEL PRÉSENT	CONDITIONNEL PASSÉ
Si j'avais de la chance, **j'irais** en Europe cet été.	Si j'avais eu de la chance, **je serais allé** en Europe l'été dernier.
J'aurais beaucoup de choses à voir.	**J'aurais eu** beaucoup de choses à voir.
Je verrais tous les monuments.	**J'aurais vu** tous les monuments.
Je serais le parfait touriste.	**J'aurais été** le parfait touriste.
Je me promènerais sur les Champs-Elysées.	**Je me serais promené** sur les Champs-Elysées.
Si vous veniez avec nous, **vous passeriez** de bonnes vacances.	Si vous étiez venu avec nous, **vous auriez passé** de bonnes vacances.
Je vous ai demandé si **vous feriez** ce voyage avec moi, si je vous invitais et si vous aviez assez d'argent.	Je vous avais demandé si **vous auriez fait** ce voyage avec moi, si je vous avais invité et si vous aviez eu assez d'argent.
Si je pouvais et si vous vouliez, **nous partirions** ensemble.	Si j'avais pu et si vous aviez voulu, **nous serions partis** ensemble. Si j'avais su, **j'aurais fait** plus d'économies !

Je dois être chez moi à six heures. A quelle heure **devez-vous** être chez vous ?	Moi, **je dois** y être vers sept heures, mais si j'y suis plus tard, ça n'a pas d'importance.
Vous deviez finir votre dissertation ce trimestre, n'est-ce pas ?	Oui, **je devais** la finir. Mais j'ai **dû** perdre du temps au début du trimestre. **Je devrais** la finir cet été, si tout va bien.

Vous auriez dû vous donner plus de temps.

Oui, je sais. Si j'avais su, j'aurais pu demander un an de plus... Mais voilà, je ne savais pas.

EXERCICES ORAUX

I. *Quelle est la forme du verbe au conditionnel passé ?*

1. (parler)
je _____
ils _____
vous _____

2. (réussir)
tu _____
je _____
vous _____

3. (perdre)
il _____
nous _____
je _____

4. (faire)
nous _____
vous _____
tu _____

5. (voir)
vous _____
ils _____
je _____

6. (mettre)
je _____
nous _____
on _____

7. (promettre)
nous _____
tu _____
il _____

8. (apprendre)
il _____
on _____
nous _____

9. (lire)
vous _____
je _____
ils _____

10. (croire)
nous _____
je _____
tu _____

11. (aller)
tu _____
nous _____

12. (retourner)
nous _____
je _____

13. (tomber)
on _____
ils _____

14. (sortir)
vous _____
elle _____

15. (rester)
il _____
nous _____
vous _____

16. (s'arrêter)
je _____
tu _____
nous _____

17. (se lever)
vous _____
on _____
ils _____

18. (s'y faire)
nous _____
il _____
tu _____

19. (se dire)
elle _____
nous _____
on _____

20. (se venger)
il _____
vous _____
tu _____

II. *Le verbe* **devoir**.

Quelle est la traduction en français ?

Exemple : I was supposed to
je devais

1. I am supposed to
2. he was supposed to
3. they must have
4. I ought to
5. I ought to have
6. you probably were   (vous _____ être)
7. she must have been

8. we ought to have
9. they were supposed to
10. I must have

III. *Complétez les phrases suivantes par une forme du verbe* **devoir**.

Exemple : Regardez ces gens avec des manteaux et des bottes. Il *doit* faire froid !

1. A quelle heure _____-vous être en classe hier ?
2. Vous _____ me téléphoner hier à six heures. Avez-vous oublié ?
3. Mon dieu ! Où est-il ? Six heures en retard ! Il _____ avoir un accident.
4. Vous êtes si gentil avec moi ! Je _____ être plus gentil avec vous.
5. Nous vous avons attendu deux heures pour déjeuner. Vous _____ téléphoner !
6. J'_____ remercier ma grand-mère de son cadeau. Mais je déteste écrire.
7. Tu n'avais pas vu l'agent de police ? Tu _____ mettre tes lunettes !
8. Je _____ me lever une heure plus tôt tous les matins.
9. Nous _____ avoir un examen hier, mais le professeur a changé la date.
10. Mes parents _____ aller en Europe cette année, mais ils ont changé de projets. Maintenant, ils _____ y aller l'été prochain.

Train-fusée à destination de la lune
De la terre à la lune, par Jules Verne, 1ère édition, illustré par Henri Montaut

Cette illustration de la première édition de *Voyage dans la Lune* de Jules Verne (1865-1866)
accompagne un récit qui ressemble étonnamment au vrai voyage dans la lune de 1969.

LECTURE

Si j'avais su...!

Il est très facile de trouver la réplique juste... deux jours plus tard. On se dit alors : « Ah, si j'avais pensé, voilà ce que j'aurais dit ! » Il est également facile d'évaluer une situation... quand elle est dans le passé, de prendre exactement la bonne décision, un mois, six mois, ou dix ans trop tard et de se dire alors : « Si j'avais su, voilà ce que j'aurais fait. »

Nous savons tous combien il est exaspérant de trouver la bonne réplique deux jours trop tard (quand elle n'intéresse plus personne) ou la bonne solution six mois trop tard. Mais il y a quelque chose d'encore plus exaspérant. Ce sont les gens qui, animés d'un esprit d'amitié et de ce jugement infaillible, qui vous vient avec le temps, vous disent : « Moi, à votre place, voilà ce que j'aurais fait » ou : « Je vais vous dire ce que vous auriez dû dire » ou encore : « Je ne vous comprends pas. Pourquoi n'auriez-vous pas... ? »

Moi aussi, j'ai un conseil à vous donner. La dernière fois que quelqu'un vous a dit ça, vous auriez dû le tuer... ou au moins y penser.

Avez-vous pensé à la façon dont l'histoire aurait été changée si les grands hommes du passé avaient eu l'avantage de savoir à l'avance ce que nous savons maintenant ? Vous êtes-vous jamais demandé ce qu'ils auraient fait d'autre ? Par exemple :

Jules César: Pensez-vous que, s'il avait su, il serait allé au Sénat ce jour-là ? Et croyez-vous qu'il aurait mieux écouté la tireuse de cartes qui lui avait dit qu'il devrait faire attention à sa santé aux environs du 15 mars ?

Christophe Colomb: S'il avait su que ce qu'il avait découvert n'était pas du tout les Indes, aurait-il dû rentrer chez lui ? Aurait-il dû se dire : « Tant pis, je n'ai pas trouvé les Indes. » ? Ou aurait-il dû au contraire, insister, comme il l'a fait, qu'il les avait trouvées ?

Louis XVI : Aurait-il dû aller à la chasse le 14 juillet 1789 ? Devrait-on faire attention quand le peuple proteste ? Ou devrait-on,

comme le pauvre Louis, n'écouter que son entourage du palais ?
Il a dû être bien surpris quand il a vu que ce qu'il prenait pour
une révolte était en réalité... une révolution.

Et qu'aurait-il pensé si, avant de mourir sur la guillotine,
il avait appris que ses deux frères reviendraient d'exil et une
vingtaine d'années plus tard, seraient eux aussi rois de France
successivement ? Aurait-il souri à l'ironie de l'histoire, ou
pleuré à la stupidité des hommes ?

Napoléon : S'il avait su, croyez-vous qu'il serait allé en Russie y perdre
sa Grande-Armée, sa gloire... et son règne ?

Jules Verne : Celui-ci est sans doute un des rares grands hommes du
passé que rien n'aurait étonné. Les sous-marins, la puissance
atomique, les voyages dans la lune, il avait tout prévu. Et si
nous pouvions lui demander maintenant : « Qu'auriez-vous dit,
monsieur Verne, si on vous avait annoncé que... », il répondrait
sans doute : « Je le savais. »

QUESTIONS SUR LA LECTURE

1. Trouvez-vous généralement la bonne réplique au bon moment ? Quand la
   trouvez-vous ? Que dites-vous alors ?
2. Que dites-vous quand, six mois plus tard, vous pensez à une erreur passée ?
3. D'après le texte, qu'est-ce qui est le plus exaspérant ?
4. Pensez-vous que l'histoire aurait été changée si les hommes avaient été
   capables, de lire l'avenir ? Qu'est-ce qu'ils auraient fait ?
5. Qu'est-ce que Jules César n'aurait pas fait ? Et qui aurait-il mieux écouté ?
   Pourquoi ?
6. Christophe Colomb aurait-il dû rentrer chez lui et dire : « J'aurais dû rester chez
   moi » ? Pourquoi ? Qu'aurait-il dû faire ?
7. Q'est-ce que Louis XVI aurait dû faire ? Et de quoi aurait-il été surpris ?
8. Comment Napoléon aurait-il changé ses plans s'il avait su ?
9. En quoi Jules Verne est-il probablement différent de beaucoup d'autres
   grands hommes ?
10. Quelle conclusion tirez-vous de cette lecture ?

EXPLICATIONS

I. Le conditionnel passé (ou conditionnel antérieur)

Comparez les phrases suivantes :

Si **j'ai** besoin de quelque chose, **je téléphonerai.**
Si **j'avais** besoin de quelque chose, **je téléphonerais.**
Si **j'avais eu** besoin de quelque chose, **j'aurais téléphoné.**

Remarquez la concordance de temps suivante :

PRÉSENT/FUTUR : Si **j'ai** besoin de quelque chose, **je téléphonerai**.

IMPARFAIT/CONDITIONNEL : Si **j'avais** besoin de quelque chose, **je téléphonerais**.

PLUS-QUE-PARFAIT/CONDITIONNEL ANTÉRIEUR : Si **j'avais eu** besoin de quelque chose, **j'aurais téléphoné**.

Le conditionnel passé (ou conditionnel antérieur) exprime l'équivalent de l'anglais *would have : I would have phoned*.

A. La formation et la conjugaison du conditionnel antérieur

Verbes avec avoir

Exemple : **demander**

Affirmative		*Négative*		
j'aurais	demandé	je n'aurais	pas demandé
tu aurais	demandé	tu n'aurais	pas demandé
il aurait	demandé	il n'aurait	pas demandé
nous aurions	demandé	nous n'aurions	pas demandé
vous auriez	demandé	vous n'auriez	pas demandé
ils auraient	demandé	ils n'auraient	pas demandé

Interrogative

Il y a deux formes : { avec **est-ce que** / avec l'inversion

Avec **est-ce que**			*Avec l'inversion*	
est-ce que j'	aurais	demandé ?	aurais-je	demandé ?
est-ce que tu	aurais	demandé ?	aurais-tu	demandé ?
est-ce qu' il	aurait	demandé ?	aurait-il	demandé ?
est-ce que nous	aurions	demandé ?	aurions-nous	demandé ?
est-ce que vous	auriez	demandé ?	auriez-vous	demandé ?
est-ce qu'ils	auraient	demandé ?	auraient-ils	demandé ?

Auriez-vous demandé à Bob de venir avec vous si vous aviez su qu'il inviterait sa mère ?

Voilà le conditionnel antérieur de quelques verbes :

Réguliers : j'aurais demandé, j'aurais fini, j'aurais attendu.

Irréguliers : j'aurais dit, j'aurais fait, j'aurais vu, j'aurais lu, j'aurais écrit, j'aurais tenu, etc.

RÉVISION DE CERTAINS PARTICIPES PASSÉS : Il y a des verbes qui ne sont pas souvent employés au passé composé et dont vous connaissez mieux l'imparfait. Vous avez vu leur plus-que-parfait (*voir Leçon 3, page 307*). Révisons leurs participes passés :

	Participe passé	Plus-que-parfait	Conditionnel antérieur
avoir :	**eu**	j'avais eu	**j'aurais eu**
être :	**été**	j'avais été	**j'aurais été**
croire :	**cru**	j'avais cru	**j'aurais cru**
vouloir :	**voulu**	j'avais voulu	**j'aurais voulu**
devoir :	**dû**	j'avais dû	**j'aurais dû**
pouvoir :	**pu**	j'avais pu	**j'aurais pu**

Verbes avec **être**

Exemple : **aller**

Affirmative		*Négative*	
je serais	allé(-e)	je ne serais	pas allé(-e)
tu serais	allé(-e)	tu ne serais	pas allé(-e)
il serait	allé	il ne serait	pas allé
nous serions	allés(-es)	nous ne serions	pas allés(-es)
vous seriez	allé(-s), (-e), (-es)	vous ne seriez	pas allé(-s), (-e), (-es)
ils seraient	allés	ils ne seraient	pas allés

Interrogative

Il y a deux formes : { avec **est-ce que** / avec l'inversion

Avec **est-ce que**			*Avec l'inversion*	
est-ce que je	serais	allé(-e) ?	serais-je	allé(-e) ?
est-ce que tu	serais	allé(-e) ?	serais-tu	allé(-e) ?
est-ce qu'il	serait	allé ?	serait-il	allé ?
est-ce que nous	serions	allés(-es) ?	serions-nous	allés(-es) ?
est-ce que vous	seriez	allé(-s), (-e), (-es) ?	seriez-vous	allé(-s), (-e), (-es) ?
est-ce qu' ils	seraient	allés ?	seraient-ils	allés ?

Je serais allé avec vous si vous m'aviez invité.

Voilà le conditionnel antérieur des verbes avec **être** :

Verbes de mouvement: je serais allé, je serais arrivé, je serais entré, je serais monté, je serais sorti, je serais parti, je serais descendu, je serais tombé, je serais resté, je serais venu, je serais rentré, je serais retourné

Verbes pronominaux: je me serais levé, je me serais endormi, je me serais mis au travail, *etc.*

B. Les usages du conditionnel antérieur

1. Avec **si**

J'aurais été enchanté de le voir si j'avais su qu'il était ici.

2. Sans **si**

J'aurais bien **voulu** entendre ce qu'il avait à dire.
Auriez-vous cru que votre père se serait laissé pousser la barbe ?
On espérait que le gouvernement **aurait signé** les accords avant les élections.

NOTE : Un humoriste français a dit que le conditionnel antérieur, c'est le « mode du regret ». En effet, il est souvent associé avec les expressions :

si j'avais su…   si j'avais pu…   si j'avais voulu…   si on m'avait dit… si j'avais cru…

Ces expressions sont souvent employées par le pessimiste qui regrette, inutilement d'ailleurs, que les choses n'aient pas été *(that things were not)* autrement :

« Si j'avais su, je ne serais pas allé au Sénat le 15 mars », aurait pu dire César.

« Si j'avais cru que c'était une révolution, j'aurais écouté le peuple », aurait pu dire Louis XVI.

3. La rumeur et le conditionnel

On associe aussi le conditionnel et surtout le conditionnel antérieur avec l'idée d'une opinion exprimée, mais pas prouvée :

D'après certains savants, Shakespeare n'**aurait** pas **existé**. Ce serait Marlowe ou Ben Johnson qui **aurait écrit** les célèbres pièces. D'après d'autres, il n'**aurait été** qu'un obscur acteur qui **aurait donné** son nom à un groupe de personnages importants qui préféraient rester anonymes.

II. Le verbe **devoir**

A. Sa conjugaison

La conjugaison de devoir

Présent	*Imparfait*	*Passé composé*	*Futur*
je dois	je devais	j'ai dû	je devrai
tu dois	tu devais	tu as dû	tu devras
il doit	il devait	il a dû	il devra
nous devons	nous devions	nous avons dû	nous devrons
vous devez	vous deviez	vous avez dû	vous devrez
ils doivent	ils devaient	ils ont dû	ils devront

Participe passé	*Plus-que-parfait*	*Conditionnel*
dû	j'avais dû	je devrais
		Conditionnel antérieur
		j'aurais dû

B. Les différents sens de **devoir** à ses différents temps

Employé comme seul verbe, **devoir** a le sens de *to owe :*

Je dois, je devais, j'ai dû, etc. de l'argent à la banque.

Employé comme auxiliaire, avec un autre verbe, le sens de **devoir** change avec le temps :

1. **je dois** (*présent*) et **je devais** (*imparfait*) ont deux sens possibles :

   a. *probably*

   Il doit faire froid en Alaska !
   Balzac **devait** souvent **passer** la nuit à écrire.

   b. *to be supposed to*

   Je **dois être** chez moi à six heures.
   Vous **deviez** me **téléphoner**, et vous avez oublié.

NOTE : Vous verrez dans la Leçon 14 (pages 457–458) les sens et usages de **il faut** (*to have to*) et la distinction entre **falloir** et **devoir**.

2. **j'ai dû** (*passé composé*) — *I must have*

   J'ai dû laisser mes clés dans ma voiture.
   Vous avez dû vous tromper de salle : ce n'est pas la classe de mathématiques.

3. **je devrais** (*conditionnel*) — *I should, I ought to*

J'ai un ami à l'hôpital. **Je devrais aller** le voir.
Vous ne **devriez** pas **avoir** de difficultés si vous allez en France.

4. **j'aurais dû** (*conditionnel antérieur*) — *I ought to have, I should have*

J'aurais dû vous **écrire** plus tôt, mais j'étais si occupé !
On aurait dû dire à Napoléon que la Russie était grande, et froide en hiver.

REMARQUEZ : C'est peut-être un commentaire défavorable sur la nature humaine, mais on peut remarquer que, le plus souvent, **je devrais** implique qu'on est conscient de l'obligation mais que l'on n'a pas l'intention de faire ce dont on parle (si on en a l'intention, on dira **il faut**) :

J'ai une classe à huit heures, **il faut** me lever à sept heures ; **je devrais** me lever une heure plus tôt pour étudier. (Mais je ne le fais pas.)

j'aurais dû exprime la même conscience de l'obligation, mais en rétrospective, et quand il est trop tard :

J'aurais dû aller voir mon grand-père plus souvent, parler avec lui, écouter ses réminiscences. (Et je le regrette maintenant qu'il est mort.)

EXERCICES ÉCRITS et/ou ORAUX

I. *Formez une phrase en employant le plus-que-parfait et le conditionnel antérieur.*

Exemple : Si je _____ (savoir), je _____ (rester chez moi).
Si j'avais su, je serais resté chez moi.

1. Si vous _____ (penser), vous _____ (répondre ça).
2. Si Napoléon _____ (pouvoir), il _____ (prendre la Russie).
3. Si Christophe Colomb _____ (savoir la vérité), il _____ (être surpris).
4. Si Louis XVI _____ (écouter le peuple), il _____ (peut-être éviter la Révolution).
5. Si le professeur _____ (vous croire), il _____ (donner des « A »).
6. Si vous _____ (ne pas être intelligent), vous _____ (ne pas être à l'université).
7. Si je _____ (croire ce monsieur), je _____ (se tromper de route).
8. Si les voyageurs _____ (prendre l'avion direct), ils _____ (arriver plus tôt).
9. Si votre voiture _____ (marcher), vous _____ (aller en vacances).
10. Si je _____ (savoir), je _____ (ne pas choisir ce cours).

II. *Composez une phrase imaginative.*

Complétez la phrase en employant soit le plus-que-parfait, soit le conditionnel antérieur.

> Exemple : Si j'avais été libre hier, je...
> *Si j'avais été libre hier, j'aurais dormi toute la journée.*

1. S'il avait plu ce matin,...
2. Je ne vous aurais jamais cru si...
3. Si vous étiez venu avec moi, vous...
4. Votre mère aurait été enchantée si...
5. Jules Verne n'aurait pas été étonné si...
6. Si on m'avait dit qu'un jour je parlerais français,...
7. Je n'aurais probablement pas lu Shakespeare si...
8. Je ne serais pas venu aujourd'hui si...
9. Il n'aurait jamais trouvé la bonne réplique si...
10. Si vous m'aviez écouté, vous...

III. *Transformez ces déclarations en rumeurs.*

Ajoutez **d'après**... *pour transformer ces phrases en rumeurs. (Le conditionnel — présent et antérieur — indique la rumeur.)*

> Exemple : Louis XIV *avait* un frère qui *a passé* sa vie dans une forteresse, le visage couvert d'un masque de fer (Alexandre Dumas).
>
> *D'après Alexandre Dumas, Louis XIV aurait eu un frère qui aurait passé sa vie dans une forteresse, le visage couvert d'un masque de fer.*

1. On *a trouvé* un étrange poisson, probablement préhistorique, qui ne *ressemble* à aucune espèce identifiée.   (le journal de ce matin)

2. Le drapeau ne *représente* pas le pays, *c'est* simplement un objet comme un autre, et on *peut* le traiter comme on veut.   (un groupe de gauche)

3. La vie *existe* sur les autres planètes. Un savant *a réussi* à communiquer avec les habitants de Mars, Vénus et Jupiter.   (une revue de science-fiction)

4. La terre *est* beaucoup plus ancienne qu'on ne le *croyait* et on *a découvert* des fossiles qui le *prouvent*.   (un article scientifique)

5. Le président *a fait* un voyage secret. Il *est allé* à Helsinki et là, il *a rencontré* les chefs des puissances étrangères. Il *s'est* aussi *arrêté* à Stockholm où il *a conféré* avec le représentant des Nations-Unies. (un commentateur à la télévision)

IV. *Mettez au passé.*

1. *Voudriez*-vous être pirate, comme Lafitte par exemple? Ou *aimeriez*-vous être un brigand de la forêt comme Robin Hood? Vous *auriez* des aventures, vous *iriez* du danger à la victoire, et vous ne *seriez* jamais sûr du lendemain. Mais vous *sauriez* que chaque moment de votre vie *est* plein d'imprévu (*unknown*) et vous *seriez* peut-être plus heureux que dans la sécurité.

2. Si Washington *devenait* roi, nous *aurions* une monarchie aux Etats-Unis. Beaucoup de choses *seraient* différentes, si nous *avions* une famille royale héréditaire. Le roi *établirait* une aristocratie. Les industriels *deviendraient* comtes et marquis. La culture de notre pays *se développerait* de façon différente.

V. *Composez une autre phrase avec un pronom relatif* (**dont, ce dont, ce que, ce qui**).

> Exemple: Je ne connais pas la fin de cette histoire.
> C'est une histoire *dont je ne connais pas la fin*.

1. J'ai besoin de ces clés.
   Voilà les clés _____ .

2. Vous connaissez la fille de ce monsieur.
   Voilà le monsieur _____ .

3. Nous sommes sûrs de peu de vérités.
   Il y a peu de vérités _____ .

4. Vous avez peur d'insectes qui ne sont pas dangereux.
   Les insectes _____ .

5. Je voudrais quelque chose, mais je ne sais pas quoi.
   Je ne sais pas _____ .

6. Vous avez envie de choses, mais il est probable qu'elles sont chères.
   Il est probable que _____ .

7. Il s'est passé des choses en mon absence. Vous ne me les avez pas racontées.
   Racontez-moi _____ .

8. Vous m'avez demandé de vous apporter les choses dont vous avez besoin.
   Je vous apporterai _____ .

COMPOSITIONS

Composition orale et/ou écrite.

Vous avez le choix entre trois sujets :

A. Ce que l'administration de votre université aurait dû faire ou devrait faire pour améliorer la vie des étudiants.

B. Ce que vous auriez dû faire dans votre vie jusqu'à présent et ce que vous devriez faire maintenant.

C. Ce que vous auriez fait si on vous avait donné un million ce matin avant d'entrer en classe, et ce que vous auriez fait de ce million. (Vous l'auriez peut-être refusé...)

VOCABULAIRE

NOMS

Noms masculins

l'avantage	l'humoriste	le règne
l'entourage	le jugement	le regret
l'esprit	le passé	le Sénat
l'exil	le pessimiste	le sous-marin

Noms féminins

l'armée	la décision	l'ironie
la barbe	la dissertation	la réplique
la botte	la gloire	la vingtaine
la chasse	l'Inde	

ADJECTIFS

atomique	exaspérant (-e)	infaillible

VERBES

découvrir (*p.p.* découvert)	évaluer	insister

ADVERBES

inutilement	sans doute	successivement

VOCABULAIRE DES EXERCICES :

NOMS

Noms masculins

le brigand	le danger	l'industriel
le chef	le fossile	l'insecte
le commentateur	l'habitant	le marquis
le comte	l'imprévu	le masque

Noms féminins

l'aristocratie   la forteresse   la terre
la culture   la monarchie   la victoire
l'espèce   la sécurité

ADJECTIFS

héréditaire   préhistorique

VERBES

conférer   se développer   prouver

LEÇON 13
Le crime de Daru

Les pronoms interrogatifs

Introduction

QUESTION	RÉPONSE
Qui est à la porte ?	C'est **un monsieur**.
Qui vous donne de l'argent ?	**Mon père** m'en donne.
A qui pensez-vous le plus souvent ?	Je pense **à une certaine personne**.
De qui parle le professeur ?	Il parle **d'un auteur célèbre**.
Avec qui passez-vous vos vacances ?	Je passe mes vacances **avec ma famille**.
Sur qui comptez-vous pour vous aider ?	Je compte **sur mes amis** ; mais je sais qu'en réalité, il ne faut compter que sur soi.
Qu'est ce qui est devant la porte ?	C'est **le journal**.
Qu'est ce que vous faites ?	Je suis en train de réparer ma voiture.
A quoi pensez-vous le plus souvent ?	Je pense **à mes études**.
De quoi parle le professeur ?	Il parle **des ouvrages** d'un auteur.
Avec quoi écrivez-vous vos devoirs ?	Je les écris **avec un stylo**.
Sur quoi comptez-vous pour vous aider ?	Je compte surtout **sur mon travail**.
J'hésite entre deux maisons. **Laquelle** est la plus jolie ?	**Celle qui** est ancienne.
Vous allez écrire à votre oncle. Mais vous avez plusieurs oncles. **Auquel** allez-vous écrire ?	Je vais écrire **à celui** qui habite Bordeaux.

Votre cours du mardi ? Mais vous en avez quatre le mardi. **Duquel** parlez-vous ?

Je parle **de celui** de physique.

J'hésite entre une Citroën et une Ford. **Dans laquelle** a-t-on plus de place ?

Avec laquelle aurai-je le moins de pannes ?

Vous aurez moins de pannes **avec celle** qui a le meilleur moteur. **Avec celle-ci**, par exemple ; c'est une Peugeot.

EXERCICES ORAUX

I. *Quel est le pronom interrogatif ?* (qui, qu'est-ce qui, qu'est-ce que, quoi)

Exemple :   *Qu'est-ce que* vous dites ?   (La vérité.)

1. _____ vous avez vu ?   (Une maison.)
2. _____ avez-vous vu ? (Une dame.)
3. _____ vous a parlé ?   (Lui.)
4. _____ vous avez fait ?   (Pas grand-chose.)
5. A _____ pensez-vous ?   (A elle.)
6. A _____ pensez-vous ?   (A mes problèmes.)
7. De _____ avez-vous besoin ?   (De temps.)
8. _____ il vous a dit ?   (Il m'a dit : « Bonjour ».)
9. _____ m'a téléphoné ?   (Ta mère.)
10. _____ vous voulez dire ?   (Rien d'important.)
11. _____ il y a à manger ce soir ?   (Du bifteck.)
12. _____ avez-vous rencontré ?   (Personne.)
13. Avec _____ y êtes-vous allé ?   (Tout seul.)
14. Sur _____ comptez-vous pour vous aider ?   (Sur vous.)
15. Dans _____ voulez-vous que je place ces fleurs ?   (Dans ce vase.)
16. _____ j'aurais dû dire ?   (Quelque chose d'intelligent.)
17. _____ aurait pu m'entendre ?   (Tout le monde, vous parlez si fort.)
18. _____ vous intéresse ?   (Oh, beaucoup de choses.)
19. Pour _____ faites-vous ce joli tricot ?   (Pour un ami.)
20. De _____ avez-vous besoin en ville ?   (De provisions.)

II. *Répondez par un pronom interrogatif:* lequel, auquel, duquel (*ou les autres formes au féminin ou au pluriel*) *et une préposition si elle est nécessaire.*

Exemple :   Je vais dîner *au restaurant.*   *Auquel* ?

1. J'ai besoin *d'un manteau.*   _____ ?
2. Vous avez parlé *à une jeune fille.*   _____ ?

3. Je mets ma voiture *dans un garage*. _____ ?
4. Allons *au cinéma* ce soir. _____ ?
5. Vous faites toujours *la même faute*. _____ ?
6. J'ai *deux choses* à vous dire. _____ ?
7. J'ai peur *de certains animaux*. _____ ?
8. Vous avez envie *d'un de ces gâteaux*? _____ ?
9. Vous auriez dû lui répondre *une chose*. _____ ?
10. Il passe l'été *sur une plage* en France. _____ ?
11. Elle écrit toujours *avec une de ces machines*. _____ ?
12. Vous avez oublié *mes recommandations*. _____ ?
13. Vous auriez dû téléphoner *à cette dame*. _____ ?
14. Tu n'as plus besoin *de ton livre*? _____ ?
15. Le reporter voudrait vous parler *de votre grand succès*. _____ ?
16. Les oiseaux font leur nid dans les branches *de certains arbres*. _____ ?

LECTURE

Le texte suivant est un bref résumé et une adaptation de la célèbre nouvelle de Camus, *L'Hôte*. Camus est un écrivain et philosophe contemporain. La grande préoccupation de Camus, c'est le problème de la responsabilité de l'homme, de sa solidarité avec les autres, bref, d'une *morale humaniste* dans laquelle Dieu n'a pas de rôle.

L_e crime de Daru

« Qui monte la colline, là-bas ? » se demandait Daru. « Je vois bien un homme à cheval, mais qui est-ce ? Et qu'est-ce qu'il a avec lui ? »

Daru était un jeune instituteur, c'est-à-dire maître d'école élémentaire dans une petite école isolée au milieu des montagnes de l'Algérie. C'était l'hiver ; la neige était tombée, les chemins étaient bloqués, ses élèves ne venaient plus. Ils ne reviendraient pas avant le printemps. Daru se sentait seul, pourtant il ne s'ennuyait pas.

L'homme à cheval se rapprochait lentement, et bientôt Daru a reconnu Balducci, le gendarme du village voisin. Mai qui était avec lui ? C'était un Arabe, que Balducci tenait, les mains liées, au bout d'une corde.

« Salut ! » dit Balducci en descendant de cheval. « Salut ! » répond Daru ; et il ajoute : « Qui est ce type ? Qu'est-ce qu'il a fait ? »

Balducci explique que c'est un homme d'un village des montagnes. Il vient de commettre un crime. Il a tué un autre homme au cours d'une querelle. Il faut maintenant le conduire à la prison. Mais celle-ci est à une bonne distance, il faut marcher longtemps et Balducci ne peut pas quitter son poste aussi longtemps. « Alors, » dit-il à Daru, « je me suis demandé : Qui peut me rendre un service ? Qui n'a rien à faire en ce moment ? Et j'ai pensé à vous, puisque vos élèves ne viennent pas. Alors j'ai amené le type ici. Gardez-le avec vous ce soir, et demain, emmenez-le à la prison. » Tout en parlant, Balducci prend son revolver et le donne à Daru. Puis il tend à celui-ci la corde qui attache l'Arabe et remonte sur son cheval, car la nuit tombe et il ne faut pas être sur les chemins quand le vent glacé du désert commence à souffler.

YVES TANGUY, *Le géomètre des rêves*

Des formes torturées se dressent dans cette désolation. Elles évoquent peut-être l'hostilité de la nature sur le Haut-Plateau algérien, l'isolement de Daru et son dilemme.

Voyez-vous une autre interprétation possible qui illustre aussi *Le Crime de Daru* ?

Resté seul avec l'Arabe, Daru ne dit rien, mais il conduit celui-ci à l'intérieur de sa modeste résidence : il n'a que deux petites pièces, adjacentes à l'unique salle de classe. Pendant que l'Arabe le regarde silencieusement, il met le revolver dans le tiroir de la table. Puis il prépare un simple repas : du pain, du fromage, des figues sèches, une tasse de café noir. L'Arabe, assis par terre dans un coin, ne bouge pas, mange sans dire un mot. Qu'est-ce qu'il pense ? C'est un mystère pour Daru ; il est en Algérie depuis cinq ans, mais il ne comprend pas encore bien la mentalité arabe.

Après le dîner, Daru prend une couverture brune, la donne à l'Arabe. « Installe-toi là, dans le coin, près de la cheminée. Je te réveillerai demain matin. » Puis Daru va se coucher. Pendant la nuit, il entend l'Arabe qui se lève, qui ouvre la porte et qui sort. « Lequel de nous deux est le plus coupable ? » se demande Daru. « Qui peut blâmer un homme pour ne pas vouloir aller en prison ? » Mais après quelques instants, la porte s'ouvre, l'Arabe rentre sans bruit et retourne se coucher.

Le lendemain matin, il fait un froid sec et clair. Le soleil brille sur la neige. Après un petit déjeuner frugal, Daru et l'Arabe sortent et se dirigent vers l'endroit, à quelques kilomètres de là, où la route se divise en deux : à gauche, un chemin conduit vers la ville et la prison ; celui de droite, vers la montagne. Arrivés à la bifurcation, Daru s'arrête. « Ecoute, » dit-il, « moi, je ne suis pas gendarme. Mais je suis un homme. Et toi, tu es peut-être un criminel, mais tu es sûrement un homme aussi. Alors, regarde : voilà les deux routes. Celle-ci va vers la prison. L'autre va vers la montagne, où il y a des tribus qui te traiteront comme un frère. Laquelle vas-tu prendre ? Tu vas choisir, parce que tu es un homme. Moi, je vais retourner chez moi. Tu comprends ça ? » L'Arabe le regarde, regarde les routes qui serpentent jusqu'à l'horizon.

Daru reprend le chemin dans la direction de sa demeure... Après avoir marché un moment, il se retourne et regarde au loin. Il voit l'Arabe qui reste là-bas, immobile, à la bifurcation de la route. Est-ce qu'il hésite ? A quoi pense-t-il ? Qu'est-ce qui se passe dans sa tête ? Sur laquelle de ces routes va-t-il s'engager ? Après un long moment Daru le voit prendre la route de la prison sur laquelle il marche vite, sans hésiter et sans se retourner. Daru soupire : le criminel a perdu, l'homme a gagné ; c'est un homme libre qui marche là-bas d'un pas sûr, vers la prison.

Un moment plus tard, rentré chez lui, Daru a besoin d'aller chercher quelque chose dans la salle de classe froide et déserte. Là, pendant son absence, une main maladroite a tracé sur le tableau noir : « TU AS VENDU NOTRE FRÈRE. TU VAS PAYER TON CRIME DE TA VIE ».

PRONONCIATION

| qui / que | qu'est-ce qui / qu'est-ce que |
| lequel / laquelle | de quel / duquel / desquels |

QUESTIONS SUR LA LECTURE

Dans cette leçon, au lieu de vous poser des questions, nous allons vous proposer des réponses et vous demander de trouver la question probable.

(C'est peut-être une question avec **où**, **quand**, **pourquoi**, etc., aussi bien qu'avec les pronoms de la leçon.)

1. _____ ? C'est un écrivain contemporain.
2. _____ ? Sa préoccupation, c'est une morale humaniste.
3. _____ ? Daru était un jeune instituteur.
4. _____ ? L'histoire se passe en Algérie.
5. _____ ? Les élèves ne venaient plus parce que c'était l'hiver.
6. _____ ? Non, il ne s'ennuyait pas.
7. _____ ? Il a vu quelque chose qui montait la colline, mais il ne savait pas ce que c'était.
8. _____ ? C'était Balducci, le gendarme du village voisin.
9. _____ ? Avec lui, il avait un Arabe attaché au bout d'une corde.
10. _____ ? Balducci lui a donné un revolver.
11. _____ ? Daru l'a mis dans le tiroir de sa table.
12. _____ ? Il n'a rien dit à l'Arabe.
13. _____ ? Il lui a donné du pain et une couverture.
14. _____ ? Daru décide de laisser l'Arabe décider lui-même où il ira.
15. _____ ? Il l'a emmené à la bifurcation des routes.
16. _____ ? Il s'est engagé sur celle de la prison.
17. _____ ? Daru a vu une inscription menaçante.
18. _____ ? A Daru? Il a probablement été tué.
19. _____ ? Je pense que Daru n'était coupable d'aucun crime.

EXPLICATIONS

Les pronoms interrogatifs

A. Qui...? si la question concerne une personne

Qui a dit ça ? **Qui** a fait ça ?
Qui voulez-vous voir ?
Qui vous a donné ce cadeau ?
A qui Balducci a-t-il donné le revolver ?
De qui auriez-vous peur à la place de Daru ?

Quand la question concerne une personne, employez **qui** aussi bien comme sujet, objet ou objet de préposition.

B. **Qu'est-ce qui**...?
Qu'est-ce que...? } si la question concerne un objet, une idée ou un événement
Quoi...?

1. **Qu'est-ce qui** fait ce bruit ? C'est un moteur.
   Qu'est-ce qui est arrivé ? Il y a eu un accident.

   Qu'est-ce qui… est la forme sujet. Comme pour le pronom relatif **qui**, le verbe est généralement placé directement après ; car **qui** est le sujet du verbe.

2. **Qu'est-ce que** vous dites ? Je dis que j'aurais eu peur à sa place.
   Qu'est-ce qu'il a vu ? Il a vu une inscription qui menaçait sa vie.

   Qu'est-ce que…? est la forme objet. Comme pour le pronom relatif **que**, il est généralement séparé du verbe par le sujet de celui-ci. Mais il y a une autre forme pour **Qu'est-ce que**…? qui est souvent employée, qu'il faut savoir, car elle est simple et courte :

   Qu'est-ce que vous dites ? = **Que** dites-vous ?
   Qu'est-ce qu'il a vu ?   = **Qu'**a-t-il vu ?

3. **Quoi** ? est la forme objet de préposition

   Avec quoi faites-vous un gâteau ? Avec des œufs, du beurre, etc.
   Dans quoi mettez-vous votre clé ? Dans ma poche.
   A quoi pensez-vous ? Je pense aux vacances !

   On emploie aussi **quoi** quand la question consiste en un seul mot :

   J'ai quelque chose à vous dire. **Quoi** ?
   Il veut quelque chose. **Quoi** ?

REMARQUEZ: Quand la question comprend (*includes*) la forme **est-ce que**, il n'y a jamais d'inversion dans la question.

Récapitulation des pronoms interrogatifs

Remplacent	Une personne	Un objet
Sujet	qui (*ou* : qui est-ce qui) *	$\begin{cases} \text{que} \\ \text{qu'est-ce que} \end{cases}$
Objet direct	qui (*ou* : qui est-ce que) *	qu'est-ce qui
Objet de préposition	qui	quoi

* Ces formes sont possibles aussi, mais moins employées et vous n'avez pas besoin de les apprendre maintenant si vous trouvez qu'elles vous compliquent les choses.

C. Lequel ... ?

Vous connaissez déjà l'adjectif interrogatif **quel** dans ses formes :

quel: **Quel** jour sommes-nous ?
quelle: **Quelle** heure est-il ?
quels   **Quels** exercices avons-nous pour aujourd'hui ?
quelles: **Quelles** couleurs aimez-vous le mieux ?

quel est un adjectif, c'est-à-dire qu'il est toujours employé avec un nom. On l'emploie aussi de la façon suivante, toujours avec le verbe **être** :

Quel est le titre de ce livre ?
Quelle est la date d'aujourd'hui ?

1. Le pronom formé sur **quel** est **lequel.** * Voilà ses formes :

lequel: **Lequel** de vos parents est le plus généreux ?
laquelle: Voilà deux routes. **Laquelle** va-t-il prendre ?
lesquels: **Lesquels** de ces jeunes gens étudient le français ?
lesquelles: **Lesquelles** de vos robes portez-vous le plus souvent ?

Maintenant, voilà ce qui arrive quand **lequel** est accompagné de la préposition **à** ou **de** :

(a) **auquel** est la combinaison de **à** + **lequel**

Il y a six étages. **Auquel** habitez-vous ?
A laquelle de ces jeunes filles avez-vous téléphoné ?
Auxquels d'entre vous a-t-on distribué des cartes ?
Auxquelles de ces questions voulez-vous une réponse ?

Voilà les quatre formes que prend la combinaison de **à** + **lequel** :

auquel	à laquelle
auxquels	auxquelles

(b) **duquel** est la combinaison de **de** + **lequel**

Vous avez besoin d'**un** de mes livres ? **Duquel** ?
Desquels de vos professeurs avez-vous peur ? J'ai peur de **ceux** qui ne donnent pas de note avant la note finale.
De laquelle d'entre vous, Mesdemoiselles, parlait le directeur ?
Desquelles de mes idées faut-il me débarrasser ? De **celles** qui sont confuses et contradictoires.

* Vous avez déjà étudié **lequel** et ses formes dans la Leçon 2, page 286.

Voilà les quatre formes que prend la combinaison de **de** + **lequel**

duquel	**de laquelle**
desquels	**desquelles**

2. Quand **lequel** est employé avec une autre préposition, il n'y a pas de contraction et pas de forme spéciale :

Dans lequel de ces pays avez-vous voyagé ?
Pour laquelle de ces raisons avez-vous quitté l'Europe ?
Avec lesquels de ces gens vous entendez-vous bien ?
Sur laquelle de ces chaises voulez-vous mettre votre sac ?
Sur lequel d'entre vous est-ce que je peux compter pour m'aider ?

EXERCICES ÉCRITS et/ou ORAUX

I. *Révision de la question.*

A. *Vous rentrez, et quelqu'un (votre femme ? votre camarade de chambre ? votre mère ?) vous pose des questions. Voilà vos réponses. Quelles sont ces questions ? (Elles emploient peut-être tous les pronoms de la leçon, plus les autres termes d'interrogation comme* pourquoi, quand, où, *etc.)*

Exemple : Je n'ai rencontré personne.
Qui avez-vous rencontré ce matin ?

1. Oh, je suis sorti un moment.
2. Je suis allé au cinéma.
3. J'y suis allé tout seul.
4. J'ai vu un film.
5. Celui dont les revues sont si bonnes.
6. Il racontait une histoire très symboliste et surréaliste.
7. Eh bien, justement, j'ai rencontré les Duval.
8. Ils ne m'ont pas dit grand-chose. Juste « Bonsoir », et « Comment va ? »
9. J'avais besoin de sortir parce que j'étais fatigué d'être ici.
10. Je prends cet air exaspéré parce que je n'aime pas qu'on me pose tant de questions.

B. *Voilà un jeune homme qui rencontre pour la première fois les parents de sa fiancée. Le père de celle-ci l'invite à fumer un cigare dans son cabinet de travail et lui pose quelques questions. Voilà les réponses. Quelles sont les questions ?*

1. Je suis étudiant.
2. Non, maintenant, pas beaucoup. Mais un jour je serai riche.

3. Plus tard ? Je ne sais pas encore ce que je veux faire.
4. Nous chercherons un petit appartement.
5. C'est un ami commun qui m'a présenté à votre fille.
6. Celui qui habitait en face de chez vous et qui était mon copain.
7. Oh, nous vivrons de ce que nous gagnerons tous les deux.
8. Je ne vous demande rien, Monsieur.

II. *Exercices sur le vocabulaire.*

A. *Expliquez les termes suivants et employez chacun dans une phrase.*

un instituteur, le tiroir, des figues sèches, une couverture, un gendarme, une bifurcation, une main maladroite

B. *L'expression* **rendre service à quelqu'un.**

Complétez les phrases suivantes.

1. Si vous êtes gentil, vous _____ gens qui vous le demandent.
2. Quel service Daru peut-il _____ Balducci ?
3. Ma voiture est en panne. Emmenez-moi dans la vôtre, vous me _____ .
4. Avez-vous _____ quelqu'un récemment ?

III. *Voilà quelques questions. Donnez à chacune une réponse qui montre que vous comprenez la question.*

1. De qui avez-vous peur ?
2. De quoi avez-vous peur ?
3. A quoi pensez-vous ?
4. A qui pensez-vous ?
5. De quoi avez-vous envie ?
6. A qui en voulez-vous ?
7. Qu'est-ce que vous faites ce soir ?
8. Qu'est-ce qui se passe autour de vous maintenant ?
9. Qui vous intéresse ?
10. Qu'est-ce qui vous intéresse ?
11. Un homme est riche, un autre sympathique. Lequel préférez-vous ?
12. Vous avez deux examens demain. Auquel pensez-vous le plus ?
13. Vous avez des projets ? Lesquels ?
14. Vous avez besoin de vos amis ? Desquels ?
15. Qu'aimez-vous le mieux et que détestez-vous le plus ?

COMPOSITIONS

Composition orale et/ou écrite.

Vous avez le choix entre quatre sujets :

A. Imaginez que vous voulez expliquer *Le crime de Daru* à un ami ou à un groupe. Posez les questions que ces gens vous poseraient, et répondez-y.

B. Vous cherchez du travail et vous allez voir le directeur d'une maison de commerce ou d'une autre entreprise. Il vous pose des questions, vous y répondez et vous lui posez d'autres questions à votre tour.

C. De retour de vacances, ou d'un voyage, vous racontez à un ami que vous avez rencontré quelqu'un de très bien. Quelles questions vous pose-t-il? Que lui répondez-vous et quelles questions lui posez-vous à votre tour?

D. Le professeur vous accuse (injustement) d'avoir copié votre composition sur un auteur célèbre. Quelles questions vous pose-t-il? Que lui répondez-vous, et quelles questions lui posez-vous à votre tour?

(Préparez votre composition sous forme de dialogue, avec quelques mots au commencement pour expliquer les circonstances. N'oubliez pas qu'il y a des quantités d'autres formes de la question que vous connaissez déjà et employez aussi celles-ci: **pourquoi, quand, où,** etc.)

VOCABULAIRE

NOMS

Noms masculins

l'Arabe	Dieu	le mystère
le cheval, les chevaux (*pl.*)	le gendarme	l'ouvrage
le cigare	l'instituteur	le philosophe
le désert	le maître	le revolver

Noms féminins

l'Algérie	la distance	la querelle
la bifurcation	la figue	la recommandation
la colline	la mentalité	la solidarité
la corde	la préoccupation	la tribu
la demeure	la prison	

ADJECTIFS

adjacent (-e)	désert (-e)	lié (-e)
bloqué (-e)	frugal (-e)	maladroit (-e)
confus (-e)	glacé (-e)	surréaliste
contradictoire	humaniste	
coupable	immobile	

ADVERBES

injustement	là-bas	silencieusement

LEÇON 14 (PREMIÈRE PARTIE)
Ce qu'il faut faire quand on sort avec une jeune fille

LE SUBJONCTIF

Les verbes qui ont un subjonctif irrégulier
il faut et le concept de nécessité

Introduction

INDICATIF	SUBJONCTIF
Je suis toujours gentil.	Il faut **que je sois** toujours gentil.
J'ai de l'enthousiasme.	Il faut **que j'aie** de l'enthousiasme.
Je fais beaucoup de choses.	Il faut **que je fasse** beaucoup de choses.
Je vais aux réunions importantes.	Il faut **que j'aille** aux réunions importantes.
Je peux aider les autres.	Il faut **que je puisse** aider les autres.
Je sais que le monde change.	Il faut **que je sache** que le monde change.
Je veux avoir une vie utile.	Il faut **que je veuille** avoir une vie utile.

DÉCLARATION ET QUESTION	RÉPONSE
Il faut **que je sois** chez moi à trois heures. A quelle heure faut-il **que vous soyez** chez vous ?	Il faut que **nous** y **soyons** à six heures : quelqu'un doit téléphoner.
Combien d'argent faut-il **que vous ayez** pour aller en Europe ?	Ça dépend. Il faut **que nous** en **ayons** assez.
Il faut **que je fasse** mon lit. Faut-il **que vous fassiez** le vôtre ?	Oui, il faut **que nous fassions** le nôtre.
Il faut **que j'aille** au marché. Faut-il **que vous** y **alliez** aussi ?	Oui, il faut **que nous** y **allions**.
Ouvrez la fenêtre. Il faut **que l'air puisse** entrer.	Oui, et il faut **que nous puissions** respirer.
Faut-il **que vous sachiez** le français ?	Oui, il faut **que nous** le **sachions**.

Faut-il **qu'un artiste veuille** surtout représenter la réalité ?

Non, il faut surtout **qu'il veuille** exprimer sa vision personnelle. Il faut aussi **que nous voulions** accepter cette vision.

EXERCICES ORAUX

I. *Quelle est la forme correspondante du subjonctif ?*

Exemple : je suis
que je sois

1. je vais	7. nous faisons	13. ils savent	19. il faut
2. je fais	8. vous allez	14. c'est	20. il vaut mieux
3. je sais	9. nous sommes	15. il y a	21. vous pouvez
4. je veux	10. il fait	16. tu es	22. nous voulons
5. je peux	11. vous savez	17. tu as	23. ils font
6. j'ai	12. on est	18. ils vont	24. ils peuvent

II. *Mettez la phrase au subjonctif.*

Exemple : Il faut être à l'heure.   (vous)
Il faut que vous soyez à l'heure.

1. Il faut faire attention. (je)
2. Il faut aller au marché. (nous)
3. Il faut être compréhensif avec les autres. (vous)
4. Il faut avoir des réserves d'énergie. (les étudiants)
5. Il faut savoir accepter les critiques. (ils)
6. Il faut vouloir faire un effort pour réussir. (les jeunes gens)
7. Il ne faut pas être facilement découragé. (ils)
8. Il ne faut pas avoir peur des difficultés. (on)
9. Il faut pouvoir employer le subjonctif correctement. (vous)
10. Il ne faut pas faire de fautes idiotes. (nous)

III. *Donnez une réponse personnelle aux questions suivantes.*

Exemple : Où faut-il que vous alliez après cette classe ?
Il faut que j'aille à l'aéroport prendre l'avion.

1. Où faut-il que vous alliez après cette classe ?
2. Quelle note faut-il que vous ayez pour être satisfait ?
3. Qu'est-ce qu'il faut que vous fassiez ce soir ?
4. Pourquoi faut-il que vous ayez de la patience ?
5. Pourquoi faut-il que vos parents fassent des économies ?
6. Quand faut-il que vous sachiez toutes les réponses ?
7. Combien de temps faut-il qu'on ait pour faire un bon voyage en Europe ?
8. Faut-il que des touristes aillent sur la lune ?
9. Pourquoi faut-il qu'on soit gentil avec les autres ?
10. Quand faut-il que vous puissiez employer le subjonctif ?

LECTURE

Ce qu'il faut faire quand on sort avec une jeune fille

Ce qui suit est une conversation entre deux jeunes gens : Michel, qui vient d'arriver de France, et Bill, américain, son camarade de chambre.

Michel : Ecoute, Bill, je sors ce soir. J'ai rendez-vous avec Betty à huit heures. Je vais la chercher chez elle. C'est une fille épatante, et j'ai de la veine. Seulement, il faut que je sache exactement comment on se conduit en Amérique, quand on sort avec une jeune fille. Alors, je te prie, dis-moi ce qu'il faut que je fasse et ce qu'il ne faut pas que je fasse.

Bill : Ah, alors, tu as beaucoup à apprendre. D'abord, il faut que tu saches quels sont les goûts de Betty et ceux de ses parents. Ensuite, il faut que tu sois habillé de façon à plaire à Betty sans révolter ses parents. Et puis, il faut que tu sois à l'heure. Il faut que tu aies une voiture et qu'il y ait assez d'essence dans le réservoir.

Michel : Oh, Betty est très sportive. Elle adore marcher...

Bill : Oui, bien sûr, mais il ne faut pas que ce soit à minuit et sur une route déserte. Ah, autre chose : il faut que tu aies assez d'argent. Je ne connais pas Betty, mais il ne faut pas qu'elle soit obligée de te prêter de l'argent pour finir la soirée. Il y a des filles qui n'aiment pas ça.

Michel : Tiens ! C'est la même chose en France... En France, mon vieux, il y en a même qui sont tout à fait désagréables sur ce sujet. Continue.

Bill : Où en étions-nous ? Ah, oui. Tu arrives chez Betty. Il faut que tu fasses un effort pour être très poli avec sa mère, son père, son petit frère et sa grand-mère. Sois même très gentil avec le chien et fais des remarques flatteuses aux poissons rouges dans leur aquarium.

Michel : Mais... Où sera Betty pendant ce temps ?

Bill : Elle ne sera pas prête ! Tu ne pensais pas qu'elle serait prête et qu'elle t'attendrait comme si tu étais le seul garçon sur terre qui veuille sortir avec elle ? Non. Betty sait qu'il faut qu'elle te fasse attendre au moins une demi-heure.

Michel : Jamais je ne trouverai de sujet de conversation pour passer une demi-heure avec les poissons rouges ! Et puis, je crois que tu exagères. Betty n'est pas

comme ça, elle dit qu'il faut que les hommes et les femmes soient stricte-
ment égaux.

Bill : Bien sûr, elle le dit. Elle le pense aussi, sûrement. Mais pas quand elle sort
avec un beau garçon comme toi...

Michel : Tu me flattes... Alors, continue. Betty arrive enfin. Qu'est-ce qu'il faut que
je fasse ? Je dis « Enfin ! » et puis j'ouvre la porte et je dis : « Alors, Betty,
on y va ? »

Bill : Ah non, pas du tout. Il faut d'abord que tu sois plein d'admiration pour l'apparence et le costume de Betty. Il faudra que tu lui fasses des compliments
sincères.

Michel : Mais je ne sais pas, moi... Elle aura peut-être l'air horrible ce soir-là. On ne
sait jamais, avec les filles !

Bill : Alors, fais semblant de l'admirer. Je continue : dehors, il faut que tu ailles
ouvrir la portière pour elle, que tu lui demandes si elle est bien. Il faut aussi
que tu saches où l'emmener. Les filles savent très bien où elles voudraient
aller, mais elles n'osent pas toujours le dire. Alors, il faut que ce soit toi
qui sache à l'avance ce que vous allez faire.

Michel : Compte sur moi. Les projets, c'est mon fort. Et... comme conversation ?

Bill : Eh bien, il faut que tu sois intelligent, au courant et amusant. Mais la meilleure
façon d'être tout ça, c'est de laisser parler Betty et d'approuver tout ce
qu'elle dit.

Michel : Merci, mon vieux, j'ai compris le système. Je sens que je vais avoir un
succès fou.

PRONONCIATION

j'ai / que j'aie / qu'il ait
je veux / que je veuille
que nous **ayons** (= crayon)

QUESTIONS SUR LA LECTURE

1. Pourquoi faut-il que Michel sache comment on se conduit quand on sort avec
une jeune fille ?
2. Comment faut-il qu'il soit habillé ? Pourquoi ?
3. Pourquoi faut-il qu'il ait assez d'essence dans sa voiture ?
4. Pourquoi faut-il qu'il ait assez d'argent ?
5. Que faut-il qu'il fasse quand il arrivera chez Betty ?
6. Pourquoi faut-il que Michel fasse semblant d'admirer Betty s'il n'aime pas son
costume ?
7. Faut-il qu'il ait des projets pour la soirée ? Pourquoi ?

8. Comment faut-il que sa conversation soit ?
9. A votre avis, faut-il que Michel fasse attention aux conseils de Bill ? Pourquoi ?
10. Faut-il que vous soyez sincère ou que vous fassiez semblant, pour avoir du succès ? Expliquez.

EXPLICATIONS

Le subjonctif

Le subjonctif est un **mode** (comme l'indicatif, le conditionnel, et l'impératif sont des modes). C'est le mode que prend le verbe quand il est précédé de certains verbes, comme **il faut**, ou de certaines expressions qui indiquent une situation subjective. Dans cette leçon, nous allons voir le subjonctif employé après **il faut**.

Étudions d'abord les neuf verbes qui ont un subjonctif irrégulier.

I.   Les neuf verbes qui ont un subjonctif irrégulier

être :	**que je sois***	faire :	**que je fasse**	savoir :	**que je sache**
avoir :	**que j'aie**	falloir :	**qu'il faille**	valoir :	**qu'il vaille**
aller :	**que j'aille**	pouvoir :	**que je puisse**	vouloir :	**que je veuille**

A. Le subjonctif de **être** et **avoir**

être		avoir	
(*Indicatif présent*)	*Subjonctif*	(*Indicatif présent*)	*Subjonctif*
je suis	que je **sois**	j' ai	que j' **aie**
tu es	que tu **sois**	tu as	que tu **aies**
il est	qu' il **soit**	il a	qu' il **ait**
nous sommes	que nous **soyons**	nous avons	que nous **ayons**
vous êtes	que vous **soyez**	vous avez	que vous **ayez**
ils sont	qu' ils **soient**	ils ont	qu' ils **aient**

B. Le subjonctif de **aller, vouloir, faire, pouvoir, savoir, falloir, valoir**

aller		vouloir	
(*Indicatif présent*)	*Subjonctif*	(*Indicatif présent*)	*Subjonctif*
je vais	que j' **aille**	je veux	que je **veuille**
tu vas	que tu **ailles**	tu veux	que tu **veuilles**
il va	qu' il **aille**	il veut	qu' il **veuille**
nous **allons**	que nous **allions****	nous **voulons**	que nous **voulions****
vous **allez**	que vous **alliez**	vous **voulez**	que vous **vouliez**
ils vont	qu' ils **aillent**	ils veulent	qu' ils **veuillent**

* *Since the subjunctive is usually introduced by* **que***, we will use* **que** *in front of the verb forms in the subjunctive to help you remember them as such.*
** *Note that, in the case of the verbs* **aller, avoir, être** *and* **vouloir**, *the stem changes in the* **nous** *and* **vous** *forms, and then parallels the stem of the present indicative. You will find this peculiarity in several other "regular" subjunctives, based on verbs that have an irregular present indicative conjugation.*

faire	
(*Indicatif présent*)	*Subjonctif*
je fais	que je **fasse**
tu fais	que tu **fasses**
il fait	qu' il **fasse**
nous faisons	que nous **fassions**
vous faites	que vous **fassiez**
ils font	qu' ils **fassent**

pouvoir	
(*Indicatif présent*)	*Subjonctif*
je peux	que je **puisse**
tu peux	que tu **puisses**
il peut	qu' il **puisse**
nous pouvons	que nous **puissions**
vous pouvez	que vous **puissiez**
ils peuvent	qu' ils **puissent**

savoir	
(*Indicatif présent*)	*Subjonctif*
je sais	que je **sache**
tu sais	que tu **saches**
il sait	qu' il **sache**
nous savons	que nous **sachions**
vous savez	que vous **sachiez**
ils savent	qu' ils **sachent**

falloir	
(*Indicatif présent*)	*Subjonctif*
il faut	qu'il **faille**

valoir	
(*Indicatif présent*)	*Subjonctif*
il vaut	qu'il **vaille**
(*surtout employé dans l'expression :* il vaut mieux...)	

C. La terminaison du subjonctif

A l'exception de **être** et **avoir**, tous les subjonctifs, irréguliers ou réguliers ont la même terminaison :

que je	-**e**	que nous	-**ions**
que tu	-**es**	que vous	-**iez**
qu' il	-**e**	qu' ils	-**ent**

II. Le subjonctif et l'infinitif après **il faut**

A. L'infinitif

Vous connaissez déjà la construction **il faut** + *l'infinitif*

Il faut manger pour vivre.
Il faut être à l'heure.
Si on* est malade, **il faut aller** chez le docteur.
Il faut faire son travail, si on ne veut pas avoir de difficultés.

---

* Vous savez déjà qu'il n'y a pas de subjonctif après **si** en français.

Cette construction a un sens impersonnel, c'est-à-dire, général. Il n'y a pas de référence à une personne spécifique, le sens est semblable à celui de **on**, et on l'emploie souvent en contexte avec **on**.

B. Le subjonctif

Si je suis malade, **il faut que j'aille** chez le docteur.
Il faut que je fasse mon travail si je ne veux pas avoir de difficultés.

La construction **il faut + *le subjonctif*** s'emploie quand on parle d'une personne spécifique (**je, tu, il, nous, vous, ils**) :

Il faut que vous soyez à l'heure.
Il faut que les étudiants de cette classe **sachent** le subjonctif.
Il ne faut pas que ma nouvelle voiture soit trop chère.

Il faut + *le subjonctif* est une construction très fréquente en français. **Il faut** a le sens général de *to have to* et **il ne faut pas** de *must not*.

III. Les différents temps du verbe **falloir**

1. *Passé composé :* **il a fallu** ([suddenly] had to)

Il a fallu que j'aille chercher mon copain : sa voiture était en panne !
(*I [suddenly] had to go pick up...*)

2. *Imparfait :* **il fallait** (had to [as a situation])

L'année dernière, **il fallait** que je fasse des économies pour mon voyage en Europe. (*I had to... [that was the situation]*)

3. *Futur :* **il faudra** (will have to)

Il faudra que je décide un jour de mon avenir. (*I will have to...*)

Il existe aussi un conditionnel présent et passé pour le verbe **falloir** :

4. *Conditionnel :* **il faudrait** (would have to, ought to)

Il faudrait que chaque individu change pour que la société s'améliore.
(*Each person would have to change...*)

5. *Conditionnel parfait :* **il aurait fallu** (would have had to, ought to have)

Il aurait fallu que je commence à étudier le français très jeune pour le parler parfaitement maintenant. (*I would have had to start...*)

IV. Le sens de **il ne faut pas** (*must not*)

Vous avez déjà vu que **il faut** a le sens de *to have to*, ou *must*. Mais la négation **il ne faut pas**, a seulement le sens de *must not* :

Il ne faut pas dire à une jeune fille qu'elle n'est pas jolie.
Il ne faut pas stationner votre voiture au milieu de la rue !
Il ne faudra pas que vous oubliiez tout ce que vous avez appris.

L'agent de police a dit qu'**il n'aurait pas fallu** que j'aille si vite avec ma voiture.

NOTE : Comment exprime-t-on *I don't have to*? Employez l'expression «**Je ne suis pas obligé de…**» ou «**Je n'ai pas besoin de…**»

Votre première classe est à neuf heures. **Vous n'êtes pas obligé (vous n'avez pas besoin) de** vous lever avant sept heures et demie.

Dans certaines classes, **nous ne sommes pas obligés d'**écrire de compositions. Mais dans celle-ci, c'est différent : **il faut que** nous fassions tout le travail.

V. Deux expressions : **faire semblant, être bien**

faire semblant : Quelquefois, pour être poli, **vous faites semblant** d'admirer quelque chose que vous trouvez horrible.

être bien : Un objet (comme une maison, une pièce, une chaise, etc.) est confortable. Dans ce cas, **une personne** y **est bien**.

Vous êtes bien dans ce fauteuil parce qu'il est confortable.

EXERCICES ÉCRITS et/ou ORAUX

I. *Mettez le passage suivant au subjonctif en ajoutant* **il faut** (*ou* **il ne faut pas**, *quand le sens le demande*) *devant chaque verbe.*

Exemple : Il sait où il veut aller.
Il faut qu'il sache où il veut aller.

Michel va chercher Betty chez elle. Il est à l'heure. Il est habillé de façon très conservatrice. Les parents de Betty ont une bonne opinion de lui. Mais Betty n'est pas prête, et Michel est patient. Il sait faire la conversation poliment avec la famille, et il a des remarques flatteuses pour les poissons rouges.
Il a assez d'essence dans sa voiture, il n'a pas de panne d'essence. Betty est enchantée de sa soirée, et elle veut sortir de nouveau avec Michel.

II. *Complétez les phrases suivantes par la forme correcte du verbe* **falloir**.

Exemple : Le téléphone a sonné. Il *a fallu* que j'aille répondre.

1. Quand Michel arrivera chez Betty, il _____ qu'il soit très patient.
2. Je savais qu'il y avait un examen aujourd'hui et qu'il _____ étudier pendant le week-end.
3. Votre mère était malade hier soir, et il _____ que vous fassiez la cuisine.
4. Ce matin, j'ai eu une panne d'essence ! Il _____ que j'aille à la station d'essence à pied. La prochaine fois, il _____ que je fasse attention à mon compteur d'essence.

5. Pour avoir assez de temps, il _____ que je me lève à six heures chaque matin. Mais je suis paresseux, alors je suis toujours en retard.
6. Je savais qu'il _____ aller au marché. Mais j'ai oublié. Alors, il _____ que j'y aille au moment de servir le dîner.
7. Je sais qu'il _____ toujours remercier les gens pour un cadeau et qu'il _____ remercier ma tante quand elle m'a envoyé un chèque. Mais je suis malheureux quand il _____ écrire des lettres. J'ai attendu. Enfin, deux jours avant Noël, il _____ que je le fasse et que j'y ajoute des excuses.
8. Il _____ pas oublier votre guitare quand vous irez en Europe.
9. Vous n'avez pas préparé votre examen! Il _____ que vous alliez au laboratoire plus souvent.
10. Si vous n'avez pas assez d'argent, il _____ que vous alliez à la banque demain.

III. *Complétez les phrases suivantes avec imagination* (*et en employant au moins un verbe*).

> Exemple : Il ne faut pas que vous...
> *Il ne faut pas que vous fassiez de remarques idiotes sur l'intelligence de Michel.*

1. Il faut que je fasse des économies parce que...
2. Il faudra que vous sachiez une langue étrangère si...
3. Il n'y a pas de vin pour le dîner! Il aurait fallu que quelqu'un...
4. Faut-il que je fasse la conversation avec les poissons rouges quand...?
5. Vous ne m'aviez pas dit dans quel costume il fallait venir, alors...
6. Faut-il que vous alliez aux réunions politiques si...?
7. Dans cette université, il ne faut pas qu'on...
8. Il a fallu qu'il se fasse au climat tropical depuis qu'...
9. Il faut que vous ayez des idées personnelles pour...
10. Il aurait fallu que je sois né riche, parce que...!

IV. (*Exercice de révision sur les prépositions avec les noms de villes et de pays.*)
Où faudrait-il que vous alliez pour voir :

> Exemple : la Tour Eiffel?
> *Il faudrait que j'aille à Paris, en France.*

1. les Champs-Elysées?
2. le Palais de Buckingham?
3. les Pyramides?
4. le Vatican?
5. un mur qui divise une ville?
6. le Carnaval?
7. l'Acropole?
8. le Mont-Blanc?
9. le Mardi-Gras?
10. des plantations d'ananas?
11. des kangourous en liberté et des ornithorynques?

V. *Répondez aux questions suivantes en quelques phrases.*

> Exemple : Qu'est-ce qu'il faut que vous fassiez en classe?
> *Il faut que je fasse attention et que je sache les réponses.*

1. Qu'est-ce qu'il ne faut pas que vous fassiez en classe ?
2. Où faut-il que vous soyez à midi ? à cinq heures de l'après-midi ? à minuit ?
3. Qu'est-ce qu'il faut que vous fassiez aujourd'hui ?
4. Qu'est-ce que vous n'êtes pas obligé de faire aujourd'hui ?
5. Qu'est-ce qu'il faut que vous sachiez faire pour être heureux dans la vie ?

COMPOSITIONS

Composition orale et/ou écrite.

Vous avez le choix entre quatre sujets :

A. Qu'est-ce qu'il faut absolument que vous fassiez, cette semaine, ou ce trimestre ? Qu'est-ce qu'il ne faut pas que vous fassiez ? Qu'est-ce que vous n'êtes pas obligé de faire ?

B. Si un étranger visite votre ville (ou votre état, ou votre université), où faut-il qu'il aille ? Que faut-il qu'il sache ? Que faut-il qu'il fasse ?

C. Si quelqu'un veut devenir célèbre, que faut-il qu'il fasse ?

D. Racontez vos dernières vacances, ou une aventure qui vous est arrivée, en employant les subjonctifs que vous avez appris, et les différents temps du verbe **falloir (il fallait, il a fallu,** etc.). Employez aussi **devoir.**

VOCABULAIRE

NOMS

Noms masculins

l'ananas	le compteur	l'impératif	le marché
le carnaval	le conditionnel	l'indicatif	le subjonctif
le cerisier	l'enthousiasme	le kangourou	

Noms féminins

l'apparence	la plantation	la pyramide	la veine
l'énergie	la portière	la réserve	la vision

ADJECTIFS

compréhensif, compréhensive	découragé (-e)	subjectif, subjective
conservateur, conservatrice	flatteur, flatteuse	

VERBES

aller chercher	diviser	flatter	respirer
approuver	exprimer	prêter	révolter

DIVERS

au courant	bien sûr	c'est mon fort (son fort)

LEÇON 14 (DEUXIÈME PARTIE)

Ce qu'il ne fallait pas que Michel fasse

LE SUBJONCTIF (suite)

La formation du subjonctif régulier

Introduction

INDICATIF	SUBJONCTIF
Je regarde la télévision.	Il faut **que je regarde** la télévision pour voir les actualités.
Je réfléchis avant de répondre.	Il faut **que je réfléchisse** avant de répondre pour donner une réponse intelligente.
J'attends la fin du semestre.	Il faut **que j'attende** la fin du semestre pour partir en vacances.

Je viens ici tous les matins.	Il faut **que je vienne** ici tous les matins.
Je prends ma voiture.	Il faut **que je prenne** ma voiture, il n'y a pas d'autobus.
Je bois du café.	Il faut **que je boive** du café pour ne pas m'endormir.
Je mets mon nom sur ma boîte aux lettres.	Il faut **que je mette** mon nom sur ma boîte aux lettres, car il ne faut pas que le facteur se trompe.

DÉCLARATION ET QUESTION	RÉPONSE
Quand faut-il **que nous regardions** la télévision ?	Il faut **que vous** la **regardiez** quand on donne des bons films.
Faut-il **que vous réfléchissiez** avant d'écrire ?	Oui, il faut **que nous réfléchissions**. Il faut **que** tous **ceux** qui font un travail créateur **réfléchissent**.
Combien de temps faut-il **que vous attendiez** une réponse de France ?	Avec le courrier aérien, **il faut qu'on attende** une semaine environ.

Pourquoi faut-il **que vous buviez** du café ?

Il faut **que nous buvions** du café, parce qu'il ne faut pas que nous nous endormions.

Qu'est-ce qu'il faut **que nous prenions**, dans ce restaurant ?

Oh, il faut absolument **que vous preniez** la terrine maison. C'est la spécialité, il faut **que** tous **les clients** la **prennent** au moins une fois.

EXERCICES ORAUX

I. *Quelle est la forme correspondante du verbe au subjonctif ?*

Exemple :   je viens
            que je vienne

1. je parle
2. je réfléchis
3. j'attends
4. je choisis
5. je finis
6. je demande
7. je déjeune
8. je vends

9. il achète
10. nous brunissons
11. vous perdez
12. ils lisent
13. tu sais
14. elle téléphone
15. vous ouvrez
16. tu restes

17. il prend
18. nous buvons
19. je mets
20. je viens
21. tu grandis
22. il répond
23. elle perd
24. il voit

25. il s'arrête
26. je dors
27. je m'endors
28. il se lève

29. nous choisissons
30. tu préfères
31. je promets
32. vous vous réconciliez

II. *Mettez les phrases au subjonctif après* **il faut.**

Exemple :   Il dort.
            Il faut qu'il dorme.

1. Vous restez à la maison ce soir.
2. Je trouve un crayon et un papier.
3. Je m'arrête au supermarché.
4. Vous vous mettez au travail.
5. Vous êtes patient.
6. Tu te réveilles à sept heures.
7. Il vend sa voiture.
8. Nous avons du courage.
9. Ils savent les nouvelles.
10. Vous choisissez une profession.
11. Tu bois un verre d'eau.
12. Je prends ma voiture.
13. Vous me promettez de dire la vérité.
14. Tu vois ce film.
15. On déjeune de bonne heure aujourd'hui.
16. On fait un voyage en Europe.
17. Il y a du pain sur la table.
18. C'est un fou qui a fait ça !
19. Tu sais ce qui est arrivé.
20. Je te dis qui j'ai rencontré.
21. Tu vas à la bibliothèque.
22. On comprend les autres.
23. Elle met sa voiture au garage.
24. Vous prenez de l'aspirine quand vous avez mal à la tête.

III. *Mettez les phrases au subjonctif après* **il ne faut pas.**

Exemple : Vous vous endormez en classe.
Il ne faut pas que vous vous endormiez en classe.

1. Je suis en retard.
2. On blâme toujours les autres.
3. Tu attends des nouvelles.
4. Je perds la tête !
5. Vous mangez du pain.
6. Vous avez peur de moi.
7. Vous partez avant la fin.
8. Il y a du bruit à la bibliothèque.
9. C'est moi qui fais tout le travail !
10. Vous vous levez tard.
11. Je bois trop de café.
12. Nous nous disputons.

LECTURE

Ce qu'il ne fallait pas que Michel fasse

Après son rendez-vous avec Michel, qui a scrupuleusement suivi les conseils de son copain Bill, voilà ce que Betty a à dire sur le sujet.

Betty : Allô, Véronique ? Ici, Betty. Tu vas bien ?

Véronique : Pas mal, merci. Mais c'est à toi qu'il faut demander des nouvelles. Tu devais sortir avec ce Français qui n'est pas mal, n'est-ce pas ?

Betty : Oh, ne m'en parle pas ! Oui, en effet, je suis sortie avec lui... Et c'était si drôle ! Il faut que je te raconte.

Véronique : Attends un instant. Il faut que je dise à mon frère d'arrêter sa radio... Voilà, je t'écoute.

Betty : Eh bien, d'abord, il faut que je t'explique. Je savais qu'il fallait que j'évite un tête-à-tête entre mon père et Michel — tu connais les idées de papa sur les cheveux comme ceux de Michel. Alors, je savais qu'il fallait que je sois prête à l'heure et que je l'attende. Eh bien, quand je suis entrée dans le living, il aurait fallu que tu le voies ! Je crois qu'il essayait de parler avec les poissons. Et je l'ai à peine reconnu : il avait une cravate ! J'ai pensé qu'il était fou...

Véronique : Une cravate ! Il fallait qu'il soit fou ! C'est dommage, il est beau garçon...

Betty : N'est-ce pas ? Quand il m'a vue, il a eu l'air stupéfait, il a murmuré quelque chose comme « un chic fou... quelle beauté... » Et moi qui avais mis mon vieux pantalon bleu, parce qu'il fallait qu'il soit à l'aise, tu imagines que j'étais un peu surprise !

Véronique : Ça, j'imagine ! Et surtout de la part de Michel qui est toujours prêt à dire les vérités, surtout si elles sont désagréables à entendre. Je ne le reconnais pas !

Betty : Moi non plus... Alors nous sommes sortis de la maison. Il a couru ouvrir la portière, il m'a demandé dix fois si j'étais bien, si je n'avais ni chaud, ni froid... Fallait-il qu'il ouvre la vitre ? Qu'il la ferme ? Je me disais qu'il devait être souffrant...

Véronique : Sans doute... Une attaque de quelque chose... Il y a des maladies bizarres, en ce moment...

Betty : Et ce n'est pas tout ! Les choses ont continué comme ça pendant une heure. Il ne disait rien, me regardait avec extase, et il fallait que je lui pose des questions précises pour avoir un mot de lui. Il n'avait pas d'avis, pas d'opinion. Il fallait qu'il attende la mienne sur tout, et il agitait la tête verticalement, avec un sourire idiot. J'ai fini par lui demander s'il était souffrant.

Véronique : Ça devait être ça... Ou alors, il se moquait de toi !

Betty : Pas du tout. Il avait simplement demandé à son copain Bill (et tu connais Bill et ses idées sur les filles !) comment il fallait qu'il se conduise, ce qui se fait et ce qui ne se fait pas en Amérique.

Véronique : Oh, s'il a parlé à Bill, tout s'explique ! J'entends d'ici ce que Bill a dû dire à ce pauvre Michel.

Betty : Moi, je me le demande... Mais en tout cas, voilà ce que Michel avait compris. Nous avons bien ri, et la soirée a très bien fini. Quand il me ramenait chez moi, j'avais froid et je lui ai demandé de fermer la vitre. Il m'a répondu qu'au contraire, il fallait qu'elle reste ouverte, qu'il était bien et que l'air frais était excellent pour moi. Comme tu vois, il était de nouveau normal.

Véronique : Tout à fait. Maintenant, je le reconnais. Et alors, quelle est la conclusion ?

Betty : Eh bien, il n'y en a pas... Mais nous sortons ensemble ce soir, et demain soir, et après-demain...

PRONONCIATION

j'attends / que j'attende
je prends / que je prenne / que nous prenions
je mets / que je mette

QUESTIONS SUR LA LECTURE

1. Betty téléphone à Véronique. Quelle expression idiomatique connaissez-vous qui veut dire «téléphoner» ? Qu'est-ce qu'il faut qu'elle raconte à son amie ?
2. Pourquoi faut-il que Véronique dise à son frère d'arrêter sa radio ?
3. Pourquoi Betty savait-elle qu'il fallait qu'elle soit prête à l'heure ?
4. Pourquoi a-t-elle pensé que Michel était fou quand elle l'a vu ?
5. Comment l'attitude de Michel était-elle différente de son attitude habituelle ?
6. Quel est le terme synonyme de «un peu malade» ? Qu'auriez-vous pensé à la place de Betty ?
7. Qu'est-ce que Michel avait demandé à Bill ?
8. Comment savons-nous que Michel était de nouveau normal après son explication avec Betty ?
9. Si vous allez en France, faudra-t-il que vous suiviez les conseils bizarres de vos copains, ou que vous fassiez ce que votre bon sens indique ? Pourquoi ?
10. Quels conseils donneriez-vous à Betty si elle vous en demandait ? (Il faut que... Il ne faut pas que...)

EXPLICATIONS

LE SUBJONCTIF : *(suite)*

Vous avez vu dans la première partie de la leçon qu'il y a neuf subjonctifs irréguliers, et vous avez appris les terminaisons de la conjugaison du subjonctif.

Dans cette partie, nous voyons maintenant comment tous les autres verbes forment leur subjonctif, et la conjugaison de celui-ci sur le modèle que vous connaissez déjà.

I.   Le subjonctif des verbes réguliers

  1er groupe : **regarder**

    Il faut **que je regarde** la télévision pour voir les actualités.

  2ème groupe : **réfléchir**

    Il faut **que je réfléchisse** avant de répondre.

  3ème groupe : **attendre**

    Il faut **que j'attende** la fin du semestre pour partir en vacances.

Conjugaison du subjonctif des verbes réguliers des trois groupes

1er groupe : **regarder**	*2ème groupe :* **réfléchir**	*3ème groupe :* **attendre**
que je regarde	que je réfléchisse	que j' attende
que tu regardes	que tu réfléchisses	que tu attendes
qu' il regarde	qu' il réfléchisse	qu' il attende
que nous regardions	que nous réfléchissions	que nous attendions
que vous regardiez	que vous réfléchissiez	que vous attendiez
qu' ils regardent	qu' ils réfléchissent	qu' ils attendent

RÈGLE : Pour former le subjonctif de tous les verbes (excepté les neuf verbes irréguliers que nous avons étudiés), on prend la troisième personne du pluriel du présent de l'indicatif :

Verbe	*3ème pers. pl.* *prés. indic.*	*Subjonctif*
parler	**ils parl** / ent	**que je parl** / **e**
réfléchir	**ils réfléchiss** / ent	**que je réfléchiss** / **e**
attendre	**ils attend** / ent	**que j'attend** / **e**

II. Le subjonctif des verbes irréguliers

  Voilà quelques verbes irréguliers. Vous voyez qu'ils forment leur subjonctif de la même manière :

Verbe	3ème pers. pl. prés. indic.	Subjonctif	Verbe	3ème pers. pl. prés. indic.	Subjonctif
boire	ils boiv / ent	que je boiv / e	mettre	ils mett / ent	que je mett / e
devoir	ils doiv / ent	que je doiv / e	prendre	ils prenn / ent	que je prenn / e
dire	ils dis / ent	que je dis / e	tenir	ils tienn / ent	que je tienn / e
écrire	ils écriv / ent	que j'écriv / e	venir	ils vienn / ent	que je vienn / e

Conjugaison du subjonctif des verbes irréguliers

Infinitif	Présent indicatif	Subjonctif		Infinitif	Présent indicatif	Subjonctif	
boire	je bois	que	je boive	devoir	je dois	que	je doive
	tu bois	que	tu boives		tu dois	que	tu doives
	il boit	qu'	il boive		il doit	qu'	il doive
	nous buvons	que nous	buvions		nous devons	que nous	devions
	vous buvez	que vous	buviez		vous devez	que vous	deviez
	ils boivent	qu'	ils boivent		ils doivent	qu'	ils doivent
dire	je dis	que	je dise	écrire	j'écris	que	j'écrive
	tu dis	que	tu dises		tu écris	que	tu écrives
	il dit	qu'	il dise		il écrit	qu'	il écrive
	nous disons	que nous	disions		nous écrivons	que nous	écrivions
	vous dites	que vous	disiez		vous écrivez	que vous	écriviez
	ils disent	qu'	ils disent		ils écrivent	qu'ils	écrivent
mettre	je mets	que	je mette	prendre	je prends	que	je prenne
	tu mets	que	tu mettes		tu prends	que	tu prennes
	il met	qu'	il mette		il prend	qu'	il prenne
	nous mettons	que nous	mettions		nous prenons	que nous	prenions
	vous mettez	que vous	mettiez		vous prenez	que vous	preniez
	ils mettent	qu'	ils mettent		ils prennent	qu'	ils prennent
tenir	je tiens	que	je tienne	venir	je viens	que	je vienne
	tu tiens	que	tu tiennes		tu viens	que	tu viennes
	il tient	qu'	il tienne		il vient	qu'	il vienne
	nous tenons	que nous	tenions		nous venons	que nous	venions
	vous tenez	que vous	teniez		vous venez	que vous	veniez
	ils tiennent	qu'	ils tiennent		ils viennent	qu'	ils viennent

REMARQUEZ: Quand le verbe a une conjugaison irrégulière au présent de l'indicatif (pour le **nous** et le **vous**), le subjonctif a généralement la même irrégularité.

III. Remarques générales sur les formes du subjonctif

A. Le subjonctif et l'imparfait

La forme **nous** et **vous** de tous les verbes au subjonctif (excepté pour les neuf verbes déjà étudiés) est la même que pour l'imparfait.

Exemple : **devoir, prendre**

	Imparfait	*Subjonctif*			*Imparfait*	*Subjonctif*	
devoir	je devais	que	je doive	**prendre**	je prenais	que	je prenne
	tu devais	que	tu doives		tu prenais	que	tu prennes
	il devait	qu'	il doive		il prenait	qu'	il prenne
	nous **devions**	que nous **devions**			nous **prenions**	que nous **prenions**	
	vous **deviez**	que vous **deviez**			vous **preniez**	que vous **preniez**	
	ils devaient	qu'	ils doivent		ils prenaient	qu'	ils prennent

B. Le cas des verbes qui ont un **i** dans la racine (comme **rire, étudier, oublier**)
Le verbe dont la racine se termine par **i** le garde à l'imparfait et au subjonctif. Il a donc deux **i** aux formes **nous** et **vous**.

Exemple : **oublier**

Présent	*Imparfait*	*Subjonctif*	
j' oublie	j' oubliais	que	j' oublie
tu oublies	tu oubliais	que	tu oublies
il oublie	il oubliait	qu'	il oublie
nous oublions	nous oubl**ii**ons	que nous oubl**ii**ons	
vous oubliez	vous oubl**ii**ez	que vous oubl**ii**ez	
ils oublient	ils oubliaient	qu'	ils oublient

C. Le cas des verbes qui ont un **y** pour leur forme **nous** et **vous**

Les verbes qui ont un **y** pour leur forme **nous** et **vous** au présent de l'indicatif (voir : nous voyons, vous voyez ; croire : nous croyons, vous croyez ; etc.) auront un **y** et aussi un **i** pour le **nous** et le **vous** de l'imparfait et du subjonctif.

Exemple : **croire**

Présent	*Imparfait*	*Subjonctif*	
je crois	je croyais	que	je croie
tu crois	tu croyais	que	tu croies
il croit	il croyait	qu'	il croie
nous croyons	nous croy**i**ons	que nous croy**i**ons	
vous croyez	vous croy**i**ez	que vous croy**i**ez	
ils croient	ils croyaient	qu'	ils croient

EXERCICES ÉCRITS et/ou ORAUX

I. *Complétez la phrase par le verbe au subjonctif ou à l'infinitif.*

Exemple : Il faut _____ (être) simple et honnête avec tout le monde.

Il faut *être* simple et honnête avec tout le monde.

Il ne faut pas que vous _____ (croire) tout ce qu'on vous dit.

Il ne faut pas que vous *croyiez* tout ce qu'on vous dit.

1. Il faut que vous _____ (venir) avec moi.
2. Il ne faut pas que tu _____ (prendre) trop d'aspirine.
3. Il faut toujours _____ (réfléchir) avant de parler.
4. Il faut absolument que vous _____ (trouver) ce livre pour demain.
5. Il ne faudra pas que nous _____ (oublier) votre prochain anniversaire.
6. Il a fallu que vous _____ (lire) Camus pour comprendre sa morale.
7. Il fallait que je _____ (faire) la cuisine quand j'avais un appartement.
8. Il ne faut pas que vous _____ (rire) quand je veux être sérieux.
9. Il ne faut pas _____ (se disputer) avec les gens stupides.
10. Il ne faut jamais _____ (dire) : « Fontaine, je ne boirai pas de ton eau ! »*

II. *Transformez la phrase.*

Transformez chaque phrase suivante en ajoutant **falloir** *ou* **devoir** *au temps approprié* (*qui est le temps du verbe indiqué*).

Exemple : Pierre *a oublié* de me téléphoner.   (devoir)
Pierre *a dû* oublier de me téléphoner.
Vous *faisiez* des progrès l'an dernier.   (falloir)
Il *fallait* que vous fassiez des progrès l'an dernier.

1. *J'ai passé* le week-end au lit.	(falloir)
2. *Vous êtes* fatigué : vous êtes pâle.	(devoir)
3. *Nous partirons* de bonne heure demain matin.	(falloir)
4. *J'ai oublié* mon portefeuille à la maison !	(devoir)
5. La jeune génération *change* la société.	(falloir)
6. Panne d'essence ! *J'ai fait* cinq kilomètres à pied.	(falloir)
7. Tiens ! *C'est* André dans cette caravane (*camper*).	(devoir)
8. Oui, *il vendait* sa vieille voiture la semaine dernière.	(devoir)
9. *J'achèterai* une voiture comme la sienne.	(falloir)
10. *Elle est* pratique pour le camping.	(devoir)
11. Cette voiture n'*a* pas *coûté* très cher.	(devoir)
12. Je lui demanderai combien *il a payé.*	(falloir)

* This sentence is a French proverb, often used to express the incertitude of the future and the fact that one should make no definite pronouncements as to what he will—or will never—do in the future.

III. *Imaginez une phrase au subjonctif avec* **il faut, il ne faut pas, il fallait, il a fallu, il faudra,** *etc.*

> Exemple : Il pleuvait. Il...
> *Il pleuvait. Il a fallu que je prenne mon imperméable.*

1. Le téléphone a sonné. Il...
2. Vous avez oublié vos affaires à la maison ! Il...
3. Je voudrais faire un grand voyage l'été prochain. Il...
4. Vous avez besoin d'argent ? Il...
5. Le monde change maintenant plus vite que les gens. Il...
6. Il n'y avait rien à manger à la maison hier soir. Il...
7. Vous avez du talent pour la musique. Il...
8. Vous êtes beaucoup trop dogmatique ! Il...
9. Nous avons tous tendance à voir les choses dans nos propres termes. Il...
10. Votre mère a beaucoup de travail à la maison. Il...

COMPOSITIONS

Composition orale et/ou écrite.

Vous avez le choix entre deux sujets :

A. Qu'est-ce qu'il faudrait que l'administration de votre université fasse pour améliorer le système : organisation des cours ? les notes ? les examens ? les bâtiments ? le stationnement des voitures ? les activités politiques et culturelles ? etc.

B. A votre avis, qu'est-ce qu'il faudrait que chaque personne fasse pour améliorer la société ? Prenez un exemple précis, celui d'un étudiant comme vous, par exemple, et montrez comment il faut qu'il se conduise pour son environnement physique, son milieu psychologique, et la condition des gens autour de lui.

VOCABULAIRE

NOMS

Noms masculins

le chic	le milieu	le tête-à-tête
l'environnement	le sourire	

Noms féminins

l'attaque	la maladie	la terrine
la boîte aux lettres	la morale	la vitre
l'extase	la tendance	la voiture-caravane

ADJECTIFS

dogmatique   souffrant (-e)

VERBES

agiter   ramener

ADVERBES

scrupuleusement   verticalement

LEÇON 15
Un cas sérieux de flemmingite aiguë

Le subjonctif après les expressions de sentiment personnel (émotion, volonté, désir) et de nécessité, doute, ou possibilité

Introduction

INFINITIF	SUBJONCTIF
Je suis content d'être ici.	Je suis content que vous soyez ici.
Mon père est fier d'avoir des fils à l'université.	Mon père est fier que ses fils aient des bonnes notes à l'université.
Je suis enchanté de faire votre connaissance.	Je suis enchanté que vous fassiez connaissance avec le reste de ma famille.
Cette vieille dame n'a pas honte d'avoir des cheveux blancs.	Cette vieille dame n'a pas honte que ses cheveux soient blancs.
Je veux (ou : je voudrais) aller passer mes vacances sur la Côte d'Azur.	Je voudrais que vous alliez passer vos vacances sur la Côte d'Azur.
Les Nations-Unies désirent assurer la paix entre les différents pays.	Les Nations-Unies désirent que les différents pays vivent en paix.
Quand on passe un examen, on souhaite faire de son mieux.	Quand vous passez un examen, je souhaite que vous fassiez de votre mieux.
Il est possible de faire la traversée de la Manche à la nage.	Il est possible qu'un excellent nageur fasse la traversée de la Manche à la nage.
Il est triste de ne pas avoir d'amis de son âge.	Il est triste que cet enfant n'ait pas d'amis de son âge.
Il est regrettable de ne pas savoir la langue des pays qu'on visite.	Il est regrettable que nous ne sachions pas le russe.
Je ne suis pas certain d'avoir raison.	Je ne suis pas certain que vous ayez raison (mais : Je suis certain que vous avez raison).

Je doute de pouvoir gagner un million.

Je ne suis pas sûr de faire des économies si j'ai un carnet de chèques.

Je doute que vous puissiez gagner un million.

Je ne suis pas sûr que vous fassiez des économies si vous avez un carnet de chèques (mais : Je suis sûr que vous ferez des économies si vous n'en avez pas).

EXERCICES ORAUX

I.   *Révision des formes du subjonctif.*

Quelle est la forme correspondante au subjonctif ?

Exemple : je prends
que je prenne

1. vous prenez
2. je pense
3. je vais
4. ils vont
5. je dis
6. vous dites
7. nous savons
8. ils sont
9. ils ont
10. j'ai
11. je veux
12. vous faites
13. vous êtes
14. tu es
15. elle rougit
16. il brunit
17. vous finissez
18. tu attends
19. il y a
20. ce n'est pas
21. je peux
22. vous croyez
23. ils écrivent
24. nous rions
25. vous étudiez
26. tu arrives
27. je pars
28. ils vendent

II.   *Substituez le subjonctif.*

Complétez les phrases suivantes en substituant le subjonctif à l'infinitif.

Exemple : Je suis désolé que vous (être) malade.
Je suis désolé que vous soyez malade.

1. Je suis heureux que vous (faire) ce voyage.
que le journal (dire) la vérité.
que mes amis (avoir) de la chance.
que le trimestre (finir) bientôt.
que vous (comprendre) mes difficultés.

2. Je ne veux pas que vous (partir) sans me dire au revoir.
que vous (sortir) quand vous avez la grippe.
que la porte (rester) ouverte quand il fait froid.
que les gens (croire) que je suis idiot.
que nous (aller) au laboratoire aujourd'hui.

3. Etes-vous fier que tout le monde (dire) que vous êtes formidable ?
que la ville (mettre) votre statue sur la place ?
que votre réputation (grandir) dans le monde ?

que la presse (citer) vos paroles ?

que la télévision (envoyer) des reporters pour vous parler ?

4. Je souhaite de tout mon cœur que vous (réussir) dans vos projets.

que la vie vous (apporter) le bonheur.

que vous (apprendre) le subjonctif.

que les Français vous (comprendre).

que vous (changer) le monde.

Un cas sérieux de flemmingite*aiguë

Cette scène se passe dans le bureau d'un professeur. Jean-Pierre est assis au bord de sa chaise, l'air mal à l'aise. Il est clair que le professeur n'est pas content.

Le professeur : Je voudrais que vous puissiez me dire pourquoi vous êtes si souvent absent. Vous savez qu'il faut que vous veniez en classe tous les jours et que vous fassiez tout le travail. Je doute que vous compreniez vos responsabilités...

Jean-Pierre : Je regrette que vous ayez une si mauvaise opinion de moi, Monsieur, et je suis enchanté d'avoir cette occasion de vous expliquer ma situation. Voilà... Mais il faut vous dire que c'est une histoire triste et assez longue.

Le professeur : J'espère qu'elle est originale, et je souhaite qu'elle soit plus vraisemblable que celle des autres étudiants ! Je vous écoute, mon cher.

Jean-Pierre : La mienne est si triste, Monsieur, que j'ai peur qu'elle vous fasse pleurer. D'abord, il faut vous dire que j'ai toujours eu une santé délicate. J'ai eu toutes les maladies d'enfance : la rougeole, les oreillons, la varicelle... Plus tard, j'avais souvent la fièvre, mal à la tête... (*Le professeur cherche dans son tiroir*) Pardon, Monsieur ?

Le professeur : Non, non ! Je ne voudrais pas vous interrompre. Continuez pendant que je cherche mon mouchoir...

Jean-Pierre : Eh bien, Monsieur, tout ça, ce n'était rien à côté de ce que j'ai maintenant ! J'ai une maladie rare qui exige que je fasse beaucoup d'exercice comme le tennis, la natation, et que je sois au grand air et au soleil plusieurs heures par jour. Il ne faut pas que je me lève trop tôt, ni que je me couche trop tard. Le docteur permet que je me couche tard seulement quand il y a une occasion spéciale et bonne pour mon moral. Mais alors, naturellement, il veut que je dorme jusqu'à midi le lendemain...

Le professeur : Je vois... Savez-vous le nom de cette maladie ?

---

* **la flemmingite** — et **la flemme** : Termes du « français quotidien ». **Avoir la flemme**, c'est éprouver le désir insurmontable de ne pas travailler ; **la flemmingite**, c'est le nom, scientifique si l'on peut dire, formé à l'imitation de celui de certaines maladies d'ordre plus pathologique : l'appendicite, la gastrite, l'encéphalite. La flemmingite, à l'état latent chez beaucoup de gens, devient aiguë quand la nécessité de travailler apparaît...

PABLO PICASSO, *Tête d'homme*
Etude pour les *Demoiselles d'Avignon*

J'ai une maladie rare, avec un nom latin très compliqué...

Jean-Pierre : Hélas, Monsieur, c'est un nom latin très compliqué. Il est regrettable que je ne sois pas meilleur latiniste, mais, évidemment, cette maladie m'empêche d'aller souvent à la classe de latin. Aussi, je regrette de vous dire que je ne me rappelle pas le nom. D'ailleurs, comme je vous ai dit, elle est très rare. Heureusement pour les autres !

Le professeur : Mais, quels sont les symptômes ?

Jean-Pierre : Eh bien, le premier symptôme, c'est que la volonté devient très faible. Il est possible que je veuille passer l'après-midi à la bibliothèque, même que je sois en train de faire de grands efforts pour y aller, et que justement, le symptôme typique fasse son apparition. Alors, je ne peux plus continuer. Il faut que je prenne ma voiture et que j'aille à la plage. Arrivé là, je me sens généralement mieux...

Le professeur : Je vois... Je regrette maintenant d'avoir aggravé votre cas avec mes exigences idiotes. Mais ça, c'est un symptôme mental. Est-ce qu'il y a aussi des symptômes physiques ? Où avez-vous mal ?

Jean-Pierre : Des symptômes physiques ? Ah, Monsieur, il y en a, et ils sont si terribles que je souhaite que la science puisse trouver un remède. Au moins, je suis content que cette horrible maladie ne soit pas contagieuse. Quand la crise commence, j'ai mal partout, mais surtout mal à la main droite. Mon bras a l'air d'être paralysé. J'ai aussi des douleurs vagues, mais persistantes dans les muscles qui sont en contact avec ma chaise. Si je persiste, car vous savez, Monsieur, que j'ai beaucoup de courage...

Le professeur : C'est, en effet, un fait bien connu. Continuez, continuez.

Jean-Pierre : Alors, Monsieur, si je persiste, j'ai mal au cœur : je commence à éprouver une nausée terrible. Je fais de mon mieux pour écrire des compositions pour vous, mais j'ai bien peur que mon cas soit compliqué d'une allergie au papier. La vue d'une feuille de papier blanc me rend malade. Certains papiers imprimés aussi. Le papier de mon manuel d'algèbre, en particulier, doit contenir une substance toxique... Ce n'est pas le cas de tous les papiers, pourtant : celui de *Paris Match* ou d'un roman policier ne me rend pas malade, surtout si je suis allongé confortablement... Ah, Monsieur, j'espère que mon histoire ne vous rend pas trop triste. Est-il possible qu'un homme soit obligé de tant souffrir ? Comme je voudrais que la science ait enfin un traitement pour me guérir ! Mais en attendant, je suis fier de vous dire que moi, je continuerai à faire de mon mieux, et que je viendrai à votre cours, mort ou vivant, au moins trois fois par mois. Je souhaite, Monsieur, que vous sachiez apprécier mes efforts.

PRONONCIATION

je suis malade / une maladie na / tu / relle / ment
con / for / ta / ble / ment   é / vi / de / mment

évide*mm*ent : dans ce mot, —emme— se prononce comme dans **femme**.
évide*mm*ent rime avec **amant**; **flemme** rime avec **j'aime**.

QUESTIONS SUR LA LECTURE

1. Qu'est-ce que le professeur voudrait que Jean-Pierre lui dise ?
2. Pourquoi Jean-Pierre a-t-il peur que son histoire fasse pleurer le professeur ?
3. Qu'est-ce que le professeur souhaite ? Pourquoi ?
4. Qu'est-ce que la maladie de Jean-Pierre exige ? Qu'est-ce que le docteur permet ? Ne permet pas ?
5. Quels sont les symptômes d'ordre mental ?
6. Et quels sont les symptômes d'ordre physique ?
7. Pourquoi est-il possible que le cas du pauvre Jean-Pierre soit compliqué d'une allergie au papier ?
8. Avez-vous peur que la vie de Jean-Pierre soit en danger ? Pourquoi ?
9. Reconnaissez-vous quelques symptômes comme ceux d'une maladie que vous avez quelquefois ? Expliquez.
10. Quel diagnostic avez-vous à proposer ? Et quel traitement suggérez-vous ?

EXPLICATIONS

I.   Les usages du subjonctif

Vous avez vu qu'on emploie l'infinitif ou le subjonctif après **il faut**. Vous allez voir maintenant, qu'on emploie le subjonctif (ou l'infinitif, s'il n'y a pas de changement de sujet) après certaines expressions « subjectives » : *sentiment personnel* (émotion, volonté ou désir) et nécessité, doute ou possibilité.

   A. Après une expression de sentiment personnel (émotion, volonté ou désir)

      1. Après un adjectif ou un nom

Pas de changement de sujet *Infinitif*	Changement de sujet *Subjonctif*
Je suis heureux **d'être** ici.	Je suis heureux **que vous soyez** ici.
Vous êtes fier **d'avoir** des amis.	Nous sommes fiers **que vous ayez** des amis.
J'ai hâte **de finir** mes études.	Mes parents ont hâte **que je finisse** mes études.

Vous remarquez que s'il n'y a pas de changement de sujet, il y a un infinitif après **de**. (Vous n'avez pas oublié qu'un adjectif ou un nom prend **de** devant un infinitif.)

S'il y a un changement de sujet, on emploie le subjonctif.

Quelques adjectifs et quelques noms qui expriment un sentiment personnel et demandent un subjonctif, quand il y a changement de sujet :

Adjectifs				Noms		
On est	content enchanté ravi heureux fier	triste désolé navré ému gêné	étonné surpris embarrassé enthousiasmé flatté	On a	peur honte hâte	besoin envie horreur

Les parents sont fiers que leurs enfants **viennent** leur demander des conseils. Par exemple, mon père est flatté que je **veuille** avoir son opinion, et il est enchanté de me la donner.

Ma chère Cécile,
    J'ai envie d'être sur la Côte d'Azur, et j'ai surtout envie que vous y **soyez** avec moi. J'ai besoin d'entendre votre voix. J'ai besoin que vous me **disiez** que rien n'a changé entre nous.

2. Après un verbe

Pas de changement de sujet *Infinitif*	Changement de sujet *Subjonctif*
Ma mère n'aime pas **sortir**.	Ma mère n'aime pas **que je sorte**.
Elle préfère **faire** la cuisine.	Elle préfère **que je fasse** la cuisine.
Elle veut (*ou* : Elle voudrait...) **aller** se coucher à 9 heures tous les soirs.	Elle veut (*ou* : Elle voudrait...) **que j'aille** me coucher à 9 heures tous les soirs.
Elle souhaite **vivre** comme ça.	Elle souhaite **que je vive** comme ça.
Elle aime mieux **avoir** la sécurité que l'aventure et elle désire **être** calme et tranquille.	Elle aime mieux **que j'aie** la sécurité que l'aventure et elle désire **que je sois** calme et tranquille.
Elle regrette de me **voir** si différent d'elle. (*ou* : Elle déplore de...)	Elle regrette **que je sois** si différent d'elle. (*ou* : Elle déplore que...)

REMARQUEZ: déplorer **de**, regretter **de**. Les autres verbes de ce groupe ne prennent pas **de**: j'aime, je **voudrais**, je **préfère**, je **souhaite**, je **désire** + l'infinitif **sans préposition**.

Quelques verbes qui demandent un subjonctif dans le verbe qui suit, quand il y a changement de sujet

Sans préposition avec l'infinitif		*Avec* **de** + *l'infinitif*
aimer	préférer	regretter (de)
aimer mieux	souhaiter	déplorer (de)
désirer	vouloir	

Les Nations-Unies **voudraient que** tous les pays **soient** d'accord sur les questions de politique internationale. Dans un discours récent, le secrétaire général **regrettait d'être** obligé d'arbitrer une dispute, il **regrettait** aussi **que** la guerre **paraisse** si souvent la seule solution à ces conflits.

3. Les verbes de sentiment personnel et les verbes de communication
Au cas où vous auriez oublié, et où vous seriez tenté de confondre les verbes de sentiment personnel et de volonté comme **vouloir, désirer,** etc., et les verbes de communication comme **dire, demander** (voir Leçon 20, pages 250 et 258), voilà des exemples pour vous montrer la différence:

Communication
Je vous demande de me téléphoner.
Vous dites à vos amis qu'ils sont gentils.

Sentiment (*volonté, désir*)
Je **veux** (ou: Je voudrais) **que vous** me **téléphoniez**.
Vous **voulez que** vos amis **soient** gentils.

Il n'y a généralement pas de subjonctif après les verbes qui expriment la communication.

B. Après une expression de nécessité, doute ou possibilité

Pas de changement de sujet	Changement de sujet
Infinitif	*Subjonctif*
Il faut (*ou*: Il est nécessaire de, *ou*: Il est indispensable de) **savoir** les choses essentielles de la vie.	**Il faut** (*ou*: Il est nécessaire que, *ou*: Il est indispensable que) **que vous sachiez** les choses essentielles de la vie.
Il est **possible d'aller** sur la lune.	Il est **possible que** des touristes **aillent** un jour sur la lune.
Je ne suis pas **certain de pouvoir** venir demain.	Je ne suis pas **certain que** Jean-Pierre **puisse** venir demain.

Quelques expressions qui demandent le subjonctif quand il y a change-ment de sujet :

Adjectifs	Verbes
il est { possible vraisemblable impossible invraisemblable douteux incertain } il n'est pas certain il n'est pas sûr	il se peut que (= il est possible que) douter (de)

REMARQUEZ :   **certain** et **sûr** ne prennent pas de subjonctif, car dans ce cas, il n'y a pas de doute :

Je suis sûr que vous pouvez faire ça.
Vous êtes certain que Cécile aura sa vengeance.

II.   Les expressions qui concernent la santé

QUESTION	RÉPONSE
Comment allez-vous ?	Je vais bien. Je vais mal. Je vais mieux. Je vais plus mal.
Qu'est-ce que vous avez ?	J'ai la grippe, un rhume, une maladie grave (ou : pas grave).
Où avez-vous mal ?	J'ai mal { à la tête. aux dents. à la main. aux pieds. à la gorge. aux bras. à l'estomac. aux jambes. au cœur (= j'ai la nausée). partout. }

A. L'expression **avoir mal à**

Remarquez que, quand on parle d'une partie du corps, on n'emploie pas l'adjectif possessif. On dit :

J'ai mal à **la** tête, j'ai mal à **la** gorge.

B. Autres expressions qui concernent la santé et la maladie

On tombe malade. On a besoin du médecin (= du docteur), de médicaments, de repos.
On **va mieux**. On finit par **guérir** (conjugué comme **finir**).
Quand votre maladie est finie, vous êtes **guéri**.

EXERCICES ÉCRITS et/ou ORAUX

I. *Transformez deux phrases en une.*

   Avec les deux phrases qui vous sont données, faites-en une seule, dans laquelle vous emploierez le subjonctif quand il est nécessaire, l'infinitif dans les autres cas.

   Exemple : Vous êtes désolé. / Le père de votre ami est mort.
   Vous êtes désolé que le père de votre ami soit mort.

   Vous avez peur. / Vous êtes en retard.
   Vous avez peur d'être en retard.

A. 1. Les voyageurs sont contents. / Ils arrivent à destination.
   2. Ils sont surpris. / La Tour Eiffel est si haute !
   3. Ils ont hâte. / Le guide les conduit au restaurant.
   4. Certains sont furieux. / Il n'y a pas de hamburgers chez Maxim.
   5. D'autres voudraient. / Tout le monde sait l'anglais à Paris.
   6. Mais la plupart souhaitent. / Le voyage finit bientôt.
   7. Car ils trouvent impossible. / Les gens peuvent vivre dans ce pays bizarre.
   8. Voilà une dame qui désire. / Elle achète des souvenirs.
   9. Et une autre qui déplore. / Il n'y a pas de restaurant sur Notre-Dame.
   10. Un autre voyageur regrette. / Il est venu sans son appareil photo.
   11. Et les autres ont peur. / Ils ne prennent pas assez de photos.
   12. Mais dans l'ensemble, il ne faut pas. / Nous blâmons les gens qui sont différents de nous !

B. 1. Je doute beaucoup. / Jean-Pierre viendra en classe demain.
   2. Il est possible. / Il est malade.
   3. Mais je ne suis pas sûr. / Sa maladie est très grave.
   4. En réalité, il a peur. / Il y a un examen surprise.
   5. Et il a honte. / Il n'est pas préparé.
   6. Alors, il se peut. / Ses symptômes sont très étranges.
   7. Et nous aimons mieux. / Nous ne savons pas la vérité.
   8. Car, alors, il faudrait. / Le professeur prend des mesures sévères.
   9. Et nous serions navrés. / Il punit Jean-Pierre, qui est si gentil !
   10. Il n'est pas certain, après tout. / Jean-Pierre a une crise de flemmingite.
   11. Il n'est pas impossible. / Notre copain est vraiment malade, et il veut suivre les ordres de son médecin.

II. *Exprimez votre sentiment personnel ou votre opinion sur chacune des décla-rations suivantes, avec un subjonctif (ou un infinitif).*

> Exemple : Vous êtes le meilleur étudiant de la classe.
> *Je suis heureux que vous reconnaissiez le talent !*

1. Je ne sais pas ce que j'ai : j'ai mal à la tête, à la gorge, partout.
2. La bibliothèque est fermée le mardi, le jeudi et le vendredi.
3. Je vous ai vu à des manifestations de deux partis opposés !
4. Vous avez des idées bizarres ! Pourquoi dites-vous que je suis fou ?
5. Il y aura un tremblement de terre (*earthquake*) en Californie cette année.
6. Nous vous admirons. Nous allons donner votre nom à ce bâtiment.
7. Il est certain que Jean-Pierre a une maladie grave.
8. Les gens sont très fiers de cette ville. Ils disent qu'elle est belle.
9. Ma belle-mère et moi, nous ne nous entendons pas du tout.
10. Je déteste vraiment la cuisine du restaurant de l'université.

III. *Complétez les phrases suivantes en employant un subjonctif ou un infinitif.*

> Exemple : Tout le monde a hâte que...
> *Tout le monde a hâte que l'hiver finisse.*

1. Les Nations-Unies voudraient...
2. Il se peut que vous ayez raison. Mais il se peut aussi que...
3. Je suis toujours étonné de...
4. Etes-vous triste de...? Préféreriez-vous que...?
5. Il se peut que toutes les nouvelles de demain soient bonnes et que...!
6. Il n'est pas vraisemblable que...!
7. Voudriez-vous être célèbre et que la ville...?
8. Aimeriez-vous gagner un million et que la presse...?
9. Regrettez-vous de...?
10. Si vous parlez français correctement, vous êtes certain...!

COMPOSITIONS

Composition orale et/ou écrite.

Vous avez le choix entre quatre sujets :

A. Relisez attentivement l'histoire tragique de ce pauvre Jean-Pierre. Qu'est-ce qui est invraisemblable ? possible ? probable ? Qu'est-ce qu'il est possible que le professeur fasse ?

B. De quoi est-on fier, dans votre ville ? De quoi est-on heureux ? surprise ? Qu'est-ce qu'on voudrait ? Qu'est-ce qu'on regrette ?

C. Vous ne vous sentez pas bien : ce sont les premiers symptômes d'une maladie. Quels sont ces symptômes ? De quoi avez-vous peur ? Qu'est-ce qui est

probable ? vraisemblable ? douteux ? De quoi êtes-vous surpris ? content ?
triste ?

(*Par exemple :* « Depuis hier soir, j'ai mal à la tête, mal au coeur et je commence
même à avoir mal partout. J'ai peur que ce soit la grippe. Il est possible que je
sois obligé de rester chez moi demain, etc... »)

D. En vous inspirant de la triste histoire de Jean-Pierre, imaginez la visite d'un
(ou d'une) malade imaginaire chez le médecin ou chez le psychiatre.

(*Par exemple :* « Docteur, il se peut que j'aie un complexe de persécution et j'ai
également peur d'avoir un complexe d'infériorité. J'ai peur aussi que personne
ne me comprenne et ne m'apprécie, etc... »)

VOCABULAIRE

NOMS

Noms masculins

le conflit	le doute	le nageur
le contact	le latiniste	les oreillons (*pl.*)
le désir	le moral	le symptôme
le diagnostic	le muscle	le traitement
		le tremblement de terre

Noms féminins

l'algèbre	la fièvre	la nausée
l'allergie	la flemme	la possibilité
l'appendicite	la flemmingite	la rougeole
la connaissance	la gastrite	la santé
la crise	la gorge	la substance
la dent	la grippe	la traversée
la dispute	la hâte	la varicelle
la douleur	la jambe	la volonté
l'exigence	la Manche	
l'encéphalite	la nage	

ADJECTIFS

aigu, aiguë	fier, fière	paralysé (-e)
contagieux, contagieuse	grave	persistant (-e)
délicat (-e)	insurmontable	policier, policière
ému (-e)	latent (-e)	scientifique
faible	navré (-e) ≠ ravi (-e)	toxique

VERBES

arbitrer	déplorer (de)	guérir
aggraver	douter	persister
confondre	exiger	souhaiter

DIVERS

à l'aise ≠ mal à l'aise	mon cher (ma chère)

LEÇON 16
Un discours électoral

LES USAGES DU SUBJONCTIF (*suite*)

Le subjonctif après **penser, croire, espérer, trouver
il paraît** et **il me semble**

Le passé du subjonctif

Introduction

DÉCLARATION ET QUESTION	RÉPONSE NÉGATIVE
Le professeur **pense que vous comprenez. Pense-t-il que vous compreniez** tout ce qu'il dit ?	Il ne pense pas que je comprenne tout.
Je crois que Jean-Pierre a la flemme. **Croyez-vous qu'il ait** la flemme, ou **qu'il soit** malade ?	Je ne crois pas qu'il soit vraiment si malade que ça.
J'espère que votre père sera content de vous. **Espérez-vous qu'il soit** content ?	Hélas non, **je n'espère pas qu'il soit** content quand il verra ce qui est arrivé à ma voiture.
Je trouve que cette jeune fille est très jolie. Et vous, **trouvez-vous qu'elle soit** jolie ?	Non, **je ne trouve pas qu'elle soit** très jolie.
Il me semble que Jean-Pierre est paresseux. Et vous, **vous semble-t-il qu'il soit** malade ou qu'il soit paresseux ?	Il me semble qu'il est paresseux. **Il ne me semble pas qu'il soit** malade du tout.
Il paraît que **vous savez** cinq langues et que **vous en apprenez** une sixième ?	(La négation et la question ne sont pas souvent employées.)

Le subjonctif dans une phrase au passé (*français contemporain*)

INDICATIF	SUBJONCTIF
Je pense qu'il comprend.	Je ne pense pas qu'il comprenne.

Je pensais qu'il comprenait ce que nous disions.

Je ne pensais pas qu'il comprenne ce que nous disions.

Je pense qu'il a compris.

Je ne pense pas qu'il ait compris.

Je pense qu'il avait compris avant de lire l'explication.

Je ne pense pas qu'il ait compris avant de lire l'explication.

Je pense qu'il comprendra très vite si vous lui expliquez.

Je ne pense pas qu'il comprenne très vite même si vous lui expliquez.

EXERCICES ORAUX

I. *Les formes du subjonctif, présent et parfait.*

A. *Subjonctif présent. Quelle est la forme correspondante du verbe au subjonctif présent ?*

Exemple : nous comprenons
que nous comprenions

1. vous savez
2. ils vont
3. je veux
4. nous disons
5. on attend
6. il fait
7. il arrive
8. je réfléchis
9. on grandit
10. ils lisent
11. tu dis
12. je passe
13. nous oublions
14. vous croyez
15. vous riez

B. *Subjonctif parfait. Quelle est la forme correspondante du verbe au subjonctif parfait (= passé composé du subjonctif) ?*

Exemple : nous comprenons
que nous ayons compris

1. je dis
2. vous faites
3. ils veulent
4. vous arrivez
5. nous partons
6. il entre
7. tu sors
8. nous finissons
9. on demande
10. vous allez
11. tu prends
12. il y a
13. j'ai
14. je suis
15. ils attendent

II. *Changez la forme de la phrase.*

A. *Mettez à la forme négative.*

Exemple : Je crois qu'il est malade.
Je ne crois pas qu'il soit malade.

1. J'espère que vous êtes toujours content.
2. Nous pensons que l'avion est à l'heure.
3. Je trouve que vous avez tout à fait raison.
4. Il me semble que vous comprenez très bien.

5. Nous croyons que les politiciens sont honnêtes.
6. On trouve que les grands immeubles offrent une résidence idéale.
7. Les gens croient que les conditions sociales peuvent changer.
8. Vous espérez que la guerre finit bientôt.
9. Il vous semble que les candidats font trop de promesses.
10. Tu trouves que je prends assez de précautions contre les épidémies.

B. *Transformez la phrase en question.*

Exemple : Je crois que vous avez tort.
Croyez-vous que j'aie tort ?

1. Je pense que vous savez la vérité.
2. Il me semble que vous faites des progrès.
3. Je crois que vous allez dans la bonne direction.
4. Je trouve que Véronique se met trop de rouge.
5. J'espère que vous lisez les nouvelles.
6. Nous pensons que vous prenez trop d'aspirine.
7. On trouve souvent que les autres parlent trop.
8. Je pense que Michel doit écouter son copain.
9. Il nous semble qu'il fait très froid.
10. Nous trouvons que ce candidat manque de sincérité.

III. *Répondez à la question.*

Exemple : Croyez-vous que je sache le subjonctif ? Oui,...
Oui, je crois que vous savez le subjonctif.

1. Pensez-vous que la fin du monde soit proche ? Non,...
2. Croyez-vous qu'il faille observer les lois ? Oui,...
3. Trouvez-vous que cette classe apprenne bien le français ? Oui,...
4. Vous semble-t-il que la circulation devienne plus intense ? Oui,...
5. Espérez-vous que la « libération des femmes » vienne un jour ? Non,...
6. Croyez-vous que les femmes soient égales aux hommes ? Non,... Oui,...
7. Les gens pensent-ils que chaque sexe ait un rôle bien défini ? Oui,...
8. Vos parents trouvent-ils que vous représentiez leur idéal ? Oui,...
9. Le gouvernement croit-il que tout le monde soit d'accord ? Non,...
10. Pensons-nous qu'il faille réfléchir avant de parler ? Oui,...

HANS HARTUNG, *Peinture*

Si vous remarquez la croix, en bas, à droite, vous penserez à un bulletin de vote et . . . le reste vous suggèrera l'état d'esprit de l'électeur après avoir entendu les discours électoraux !

LECTURE

Un discours électoral

Les sujets qui passionnent les jeunes gens sont parfois frivoles, mais aussi souvent sérieux. Nous souhaitons que les étudiants sachent continuer à s'intéresser aux problèmes du pays et du monde. Mais nous espérons aussi qu'ils continueront à garder leur humour traditionnel et à se préoccuper, plus ou moins sérieusement, de sujets plus ou moins sérieux.

Nous voilà donc en France, dans une école où ont lieu en cette saison, des élections pour choisir un président de la classe de première année. Il y a trois partis, plus ou moins politiques. Chaque candidat a ses partisans qui pensent, bien sûr, que sa plate-forme est la meilleure, et qui ne croient pas que celle de ses adversaires ait grand-chose à offrir. Ecoutez le discours du candidat du parti Conservateur-Progressiste. Et si vous entendez quelques phrases qui vous semblent être des clichés, c'est parce qu'elles font partie de la rhétorique particulière aux politiciens.

Mes chers camarades,

Je suis heureux de me trouver entouré de votre groupe éclairé et enthousiaste. Je suis fier que vous soyez venus m'écouter en grand nombre. J'espère que vous applaudirez mes intentions d'apporter à notre splendide école les réformes depuis longtemps nécessaires.

Messieurs : Je ne crois pas que les étudiants de première année soient traités avec les égards qu'ils peuvent espérer. On devrait se rendre compte que, sans la classe de première année, cette noble université cesserait vite d'exister. Il me semble que chaque étudiant de première année devrait pouvoir choisir, parmi ceux des autres classes, un serviteur personnel (*enthousiasme de l'auditoire*). Je voudrais que celui-ci comprenne aussi l'honneur qu'il reçoit. Il faudrait qu'il montre sa gratitude en nous rendant tous les petits services si appréciables : il porterait nos affaires, ferait le travail qui nous ennuie, et à l'occasion, quand le dîner serait particulièrement bon, nous donnerait le sien. Ne trouvez-vous pas qu'il soit triste que les étudiants de première année, cette élite de l'élite, soient obligés de porter leurs propres livres et cahiers, soient obligés de passer des heures précieuses à faire des recherches ou à écrire des essais ? Votez tous pour le candidat qui vous donnera cette marque suprême de la démocratie en action : un domestique personnel pour chacun de vous.

(*Applaudissements frénétiques.*)

Bien sûr, il existe d'autres points de vue : mon adversaire, le candidat du parti Rétrograde-Libéral, n'est pas d'accord. Lui, il croit que le modèle de la vie universitaire se trouve dans les universités médiévales, et il propose l'abolition de tous les cours, excepté ceux de théologie et de philosophie ! Il ne lui semble pas que les cours de math, de sciences ou d'histoire aient de valeur. « Et pourquoi », dit-il, « faut-il que nous lisions des centaines de livres ? Est-ce qu'Aristote ne suffit plus ? » On dit même, mais je ne crois pas que ce soit vrai, qu'il aurait parlé de brûler la bibliothèque...

Le troisième candidat, celui du parti des Chrétiens-Athées, semble avoir une plate-forme vague et contradictoire... Il croit qu'il faut avoir une religion, mais il ne croit pas qu'il faille croire en Dieu. Je respecte ce point de vue sans le partager, car j'admire, comme le poète Prévert :

Ceux qui croient
Ceux qui croient croire
Ceux qui croâ-croâ*

Mais loin de moi d'attaquer ceux qui n'ont pas, hélas ! l'avantage d'un esprit juste, objectif et supérieur comme le mien. Au contraire ! Croyez-vous que nous devions rétrograder, nous perdre dans des discussions abstraites, ou croyez-vous qu'il faille que nous suivions le progrès, avec prudence bien sûr ? Alors, votez tous pour le candidat du parti Conservateur-Progressiste !

(*Applaudissements. Cris de : Progrès ! Progrès ! Quelques cris aussi de : Prudence ! Le candidat sort au milieu des acclamations de son auditoire.*)

PRONONCIATION

Exercice de prononciation du **é** et du **è** :

entour**é**	première ann**ée**
éclair**é**	deuxième ann**ée**
trait**é**	

(Comparer et bien marquer la différence entre **è** et **é**.)

Je suis oblig**é** de porter des cahiers pour l'**é**tudiant de première ann**ée**.

---

* Ces vers sont tirés de « Dîner de têtes à Paris » (*Paroles*) de Jacques Prévert. Le poète y fait une énumération des invités à un banquet officiel : tous les gens pompeux, les politiciens sans convictions, tous ceux qui vivent de clichés et de grands mots vides y sont. Ce long poème est une attaque mordante contre tout ce qui est faux, inauthentique, prétentieux. Il est inutile de préciser que Prévert n'admire **pas** ceux qui « croient croire » et pas davantage « ceux qui croâ-croâ » ! « Croâ-croâ » est le son que fait la grenouille.

QUESTIONS SUR LA LECTURE

1. Pensez-vous que les étudiants se passionnent seulement pour des sujets frivoles ? Pourquoi ?
2. Qu'est-ce que le candidat espère ?
3. Vous semble-t-il que ce serait une bonne idée d'avoir un domestique personnel ? Pourquoi ?
4. Pensez-vous que la suggestion du candidat soit vraiment une marque de « la démocratie en action » ? Expliquez.
5. Qu'est-ce que le candidat du parti Rétrograde-Libéral voudrait qu'on fasse ? Etes-vous d'accord avec lui ?
6. Qu'est-ce que le candidat du parti des Chrétiens-Athées voudrait qu'on croie ? Est-ce vraiment possible ?
7. Expliquez ce que signifient les lignes du poème de Prévert.
8. Croyez-vous que ce soit une bonne idée de retourner au système médiéval ? Expliquez.
9. Quel est le but des discours électoraux ?
10. Pensez-vous que les élections populaires soient le meilleur moyen d'avoir un bon gouvernement ? Expliquez.

EXPLICATIONS

Les usages du subjonctif (*suite*)

I. Le subjonctif après les verbes d'opinion : **penser, croire, espérer, trouver, il me semble**

Vous avez déjà vu qu'on emploie le subjonctif après les expressions d'*émotion* (**Je suis heureux, fier, triste que...**, etc., **j'ai peur, j'ai hâte que...**, etc.), après celles de *volonté* ou de *désir* (**Je veux que..., je souhaite que...**, etc.) et de *possibilité* (**Il se peut que...**), ou de *nécessité* (**Il faut que...**).

Maintenant, examinez les phrases suivantes :

> **Je crois** que Jean-Pierre **a** la flemme, mais **je ne crois pas** qu'il **soit** malade. **Croyez-vous** qu'il **soit** malade ?

> **Nous pensons** qu'il **fait** froid. Mais **nous ne pensons pas** qu'il **fasse** aussi froid que l'hiver dernier. **Pensez-vous** qu'il **fasse** plus froid en Alaska ?

> **J'espère** que vous **viendrez** me voir dans mon appartement. Mais **n'espérez pas** qu'il **soit** aussi confortable que le vôtre.

A. Il n'y a pas de subjonctif après les verbes **penser, croire, espérer, trouver** et **il me semble** quand ils sont affirmatifs.

> **Je crois** que Jean-Pierre **a** la flemme.
> **Nous pensons** qu'il **fait** froid.

J'espère que vous **viendrez** me voir.
Je trouve que vous **avez** du talent.
Il me semble que le monde **change** très vite en ce moment.

B. On emploie le subjonctif après ces verbes quand ils sont à la forme interrogative ou négative.

Croyez-vous que Jean-Pierre **soit** malade ? Non, **je ne crois pas** qu'il **soit** malade.

Pensez-vous qu'il **fasse** plus froid en Alaska qu'ici ? Non, **je ne pense pas** qu'il y **fasse** plus froid qu'ici.

Espérez-vous que mon appartement **soit** grand et confortable ? En tout cas, **n'espérez pas** qu'il **soit** élégant !

Je ne trouve pas que ce nouveau film **soit** bon. **Trouvez-vous** qu'il **soit** original ?

Il ne me semble pas que le temps **aille** vite ! **Vous semble-t-il** que nous **soyons** déjà à la fin de l'année ?

NOTE :   Pourquoi cet usage ou cette omission du subjonctif ? Probablement celle-ci : **je pense, je crois, j'espère je trouve, il me semble** expriment, en réalité, un fait pour celui qui parle. Le subjonctif s'emploie à la forme négative ou interrogative, quand le doute apparaît.

Il est possible, dans certains cas, de ne pas employer de subjonctif après ces verbes, même à la forme interrogative et négative, s'il n'y a pas de doute dans l'esprit de celui qui parle :

Le candidat **ne pense pas** que son adversaire **a** raison (= Il est sûr qu'il a complètement tort !).

Une chose est certaine et fixe — il n'y a pas de subjonctif après les verbes suivants à la forme affirmative :

penser	trouver
croire	il me (te, lui, nous, vous, leur) semble
espérer	il paraît*

RÉCAPITULATION : Une expression affirmative d'opinion après ces verbes est toujours suivie de l'indicatif.

Une expression négative ou interrogative d'opinion après ces verbes est généralement suivie du subjonctif.

---

* *il paraît que* est suivi d'un interrogatif. Les formes interrogatives et négatives sont rares.

II. Les temps du subjonctif

Vous avez étudié le présent du subjonctif, et vous l'employez dans des phrases au présent, au passé, et au futur :

Je suis fier
J'étais fier } que vous **soyez** mon ami.
Je serai fier

Vous vous demandez peut-être si la règle de concordance des temps (*sequence of tenses*) existe en ce qui concerne l'emploi du subjonctif. Cette règle existe, mais avec les modifications que nous allons voir.

A. Le subjonctif a quatre temps : **présent** et **parfait** (ou passé composé), **imparfait** et **plus-que-parfait**

1. Le présent et l'imparfait du subjonctif

Exemple : **être**

Présent		*Imparfait (strictement littéraire)**	
que je	sois	que je	fusse
que tu	sois	que tu	fusses
qu'il	soit	qu'il	fût
que nous	soyons	que nous	fussions
que vous	soyez	que vous	fussiez
qu'ils	soient	qu'ils	fussent

Vous avez peut-être déjà vu l'imparfait du subjonctif dans vos lectures, surtout dans les textes assez anciens. Le français moderne l'emploie rarement, et jamais dans la conversation ou le style ordinaire. On remplace l'imparfait du subjonctif par le présent :

STYLE LITTÉRAIRE CLASSIQUE

Corneille **voulait** que ses personnages **fussent** tous des héros.

FRANÇAIS CONTEMPORAIN

Corneille **voulait** que ses personnages **soient** tous des héros.

2. Le parfait (= passé composé) et le plus-que-parfait du subjonctif

* Pour la formation de ce temps, voir Appendix B.

Exemple : **être**

Parfait (= passé composé)	*Plus-que-parfait (strictement littéraire)*
que j' aie été	que j' eusse été
que tu aies été	que tu eusses été
qu'il ait été	qu'il eût été
que nous ayons été	que nous eussions été
que vous ayez été	que vous eussiez été
qu'ils aient été	qu'ils eussent été

Vous avez peut-être déjà vu le plus-que-parfait du subjonctif dans vos lectures. Comme l'imparfait du subjonctif, le français moderne l'emploie très rarement, et jamais dans la conversation ou le style ordinaire. On remplace le plus-que-parfait du subjonctif par le parfait du subjonctif.

STYLE LITTÉRAIRE CLASSIQUE — FRANÇAIS CONTEMPORAIN

Tout le monde ne **croyait** pas que le roi **eût été** victime d'un fou.

Tout le monde ne **croyait** pas que le président **ait été** victime d'un fou.

(= Certains croyaient qu'il y avait eu une machination politique.)

III.   Le subjonctif dans le discours indirect

   A. Quand on passe du présent à l'imparfait

DISCOURS DIRECT — *Présent* — DISCOURS INDIRECT — *Imparfait*

«Je ne pense pas que mon adversaire **soit** honnête», dit le candidat.

Le candidat a dit qu'il ne pensait pas que son adversaire **soit** honnête.

Le présent du subjonctif remplace l'imparfait du subjonctif.

   B. Quand on passe du passé composé au plus-que-parfait

DISCOURS DIRECT — *Passé composé* — DISCOURS INDIRECT — *Plus-que-parfait*

«Je ne pense pas que **vous ayez compris** ma plate-forme», dit le candidat.

Le candidat a dit qu'il ne pensait pas qu'**ils aient compris** sa plate-forme.

Le parfait (= passé composé) du subjonctif remplace le plus-que-parfait du subjonctif.

RÉCAPITULATION : Dans le français contemporain, le subjonctif ne change pas de temps quand on passe du discours direct au discours indirect.

IV. Le subjonctif remplace le futur

Il n'y a pas de subjonctif futur en français. Le subjonctif remplace le futur :

Je crois que **nous arriverons** demain.   (*futur*)
Je ne crois pas que **nous arrivions** demain.   (*subjonctif*)

Nous espérons que **vous viendrez**.   (*futur*)
Nous n'espérons pas que **vous veniez**.   (*subjonctif*)

EXERCICES ÉCRITS et/ou ORAUX

I.   *Mettez les phrases suivantes à la forme négative.*

   (*Attention ! Dans certaines phrases, vous emploierez le subjonctif. L'emploierez-vous dans toutes ?*)

   1. Je *crois* que son histoire est vraie.
   2. Nous *sommes sûrs* que vous avez toujours raison.
   3. Jean-Pierre *dit* qu'il a la flemme.
   4. Le candidat *veut* entendre le discours de son adversaire.
   5. Je trouve qu'on *doit* fermer la bibliothèque.
   6. Il *est possible* que vous sachiez tout.
   7. Il me *semble* que certaines de ces phrases sont des clichés.
   8. Nous *avons* beaucoup *regretté* que vous soyez parti.
   9. Il *est impossible* d'aller sur une autre planète.
   10. *J'aime* sortir, mais *je déteste* que les gens viennent me voir.
   11. On vous *demande* de faire trop de travail.
   12. Tout le monde *voudrait* que vous soyez des anges ! (*Négation de* **tout le monde** *?*)

II. *Récapitulation des formes et des usages du subjonctif que vous avez étudiés.*

   Mettez le verbe à la forme correcte, avec le subjonctif quand il est nécessaire.

   1. Pensez-vous que votre père (*vouloir*) vous prêter sa voiture ?
   2. Il est certain que nous (*aller*) en Europe bientôt.
   3. Croyez-vous qu'il (*falloir*) faire la conversation avec les poissons ?
   4. Le candidat était sûr (*être*) élu.
   5. Restez ! Je ne veux pas que vous (*partir*).
   6. Je crois qu'il (*faire*) beau demain. Je ne crois pas qu'il (*faire*) froid.
   7. Etiez-vous fier (*savoir*) qu'il fallait que vous (*faire*) un discours ?
   8. Je ne crois pas que vous (*comprendre*) ce que j'ai expliqué hier.
   9. Tu penses que les gens (*voter*) pour ce candidat demain ?
   10. Les élections (*avoir lieu*) le mois prochain. Voudriez-vous qu'elles (*avoir lieu*) plus souvent ? Croyez-vous qu'elles (*avoir lieu*) à la même date l'année prochaine, et qu'elles (*avoir lieu*) plus tôt l'année dernière ?

III. *Transformez les phrases suivantes en ajoutant l'expression verbale indiquée.*

(*Emploierez-vous le subjonctif dans toutes?*)

Exemple: Tu as assez réfléchi.   (Il ne me semble pas)
Il ne me semble pas que tu aies assez réfléchi.

1. Tu as très bien compris.   (Je crois)
2. Il est très amusant d'attendre.   (Nous ne trouvons pas)
3. Cette ville a grandi trop vite.   (Vous semble-t-il)
4. Tout le monde pense comme moi.   (Moi, je voudrais bien)
5. Le gouvernement prendra des décisions.   (Tout le monde se demande)
6. Je suis indépendant, je gagne ma vie.   (Mes parents ont hâte)
7. Les jeunes détermineront l'avenir.   (Il n'y a pas de doute)
8. Le directeur s'est décidé et j'ai une situation. (Je souhaite)
9. Tu viendras me voir.   (Tu devrais, un de ces jours)
10. Je sais absolument tout.   (Comment voulez-vous)

COMPOSITIONS

Composition orale et/ou écrite.

Vous avez le choix entre trois sujets:

A. Exprimez votre opinion sur un sujet d'actualité (politique ou autre) en commençant vos phrases par les expressions suivantes:

Moi, il me semble...   D'autre part, il paraît...
Ne croyez-vous pas d'ailleurs...   On devrait sans doute...
Il faudrait peut-être...   Il n'est pas impossible que...
Alors, il serait possible...   Il se peut que...
                    Alors, on finirait par...

B. Faites un discours pour convaincre quelqu'un de la valeur d'un sujet qui vous passionne.

C. Faites un discours électoral. Expliquez, dans une brève introduction, de quelles élections il s'agit et les circonstances de ce discours, si c'est nécessaire.

VOCABULAIRE

NOMS

Noms masculins

l'adversaire	l'égard	le partisan
l'applaudissement	l'honneur	le politicien
le camarade	l'humour	le serviteur
le candidat	le modèle	le sexe
le cliché	le pacifiste	le sujet
le domestique		

Noms féminins

la baliverne
la centaine
la concordance
l'élection
l'élite
l'énumération
l'épidémie

la gratitude
la libération
la loi
la machination
la marque
la nécessité
la philosophie

la précaution
la promesse
la propagande
la réforme
la rhétorique
la théologie

ADJECTIFS

appréciable
athée
chrétien, chrétienne
cohérent (-e)
éclairé, (-e)
égal (-e)
électoral (-e)
entouré, (-e)

frénétique
frivole ≠ sérieux,
  sérieuse
honnête
indépendant (-e)
libéral (-e)
médiéval (-e)
mordant (-e)

nécessaire
paresseux, paresseuse
pompeux, pompeuse
progressiste ≠ rétrograde
suprême
universitaire
vide

VERBES

convaincre
déterminer
faire partie de
s'intéresser à

se préoccuper de
partager
passionner
préciser

respecter
traiter

ADVERBE

sérieusement

DIVERS

à l'occasion
il paraît

en grand nombre

il (me) semble

LEÇON 17
Une séance aux Nations-Unies

LES USAGES DU SUBJONCTIF (*suite et fin*)

Le subjonctif après certaines locutions conjonctives
Le subjonctif (*facultatif*) après le superlatif

Introduction

INFINITIF	SUBJONCTIF
Voilà un franc **pour le téléphone**. Voilà un franc **pour téléphoner**.	Voilà un franc **pour que vous téléphoniez** à mes parents.
Je finis mon travail **avant le week-end**. Je finis mon travail **avant de sortir**.	Je finis mon travail **avant que vous (n')arriviez**.
Fermez la fenêtre **de peur du froid**. Fermez la fenêtre **de peur d'avoir froid**.	Fermez la fenêtre **de peur que nous (n')ayons froid**.
A moins d'un accident, tout ira bien. **A moins d'avoir un accident**, ce cheval gagnera la course.	**A moins que son cheval (n')ait un accident**, ce jockey gagnera la course.
Cet auteur va **jusqu'au fond** de ses personnages. Cet auteur va **jusqu'à ressembler** à ses personnages!	Cet auteur étudie ses personnages **jusqu'à ce qu'il** les **connaisse** parfaitement.
(*Pas de forme communément employée.*)	**Bien que je fasse** des efforts, je suis souvent en retard (*ou*: Quoique je fasse...).

Qui que vous soyez
Où que vous alliez
Quoi que vous fassiez
Quelle que soit votre destinée
⎫
⎬ vous serez un jour heureux de savoir une langue
⎭ étrangère.

INDICATIF (*certitude*)	SUBJONCTIF (*doute*)
Voilà sûrement **le meilleur** livre que **j'ai** jamais **lu**.	Voilà probablement **le meilleur** livre que **j'aie** jamais **lu**.

Cet homme a perdu tous ses amis.
Le seul qui lui **est** fidèle est son chien.

Cet homme a perdu beaucoup d'amis,
et **les seuls** qui lui **soient** fidèles
commencent à l'abandonner.

Ça ? C'est le premier ornithorynque
que **j'ai vu** de ma vie !

Je ne crois pas que ce soit le premier
ornithorynque que **j'aie vu** de ma vie.

EXERCICES ORAUX

I.   (*Révision*) *Quelle est la forme correspondante du verbe au subjonctif ?*

A. *Présent.*

Exemple :   vous commencez
que vous commenciez

1. on croit	6. tu veux	11. je finis	16. on espère
2. vous apprenez	7. on rougit	12. vous oubliez	17. vous mettez
3. nous allons	8. vous entrez	13. ils montent	18. elle se demande
4. il insiste	9. nous sortons	14. tu décides	19. je m'arrête
5. ils savent	10. je descends	15 nous rions	20. tu te dépêches

B. *Parfait.*

Exemple :   vous commencez
que vous ayez commencé

1. je vais	6. vous finissez	11. tu arrives	16. elle s'arrête
2. nous allons	7. nous écrivons	12. il écoute	17. je me dis
3. vous dites	8. tu paies	13. ils vont	18. on se lève
4. on entend	9. il entre	14. on met	19. nous nous parlons
5. je lis	10. je retourne	15. nous prenons	20. tu te reposes

II.   *Complétez la phrase avec, ou sans le subjonctif.*

Exemple :   Vous fermez la fenêtre avant...   (vous sortez)
Vous fermez la fenêtre avant *de sortir.*

Vous fermez la fenêtre avant...   (il fait froid)
Vous fermez la fenêtre avant *qu'il* (*ne*) *fasse froid.*

1. Ne courez pas de peur...   (vous tombez)
2. Nous faisons des économies pour...   (nous faisons un voyage)
3. Vous mettez de l'essence de peur...   (la voiture a une panne)
4. Attendez jusqu'à...   (je vous téléphone)
5. Les Nations-Unies délibèrent pour...   (elles trouvent la solution)
6. Prenez vos billets maintenant, de peur...   (il n'y a pas de place)
7. Vous arriverez à 5 h., à moins...   (l'avion est en retard)
8. Le délégué expose son problème avant...   (les délibérations commencent)

9. On ne peut pas tout savoir, à moins... (on est un génie)
10. Donnez-moi votre adresse pour... (je vous écris)
11. N'ouvrez pas la porte le soir, à moins... (c'est un ami)
12. Vous vous dépêchez de peur... (on ne vous attend pas)
13. Ne vous moquez pas des gens, à moins... (vous n'êtes pas ridicule vous-même)

14. Je vais fermer la télévision pour... (tu peux étudier)
15. Vous réservez une chambre d'hôtel de peur... (il n'y a rien quand vous arrivez)

III. *Le subjonctif avec le superlatif* (*et* **premier, dernier, rien, unique, ne... que,** *et* **personne**).

(*Employez le subjonctif s'il y a un doute, l'indicatif si c'est une certitude.*)

Exemple : Je suis sûr que vous êtes le meilleur ami que je... (avoir).
Je suis sûr que vous êtes le meilleur ami que j'*ai*.

Je me demande souvent si vous n'êtes pas le meilleur ami que je... (avoir).
Je me demande souvent si vous n'êtes pas le meilleur ami que j'*aie*.

1. C'est sûrement la première fois que vous... (venir) dans cette ville.
2. Je sais qu'il n'y a que vous qui... (savoir) le russe ici.
3. C'est peut-être la dernière leçon de français que vous... (faire) !
4. Vous êtes la classe la plus intelligente que je... (connaître).
5. Quel est le plus grand poète qui... (écrire) en français ?
6. Il n'y a probablement personne qui... (rougir) aussi facilement que moi.
7. Nous prendrons le premier appartement qui... (ne pas être) trop cher.
8. Nous n'avons trouvé personne qui... (savoir) tout faire.
9. La plus belle histoire d'amour que vous... (avoir entendu), était-ce Roméo et Juliette ?
10. Quelle est la plus grande ville que vous... (avoir visité) ?
11. Quel est le plus petit objet que vous... (pouvoir) voir sans microscope ?
12. Où est le meilleur hôtel où nous... (pouvoir) dîner dans cette ville ?
13. Est-ce l'avion le plus rapide qui... (aller) de Los Angeles à Paris ?
14. Dites-moi quel est le meilleur livre que vous... (avoir lu).
15. C'est l'unique occasion que vous... (avoir) de comprendre le subjonctif.

LECTURE

Une séance aux Nations-Unies

Comme vous le savez, le but de l'Organisation des Nations-Unies (ONU) est de maintenir la paix entre les différentes nations. Quand un pays considère qu'il a des raisons de ne pas être satisfait d'un de ses voisins, il fait un rapport aux Nations-Unies. Le secrétaire général et les représentants des autres pays l'écoutent et proposent souvent l'arbitration impartiale d'une commission formée de représentants de quelques autres pays.*

Il y a cinq langues officielles à l'ONU : l'anglais, le russe, le chinois, l'espagnol et le français. Les langues de travail sont l'anglais et le français. Chaque délégué s'exprime dans sa propre langue qui n'est pas nécessairement une des langues officielles. Les interprètes, dans leurs cabines, entendent le discours au moyen de leurs écouteurs et donnent, dans le micro placé devant eux, une traduction simultanée de ce qu'ils entendent. C'est la forme de traduction la plus difficile qui soit. Mais, grâce à cette traduction simultanée, les délégués et même les visiteurs peuvent choisir la langue qu'ils comprennent le mieux sur le sélecteur de la machine placée devant eux et entendre la version, disons française, du discours que quelqu'un est en train de prononcer.

Le représentant de la République fédérale d'Allemagne (*West Germany*)** : Mon gouvernement ne pense pas qu'il soit possible de tolérer plus longtemps la situation qui existe maintenant à Berlin. Quand le gouvernement de la République démocratique allemande (*East Germany*) a bâti le mur qui sépare notre ville en deux parties, nous pensions que c'était la dernière chose qu'il puisse faire pour rendre la vie, le commerce et les transports difficiles. Mais nous avions tort. On nous menace maintenant de bâtir un autre mur, cette fois autour de la zone ouest de Berlin. Il est possible que cette action soit suggérée par les membres de la délégation militaire soviétique à Berlin...

* C'est, bien entendu, une version très simplifiée du rôle de l'ONU et de ses méthodes de travail. Pour une vue plus précise, nous vous demandons de vous référer aux publications de l'ONU : **ABC des Nations-Unies** et **Réglement intérieur de l'Assembée générale**.
** L'Allemagne de l'ouest n'a pas de délégué, n'étant pas membre de l'ONU, mais elle a un représentant.

MARC CHAGALL, *Vitrail aux Nations-Unies*

Variations sur le thème de l'humanité et de la paix par Chagall.

Le délégué de l'Union des Républiques socialistes soviétiques : (*Il se lève et interrompt avec indignation*) Je proteste ! Je trouve que cette assertion est inadmissible. Mon gouvernement ne l'accepte pas, à moins qu'on ne puisse prouver qu'elle est basée sur des faits. La position du gouvernement soviétique est la plus neutre qui soit dans cette affaire...

Le secrétaire général : Je regrette d'être obligé de demander à l'honorable délégué de l'URSS de ne pas interrompre, à moins qu'il ne veuille courir le risque d'un vote de blâme du comité exécutif. Continuez, s'il vous plaît.

Le représentant de la République fédérale d'Allemagne : J'accepte de laisser de côté la question de responsabilité, mais je demande, au nom de mon gouvernement, la nomination d'une commission impartiale. Il faudrait que celle-ci soit formée de représentants de pays neutres et qu'elle vienne à Berlin où elle resterait jusqu'à ce qu'un rapport sur la situation soit établi.

Le secrétaire général : Je vais demander aux délégués des nations suivantes de répondre au nom de leur gouvernement et d'indiquer s'ils acceptent de faire partie de la commission internationale chargée du rapport sur la situation à Berlin. Le délégué de la République du Nicaragua ?

Le délégué du Nicaragua : J'approuve, au nom de mon gouvernement, la formation de cette commission. Il est possible que la situation à Berlin soit en effet précaire. Je souhaite qu'on fasse tous les efforts possibles jusqu'à ce que la justice soit rétablie. J'accepte de faire partie de cette commission.

Le secrétaire général : Vote affirmatif de la République du Nicaragua. Le délégué de la République de Chine ?

Le délégué de la République de Chine à Formose : Mon pays est peut-être celui qui connaît le mieux l'étendue du danger communiste. J'accepte de faire partie de cette commission, où qu'elle aille, et quoi qu'elle fasse.

Le secrétaire général : Vote affirmatif de la République de Chine. Le délégué de l'Inde ?

Le délégué de l'Inde : (*avec hésitation*) Bien que j'approuve le principe de cette commission, je ne crois pas que je puisse approuver sa nomination dans ce cas particulier. Je ne crois pas qu'il y ait de lois internationales qui interdisent la construction de ce mur... Il est possible que Berlin-Est veuille se protéger contre une agression éventuelle... Bien qu'il n'y ait pas de nation qui veuille plus que la mienne, maintenir la liberté et la neutralité des peuples, je ne voudrais pas qu'on prenne de mesures qui pourraient avoir des conséquences regrettables. J'accepte seulement d'accompagner cette commission en qualité d'observateur neutre.

Le délégué du Pakistan : (*Il se lève, très agité, et interrompt*) Si l'Inde est représentée par un observateur neutre, il faut alors que mon gouvernement soit représenté par un autre observateur, afin que celui-ci puisse assurer la neutralité des observateurs...

Le représentant de la République fédérale d'Allemagne : Je proteste ! Faut-il que nous discutions jusqu'à ce qu'il soit trop tard ? Je fais appel à ce tribunal international et je demande justice et sécurité contre l'agression et la persécution.

Le texte qui précède n'a, bien sûr, pas l'intention de donner un compte-rendu exact d'une délibération des Nations-Unies, pas plus que les autres textes offerts dans ce livre n'ont l'intention de reproduire des modèles réels. L'œuvre de l'ONU est trop universellement connue et appréciée pour qu'il soit besoin de la rappeler ici.

Notre unique intention est l'enseignement du français. C'est à ces fins que nous offrons dans ce livre un nombre de textes illustrant une variété des usages de la langue : narration, reportage, interview, conversation, discours et enfin, dans cette leçon, débat. Chaque texte est riche en expressions qui font usage de la structure qu'enseigne la leçon et introduit un vocabulaire contrôlé. Nous espérons n'avoir offensé personne et demandons l'indulgence de nos lecteurs, espérant qu'ils voudront bien reconnaître notre humour comme tel.

PRONONCIATION

l'Allemagne / l'Allemagne de l'ouest / l'Allemagne de l'est
le représentant de l'Allemagne de l'ouest
une commission internationale
un comité exécutif
une agression injustifiée

QUESTIONS SUR LA LECTURE

1. Où se trouve le Palais des Nations-Unies ? Que savez-vous sur les Nations-Unies ?
2. Supposez qu'un pays en attaque un autre. Que peut faire le pays victime ?
3. Quelles sont les langues officielles de l'ONU ? Y entend-on parler d'autres langues ? Que fait-on pour comprendre ce qu'on entend ?
4. Que fait un interprète simultané aux Nations-Unies ? Expliquez son travail.
5. Que demande le représentant de la République fédérale d'Allemagne ? Que veut-il que la commission fasse ?
6. Quelle est l'attitude du délégué du Nicaragua ?
7. Quelle est l'attitude du délégué de la République de Chine ?
8. Quelle est l'attitude du délégué de l'Inde ?
9. Pourquoi le délégué du Pakistan proteste-t-il ? (Je suppose que vous lisez les journaux et que vous avez vu des cartes du monde.)
10. Pourquoi les Nations-Unies, même si elles n'empêchent pas toutes les guerres, sont-elles une institution importante et utile ?

EXPLICATIONS

Les usages du subjonctif (*suite et fin*)

I.   Le subjonctif après certaines locutions conjonctives

On emploie le subjonctif après certaines locutions conjonctives quand il y a un changement de sujet. Les plus employées de ces locutions sont :

pour que*	à moins que
afin que*	jusqu'à ce que
de sorte que*	bien que**
avant que	quoique**
de peur que	

(Pas de changement de sujet)	(Changement de sujet)
Infinitif	*Subjonctif*
Voilà un franc **pour téléphoner**.	Voilà un franc **pour que vous téléphoniez**.
Fermez la fenêtre **de peur d'avoir** froid.	Je ferme la fenêtre **de peur que vous** (n')**ayez** froid.
Venez me voir **avant de partir**.	J'irai vous voir **avant que vous** (ne) **partiez**.

REMARQUEZ :   Toutes les locutions conjonctives ne demandent pas le subjonctif. Vous en connaissez déjà beaucoup qui demandent l'indicatif.

parce que :	Vous riez **parce que vous êtes** content.
depuis que :	Nous sommes enchantés **depuis que nous avons** donné notre télévision.
après que :	La pluie a commencé **après que je suis** arrivé.
pendant que :	La cigale (*grasshopper*) chantait **pendant que** la fourmi **travaillait**.

Qu'est-ce qui explique cette différence ? Pourquoi certaines locutions demandent-elles un subjonctif, alors que d'autres demandent un indicatif ?

Les locutions qui demandent un subjonctif ont toutes une idée de but inaccompli (*unaccomplished goal, or aim*). Il est toujours question de quelque chose de futur, de probable, de désirable ou non, mais jamais de quelque chose de factuel, comme pour les locutions qui demandent un indicatif.

* Ces trois locutions ont le même sens : *so that, in order that*.
** Ces deux locutions ont le même sens : *although*.

II. Le **ne** pléonastique (*facultatif*)

Vous avez observé ce **ne** que nous plaçons entre parenthèses dans les phrases modèles et dans les exemples de la leçon ci-dessus pour vous montrer clairement qu'il n'est pas indispensable. Vous n'êtes pas obligé de l'employer, mais quand vous le verrez dans vos lectures il faut comprendre ce qu'il veut dire Par exemple :

> Je vous répète de conduire plus lentement de peur que vous **n'**ayez un accident.

Ce **ne** s'emploie quand, dans une phrase affirmative, il y a une idée de négation et qu'on pourrait dire la même chose dans une phrase négative :

> Conduisez plus lentement pour **ne pas avoir** d'accident.

L'idée de **ne pas avoir** d'accident est claire.

> A moins que vous **ne** mettiez de l'essence dans la voiture (= si vous ne mettez pas d'essence) nous serons en panne dans dix minutes.

> Essayez de finir avant que nous **ne** partions (= ne partez pas avant d'avoir fini).

III. Le subjonctif après **qui que** (*whoever*), **quoi que** (*whatever*), **où que** (*wherever*)

> **Qui que vous soyez,** dans une démocratie, vous êtes soumis aux lois de votre pays.

> Oh, maintenant, avec le progrès, **où qu'on aille,** tous les pays se ressemblent !

> **Quoi que je fasse,** je n'arrive pas à faire d'économies.

Il y a d'autres constructions semblables, bien que celles qui précèdent soient les plus employées. Les voilà :

> **Quelle que soit** la vérité sur cette affaire, ce n'est sûrement pas ce qu'on a lu dans les journaux.

> **Quelque intelligent qu'on soit,** et **quelqu'effort qu'on fasse,** on ne réussit pas si on ne sait pas organiser son temps et son travail.

IV. Le subjonctif (*facultatif*) après une expression de superlatif.

> Vous êtes peut-être le meilleur ami que **j'aie.**
> Vous êtes certainement le meilleur ami que **j'ai.**

On emploie le subjonctif après le superlatif quand il y a une idée de doute, de probabilité, mais quand il y a une idée de certitude, on emploie l'indicatif.

> Vous êtes la seule personne qui **puisse** le faire. (Je ne sais pas où sont les autres.)

Vous êtes la seule personne qui **peut** le faire. (Les autres ne peuvent pas, je leur ai demandé.)

On peut, dans le même ordre d'idées, employer (mais ce n'est pas obligatoire non plus) le subjonctif après les expressions :

premier, seul, unique, rien, personne, ne... que :
Il n'y a **que** vous qui sachiez le russe ici, n'est-ce pas ?
Oui, il n'y a **que** moi qui sait le russe.*

Nous espérons que cette introduction au français vous a permis de former une connaissance utile du français parlé et écrit, et que vous voudrez continuer vos études de cette langue dans laquelle vous êtes déjà avancé.

EXERCICES ÉCRITS et/ou ORAUX

I. *Complétez les phrases suivantes en employant un nom, un infinitif, ou un subjonctif.*

Exemple : Vous écoutez un disque jusqu'à *la fin.*
Vous écoutez un disque jusqu'à ce que *vous en soyez fatigué.*

1. Je vais rester dans cette ville jusqu'à _____.
   Je vais rester dans cette ville jusqu'à ce que _____.

2. Les Nations-Unies délibèrent afin de _____.
   Les Nations-Unies délibèrent afin que _____.

3. Vous ne parlez pas clairement. On ne vous comprendra pas à moins de _____.
   Vous ne parlez pas clairement. On ne vous comprendra pas à moins que _____.

4. Vous demandez des conseils aux gens de peur de _____.
   Vous demandez des conseils aux gens de peur que _____.

5. Vous faites des efforts pour _____.
   Vous faites des efforts pour que _____.

6. Nous allons faire nos bagages avant de _____.
   Nous allons faire nos bagages avant que _____.

II. *Transformez les deux phrases qui vous sont proposées et faites-en une seule.*

Exemple : Vous n'êtes pas gentil avec moi. / Je vous aime.   (bien que)
Bien que vous ne soyez pas gentil avec moi, je vous aime.

1. Ce monsieur apporte des fleurs à sa femme. / Elle est contente.   (pour)
2. Je relis tout ce que j'écris. / Je fais des fautes.   (de peur)

---

* Il y a d'autres usages du subjonctif, mais ceux que vous venez d'étudier sont les plus fréquents et les plus importants. Vous verrez les autres, ainsi que d'autres constructions plus complexes, dans votre prochain cours de français.

3. Vous serez en retard. / Vous vous dépêchez.   (à moins)
4. Je me lave les mains. / Je me mets à table.   (avant)
5. La commission restera à Berlin. / Elle a un rapport complet.   (jusqu'à)
6. Ce jeune ménage s'entend bien. / La belle-mère est partie.   (depuis)
7. Nous sommes arrivés. / Vous étiez parti.   (après)
8. Voulez-vous me téléphoner ? / Je sors.   (avant)

III. *Exercice de traduction* (*facultatif*).

1. Whoever you are, you will have to think of others.
2. Whatever I say, whatever I do, he never changes his mind.
3. However intelligent you are, you need to work.
4. Whatever your future may be, the present is important too.
5. Wherever you go in France, you'll find good meals.
6. Whoever you meet in Europe, you'll be glad to know French.
7. Whatever you do, don't miss a visit to the *châteaux de la Loire*.
8. However small the world may be, it is our only world.

COMPOSITIONS

Composition orale et/ou écrite.

Vous avez le choix entre deux sujets :

A. Cherchez dans les journaux un problème d'ordre économique, politique ou social. Expliquez sa cause, sa solution possible.

B. En vous inspirant de la Séance aux Nations-Unies, racontez une séance de délibérations de votre club, ou de votre parti, ou du gouvernement des étudiants, ou simplement de deux étudiants qui ne sont pas contents du système en général.

Employez **jusqu'à** et **jusqu'à ce que**, **de peur de** et **de peur que**, **pour** et **pour que**, **à moins de** et **à moins que**, etc.

Employez aussi les verbes **falloir** et **devoir** à différents temps, et le subjonctif dans une variété de constructions.

Bref, employez avec style et imagination tout ce que vous avez appris pour montrer à votre professeur le grand profit que vous avez tiré de son cours.

VOCABULAIRE

NOMS

Noms masculins

le blâme
le chinois (la langue)
le comité
le compte-rendu
le délégué
l'écouteur

le génie
l'interprète
le micro (microphone)
le microscope
le Nicaragua
l'observateur

le Pakistan
le règlement
le risque
le secrétaire
le sélecteur
le vote

Noms féminins

l'agression
l'arbitration
l'assemblée
l'assertion
la cabine
la capitale
la cigale
la commission

la délégation
la délibération
l'étendue
la famine
l'indulgence
l'interprète
la menace
la neutralité

la nomination
la parenthèse
la persécution
la réaction
la république
la variété
la version
l'union

ADJECTIFS

agité (-e)
apprécié (-e)
basé (-e) (sur)
chargé (-e) (de)
contrôlé (-e)
éventuel, éventuelle

facultatif, facultative
honorable
inadmissible
indispensable
individuel, individuelle
militaire

neutre
placé (-e)
précaire
simultané (-e)
soviétique

VERBES

considérer
délibérer
empêcher

maintenir
menacer

offenser
rappeler

ADVERBE

universellement

DIVERS

Avec l'infinitif

à moins de
avant de

de peur de

jusqu'à

Avec l'indicatif

après que
depuis que

parce que

pendant que

Avec le subjonctif

afin que
à moins que
avant que

de peur que
de sorte que
jusqu'à ce que

pour que
quoique

HENRI MATISSE, *La Danse* (Première version)

« J'explique sans les mots le pas qui fait la ronde
J'explique le pied nu qu'a le vent effacé
J'explique sans mystère un moment de ce monde... »

Louis Aragon

(1897–   )

Louis Aragon est un des grands poètes français
contemporains. Dans ce poème, il donne la parole au
peintre Matisse qui « parle » de sa peinture. Cette peinture
« explique » la réalité, c'est-à-dire qu'elle la rend plus
claire, plus visible, elle interprète les qualités des choses.

Matisse parle...

J'explique sans les mots le pas qui fait la ronde
J'explique le pied nu qu'a le vent effacé
J'explique sans mystère un moment de ce monde
J'explique le soleil sur l'épaule pensée

J'explique un dessin noir à la fenêtre ouverte
J'explique les oiseaux, les arbres, les saisons
J'explique le bonheur muet des plantes vertes
J'explique le silence étrange des maisons

J'explique infiniment l'ombre et la transparence
J'explique le toucher des femmes, leur éclat
J'explique un firmament d'objets par différence
J'explique le rapport des choses que voilà

J'explique le parfum des formes passagères
J'explique ce qui fait chanter le papier blanc
J'explique ce qui fait qu'une feuille est légère
Et les branches qui sont des bras un peu plus lents

Le Nouveau Crève-Cœur. Reproduit avec la permission de l'auteur.

Appendix A

A few principles of French spelling and pronunciation

I. General Principles

A good pronunciation cannot be acquired without the help of a competent teacher. We will give below only the most general principles to guide the students and serve as reference.

A. *Diacritical marks:* The French alphabet is similar to the English alphabet, but French uses a number of diacritical marks which usually influence pronunciation. These marks never indicate that a syllable should be stressed. They are:

1. *the acute accent:* ′ é (accent aigu). Appears only on the vowel e : **été, téléphone, éléphant, élevé**

2. *the grave accent:* ` è (accent grave). Used most often in the combination: è + *consonant* + **mute** e at the end of a word. Whenever this combination of è + *consonant* + **mute** e occurs at the end of a word, the e *must have a grave accent:** **frère, pièce, pèse, achète,** etc.
The grave accent also appears in a few specific words, without altering the pronunciation. These are: à (preposition) to distinguish it from a (verb *to have,* 3rd pers. sing. pres.), là (adverb) to distinguish it from la (article) and où (adverb) to distinguish it from ou (conjunction).

3. *the circumflex accent:* ^ ê â ô î û (accent circonflexe). Used on all vowels, but most often on e : **tête, fête, quête,** (often before a t) **âtre, âme, sûr, vôtre, plaît**

4. *the cedilla:* ¸ ç (la cédille). Used only under a c to indicate that it is pronounced s and before a, o, u : **français, garçon, reçu**

5. *the diaeresis:* ¨ ë (le tréma). Used to show that the vowel on which it is placed should be pronounced clearly separated from the preceding one: **Noël, égoïste, naïf**

B. *Elision:* Elision occurs when a vowel is dropped before another word beginning with a vowel: **L'ami d'Ernest dit qu'il prend l'auto.** (le) (de) (que) (la)
Elision occurs only for some vowels and in specific cases. The following will elide:

1. final e of words of one syllable: **je** (j'ai), **me** (il m'a dit), **te, ce** (c'est), **se, de** (l'ami d'Ernest), **le, ne** (ce n'est pas), **que** (il dit qu'il)

2. a elides only in the case of la : **l'auto, l'enveloppe, l'adresse** (la) (la) (la)

3. i elides only in *one* case: **si** followed by il(s) : **s'il** *but:* **qui il**

4. There is elision in front of words beginning with h, since h is usually mute: **l'homme, l'huître**

   A few words beginning with h will not cause elision because the h is aspirate (these are usually words of Germanic origin): **la Hollande, la hutte, la hache, le hibou**

C. *Linking of words, or liaison:* Words closely connected by meaning are run together as one word; this means that the last consonant of an individual word—which is not pronounced otherwise—becomes the introductory consonant of the following word. Liaison happens mostly with the following letters:

$\left.\begin{array}{l} s \\ x \\ z \end{array}\right\}$ all pronounced z : **les amis, dix amis, chez eux, ils ont**

$\left.\begin{array}{l} d \\ t \end{array}\right\}$ both pronounced t : **un petit ami, un grand ami, quand il**

n pronounced n : **un ami, en avion, il y en a**

The liaison is necessary

1. between the article and the noun: **les amis, les hommes, un homme**

---

* *Except in the following two cases: (1) when the consonant is an x—complexe, circonflexe and (2) when an etymological s has disappeared—même, quête, arrête, and in that case the accent is a circumflex instead of a grave.*

2. between an adjective and the following noun: un petit‿ami, un grand‿ami, de beaux‿enfants

3. between subject pronoun and verb, or between verb and subject pronoun: ils‿ont, ont-elles? elles‿arrivent, nous‿irons, iront-ils?

4. between a monosyllabic preposition and its object: chez‿elle

   The liaison is absolutely forbidden after the conjunction et :   mon frère et / / un ami

D. *Accentuation:* It is often difficult to distinguish individual words in spoken French, because a sentence is composed of a series of *stress-groups,* each composed of words expressing a very simple idea:

   Il ne veut pas/sortir avec moi.
   J'ai envie/d'aller voir/un bon film.

There are no accented syllables in French words, as there are in English words. Each syllable has the same stress. But there is a stress on the last syllable of each stress group.

   Je suis étudiant.
   Je suis étudiant de français.
   Marie part en vacances.
   Les vacances de Marie / / ont commencé hier.

E. *The syllable:* French words can be divided into syllables (in French poetry, the meter of the verse is based upon the number of syllables, not of accents, as in English).

   A syllable is a group of letters which are uttered together. In dividing French words into syllables, each syllable should begin with a consonant and end with a vowel whenever possible. This means that in pronunciation exercises, you must avoid anticipating the next consonant while pronouncing the words. For instance, compare

   ENGLISH: an-i-mal   FRENCH: a-ni-mal
            per-im-e-ter   pé-ri-mè-tre
            sal-ad   sa-lade
            pres-i-dent   pré-si-dent

This division applies to writing, where a word must never be cut in such a way that a vowel would be the first letter on the next line: aca-démie, uni-versité

In the case of two consonants: pas-ser, par-tir, pa-trie

II. The French alphabet and its sounds

A. *The vowels:* Each vowel represents a fixed sound. The French vowel has a pure sound, as compared to the English vowel which represents a combination of several sounds. There is no gliding from one sound to another, as in English, and therefore, no diphthongs. To utter a vowel sound, it is often necessary to advance and round the lips, and hold the position firmly, but with great mobility to go from one sound to another. If you master the vowels, you will be very close to having mastered French pronunciation.

   a : la gare, l'accident, papa, la table, Paris

   e : je, me, le, que, de, venir, demain, cheval
   i : ici, Virginie, la ville, visite, machine, petit
   o : joli, l'école, objet, la robe, location

   or, when followed by a silent final consonant: le mot, le dos, gros

   or by a z sound: la rose, la chose, poser,

   u : sur, la rue, du café, il a bu

B. *Consonants:* For practical purposes, there is less difference between the sound of French and English consonants, than in the case of vowels. Note the following facts:

1. The final consonant is usually silent: le hasard, trop, le départ, vers

2. The "s" of the plural is also silent: parent = parents, ami = amis, fleur = fleurs

3. There may be more than one final silent consonant: le temps, vingt, le doigt, quatre-vingts, les doigts

4. The only final consonants which are usually pronounced are: **c r f l** (think of the word *CaReFuL*): avec, l'hôtel, pour, le chef

5. **h** is silent: l'histoire, l'homme, la honte, la Hollande

6. **qu**, a very common spelling combination in French, is pronounced like a **k** : quart = kar, **quand, quelque, qu'est-ce que c'est?**

7. **s** is pronounced **z** between two vowels: la rose, la chose, une pause, animosité, les amis

   and **s** in all other cases:

   double: la tasse, la bosse, la tresse, impossible
   initial: Suzanne, société, splendide
   between vowel and consonant: socialisme, aspérité, obsession

8. **w**, which is found only in a few words, is pronounced **v**.

C. *Nasal vowels:* The nasal vowel is a very distinctive sound of French. It occurs when a vowel is followed by an **n** or **m** in the same syllable. Then, the vowel is nasalized and the **n** or **m** is not pronounced. There are *several spellings for each nasal vowel, but only one sound for each.*

an:	grand, Jean, anglais, allemand	(an)	
	ambulance, chambre, champ	(am)	one sound: **an**
	enfant, la dent, vendre	(en)	
	emporter, le temps, ensemble	(em)	
in:	matin, jardin, invite, fin	(in)	
	impossible, timbre	(im)	
	peintre, teint	(ein)	one sound: **in**
	examen, européen, citoyen	(-en)	
	pain, demain, bain	(ain)	
	faim	(aim)	
on:	mon, bâton, garçon, onze	(on)	one sound: **on**
	compter, le nombre, le nom	(om)	
un:	un, lundi, chacun	(un)	one sound: **um**
	parfum	(um)	

When the **n** or **m** is double, or when it is followed by a vowel, there is usually no nasal sound:

un	but:	u/ne, u/nanime, chacu/ne
an	but:	â/ne, A/nne, a/nnée, a/nimal
bon	but:	bo/nne, co/mité, bo/ni/ment, co/mme
fin	but:	fi/ne, i/mmobile, pei/ne

Compare:

nasal		*no nasal*	
américain	Simon	américai/ne	Simo/ne
européen	chacun	europée/nne	chacu/ne
bon	un	bo/nne	u/ne

Note the sound of -emm (=amm) in femme and in some adverbs: prudemment, intelligemment

D. *Letter groups with a single sound:* There are certain groups of letters which have a fixed, invariable sound:

au or eau	: château, au, aujourd'hui, bateau, auto
oi	: moi, le doigt, la boîte, une fois
eu or œu	: neuf, leur, jeune, la sœur, un œuf
ai or ei	: maison, j'avais, une chaise, la peine, la neige
gn	: montagne, gagner, peigne
ill (or when final may be il)	: la famille, la fille, je travaille, le travail

You see here one of the major differences between French and English. In French, a fixed group of letters will usually have one sound and keep that one sound in different words. (Think of letter groups like "ough" in English, and of all the sounds they may have. In French, it is rare that a letter group changes its sound.)

E. *Word ending and gender:* We have already mentioned that the final consonant is usually silent in French. There are several and common word endings which have the same sound, although they have different spellings:

-er*	:	papier, aller, marcher
-et**	:	cabaret, ballet, poulet
-ed	:	pied, assied
-ez	:	nez, chez, avez

have one sound: **é**

Also having the same sound is **-es** in: **les, mes, tes, des, ses, ces**

The **s** of the plural, as we have seen, is silent unless it is followed by a word with which it must be linked: **il$ parlent, ils arrivent**

F. *Gender:* All nouns in French are either masculine or feminine. In some cases, the ending may indicate the gender:

-er	:	le cahier, le papier
-et	:	le ballet, le cabinet
-ed	:	le pied
-ez	:	le nez
-eau†	:	le chapeau, le gâteau

two consonants: le banc, le renard, le temps, le restaurant

are masculine

-tion	:	la soustraction, la multiplication
-té	:	la beauté, la générosité, la charité

are feminine

Often, but by no means always, a mute **e** ending indicates a feminine gender:

la vache, la table, la porte, la fenêtre, la blouse, la robe, la chaise, la rose, etc.
(*but:* le livre, le beurre, etc.)

Note: A final **e** without an accent is always silent: je, que, il parle, je regarde, une, robe, blanche

G. *The* **-ent** *ending of the 3rd pers. plur. of verbs is silent:*

ils parlent   ils parlaient   ils parleraient   ils parlèrent

---

* **-er.** *This is true for all verb endings in* **-er** *and for other words ending in* **-er** *unless they are "short" words (usually one syllable). The* **r** *is pronounced:* **la mer, le fer, fier, cher,** *and in* **amer.**

** **-et.** *Phoneticians may disagree. It is true that* **-et** *has a closed* **e** *sound except in the conjunction* **et.** *But the above is meant as helpful hints on pronounciation for the beginning student and it is far better for the novice to pronounce "cabaret" with an open* **e** *than to diphthongize the sound into "cabaray."*

† **eau.** *Exception:* **l'eau** (water) *and* **la peau** (skin) *are feminine.*

Appendix B

Le système de conjugaison des verbes

I.   Généralités

Chaque verbe a:

1. *des formes verbales:*   **infinitif présent** et **passé**
                              participe présent et **passé**

2. *des modes:*   **l'indicatif**
                   l'impératif
                   le subjonctif
                   le conditionnel

3. *des temps:* **présent, passé, futur, conditionnel.** A chaque temps simple correspond un temps composé qui est formé de l'auxiliaire et du participe passé. Par exemple, au présent, correspond le passé composé ; à l'imparfait, correspond le plus-que-parfait ; au futur, correspond le futur antérieur ; etc.

4. *une conjugaison* des différentes personnes pour chaque temps du verbe.

II.   Les verbes auxiliaires **avoir** et **être**

Il y a deux verbes auxiliaires : **avoir** et **être.** Voilà les différentes formes de ces verbes:

	avoir		**être**	
	FORMES VERBALES			
	Infin. prés. : avoir *passé :* avoir eu	*Part. prés. :* ayant *passé :* eu	*Infin. prés. :* être *passé :* avoir été	*Part. prés. :* étant *passé :* été
	INDICATIF			
	Prés.	*Passé composé*	*Prés.*	*Passé composé*
j(e)	ai	ai eu	suis	ai été
tu	as	as eu	es	as été
il	a	a eu	est	a été
nous	avons	avons eu	sommes	avons été
vous	avez	avez eu	êtes	avez été
ils	ont	ont eu	sont	ont été
	Imparf.	*Plus-que-parf.*	*Imparf.*	*Plus-que-parf.*
j(e)	avais	avais eu	étais	avais été
tu	avais	avais eu	étais	avais été
il	avait	avait eu	était	avait été
nous	avions	avions eu	étions	avions été
vous	aviez	aviez eu	étiez	aviez été
ils	avaient	avaient eu	étaient	avaient été
	Futur	*Futur antér.*	*Futur*	*Futur antér.*
j(e)	aurai	aurai eu	serai	aurai été
tu	auras	auras eu	seras	auras été
il	aura	aura eu	sera	aura été
nous	aurons	aurons eu	serons	aurons été
vous	aurez	aurez eu	serez	aurez été
ils	auraient	auraient eu	seront	auront été

INDICATIF

j(e)	Passé déf. (litt.)	Passé antér. (litt.)	Passé déf. (litt.)	Passé antér. (litt.)
j(e)	eus	eus eu	fus	eus été
tu	eus	eus eu	fus	eus été
il	eut	eut eu	fut	eut été
nous	eûmes	eûmes eu	fûmes	eûmes été
vous	eûtes	eûtes eu	fûtes	eûtes été
ils	eurent	eurent eu	furent	eurent été

CONDITIONNEL

	Prés.	Antér.	Prés.	Antér.
j(e)	aurais	aurais eu	serais	aurais été
tu	aurais	aurais eu	serais	aurais été
il	aurait	aurait eu	serait	aurait été
nous	aurions	aurions eu	serions	aurions été
vous	auriez	auriez eu	seriez	auriez été
ils	auraient	auraient eu	seraient	auraient été

IMPÉRATIF

aie, ayons, ayez	sois, soyons, soyez

SUBJONCTIF

	Prés.	Parf.	Prés.	Parf.
que j(e)	aie	aie eu	sois	aie été
que tu	aies	aies eu	sois	aies été
qu'il	ait	ait eu	soit	ait été
que nous	ayons	ayons eu	soyons	ayons été
que vous	ayez	ayez eu	soyez	ayez été
qu'ils	aient	aient eu	soient	aient été

	Imparf. (litt.)	Plus-que-parf. (litt.)	Imparf. (litt.)	Plus-que-parf. (litt.)
que j(e)	eusse	eusse eu	fusse	eusse été
que tu	eusses	eusses eu	fusses	eusses été
qu'il	eût	eût eu	fût	eût été
que nous	eussions	eussions eu	fussions	eussions été
que vous	eussiez	eussiez eu	fussiez	eussiez été
qu'ils	eussent	eussent eu	fussent	eussent été

III. Les verbes réguliers

On classifie les verbes suivant la terminaison de leur infinitif. L'infinitif d'un verbe se termine par: **-er**, **-ir**, **-re.** Il y a donc trois groupes de verbes: le premier groupe, avec l'infinitif en **-er,** le deuxième groupe, avec l'infinitif en **-ir,** et le troisième groupe, avec l'infinitif en **-re.**

I: donner	II: finir	III: attendre

FORMES VERBALES

Infin. prés.	Infin. passé	Infin. prés.	Infin. passé	Infin. prés.	Infin. passé
donner	avoir donné	finir	avoir fini	attendre	avoir attendu
Part. prés.	Part. passé	Part. prés.	Part. passé	Part. prés.	Part. passé
donnant	donné	finissant	fini	attendant	attendu

INDICATIF

	Prés.			Passé composé	(prés. de l'auxiliaire + part. passé)*	
j(e)	donn e	fin is	attend s	ai donné	ai fini	ai attendu
tu	donn es	fin is	attend s	as donné	as fini	as attendu
il	donn e	fin it	attend	a donné	a fini	a attendu
nous	donn ons	fin iss ons	attend ons	avons donné	avons fini	avons attendu
vous	donn ez	fin iss ez	attend ez	avez donné	avez fini	avez attendu
ils	donn ent	fin iss ent	attend ent	ont donné	ont fini	ont attendu

	Imparf.			Plus-que-parf.	(imparf. de l'auxiliaire + part. passé)**	
j(e)	donn ais	fin iss ais	attend ais	avais donné	avais fini	avais attendu
tu	donnais	fin iss ais	attend ais	avais donné	avais fini	avais attendu
il	donnait	fin iss ait	attend ait	avait donné	avait fini	avait attendu
nous	donnions	fin iss ions	attend ions	avions donné	avions fini	avions attendu
vous	donniez	fin iss iez	attend iez	aviez donné	aviez fini	aviez attendu
ils	donnaient	fin iss aient	attend aient	avaient donné	avaient fini	avaient attendu

	Futur			Futur antér.	(futur de l'auxiliaire + part. passé)†	
j(e)	donner ai	finir ai	attendr ai	aurai donné	aurai fini	aurai attendu
tu	donner as	finir as	attendr as	auras donné	auras fini	auras attendu
il	donner a	finir a	attendr a	aura donné	aura fini	aura attendu
nous	donner ons	finir ons	attendr ons	aurons donné	aurons fini	aurons attendu
vous	donner ez	finir ez	attendr ez	aurez donné	aurez fini	aurez attendu
ils	donner ont	finir ont	attendr ont	auront donné	auront fini	auront attendu

	Passé déf. (litt.)			Passé antér. (litt.)	(passé déf. de l'auxiliaire + part. passé)††	
j(e)	donn ai	fin is	attend is	eus donné	eus fini	eus attendu
tu	donn as	fin is	attend is	eus donné	eus fini	eus attendu
il	donn a	fin it	attend it	eut donné	eut fini	eut attendu
nous	donn âmes	fin îmes	attend îmes	eumes donné	eûmes fini	eûmes attendu
vous	donn âtes	fin îtes	attend îtes	eûtes donné	eûtes fini	eûtes attendu
ils	donn érent	fin irent	attend irent	eurent donné	eurent fini	eurent attendu

CONDITIONNEL

	Prés.			Antér. (cond. prés. de l'auxiliaire + part. passé)‡		
j(e)	donner ais	finir ais	attendr ais	aurais donné	aurais fini	aurais attendu
tu	donner ais	finir ais	attendr ais	aurais donné	aurais fini	aurais attendu
il	donner ait	finir ait	attendr ait	aurait donné	aurait fini	aurait attendu
nous	donner ions	finir ions	attendr ions	aurions donné	aurions fini	aurions attendu
vous	donner iez	finir iez	attendr iez	auriez donné	auriez fini	auriez attendu
ils	donneraient	finir aient	attendr aient	auraient donné	auraient fini	auraient attendu

* Le passé composé est formé du present de l'auxiliaire et du participe passé du verbe.

** Le plus-que-parfait est formé de l'imparfait de l'auxiliaire et du participe passé du verbe.

† Le futur antérieur est formé du futur de l'auxiliaire et du participe passé du verbe.

†† Le passé antérieur est formé du passé défini de l'auxiliaire et du participe passé du verbe.

‡ Le conditionnel antérieur est formé du conditionnel présent de l'auxiliaire et du participe passé du verbe.

LE SYSTÈME DE CONJUGAISON DES VERBES   519

SUBJONCTIF

	Prés.			Part. (subj. prés. de l'auxiliaire + part. passé)*		
que j(e)	donn e	fin iss e	attend e	aie donné	aie fini	aie attendu
que tu	donn es	fin iss es	attend es	aies donné	aies fini	aies attendu
qu'il	donn e	fin iss e	attend e	ait donné	ait fini	ait attendu
que nous	donn ions	fin iss ions	attend ions	ayons donné	ayons fini	ayons attendu
que vous	donn iez	fin iss iez	attend iez	ayez donné	ayez fini	ayez attendu
qu'ils	donn ent	fin iss ent	attend ent	aient donné	aient fini	aient attendu

	Imparf. (litt.)			Plus-que-part. (litt.) (imparf. du subj. de l'auxiliaire + part. passé)**		
que j(e)	donn asse	fin isse	attend isse	eusse donné	eusse fini	eusse attendu
que tu	donn asses	fin isses	attend isses	eusses donné	eusses fini	eusses attendu
qu'il	donn ât	fin ît	attend ît	eût donné	eût fini	eût attendu
que nous	donn assions	fin issions	attend issions	eussions donné	eussions fini	eussions attendu
que vous	donn assiez	fin issiez	attend issiez	eussiez donné	eussiez fini	eussiez attendu
qu'ils	donn assent	fin issent	attend issent	eussent donné	eussent fini	eussent attendu

IMPÉRATIF

	donn e	fin is	attend s
(qu'il	donn e)†	fin iss e)†	attend e)†
	donn ons	fin iss ons	attend ons
	donn ez	fin iss ez	attend ez
(qu'ils	donn ent)†	fin iss ent)†	attend ent)†

IV. Les verbes irréguliers

A. Verbes en -er (premier groupe)

Ce groupe est, de beaucoup, le plus vaste des trois groupes. Tous les verbes de ce groupe sont réguliers, excepté **aller** et **envoyer**.

Certains verbes de ce groupe sont soumis à un système de modifications orthographiques qui sont prévisibles et ne sont pas des irrégularités. Pour ces modifications, voir appendice page 535.

1. aller (to go)

FORMES VERBALES

Infin. prés. :	aller				Part. prés. :	allant
passé :	être allé				passé :	allé

	INDICATIF				SUBJONCTIF		
	Prés.	Futur	Imparf.	Passé déf.		Prés.	Imparf.
j(e)	vais	irai	allais	allai	que j(e)	aille	allasse
tu	va	iras	allais	allais	que tu	ailles	allasses
il	va	ira	allait	alla	qu'il	aille	allât
nous	allons	irons	allions	allâmes	que nous	allions	allassions
vous	allez	irez	alliez	allâtes	que vous	alliez	allassiez
ils	vont	iront	allaient	allèrent	qu'ils	aillent	allassent

CONDITIONNEL prés. : j'irais, etc.　　　　　　　　　IMPÉRATIF : va, allons, allez

* Le subjonctif parfait, ou passé composé du subjonctif, est formé du subjonctif présent de l'auxiliaire et du participe passé du verbe.
** Le plus-que-parfait du subjonctif est formé de l'imparfait du subjonctif de l'auxiliaire et du participe passé du verbe.
† La troisième personne de l'impératif n'existe pas. On la remplace par la troisième personne du subjonctif.

2. **envoyer** (to send)

FORMES VERBALES

Infin. prés. : envoyer	*Part. prés. :* envoyant
passé : avoir envoyé	*passé :* envoyé

	INDICATIF				SUBJONCTIF	
	Prés.	*Futur*	*Imparf.*	*Passé déf.*	*Prés.*	*Imparf.*
j(e)	envoie	enverrai	envoyais	envoyai	*que j(e)* envoie	envoyasse
tu	envoies	enverras	envoyais	envoyas	*que tu* envoies	envoyasses
il	envoie	enverra	envoyait	envoya	*qu'il* envoie	envoyât
nous	envoyons	enverrons	envoyions	envoyâmes	*que nous* envoyions	envoyassions
vous	envoyez	enverrez	envoyiez	envoyâtes	*que vous* envoyiez	envoyassiez
ils	envoient	enverront	envoyaient	envoyèrent	*qu'ils* envoient	envoyassent

CONDITIONNEL *prés. :* j'enverrais, etc.	IMPÉRATIF : envoie, envoyons, envoyez

Comme **envoyer** : **renvoyer** (to send away, to send back)

B. Verbes en -ir (deuxième groupe)

Les verbes réguliers de ce groupe prennent l'infixe **-iss** (finir, nous fin**iss**ons). Il faut remarquer un assez large groupe de verbes avec l'infinitif en **-ir,** qui sans être absolument irréguliers, n'ont pas l'infixe **-iss.**

3. **dormir** (to sleep)

FORMES VERBALES

Infin. prés. : dormir	*Part. prés. :* dormant
passé : avoir dormi	*passé :* dormi

	INDICATIF				SUBJONCTIF	
	Prés.	*Futur*	*Imparf.*	*Passé déf.*	*Prés.*	*Imparf.*
j(e)	dors	dormirai	dormais	dormis	*que j(e)* dorme	dormisse
tu	dors	dormiras	dormais	dormis	*que tu* dormes	dormisses
il	dort	dormira	dormait	dormit	*qu'il* dorme	dormît
nous	dormons	dormirons	dormions	dormîmes	*que nous* dormions	dormissions
vous	dormez	dormirez	dormiez	dormîtes	*que vous* dormiez	dormissiez
ils	dorment	dormiront	dormaient	dormirent	*qu'ils* dorment	dormissent

CONDITIONNEL *prés. :* je dormirais, etc.	IMPÉRATIF : dors, dormons, dormez

Comme **dormir** : **endormir (s')** (to go to sleep), **partir, sentir, servir, sortir**

Remarquez le présent de l'indicatif de ces verbes (qui suivent le modèle de **dormir**) :
  partir : je pars, tu pars, il part, nous partons, vous partez, ils partent
  servir : je sers, tu sers, il sert, nous servons, vous servez, ils servent
  sentir : je sens, tu sens, il sent, nous sentons, vous sentez, ils sentent
  sortir : je sors, tu sors, il sort, nous sortons, vous sortez, ils sortent

LE SYSTÈME DE CONJUGAISON DES VERBES   521

4. **conquérir** (to conquer)

FORMES VERBALES

| *Infin. prés. :* conquérir | | | | *Part. prés. :* conquérant | | |
| *passé :* avoir conquis | | | | *passé :* conquis | | |

	INDICATIF				SUBJONCTIF		
	Prés.	*Futur*	*Imparf.*	*Passé déf.*		*Prés.*	*Imparf.*
j(e)	conquiers	conquerrai	conquérais	conquis	*que j(e)*	conquière	conquisse
tu	conquiers	conquerras	conquérais	conquis	*que tu*	conquières	conquisses
il	conquiert	conquerra	conquérait	conquit	*qu'il*	conquière	conquît
nous	conquérons	conquerrons	conquérions	conquîmes	*que nous*	conquérions	conquissions
vous	conquérez	conquerrez	conquériez	conquîtes	*que vous*	conquériez	conquissiez
ils	conquièrent	conquerront	conquéraient	conquirent	*qu'ils*	conquièrent	conquissent

CONDITIONNEL *prés. :* je conquerrais, etc.   IMPÉRATIF : conquiers, conquérons, conquérez

Comme **conquérir : acquérir** (to acquire)

5. **courir** (to run)

FORMES VERBALES

| *Infin. prés. :* courir | | | | *Part. prés. :* courant | | |
| *passé :* avoir couru | | | | *passé :* couru | | |

	INDICATIF				SUBJONCTIF		
	Prés.	*Futur*	*Imparf.*	*Passé déf.*		*Prés.*	*Imparf.*
j(e)	cours	courrai	courais	courus	*que j(e)*	coure	courusse
tu	cours	courras	courais	courus	*que tu*	coures	courusses
il	court	courra	courait	courut	*qu'il*	coure	courût
nous	courons	courrons	courions	courûmes	*que nous*	courions	courussions
vous	courez	courrez	couriez	courûtes	*que vous*	couriez	courussiez
ils	courent	courront	couraient	coururent	*qu'ils*	courent	courussent

CONDITIONNEL *prés. :* je courrais, etc.   IMPÉRATIF : cours, courons, courez

6. **fuir** (to flee)

FORMES VERBALES

| *Infin. prés. :* fuir | | | | *Part. prés. :* fuyant | | |
| *passé :* avoir fui | | | | *passé :* fui | | |

	INDICATIF				SUBJONCTIF		
	Prés.	*Futur*	*Imparf.*	*Passé déf.*		*Prés.*	*Imparf.*
j(e)	fuis	fuirai	fuyais	fuis	*que j(e)*	fuie	fuisse
tu	fuis	fuiras	fuyais	fuis	*que tu*	fuies	fuisses
il	fuit	fuira	fuyait	fuit	*qu'il*	fuie	fuît

	INDICATIF				SUBJONCTIF	
	Prés.	*Futur*	*Imparf.*	*Passé déf.*	*Prés.*	*Imparf.*
nous	fuyons	fuirons	fuyions	fuîmes	que nous fuyions	fuissions
vous	fuyez	fuirez	fuyiez	fuîtes	que vous fuyez	fuissiez
ils	fuient	fuiront	fuyaient	fuirent	qu'ils fuient	fuissent

CONDITIONNEL *prés.* : je fuirais, etc.　　　　IMPÉRATIF : fuis, fuyons, fuyez

Comme fuir : s'enfuir (to escape, to flee, to run away)

7. mourir (to die)

FORMES VERBALES

Infin. prés. : mourir	*Part. prés.* : mourant
passé : être mort	*passé* : mort

	INDICATIF				SUBJONCTIF	
	Prés.	*Futur*	*Imparf.*	*Passé déf.*	*Prés.*	*Imparf.*
j(e)	meurs	mourrai	mourais	mourus	que j(e) meure	mourusse
tu	meurs	mourras	mourais	mourus	que tu meures	mourusses
il	meurt	mourra	mourait	mourut	qu'il meure	mourût
nous	mourons	mourrons	mourions	mourûmes	que nous mourions	mourussions
vous	mourez	mourrez	mouriez	mourûtes	que vous mouriez	mourussiez
ils	meurent	mourront	mouraient	moururent	qu'ils meurent	mourussent

CONDITIONNEL *prés.* : je mourrais, etc.　　　　IMPÉRATIF : meurs, mourons, mourez

REMARQUEZ : la voyelle de la racine du verbe **ou** (mourir) devient **eu** quand elle est dans une position accentuée.

8. ouvrir (to open)

FORMES VERBALES

Infin. prés. : ouvrir	*Part. prés.* · ouvrant
passé : avoir ouvert	*passé* : ouvert

	INDICATIF				SUBJONCTIF	
	Prés.	*Futur*	*Imparf.*	*Passé déf.*	*Prés.*	*Imparf.*
j(e)	ouvre	ouvrirai	ouvrais	ouvris	que j(e) ouvre	ouvrisse
tu	ouvres	ouvriras	ouvrais	ouvris	que tu ouvres	ouvrisses
il	ouvre	ouvrira	ouvrait	ouvrit	qu'il ouvre	ouvrît
nous	ouvrons	ouvrirons	ouvrions	ouvrîmes	que nous ouvrions	ouvrissions
vous	ouvrez	ouvrirez	ouvriez	ouvrîtes	que vous ouvriez	ouvrissiez
ils	ouvrent	ouvriront	ouvraient	ouvrirent	qu'ils ouvrent	ouvrissent

CONDITIONNEL *prés.* : j'ouvrirais, etc.　　　　IMPÉRATIF : ouvre, ouvrons, ouvrez

Comme ouvrir : couvrir—couvert (to cover), **découvrir**—découvert (to discover, to uncover), **offrir**—offert (to offer), **souffrir**—souffert (to suffer).

9. venir (to come)

FORMES VERBALES

| *Infin. prés.* : venir | *Part. prés.* : venant |
| *passé* : être venu | *passé* : venu |

	INDICATIF				SUBJONCTIF		
	Prés.	*Futur*	*Imparf.*	*Passé déf.*		*Prés.*	*Imparf.*
j(e)	viens	viendrai	venais	vins	*que j(e)*	vienne	vinsse
tu	viens	viendras	venais	vins	*que tu*	viennes	vinsses
il	vient	viendra	venait	vint	*qu'il*	vienne	vînt
nous	venons	viendrons	venions	vînmes	*que nous*	venions	vinssions
vous	venez	viendrez	veniez	vîntes	*que vous*	veniez	vinssiez
ils	viennent	viendront	venaient	vinrent	*qu'ils*	viennent	vinssent

| CONDITIONNEL *prés.* : je viendrais, etc. | IMPÉRATIF : viens, venons, venez |

Comme **venir** : **devenir** (to become), **revenir** (to come back, to come again, to return).

Aussi comme **venir** mais qui forment leurs temps composés avec **avoir** : **tenir** (to hold), **maintenir** (to maintain), **soutenir** (to uphold), **obtenir** (to obtain), **retenir** (to hold back), etc.

C. Verbes en **-re** (troisième groupe)

10. boire (to drink)

FORMES VERBALES

| *Infin. prés.* : boire | *Part. prés.* : buvant |
| *passé* : avoir bu | *passé* : bu |

	INDICATIF				SUBJONCTIF		
	Prés.	*Futur*	*Imparf.*	*Passé déf.*		*Prés.*	*Imparf.*
j(e)	bois	boirai	buvais	bus	*que j(e)*	boive	busse
tu	bois	boiras	buvais	bus	*que tu*	boives	busses
il	boit	boira	buvait	but	*qu'il*	boive	bût
nous	buvons	boirons	buvions	bûmes	*que nous*	buvions	bussions
vous	buvez	boirez	buviez	bûtes	*que vous*	buviez	bussiez
ils	boivent	boiront	buvaient	burent	*qu'ils*	boivent	bussent

| CONDITIONNEL *prés.* : je boirais, etc. | IMPÉRATIF : bois, buvons, buvez |

11. conduire (to drive), se conduire (to behave)

FORMES VERBALES

| *Infin. prés.* : conduire | *Part. prés.* : conduisant |
| *passé* : avoir conduit | *passé* : conduit |

	INDICATIF				SUBJONCTIF		
	Prés.	*Futur*	*Impart.*	*Passé déf.*		*Prés.*	*Impart.*
j(e)	conduis	conduirai	conduisais	conduisis	que j(e)	conduise	conduisisse
tu	conduis	conduiras	conduisais	conduisis	que tu	conduises	conduisisses
il	conduit	conduira	conduisait	conduisit	qu'il	conduise	conduisît
nous	conduisons	conduirons	conduisions	conduisîmes	que nous	conduisions	conduisissions
vous	conduisez	conduirez	conduisiez	conduisîtes	que vous	conduisiez	conduisissiez
ils	conduisent	conduiront	conduisaient	conduisirent	qu'ils	conduisent	conduisissent

CONDITIONNEL *prés. :* je conduirais, etc.   IMPÉRATIF : conduis, conduisons, conduisez

Comme **conduire** : **construire** (to construct, to build), **cuire** (to cook), **détruire** (to destroy), **produire** (to produce), **traduire** (to translate)

12. **connaître** (to know)

FORMES VERBALES

Infin. prés. : connaître	*Part. prés. :* connaissant
passé : avoir connu	*passé :* connu

	INDICATIF				SUBJONCTIF		
	Prés.	*Futur*	*Impart.*	*Passé déf.*		*Prés.*	*Impart.*
j(e)	connais	connaîtrai	connaissais	connus	que j(e)	connaisse	connusse
tu	connais	connaîtras	connaissais	connus	que tu	connaisses	connusses
il	connaît	connaîtra	connaissait	connut	qu'il	connaisse	connût
nous	connaissons	connaîtrons	connaissions	connûmes	que nous	connaissions	connussions
vous	connaissez	connaîtrez	connaissiez	connûtes	que vous	connaissiez	connussiez
ils	connaissent	connaîtront	connaissaient	connurent	qu'ils	connaissent	connussent

CONDITIONNEL *prés. :* je connaîtrais, etc.   IMPÉRATIF : connais, connaissons, connaissez

Comme **connaître** : **reconnaître** (to recognize), **paraître** (to appear, to seem)

13. **craindre** (to fear)

FORMES VERBALES

Infin. prés. : craindre	*Part. prés. :* craignant
passé : avoir craint	*passé :* craint

	INDICATIF				SUBJONCTIF		
	Prés.	*Futur*	*Impart.*	*Passé déf.*		*Prés.*	*Impart.*
j(e)	crains	craindrai	craignais	craignis	que j(e)	craigne	craignisse
tu	crains	craindras	craignais	craignis	que tu	craignes	craignisses
il	craint	craindra	craignait	craignit	qu'il	craigne	craignît

	INDICATIF				SUBJONCTIF		
	Prés.	*Futur*	*Imparf.*	*Passé déf.*		*Prés.*	*Imparf.*
nous	craignons	craindrons	craignions	craignîmes	*que nous*	craignions	craignissions
vous	craignez	craindrez	craigniez	craignîtes	*que vous*	craigniez	craignissiez
ils	craignent	craindront	craignaient	craignirent	*qu'ils*	craignent	craignissent

CONDITIONNEL *prés. :* je craindrais, etc.   IMPÉRATIF : crains, craignons, craignez

Comme **craindre** : **peindre** (to paint), **plaindre** (to pity), **se plaindre** (to complain)

14. **croire** (to believe)

FORMES VERBALES

Infin. prés. : croire	*Part. prés. :* croyant
passé : avoir cru	*passé :* cru

	INDICATIF				SUBJONCTIF		
	Prés.	*Futur*	*Imparf.*	*Passé déf.*		*Prés.*	*Imparf.*
j(e)	crois	croirai	croyais	crus	*que j(e)*	croie	crusse
tu	crois	croiras	croyais	crus	*que tu*	croies	crusses
il	croit	croira	croyait	crut	*qu'il*	croie	crût
nous	croyons	croirons	croyions	crûmes	*que nous*	croyions	crussions
vous	croyez	croirez	croyiez	crûtes	*que vous*	croyiez	crussiez
ils	croient	croiront	croyaient	crurent	*qu'ils*	croient	crussent

CONDITIONNEL *prés. :* je croirais, etc.   IMPÉRATIF : crois, croyons, croyez

15. **dire** (to say, to tell)

FORMES VERBALES

Infin. prés. : dire	*Part. prés. :* disant
passé : avoir dit	*passé :* dit

	INDICATIF				SUBJONCTIF		
	Prés.	*Futur*	*Imparf.*	*Passé déf.*		*Prés.*	*Imparf.*
j(e)	dis	dirai	disais	dis	*que j(e)*	dise	disse
tu	dis	diras	disais	dis	*que tu*	dises	disses
il	dit	dira	disait	dit	*qu'il*	dise	dît
nous	disons	dirons	disions	dîmes	*que nous*	disions	dissions
vous	dites	direz	disiez	dîtes	*que vous*	disiez	dissiez
ils	disent	diront	disaient	dirent	*qu'ils*	disent	dissent

CONDITIONNEL *prés. :* je dirais, etc.   IMPÉRATIF : dis, disons, dites

16. écrire (to write)

FORMES VERBALES

| Infin. prés. : écrire | Part. prés. : écrivant |
| passé : avoir écrit | passé : écrit |

INDICATIF

	Prés.	Futur	Imparf.	Passé déf.
j(e)	écris	écrirai	écrivais	écrivis
tu	écris	écriras	écrivais	écrivis
il	écrit	écrira	écrivait	écrivit
nous	écrivons	écrirons	écrivions	écrivîmes
vous	écrivez	écrirez	écriviez	écrivîtes
ils	écrivent	écriront	écrivaient	écrivirent

SUBJONCTIF

	Prés.	Imparf.
que j(e)	écrive	écrivisse
que tu	écrives	écrivisses
qu'il	écrive	écrivît
que nous	écrivions	écrivissions
que vous	écriviez	écrivissiez
qu'ils	écrivent	écrivissent

CONDITIONNEL *prés. :* j'écrirais, etc.

IMPÉRATIF : écris, écrivons, écrivez

Comme **écrire : décrire** (to describe)

17. faire (to do, to make)

FORMES VERBALES

| Infin. prés. : faire | Part. prés. : faisant |
| passé : avoir fait | passé : fait |

INDICATIF

	Prés.	Futur	Imparf.	Passé déf.
j(e)	fais	ferai	faisais	fis
tu	fais	feras	faisais	fis
il	fait	fera	faisait	fit
nous	faisons	ferons	faisions	fîmes
vous	faites	ferez	faisiez	fîtes
ils	font	feront	faisaient	firent

SUBJONCTIF

	Prés.	Imparf.
que j(e)	fasse	fisse
que tu	fasses	fisses
qu'il	fasse	fît
que vous	fassions	fissions
que nous	fassiez	fissiez
qu'ils	fassent	fissent

CONDITIONNEL *prés. :* je ferais, etc.

IMPÉRATIF : fais, faisons, faites

18. lire (to read)

FORMES VERBALES

| Infin. prés. : lire | Part. prés. : lisant |
| passé : avoir lu | passé : lu |

INDICATIF

	Prés.	Futur	Imparf.	Passé déf.
j(e)	lis	lirai	lisais	lus
tu	lis	liras	lisais	lus
il	lit	lira	lisait	lut

SUBJONCTIF

	Prés.	Imparf.
que j(e)	lise	lusse
que tu	lises	lusses
qu'il	lise	lût

	INDICATIF				SUBJONCTIF		
	Prés.	*Futur*	*Imparf.*	*Passé déf.*		*Prés.*	*Imparf.*
nous	lisons	lirons	lisions	lûmes	*que nous*	lisions	lussions
vous	lisez	lirez	lisiez	lûtes	*que vous*	lisiez	lussiez
ils	lisent	liront	lisaient	lurent	*qu'ils*	lisent	lussent

CONDITIONNEL *prés. :* je lirais, etc. IMPÉRATIF : lis, lisons, lisez

19. mettre (to put, to place)

FORMES VERBALES

Infin. prés. : mettre	*Part. prés. :* mettant
passé : avoir mis	*passé :* mis

	INDICATIF				SUBJONCTIF		
	Prés.	*Futur*	*Imparf.*	*Passé déf.*		*Prés.*	*Imparf.*
j(e)	mets	mettrai	mettais	mis	*que j(e)*	mette	misse
tu	mets	mettras	mettais	mis	*que tu*	mettes	misses
il	met	mettra	mettait	mit	*qu'il*	mette	mît
nous	mettons	mettrons	mettions	mîmes	*que nous*	mettions	missions
vous	mettez	mettrez	mettiez	mîtes	*que vous*	mettiez	missiez
ils	mettent	mettront	mettaient	mirent	*qu'ils*	mettent	missent

CONDITIONNEL *prés. :* je mettrais, etc. IMPÉRATIF : mets, mettons, mettez

Comme **mettre : permettre** (to allow), **promettre** (to promise)

20. naître (to be born)

FORMES VERBALES

Infin. prés. : naître	*Part. prés. :* naissant
passé : être né	*passé :* né

	INDICATIF				SUBJONCTIF		
	Prés.	*Futur*	*Imparf.*	*Passé déf.*		*Prés.*	*Imparf.*
j(e)	nais	naîtrai	naissais	naquis	*que j(e)*	naisse	naquisse
tu	nais	naîtras	naissais	naquis	*que tu*	naisses	naquisses
il	naît	naîtra	naissait	naquit	*qu'il*	naisse	naquît
nous	naissons	naîtrons	naissions	naquîmes	*que nous*	naissions	naquissions
vous	naissez	naîtrez	naissiez	naquîtes	*que vous*	naissiez	naquissiez
ils	naissent	naîtront	naissaient	naquirent	*qu'ils*	naissent	naquissent

CONDITIONNEL *prés. :* je naîtrais, etc. IMPÉRATIF : nais, naissons, naissez

21. **plaire** (to please, to attract)

FORMES VERBALES

Infin. prés. :	plaire	Part. prés. :	plaisant
passé :	avoir plu	passé :	plu

	INDICATIF				SUBJONCTIF		
	Prés.	*Futur*	*Impart.*	*Passé déf.*		*Prés.*	*Impart.*
j(e)	plais	plairai	plaisais	plus	*que j(e)*	plaise	plusse
tu	plais	plairas	plaisais	plus	*que tu*	plaises	plusses
il	plaît	plaira	plaisait	plut	*qu'il*	plaise	plût
nous	plaisons	plairons	plaisions	plûmes	*que nous*	plaisions	plussions
vous	plaisez	plairez	plaisiez	plûtes	*que vous*	plaisiez	plussiez
ils	plaisent	plairont	plaisaient	plurent	*qu'ils*	plaisent	plussent

CONDITIONNEL *prés. :* je plairais, etc.   IMPÉRATIF : plais, plaisons, plaisez

22. **prendre** (to take)

FORMES VERBALES

Infin. prés. :	prendre	Part. prés. :	prenant
passé :	avoir pris	passé :	pris

	INDICATIF				SUBJONCTIF		
	Prés.	*Futur*	*Impart.*	*Passé déf.*		*Prés.*	*Impart.*
j(e)	prends	prendrai	prenais	pris	*que j(e)*	prenne	prisse
tu	prends	prendras	prenais	pris	*que tu*	prennes	prisses
il	prend	prendra	prenait	prit	*qu'il*	prenne	prît
nous	prenons	prendrons	prenions	prîmes	*que nous*	prenions	prissions
vous	prenez	prendrez	preniez	prîtes	*que vous*	preniez	prissiez
ils	prennent	prendront	prenaient	prirent	*qu'ils*	prennent	prissent

CONDITIONNEL *prés. :* je prendrais, etc.   IMPÉRATIF : prends, prenons, prenez

Comme **prendre** : **apprendre** (to learn), **comprendre** (to understand), **surprendre** (to surprise)

23. **rire** (to laugh)

FORMES VERBALES

Infin. prés. :	rire	Part. prés. :	riant
passé :	avoir ri	passé :	ri

	INDICATIF				SUBJONCTIF		
	Prés.	*Futur*	*Impart.*	*Passé déf.*		*Prés.*	*Impart.*
j(e)	ris	rirai	riais	ris	*que j(e)*	rie	risse
tu	ris	riras	riais	ris	*que tu*	ries	risses
il	rit	rira	riait	rit	*qu'il*	rie	rît

	INDICATIF				SUBJONCTIF		
	Prés.	*Futur*	*Imparf.*	*Passé déf.*		*Prés.*	*Imparf.*
nous	rions	rirons	riions	rîmes	que nous	riions	rissions
vous	riez	rirez	riiez	rîtes	que vous	riiez	rissiez
ils	rient	riront	riaient	rirent	qu'ils	rient	rissent

CONDITIONNEL *prés. :* je rirais, etc.   IMPÉRATIF : ris, rions, riez

Comme **rire : sourire** (to smile)

24. **suivre** (to follow)

FORMES VERBALES

Infin. prés. :   suivre   *Part. prés. :*   suivant
        passé :   avoir suivi   *passé :*   suivi

	INDICATIF				SUBJONCTIF		
	Prés.	*Futur*	*Imparf.*	*Passé déf.*		*Prés.*	*Imparf.*
j(e)	suis	suivrai	suivais	suivis	que j(e)	suive	suivisse
tu	suis	suivras	suivais	suivis	que tu	suives	suivisses
il	suit	suivra	suivait	suivit	qu'il	suive	suivît
nous	suivons	suivrons	suivions	suivîmes	que nous	suivions	suivissions
vous	suivez	suivrez	suiviez	suivîtes	que vous	suiviez	suivissiez
ils	suivent	suivront	suivaient	suivirent	qu'ils	suivent	suivissent

CONDITIONNEL *prés. :* je suivrais, etc.   IMPÉRATIF : suis, suivons, suivez

25. **vivre** (to live)

FORMES VERBALES

Infin. prés. :   vivre   *Part. prés. :*   vivant
        passé :   avoir vécu   *passé :*   vécu

	INDICATIF				SUBJONCTIF		
	Prés.	*Futur*	*Imparf.*	*Passé déf.*		*Prés.*	*Imparf.*
j(e)	vis	vivrai	vivais	vécus	que j(e)	vive	vécusse
tu	vis	vivras	vivais	vécus	que tu	vives	vécusses
il	vit	vivra	vivait	vécut	qu'il	vive	vécût
nous	vivons	vivrons	vivions	vécûmes	que nous	vivions	vécussions
vous	vivez	vivrez	viviez	vécûtes	que vous	viviez	vécussiez
ils	vivent	vivront	vivaient	vécurent	qu'ils	vivent	vécussent

CONDITIONNEL *prés. :* je vivrais, etc.   IMPÉRATIF : vis, vivons, vivez

D. Verbes en **-oir**
    Ces verbes n'appartiennent en réalité à aucun groupe et ils sont tous irréguliers.

26. asseoir (to seat), **s'asseoir** (to sit)

(Il y a deux conjugaisons alternées pour ce verbe. Nous donnons celle qui s'emploie le plus fréquemment.)

FORMES VERBALES

Infin. prés. : (s') asseoir	*Part. prés. :* (s') asseyant
passé : { avoir assis / s'être assis	*passé :* assis

	INDICATIF					SUBJONCTIF	
	Prés.	*Futur*	*Imparf.*	*Passé déf.*		*Prés.*	*Imparf.*
j(e)	assieds	assiérai	asseyais	assis	que j(e)	asseye	assisse
tu	assieds	assiéras	asseyais	assis	que tu	asseyes	assisses
il	assied	assiéra	asseyait	assit	qu'il	asseye	assît
nous	asseyons	assiérons	asseyions	assîmes	que nous	asseyions	assissions
vous	asseyez	assiérez	asseyiez	assîtes	que vous	asseyiez	assissiez
ils	asseyent	assiéront	asseyaient	assirent	qu'ils	asseyent	assissent

CONDITIONNEL *prés.* : j'assiérais, etc. IMPÉRATIF : assieds, asseyons, asseyez

---

27. devoir (to owe, to be supposed to)

FORMES VERBALES

Infin. prés. : devoir	*Part. prés. :* devant
passé : avoir dû	*passé :* dû

	INDICATIF					SUBJONCTIF	
	Prés.	*Futur*	*Imparf.*	*Passé déf.*		*Prés.*	*Imparf.*
j(e)	dois	devrai	devais	dus	que j(e)	doive	dusse
tu	dois	devras	devais	dus	que tu	doives	dusses
il	doit	devra	devait	dut	qu'il	doive	dût
nous	devons	devrons	devions	dûmes	que nous	devions	dussions
vous	devez	devrez	deviez	dûtes	que vous	deviez	dussiez
ils	doivent	devront	devaient	durent	qu'ils	doivent	dussent

CONDITIONNEL *prés.* : je devrais, etc. IMPÉRATIF : dois, devons, devez

---

28. falloir (to have to, to be necessary)

FORMES VERBALES

Infin. prés. : falloir	*Part. prés. :* (pas de part. prés.)
passé : avoir fallu	*passé :* fallu

	INDICATIF					SUBJONCTIF	
	Prés.	*Futur*	*Imparf.*	*Passé déf.*		*Prés.*	*Imparf.*
il	faut	faudra	fallait	fallut	qu'il	faille	fallût

CONDITIONNEL *prés.* : il faudrait IMPÉRATIF : (pas d'impératif)

29. **pleuvoir** (to rain)

FORMES VERBALES

| *Infin. prés.* : pleuvoir | *Part. prés.* : pleuvant |
| *passé* : avoir plu | *passé* : avoir plu |

	INDICATIF				SUBJONCTIF		
	Prés.	*Futur*	*Imparf.*	*Passé déf.*		*Prés.*	*Imparf.*
il	pleut	pleuvra	pleuvait	plut	*qu'il*	pleuve	plût

CONDITIONNEL *prés.* : il pleuvrait   IMPÉRATIF : (pas d'impératif)

30. **pouvoir** (to be able, can)

FORMES VERBALES

| *Infin. prés.* : pouvoir | *Part. prés.* : pouvant |
| *passé* : avoir pu | *passé* : pu |

	INDICATIF				SUBJONCTIF		
	Prés.	*Futur*	*Imparf.*	*Passé déf.*		*Prés.*	*Imparf.*
j(e)	peux*	pourrai	pouvais	pus	*que j(e)*	puisse	pusse
tu	peux	pourras	pouvais	pus	*que tu*	puisses	pusses
il	peut	pourra	pouvait	put	*qu'il*	puisse	pût
nous	puvons	pourrons	pouvions	pûmes	*que nous*	puissions	pussions
vous	pouvez	pourrez	pouviez	pûtes	*que vous*	puissiez	pussiez
ils	peuvent	pourront	pouvaient	purent	*qu'ils*	puissent	pussent

CONDITIONNEL *prés.* : je pourrais, etc.   IMPÉRATIF : (pas d'impératif)

31. **recevoir** (to receive, to entertain)

FORMES VERBALES

| *Infin. prés.* : recevoir | *Part. prés.* : recevant |
| *passé* : avoir reçu | *passé* : reçu |

	INDICATIF				SUBJONCTIF		
	Prés.	*Futur*	*Imparf.*	*Passé déf.*		*Prés.*	*Imparf.*
j(e)	reçois	recevrai	recevais	reçus	*que j(e)*	reçoive	reçusse
tu	reçois	recevras	recevais	reçus	*que tu*	reçoives	reçusses
il	reçoit	recevra	recevait	reçut	*qu'il*	reçoive	reçût
nous	recevons	recevrons	recevions	reçûmes	*que nous*	recevions	reçussions
vous	recevez	recevrez	receviez	reçûtes	*que vous*	receviez	reçussiez
ils	reçoivent	recevront	recevaient	reçurent	*qu'ils*	reçoivent	reçussent

CONDITIONNEL *prés.* : je recevrais, etc.   IMPÉRATIF : reçois, recevons, recevez

* Je **peux** ou je **puis** (généralement: **puis-je ?** au sens de **may I ?** et je **peux** le reste de temps).

32. **savoir** (to know)

FORMES VERBALES

Infin. prés. :	savoir				Part prés. :	sachant
passé :	avoir su				passé :	su

	INDICATIF				SUBJONCTIF	
	Prés.	*Futur*	*Imparf.*	*Passé déf.*		*Prés.*	*Imparf.*
j(e)	sais	saurai	savais	sus	*que j(e)*	sache	susse
tu	sais	sauras	savais	sus	*que tu*	saches	susses
il	sait	saura	savait	sut	*qu'il*	sache	sût
nous	savons	saurons	savions	sûmes	*que nous*	sachions	sussions
vous	savez	saurez	saviez	sûtes	*que vous*	sachiez	sussiez
ils	savent	sauront	savaient	surent	*qu'ils*	sachent	sussent

CONDITIONNEL *prés.* : je saurais, etc.   IMPÉRATIF : sache, sachons, sachez

---

33. **valoir** (to be worth)

FORMES VERBALES

Infin. prés. :	valoir				Part. prés. :	valant
passé :	avoir valu				passé :	valu

	INDICATIF				SUBJONCTIF	
	Prés.	*Futur*	*Imparf.*	*Passé déf.*		*Prés.*	*Imparf.*
j(e)	vaux	vaudrai	valais	valus	*que j(e)*	vaille	valusse
tu	vaux	vaudras	valais	valus	*que tu*	vailles	valusses
il	vaut	vaudra	valait	valut	*qu'il*	vaille	valût
nous	valons	vaudrons	valions	valûmes	*que nous*	vallions	valussions
vous	valez	vaudrez	valiez	valûtes	*que vous*	valliez	valussiez
ils	valent	vaudront	valaient	valurent	*qu'ils*	vaillent	valussent

CONDITIONNEL *prés.* : je vaudrais, etc.   IMPÉRATIF (rare) : vaux, valons, valez

---

34. **voir** (to see)

FORMES VERBALES

Infin. prés. :	voir				Part. prés. :	voyant
passé :	avoir vu				passé :	vu

	INDICATIF				SUBJONCTIF	
	Prés.	*Futur*	*Imparf.*	*Passé déf.*		*Prés.*	*Imparf.*
j(e)	vois	verrai	voyais	vis	*que j(e)*	voie	visse
tu	vois	verras	voyais	vis	*que tu*	voies	visses
il	voit	verra	voyait	vit	*qu'il*	voie	vît

	INDICATIF				SUBJONCTIF		
	Prés.	*Futur*	*Impart.*	*Passé déf.*		*Prés.*	*Impart.*
nous	voyons	v ons	voyions	vîmes	*que nous*	voyions	vissions
vous	voyez	verrez	voyiez	vîtes	*que vous*	voyiez	vissiez
ils	voient	verront	voyaient	virent	*qu'ils*	voient	vissent

CONDITIONNEL *prés. :* je verrais, etc.   IMPÉRATIF : vois, voyons, voyez

35. **vouloir** (to want, to will, to wish)

FORMES VERBALES

Infin. prés. :	vouloir	*Part. prés. :*	voulant
passé :	avoir voulu	*passé :*	voulu

	INDICATIF				SUBJONCTIF		
	Prés.	*Futur*	*Impart.*	*Passé déf.*		*Prés.*	*Impart.*
j(e)	veux	voudrai	voulais	voulus	*que j(e)*	veuille	voulusse
tu	veux	voudras	voulais	voulus	*que tu*	veuilles	voulusses
il	veut	voudra	voulait	voulut	*qu'il*	veuille	voulût
nous	voulons	voudrons	voulions	voulûmes	*que nous*	voulions	voulussions
vous	voulez	voudrez	vouliez	voulûtes	*que vous*	vouliez	voulussiez
ils	veulent	voudront	voulaient	voulurent	*qu'ils*	veuillent	voulussent

CONDITIONNEL *prés. :* je voudrais, etc.   IMPÉRATIF : veuille, veuillons, veuillez

LA LISTE DES VERBES IRRÉGULIERS LES PLUS EMPLOYÉS

acquérir — **4***
aller — **1**
apprendre — **22**
asseoir (s'asseoir) — **26**

boire — **10**

comprendre — **22**
conduire — **11**
connaître — **12**
conquérir — **4**
construire — **11**
courir — **5**
couvrir — **8**
craindre — **13**
croire — **14**
cuire — **11**

découvrir — **8**
décrire — **16**
devenir — **9**

détruire — **11**
devoir — **27**
dire — **15**
dormir — **3**

écrire — **16**
endormir — **3**
enfuir (s') — **6**
envoyer — **2**

faire — **17**
falloir — **28**
fuir — **6**

lire — **18**

maintenir — **9**
mettre — **19**
mourir — **7**

naître — **20**

obtenir — **9**
offrir — **8**
ouvrir — **8**

paraître — **12**
partir — **3**
peindre — **13**
permettre — **19**
plaindre (se
   plaindre) — **13**
plaire — **21**
pleuvoir — **29**
produire — **11**
pouvoir — **30**
prendre — **22**
promettre — **19**

recevoir — **31**
renvoyer — **2**
retenir — **9**
revenir — **9**

rire — **23**

savoir — **32**
sentir — **3**
servir — **3**
sortir — **3**
souffrir — **8**
sourire — **23**
soutenir — **9**
suivre — **24**
surprendre — **22**

tenir — **9**
traduire — **11**

valoir — **33**
venir — **9**
vivre — **25**
voir — **34**
vouloir — **35**

* Numéro de référence (voir Appendix B, p. 520).

LISTE DES VERBES LES PLUS EMPLOYÉS QUI SONT SUIVIS D'UN INFINITIF
SANS PRÉPOSITION, OU AVEC LA PRÉPOSITION A OU DE

I.   Verbes qui sont suivis d'un infinitif sans préposition
        EXEMPLE : J'aime aller au cinéma.
                Je n'ose pas inviter cette jeune fille.

aimer, *to like or love*   entendre, *to hear*   se rappeler, *to recall*
aller, *to go*   faire, *to do or make*   regarder, *to look at*
arriver, *to arrive or happen*   falloir, *to have to*   rentrer, *to go (come) home*
courir, *to run*   laisser, *to let or leave*   retourner, *to go back*
croire, *to think*   monter, *to go or come up*   savoir, *to know*
désirer, *to wish*   oser, *to dare*   valoir (mieux), *to be better*
devoir, *to be supposed to*   paraître, *to seem or appear*   venir, *to come*
envoyer, *to send*   penser, *to think*   voir, *to see*
espérer, *to hope*   préférer, *to prefer*   vouloir, *to want*
écouter, *to listen*

II. Verbes qui sont suivis de la préposition **à** devant un infinitif
        EXEMPLE : J'apprends à jouer du piano.
                J'commence à savoir le français.

aider, *to help*   continuer, *to continue*   se mettre, *to begin*
s'amuser, *to have fun*   enseigner, *to teach*   passer, *to spend time*
apprendre, *to learn*   s'exercer, *to practice*   penser, *to think of (doing
chercher, *to seek or try*   hésiter, *to hesitate*   something)*
commencer, *to begin*   inviter, *to invite*   réussir, *to succeed*
condamner, *to condemn*

III. Verbes qui sont suivis de la préposition **de** devant un infinitif
        EXEMPLE : Je décide de rester.
                J'oublie de prendre mes affaires.

s'arrêter, *to stop*   empêcher, *to prevent*   ordonner, *to order*
cesser, *to stop*   essayer, *to try*   oublier, *to forget*
conseiller, *to advise*   finir, *to finish*   proposer, *to propose*
craindre, *to fear*   menacer, *to threaten*   refuser, *to refuse*
décider, *to decide*   mériter, *to deserve*   regretter, *to regret*
demander, *to ask*   obliger, *to oblige*   risquer, *to risk*
se dépêcher, *to hurry*   offrir, *to offer*   venir, *to have just*
dire, *to tell*

LES MODIFICATIONS ORTHOGRAPHIQUES DE CERTAINS VERBES DU PREMIER GROUPE
Nous avons déjà vu que les verbes du premier groupe (de beaucoup le plus vaste des trois) sont tous réguliers, excepté **aller** et **envoyer**. Plusieurs de ces verbes réguliers, cependant, sont soumis à des modifications orthographiques. Celles-ci sont prévisibles.

I.   Verbes avec un changement d'accent
     Quand un mot se termine par la combinaison : e + consonne + e muet, il y a toujours un accent grave sur le e qui précède la consonne; donc, cette terminaison est toujours :

$$\text{è + consonne + e muet}$$

Cette règle s'applique aussi bien aux verbes qu'à tous les autres mots.

préférer : je préfère, tu préfères, il préfère, nous préférons, vous préférez, ils préfèrent
acheter : j'achète, tu achètes, il achète, nous achetons, vous achetez, ils achètent
régler (*les deux consonnes ont le rôle d'une seule*) : je règle, tu règles, il règle, nous réglons, vous réglez, ils règlent

    Les formes du **nous** et **vous** ne sont pas suivies d'un e muet. Donc, on garde l'orthographe de la racine du verbe. Toutes les autres personnes sont suivies d'un e muet (ou d'un son muet) :

Futur	Imparf.	Condit.	Part. passé
je préférerai*	je préférais	je préférerais	préféré
j'achèterai	(*accent aigu à toutes*	j'achèterais	
je réglerai*	*les personnes*)	je réglerais	

(*accent grave à toutes les personnes*)

Dans cette catégorie : **répéter**, **céder**, **espérer**, **mener**, **emmener**, etc.

II. Verbes qui doublent la consonne (exceptionnel)

Quelques verbes, au lieu d'ajouter un accent grave (comme **acheter**), doublent la consonne (**l** ou **t**). Cela a lieu exactement pour la même raison, car le son de **e** devant une double consonne est le même que celui de **è**.

jeter : je jette, tu jettes, il jette, nous jetons, vous jetez, ils jettent
appeler (comme **appeler** : **épeler**) : j'appelle, tu appelles, il appelle, nous appelons, vous appelez, ils appellent

   Les formes du **nous** et du **vous** ne sont pas suivies d'un **e** muet. Donc, on garde l'orthographe de la racine du verbe.
   Toutes les autres personnes sont suivies d'un **e** muet (ou d'un son muet).

Futur	Part. passé	Condit.
je jetterai	jeté	je jetterais
j'appellerai	appelé	j'appellerais
(double consonne à toutes les personnes)		(double consonne à toutes les personnes)

III. Verbes où le **y** devient **i**

Le **y** des verbes qui se terminent par **-yer** à l'infinitif devient **i** quand il est suivi d'un **e** muet.

payer : je paie, tu paies, il paie, nous payons, vous payez, ils paient
envoyer : j'envoie, tu envoies, il envoie, nous envoyons, vous envoyez, ils envoient
ennuyer : j'ennuie, tu ennuies, il ennuie, nous ennuyons, vous ennuyez, ils ennuient

Futur	Imparf.	Condit.	Part. passé
je paierai	je payais	je paierais, etc.	payé
j'enverrai (*c'est un des*	j'envoyais	(**i** *à toutes les*	envoyé
deux verbes irréguliers	j'ennuyais	*personnes*)	ennuyé
de ce groupe)	(**y** *à toutes les*		
j'ennuierai	*personnes*)		
(**i** *à toutes les personnes*)			

IV. Verbes qui ajoutent une cédille

Quand un verbe se termine par **-cer** à l'infinitif, on ajoute un cédille sous le **c** devant **a** et **o** pour garder le son **s**, comme à l'infinitif.

commencer : je commence, tu commences, il commence, nous commençons, vous commencez, ils commencent

Futur	Condit.	Imparf.	Part. passé
je commencerai	je commencerais	je commençais	commencé
		(*avec* **cédille** *à toutes*	
		les personnes excepté **nous** *et* **vous**)	

V. Verbes qui ajoutent un **e**

Quand un verbe se termine par **-ger** à l'infinitif, on ajoute un **e** devant **a** ou **o** pour garder le son **j** comme à l'infinitif.

manger : je mange, tu manges, il mange, nous mangeons, vous mangez, ils mangent

Futur	Condit.	Imparf.	Part. passé
je mangerai	je mangerais	je mangeais	mangé
		(*avec* **e** *à toutes les personnes, excepté* **nous** *et* **vous**)	

* Les verbes qui ont déjà un accent à l'infinitif (comme répéter, céder, préférer, espérer, régler) gardent l'**accent aigu** au futur et au conditionnel. L'accent ne change qu'au présent de l'indicatif et du subjonctif. Les verbes qui n'ont pas d'accent à l'infinitif (comme **lever**, **acheter**) et qui ajoutent un accent, en ajoutent toujours un **grave**, même au futur et au conditionnel.

Vocabulaire Français-Anglais

A

à to, at, in
abandonner to give up
abri, *m.* shelter
abricot, *m.* apricot
absurde, *m.* absurd
accéléré(-e) accelerated
accent, *m.* accent, stress
accepter to accept
accompagné(-e) accompanied
accord, *m.* agreement
accorder to agree
achat, *m.* purchase
acheter to buy
acteur, *m.* actor
activité, *f.* activity
actrice, *f.* actress
actualités, *f.pl.* newsreel
adaptation, *f.* adaptation, adjustment
addition, *f.* addition; bill
additionner to add up
adjacent(-e) adjacent, adjoining
admettre to admit
admirateur, *m.* (**admiratrice,** *f.*) admirer
admiratif (admirative) admiring
admirer to admire
adorer to adore, worship
adresse, *f.* address, cleverness
adversaire, *m.* enemy
aéroport, *m.* airport
affaires, *f.pl.* business matters
affirmativement affirmatively, positively
afflux, *m.* influx
afin de . . . in order to
afin que . . . in order that
africain(-e) African
âge, *m.* age
âgé(-e) old (of a person)
agence, *f.* agency
agent, *m.* agent; **— de la circulation** traffic cop; **— de voyage** travel agent
aggraver to aggravate, worsen
agité(-e) agitated, troubled, excited
agiter to agitate, excite
s'agir de : il s'agit de it is a matter of

agréable pleasant, nice
agression, *f.* aggression
agricole agricultural
aide, *f.* help
aigu (aiguë) sharp, piercing
aile, *f.* wing
ailleurs elsewhere ; **d'—** besides
aimer to like, love
air, *m.* air; **avoir l'—** to seem; to look like
aise *f.* ease, comfort; **être à l'—** to be comfortable; **être mal à l'—** to be uncomfortable
ajouter to add
alcôve, *f.* alcove
algèbre, *f.* algebra
Algérie, *f.* Algeria
algue, *f.* seaweed
alignements, *m.pl.* alignments
allée, *f.* avenue
Allemagne, *f.* Germany
allemand(-e) German
aller to go; **— à pied** to go on foot; **— chercher** to look for; **— en autobus** to go by bus; **— en avion** to go by plane; **— en bateau** to go by boat; **— en voiture** to go by car; **s'en —** to go away, leave
allergie, *f.* allergy
allongé(-e) stretched out
allonger to lie down; **s'—** to stretch out
allumette, *f.* match
alors then, so, therefore
alunir to land on the moon
amabilité, *f.* kindness
ambiance, *f.* atmosphere
âme, *f.* soul
amélioration, *f.* improvement
améliorer to improve
amener to bring (a person)
américain(-e) American
Amérique, *f.* America
ami, *m.* (**amie,** *f.*) friend
amitié, *f.* friendship, affection
amour, *m.* love
amoureux (amoureuse) loving; **être — de** to be in love with; **tomber — de** to fall in love with
amuser to amuse; **s'—** to have a good time

anagramme, *f.* anagram, puzzle
ananas, *m.* pineapple
anchors, *m.* anchory
ancien (ancienne) ancient, old; former
anglais(-e) English
Angleterre, *f.* England
anglophone English-speaking
animal, *m.* (*pl.* **animaux**) animal
animé(-e) animated, lively
anniversaire, *m.* anniversary, birthday; **— de mariage** wedding anniversary
annoncer to announce
annuaire du téléphone, *m.* telephone directory
anonyme anonymous
antenne, *f.* antenna
août, *m.* August
apercevoir to perceive, glimpse; **s'—** to realize
apogée, *m.* summit, top
appareil, *m.* apparatus; camera; **qui est à l'—?** who is calling?
apparence, *f.* appearance, look
appartement, *m.* apartment
appeler to call; **s'—** to be called, named; **je m'appelle** my name is
appendicite, *f.* appendicitis
applaudir to applaud
applaudissements, *m.pl.* applause
apporter to bring
appréciable appreciable
apprécié(-e) appreciated
apprécier to appreciate, appraise
apprendre to learn; to teach; **— par cœur** to memorize, learn by heart
approbation, *f.* approval
approcher to approach
approuver to approve, be pleased with
après (*prep.*) after; (*adv.*) afterwards, later
après-midi, *f.* afternoon
arabe, *m.* Arab, Arabic
arbitrer to arbitrate
arc, *m.* arch; **— boutant** flying buttress

architecte, *m.* architect
arènes, *f.pl.* arena, circus
argent, *m.* silver; money; — **comptant** cash; — **de poche** pocket money
aristocratie, *f.* aristocracy
arithmétique, *f.* arithmetic
armée, *f.* army
armes, *f.pl.* coat of arms
arranger to arrange; **s'**— to manage; to come to an agreement
arrêter to stop; to arrest; **arrêtez-vous** stop
arrière, *m.* rear
arrivée, *f.* arrival
arriver to arrive, come; to happen
ascenseur, *m.* elevator
Asie, *f.* Asia
assemblée, *f.* assembly, meeting
assez enough; rather; — **de place** enough room; **juste** — just enough
assiette, *f.* plate
assis(-e) seated
assistant, *m.* (**assistante,** *f.*) assistant, spectator
association, *f.* association, company
assorti(-e) matched
athée atheist
athlète, *m.* athlete
Atlantique, *m.* Atlantic Ocean
attaque, *f.* attack
attendant : **en attendant** meanwhile, in the meantime
attendre to wait for; **s'**— **à** to expect
attendu(-e) expected, awaited
atterrir to land
attirer to attract, draw
au-dessus above
auditeur, *m.* (**auditrice,** *f.*) listener
auditoire, *m.* audience
augmenter to increase, augment
aujourd'hui today
aussi (*adv.*) so, also, too; (*conj.*) therefore, consequently, so
Australie, *f.* Australia
auteur, *m.* author, writer
auto, *f.* car
autobus, *m.* bus
automne, *m.* autumn, fall; **en** — in autumn
autorité, *f.* authority
auto-stop, *m.* hitchhiking; **faire de l'**— to hitchhike
autrefois formerly
avant (**de** + *infinitif*) before
avantage, *m.* advantage

avenir, *m.* future
aventure, *f.* adventure, chance
avide avid, eager
avion, *m.* airplane
avocat, *m.* lawyer
avoir to have; — **besoin de** to need; — **bon appétit** to have a good appetite; — **bon (mauvais) goût** to have good (bad) taste; — **chaud** to be warm; — **confiance** to trust; — **envie de** to want; — **faim** to be hungry; — **une faim de loup** to be hungry as a wolf; — **froid** to be cold; — **l'intention de** to intend to; — **lieu** to take place, happen; — **mal** to feel bad; — **les moyens de** to have the means to, to be able to afford; — **peur** to fear; — **raison** to be right; — **soif** to be thirsty; — **sommeil** to be sleepy; — **tendance à** to tend to; — **tort** to be wrong
avril, *m.* April

B

bac de congélation, *m.* freezer compartment
bagages, *m.pl.* luggage
bague, *f.* ring
se baigner to take a bath, bathe
baigneur *m.* (**baigneuse,** *f.*) bather
baignoire, *f.* bath, bathtub
bain, *m.* bath
baiser, *m.* kiss
baliverne, *f.* nonsense
ballon, *m.* balloon
banane, *f.* banana
bande dessinée, *f.* comic strip
bannière, *f.* banner
banque, *f.* bank
banquet, *m.* banquet, feast
barbe, *f.* beard
basé(e) based
bateau, *m.* boat
bâtiment, *m.* building
bâtir to build, construct
bâton, *m.* stick, rod
bavard(-e) talkative
bavarder to gossip, chatter
beau (**bel**), (**belle**) beautiful, handsome
beaucoup (de) much, a lot
beau-frère, *m.* brother-in-law
beauté, *f.* beauty
Belgique, *f.* Belgium
belle-sœur, *f.* sister-in-law
besoin, *m.* need, want
beurre, *m.* butter

bibelot, *m.* knick-knack
bibliothèque, *f.* library
bicyclette, *f.* bicycle
bien well, very, quite; — **des** many; — **que** although; **eh** — ! well!
bifteck, *m.* steak
bifurcation, *f.* fork, junction
bilingue bilingual
billet, *m.* ticket
bizarre peculiar, odd, strange
blague, *f.* banter, joke; **sans** — ? no kidding?
blâme, *m.* blame, disapprobation
blâmer to blame
blanc (**blanche**) white
bleu(-e) blue
blond(-e) fair, blond
bloqué(-e) jammed, blocked up
bois, *m.* wood; forest; — **de pins** pine woods
boisson, *f.* beverage, drink
boîte, *f.* box; — **à chapeaux** hatbox; — **aux lettres** mailbox; — **de nuit** nightclub
bombe, *f.* bomb
bon (**bonne**) good, nice; — **marché** cheap
bonbon, *m.* candy
bonheur, *m.* happiness
bonjour, *m.* good morning, hello, hi
bonsoir, *m.* good evening, goodnight
bord, *m.* edge; **au** — **de la mer** at the seaside
bordé(-e) **de** lined with
botte, *f.* boot
bougie, *f.* candle
bouillabaisse, *f.* Provençale fish soup with saffron
boulanger, *m.* baker
boule, *f.* ball; — **de neige** snowball
bouquiniste, *m.* (used) book vendor
bout, *m.* end; **au** — at the end
bouteille, *f.* bottle
bref (**brève**) brief, short
Brésil, *m.* Brazil
brigand, *m.* robber
brillant(-e) brilliant, bright
brosse, *f.* brush; — **à cheveux** hairbrush; — **à dents** toothbrush; — **à habits** clothesbrush
brosser to brush, scrub; se — **les cheveux** to brush one's hair; se — **les dents** to brush one's teeth
se brouiller to break up, quarrel

bruit, *m.* noise
brûler to burn, scorch
brun(-e) brown, dark, dusky
brunir to darken; to tan
buisson, *m.* bush
bureau, *m.* desk; office; — de poste post office
but, *m.* aim, end

C

cabine, *f.* cabin
cabinet, *m.* closet, small room; — de travail study
câbler to cable; wire
cacher to hide
cadeau, *m.* present, gift
cafard, *m.* cockroach; avoir le — to have a hangover, to feel blue
café, *m.* coffee
cahier, *m.* notebook (school)
caisse, *f.* box, chest; till
calèche, *f.* carriage
calculer to calculate, compute
Californie, *f.* California
calme, *m.* calm
calme calm, still
camarade, *m. and f.* schoolmate
camaraderie, *f.* good fellowship, comradeship; set, clique
camion, *m.* truck
campagne, *f.* country
Canada, *m.* Canada
canadien (canadienne) Canadian
canal, *m.* (*pl.* canaux) canal
canard, *m.* duck
candidat, *m.* candidate, applicant
caniche, *m.* poodle
canne à sucre, *f.* sugar cane
canoë, *m.* canoe
capitale, *f.* capital
caractère, *m.* character, disposition; il a bon (mauvais) — he has a good (bad) disposition
caravane, *f.* camper, trailer for camping
cargo, *m.* freighter
carnaval, *m.* carnival
carnet, *m.* notebook; — d'adresses address book; — de chèques check book
carotte, *f.* carrot
carrière, *f.* career
carte, *f.* map; card; — à jouer playing card; — de Noël Christmas card; — postale postcard
cas, *m.* case
casser to break
cathédrale, *f.* cathedral
cauchemar, *m.* nightmare

cause : à cause de because of
causer to cause; to talk, chat
céder to yield
célèbre celebrated, famous
célébrer to celebrate, observe
cent, *m.* one hundred; une centaine about a hundred
centenaire century-old
central(-e) central
centre, *m.* center
cercueil, *m.* coffin
cérémonie, *f.* ceremony
cerise, *f.* cherry
cerisier, *m.* cherry tree
certain(-e) certain, sure
cerveau, *m.* brain
chacun(-e) each, each one
chaise, *f.* chair, seat
chaleur, *f.* warmth, heat
chambre, *f.* bedroom
champignon, *m.* mushroom
Champs-Elysées famous boulevard in Paris
chance, *f.* luck; avoir de la — to be lucky
changement, *m.* change
chanson, *f.* song
chanter to sing
chapeau, *m.* hat
chaque each, every
char, *m.* cart, wagon
charbon, *m.* charcoal
chargé(-e) de loaded with
charme, *m.* charm
charrette, *f.* cart, wagon
chasse, *f.* chase, hunt
chat, *m.* cat
château, *m.* castle; — de sable sand castle
chaud(-e) warm
chauffage, *m.* heat, heating
chavirer to capsize
chef, *m.* head, chief; — du protocole chief of protocol
chef d'œuvre, *m.* masterpiece
chemin, *m.* way, road, path; — de fer railroad
cheminée, *f.* fireplace, chimney
chemise, *f.* shirt; — de sport sportshirt
chêne, *m.* oak tree
chèque, *m.* check; carnet de chèques checkbook
cher (chère) expensive, dear
chercher to look for; aller — ; passer — to pick up
cheval, *m.* horse
cheveux, *m.pl.* hair
chez at the home, the place of . . .

chic smart, chic
chien, *m.* dog
chimie, *f.* chemistry
Chine, *f.* China
chinois, *m.* Chinese
chocolat, *m.* chocolate
choisir to choose
choix, *m.* choice, selection
cholestérine, *f.* cholesterol
chose, *f.* thing; autre — something else; quelque — something
chou, *m.* cabbage
chrétien (chrétienne) Christian
chronique, *f.* chronicle, report
ciel, *m.* sky, heaven
cigale, *f.* cicada
cigarette, *f.* cigarette
cimetière, *m.* cemetery
cinéma, *m.* movie theater
cinq five
cinquante fifty
circulation, *f.* circulation; traffic
cirque, *m.* circus
citer to quote, mention
citronnade, *f.* lemonade
clair(-e) clear
clarinette, *f.* clarinet
classe, *f.* class
clé, *f.* key
client, *m.* (cliente, *f.*) client, customer
climat, *m.* climate
cloche, *f.* bell
clocher, *m.* steeple
cobaye, *m.* guinea pig
cœur, *m.* heart; par — by heart
coiffe, *f.* headdress, coiffure
se coiffer to do one's hair
coiffeur, *m.* hairdresser
coin, *m.* corner; au — at the corner
colère, *f.* anger; se mettre en — to become angry
collègue, *m.* colleague
colline, *f.* hill
colon, *m.* colonist, settler
colonie, *f.* colony
colonisé(-e) colonized, settled
coloré(-e) colored
combat, *m.* fight
combattre to fight
combien de how much, how many
comble, *m.* the utmost
comédie, *f.* play
comique comical, funny
comité, *m.* committee
comme like, as, how
commencement, *m.* beginning; au

— at the beginning
commencer to begin
comment how
commettre to commit
commode, f. chest of drawers
commun(-e) common
compagnie, f. company, party
compliqué(-e) complicated
complot, m. plot
compositeur, m. (compositrice, f.) composer
compréhensif (comprehensive) comprehensive, inclusive
compréhension, f. understanding
comprendre to understand
compte, m. account, calculation; — en banque bank account; — rendu report, account
compter to count; — sur to rely on
compteur, m. calculating machine
comptoir, m. counter
comte, m. count
concerner to concern, affect
conclure to conclude, end, decide
concordance, f. agreement, sequence (of tenses)
concours, m. competition
conditionnel, m. conditional (mood)
conduire to drive; to escort; permis de — driver's license; se — to behave
conduite, f. behavior
conférence, f. conference, discussion
conférer to confer, award
confiance, f. confidence, trust
confiture, f. jam
conflit, m. conflict, struggle
confondre to confound, confuse
confort, m. comfort
confortable comfortable
confus(-e) embarrassed
congé, m. holiday, time off
congelé(-e) frozen
Congo, m. the Congo
congrès, m. congress
conjugaison, f. conjugation
connaissance, f. acquaintance, knowledge
connaître to know, be acquainted with; s'y — en to be an expert in
conquérir to conquer
conquête, f. conquest
consacrer to devote
conscience, f. consciousness, awareness

conseil, m. advice
conserver to preserve, take care of
consommation, f. drink, beverage (ordered in a restaurant)
consonne, f. consonant
consulter to consult
contagieux (contagieuse) contagious
conte, m. story, tale; — de fées fairytale
contenir to contain
content(-e) glad
contenu, m. content
continuer to continue
contraire, m. opposite; au — on the contrary
contre against
contredire to contradict, be inconsistent
contribuer to contribute
contrôlé(-e) controlled
convaincre to convince
copain, m. pal
coquillage, m. sea shell
corbeille, f. basket
corde, f. rope, cord
corne f. horn
correctement correctly
corriger to correct
costume, m. suit, outfit
côte, f. coast; Côte d'Azur, f. Mediterranean coast of France
côté, m. side; à — de next to, beside
côtelette, f. chop
coton, m. cotton
cou, m. neck
couchant setting; soleil — sunset
se coucher to go to bed
couleur, f. color
coup, m. stroke, blow; — de fil (donner un) to telephone (familiar); — de klaxon honk (of an automobile); — de revolver a shot; — de soleil sunburn
coupable guilty
couper to cut
cour, f. court, yard
couramment fluently
courant : au courant aware of
courir to run
courrier, m. mail
course, f. race; errand; faire des courses to go shopping
court(-e) short
couteau, m. knife
coûter to cost
coutume, f. custom

couvert(-e) f. covered; overcast
couverture, f. cover; blanket
craie, f. chalk
cravate, f. tie
crayon, m. pencil
créer to create
crème, f. cream
crépuscule, m. twilight
crier to cry out, shout
crise, f. crisis, attack
critique, m. critic
critique, f. criticism
croire to believe
croisière, f. cruise
croix, f. cross
croustillant(-e) crusty, crisp
cruauté, f. cruelty
cuillère, f. spoon
cuir, m. skin, leather
cuisine, f. kitchen, cooking; faire la — to cook
cuisinier, m. (cuisinière, f.) cook
cuisse, f. thigh
cuit(-e) cooked; bien — well done
cuivre, m. copper
curieux (curieuse) odd, peculiar, curious
cygne, m. swan

D

Dahomey, m. Dahomey (West Africa)
dame, f. lady
Danemark, m. Denmark
dans in, within, during
danser to dance
se débarrasser (de) to get rid of
debout upright; standing
décembre, m. December
décider to decide
déclarer to declare, proclaim
décorer to decorate, ornament
découper to cut up
découragé(-e) discouraged
découvert uncovered
découvrir to discover
décrire to describe
déçu(-e) disappointed
défaut, m. defect; à — de for lack of
défendre to defend
déguisement, m. disguise
déjà already
déjeuner to have lunch; to have breakfast
déjeuner, m. lunch; petit — breakfast
délégation, f. delegation
délégué, m. delegate

délicat(-e) delicate, sensitive
délicatesse, *f.* tactfulness
délicieux (délicieuse) delicious
demain tomorrow
demander to ask (for), require, need
demeure, *f.* residence
demi half
démolir to demolish
dent, *f.* tooth
dentelle, *f.* lace
départ, *m.* departure
se dépêcher to hurry
dépend : ça dépend it depends
dépens de (aux) at someone's expense (money)
dépenser to spend
déplorer (de) to deplore, lament
déposer to deposit
depuis since, for
se déranger to get disturbed; to go out of one's way
dernier (dernière) last, latest
derrière behind, in back of
descendre to go or come down; to take down
désert, *m.* desert, wilderness
se déshabiller to undress
désintégrer to disintegrate
désir, *m.* desire, wish
désordonné(-e) disorderly, untidy
désordre, *m.* disorder, confusion; *pl.* désordres disturbances
dès que as soon as
dessin, *m.* sketch, drawing; — animé, *m.* cartoon (motion picture)
dessiner to draw; se — to stand against
destinée, *f.* destiny
déterminer to determine
détester to hate
dette, *f.* debt
deux two
devant in front of
se développer to develop
devenir to become
deviner to guess, predict
devise, *f.* motto
devoir to be supposed to, be probable; to owe
diable, *m.* devil
Dieu, *m.* God; mon dieu ! good heavens!
difficile difficult, hard to please
dilemme, *m.* dilemma
dimanche, *m.* Sunday
dîner to have dinner, have supper
dîner, *m.* dinner, supper

dire to say, tell; ça ne se dit pas that is not said; comment dit-on . . . ? how do you say . . .?; dis donc ! say!
directeur, *m.* (directrice, *f.*) director, leader
diriger to direct
discours, *m.* talk, speech
discuter to discuss; to dispute
se disputer to quarrel, argue
disque, *m.* record
dit-on it is said
divan, *m.* couch
divers varied
diviser to divide
divorcer to divorce
dix ten
docteur, *m.* doctor, physician
doctorat, *m.* doctorate degree
documentaire, *m.* documentary film
dommage : c'est dommage ! too bad!
donateur, *m.* donor
donjon, *m.* highest tower (of a castle)
donner to give; — sur to open on
dont of which, of whom, whose
doré(-e) golden, gilt
dormir to sleep
dos, *m.* back
dossier, *m.* file, record
doucement sweetly, gently, slowly
douleur, *f.* pain
doute, *m.* doubt
douter to doubt
doux (douce) sweet, gentle, soft
dramaturge, *m.* dramatist, playwright
drapeau, *m.* flag
dressé(-e) raised
se dresser to stand
droit, *m.* law, right
droit(-e) straight, right; tout — straight ahead
droite, *f.:* à — on the right
drôle funny, odd; un — de type a funny type
duchesse, *f.* duchess
durer to last, endure

E
eau, *f.* water; — courante running water
échanger to exchange
échec, *m.* failure; *pl.* chess
échelle, *f.* ladder
éclairé(-e) enlightened; illuminated
éclairer to light up

école, *f.* school
économies, *f.pl.* savings; faire des — to save money
écoute, *f.:* ne quittez pas l'— keep listening (to the phone)
écouter to listen
écouteur, *m.* earphone
écran, *m.* screen
s'écrier to exclaim
écrire to write; — à la machine to type
écriture, *f.* handwriting
écrivain, *m.* author, writer
effet, *m.* effect; en — indeed
égal(-e) equal; ça m'est — I don't care
élève, *m. and f.* pupil
élevé(-e) raised, bred; bien (mal) — well (badly) mannered
église, *f.* church
élire to elect
embarrassant(-e) embarrassing
embarrasser to embarrass
embouteillage, *m.* traffic jam
embrasser to kiss
émeute, *f.* riot
émission, *f.* broadcast
emmener to lead away
emploi, *m.* use
employé(-e), *m. and f.:* — de bureau office employee; — de banque bank clerk
employer to use
emporter to take along (a thing); to carry away
ému(-e) moved, touched, affected
encombre, *m.* sans — without hindrance
encore still, again, yet; pas — not yet
s'endormir to fall asleep
endroit, *m.* place
enfant, *m. and f.* child
enfer, *m.* hell
enfermé(-e) shut up, enclosed
enfin at last, finally
enlever to remove
ennui, *m.* boredom
ennuyer to bore, annoy; s'ennuyer to be bored
énorme enormous
enseigne, *f.* sign
enseignement, *m.* teaching
ensemble together
entendre to hear; s' — to get along
enthousiasme, *m.* enthusiasm
entier (entière) whole
entourer to surround

entr'acte, *m.* intermission
entre between, amongst
entrée, *f.* entrance
entrer (dans) to enter
enveloppe, *f.* envelope
envers toward
environ about
environnement, *m.* environment, surroundings
envoyer to send
épatant(-e) wonderful, great
épaule, *f.* shoulder
épeler to spell
épicerie, *f.* groceries; grocer's shop
épidémie, *f.* epidemic
épinards, *m.pl.* spinach
épouser to marry
époux, *m.* (épouse, *f.*) spouse
éprouver to feel, experience
équipe, *f.* team, crew
équivalent, *m.* equivalent
ère, *f.* era
escale, *f.* port of call; faire — to stop at; sans — non stop
escalier, *m.* staircase
escargot, *m.* snail
Espagne, *f.* Spain
espagnol(-e) Spanish
espérer to hope
esprit, *m.* mind; avoir de l'— to be witty; état d'— state of mind
essayer to try
essence, *f.* gas
est east
estomac, *m.* stomach
étage, *m.* floor
étagère, *f.* shelf
étape, *f.* lap, stop; stop to break up a journey
état, *m.* state; condition
États-Unis, *m.pl.* United States
été, *m.* summer; en été in summer
étendue, *f.* extent
éternel (éternelle) eternal
ethnique ethnic
étiquette, *f.* label, ticket
étoffe, *f.* fabric
étoile, *f.* star
étoilé(-e) star-spangled
étonner to astonish
étrange strange
étranger (étrangère) foreign
étranger, *m.* (étrangère, *f.*) foreigner, stranger
être to be; — d'accord to agree; — en désordre to be in disorder; — en order to be in or-

der; — en termes d'amitié to be on friendly terms; — un ange ! to be an angel
être, *m.* being
étroit(-e) narrow
études, *f.pl.* studies
étudiant, *m.* (étudiante, *f.*) student
étudier to study, investigate
européen (européenne) European
évasion, *f.* escape
événement, *m.* event, incident
éventuel (éventuelle) eventual
éviter to avoid
exactement exactly
exagérer to exaggerate
examen, *m.* examination
exceptionnel (exceptionelle) exceptional
exclusif (exclusive) exclusive
s'excuser to apologize
exécuté(-e) executed
exercice, *m.* exercise
exigence, *f.* demands
exiger to demand
exil, *m.* exile, banishment
exister to exist, live
exotique exotic
explication, *f.* explanation
expliquer to explain
exposition, *f.* exhibit
exprimer to express
extase, *f.* ecstasy
extérieur : à l'— de outside of
extraordinaire extraordinary
extrêmement extremely
évaluer to evaluate

F
façade, *f.* facade
face: en face de opposite, facing
se fâcher to get angry
facile easy
facilement easily
façon, *f.* way, manner, fashion
façonner to fashion; to make
facteur, *m.* mailman
facultatif (facultative) optional
faculté, *f.* faculty
faible weak
faim, *m.* hunger; avoir — to be hungry; avoir une — de loup to be famished (*lit.*, to be hungry as a wolf)
faire to do, make; — des économies to save; — du camping (ski, etc.) to camp (ski, etc.); — la connaissance (de quelqu'un) to meet (someone); — la grève to strike; — partie de

to be a member of; — semblant (de) to pretend; — tout son possible (pour) to do all one can (for)
fait, *m.* fact
falsifier to falsify
fameux (fameuse) famous
familier (familière) familiar, colloquial
famille, *f.* family
fantaisie, *f.* fancy, whim, fantasy
se farder to put on make-up
farine, *f.* flour
fatigué(-e) tired
faut : il faut one must
faute, *f.* fault, mistake
fauteuil, *m.* armchair
favori (favorite) favorite
félicitations, *f.pl.* congratulations
femme, *f.* woman; wife
fenêtre *f.* window
féodal(-e) feudal
fer, *m.* iron; — forgé wrought iron
ferme firm
ferme, *f.* farm
fermé(e) closed
fermier, *m.* farmer
féroce ferocious
fête, *f.* celebration, feast, holiday
feu, *m.* (*pl.* feux) fire; — d'artifice fireworks; — de bois wood fire; — de voiture car lights
feuille, *f.* leaf, sheet of paper
février, *m.* February
fiançailles *f.pl.* engagement
se fiancer to become engaged
fiche, *f.* poster, card
fidèle faithful
fier (fière) proud
fièvre, *f.* fever; avoir de la — to run a temperature
figue, *f.* fig
figure, *f.* face
fille, *f.* girl; daughter; belle- — daughter-in-law; petite- — grand-daughter; vieille- — spinster
fils, *m.* son
fin, *f.* end
financier (financière) financial
finir to end, finish
flamand(-e) Flemish
flatter to flatter
flatteur (flatteuse) flattering
flemme, *f.* laziness (*fam.*); avoir la — to feel lazy
flemmingite, *f.* pseudo-scientific term for la flemme
fleur, *f.* flower

flotter to float
foi, *f.* faith
foie, *m.* liver
fois, *f.* time, instance
foncé(-e) dark in color
fond, *m.* bottom
fondamental(-e) fundamental, basic
fontaine, *f.* fountain
formidable ! terrific!
fort(-e) strong
fossile, *m.* fossil
fou (folle) mad, crazy, foolish
foule, *f.* crowd
fourchette, *f.* fork
fourmi, *f.* ant
fourneau, *m.* furnace
fournir to furnish
fourreur, *m.* furrier
fosse, *m.* ditch
foyer, *m.* hearth
frais (fraîche) fresh, cool
fraise, *f.* strawberry
français(-e) French
francophone French-speaking
frère, *m.* brother; **beau-** — brother-in-law
frites, *f.pl.* fried potatoes
frivole frivolous, shallow
froid, *m.* cold
froid(-e) cold
fromage, *m.* cheese
fruit, *m.* fruit; **jus de** — fruit juice
fumer to smoke
furieux (furieuse) furious
fusée, *f.* rocket

G
gagner to earn, win; to gain; to arrive at
gant, *m.* glove
garçon, *m.* boy; waiter
garde d'honneur, *f.* honor guard
garder to keep; to watch
gare, *f.* station
gâteau, *m.* cake
gâter to spoil
gauche left; **à** — on the left
geler to freeze
gendarme, *m.* sheriff
gêné(-e) embarrassed
général(-e) general
générique, *m.* credits (at beginning of a film)
génie, *m.* genius
gens, *m.pl.* people; **jeunes** — young people
gentiane, *f.* gentian (an Alpine flower)

gentil (gentille) nice
gentilhommière, *f.* gentleman's home
gigot, *m.* leg of lamb
gilet, *m.* vest
gitan, *m.* gypsy
glace, *f.* ice; ice cream; mirror
glisser to slide
gloire, *f.* glory, pride
gorge, *f.* throat
goût, *m.* taste
gouvernement, *m.* government
grâce à . . . thanks to
grand(-e) tall, large, great
grandir to grow taller
grand-mère, *f.* grandmother
grand-père, *m.* grandfather
gratte-ciel, *m.* skyscraper
grave serious, solemn
gravure, *f.* etching, picture
grec (grecque) Greek
Grèce, *f.* Greece
grenouille, *f.* frog
grève, *f.* strike; **faire la** — to strike
grille, *f.* gate; iron work
grippe, *f.* flu
gris(-e) gray
gros (grosse) big, bulky; fat
groupe, *m.* group
guérir to cure; to recover
guerre, *f.* war
guichet, *m.* ticket window, gate
guilde, *f.* guild (medieval trade organization)

H (* *indique h aspiré*)*
habile clever, skillful
s'habiller to dress
habitant, *m.* inhabitant
habiter to live, reside
s'habituer to grow accustomed
*hareng, *m.* herring; — **saur** red herring, smoked herring
*haricot, *m.* bean
hasard, *m.* chance, accident; **par** — by chance
*hâte, *f.* haste
*se hâter to hurry
*haut(-e) high, tall; **vu du** — **de** seen from the top of
*haut-parleur, *m.* loudspeaker
hélas ! alas!
herbe, *f.* grass
heure, *f.* hour
heureux (heureuse) happy; favorable
histoire, *f.* story; history
hiver, *m.* winter; **en** — in winter

*hollandais(-e) Dutch
*Hollande, *f.* Holland
homme, *m.* man, mankind
*Hongrie, *f.* Hungary
honnête honest
honneur, *m.* honor; **en l'** — **de** in honor of
hôpital, *m.* hospital
horreur, *f.* horror, disgust
hostilité, *f.* hostility
hôte, *m.* guest or host
hôtel, *m.* hotel; — **de ville** city hall
hôtesse, *f.* hostess; — **de l'air** stewardess
*hublot, *m.* porthole
huile, *f.* oil
*huit eight
huître, *f.* oyster
humanité, *f.* mankind
humeur, *f.* mood; **être de bonne (mauvaise)** — to be in a good (bad) mood
humilité, *f.* humility
humour, *m.* humor
hymne, *m.* hymn, anthem

I
ici here
idéal(-e) ideal
idée, *f.* idea, notion
idylle, *f.* idyl, romance
île, *f.* island
illisible illegible
illogique illogical, inconsistent
il y a there is, there are; — **2000 ans** 2000 years ago
immeuble, *m.* apartment building
immobile motionless, still
impératif, *m.* imperative
imperméable, *m.* raincoat
impôt, *m.* tax, duty
impressionner to impress, affect
imprévu, *m.* unforeseen
imprimer to print
inaugurer to inaugurate
inconnu(-e) unknown
incroyable unbelievable
Inde, *f.* India
indépendance, *f.* independence
indicatif, *m.* indicative (mood)
indifférence, *f.* indifference
individuel (individuelle) individual; personal
infini, *m.* infinite
informe shapeless
informer to inform
ingénieur, *m.* engineer
ingrédient, *m.* ingredient

injustement injustly
inlassablement tirelessly
inoffensif (inoffensive) harmless
s'inquiéter to worry
insecte, *m.* insect
insister to insist, persist in
insomnie, *f.* insomnia
s'installer to settle
institut, *m.* institute
instituteur, *m.* (institutrice, *f.*) elementary school teacher
instrument, *m.* instrument, tool; — de musique musical instrument
intégrer to integrate
intéressant(-e) interesting
intéresser to interest; s' — à to be interested in
intérieur, *m.* inside, interior
interprète, *m. and f.* interpreter
interrompre to interrupt
intime intimate
intrigué(-e) intrigued
inutile useless
inventer to invent, make up
invraisemblable unlikely
Irlande, *f.* Ireland
ironie, *f.* irony
Italie, *f.* Italy
ivre intoxicated

J
jamais never
jambe, *f.* leg
jambon, *m.* ham
janvier, *m.* January
Japon, *m.* Japan
jaquette, *f.* jacket
jardin, *m.* garden
jardinier, *m.* gardener
jaune, *m.* yellow
jeter to throw, throw away
jeu, *m.* game
jeudi, *m.* Thursday
jeune young; jeunes gens young men or young people
jeunesse, *f.* youth
joie, *f.* joy
joint à joined to
joli(-e) pretty, nice
jouer to play; to act; — aux cartes (au tennis) to play cards (tennis); — du piano to play the piano
jour, *m.* day; de nos jours nowadays
journal, *m.* (*pl.* journaux) newspaper
journaliste, *m. and f.* newspaperman or woman

journée, *f.* day
joyeux (joyeuse) joyful, gay; — anniversaire ! happy birthday!
jugement, *m.* judgment
juillet, *m.* July
juin, *m.* June
jupe, *f.* skirt
jusqu'à until; — ce que until
justement precisely

K
kangourou, *m.* kangaroo
klaxon, *m.* horn (of a car)

L
là there (*conversational:* here); — -bas over there; — -haut up there
laboratoire, *m.* laboratory
lac, *m.* lake
laid(-e) ugly
laine, *f.* wool
laisser to leave, allow, let; — pousser to let grow
laitier, *m.* milkman
laitier (laitière) dairy
laitue, *f.* lettuce
lampe, *f.* lamp
langue, *f.* language; tongue
lanterne, *f.* lantern
lapin, *m.* rabbit
large wide
laryngite, *f.* laryngitis
lavabo, *m.* basin
laver to wash; se laver to wash oneself
leçon, *f.* lesson
lecteur, *m.* (lectrice, *f.*) reader
lecture, *f.* reading
léger (légère) light
légume, *m.* vegetable
lendemain, *m.* next day
lent(-e) slow
se lever to get up
lèvre, *f.* lip
liaison, *f.* linking
Liban, *m.* Lebanon
liberté, *f.* freedom
libre free
lié(-e) bound, attached
lierre, *m.* ivy
lieu, *m.* place; au — de instead of; avoir — to take place
ligne, *f.* line; — aérienne airline
limonade, *f.* lemonade
linguiste, *m.* linguist
lire to read
lisible legible
liste, *f.* list, roll, register

lit, *m.* bed; au — in bed
littérature, *f.* literature
livre, *m.* book; — de cuisine cookbook
livre, *f.* pound
logique logical
loi, *f.* law
loin far
lointain(-e) far away
long (longue) long
longtemps a long time
loup, *m.* wolf
lourd(-e) heavy
lumière, *f.* light
lumineux (lumineuse) luminous
lundi, *m.* Monday
lune, *f.* moon; — de miel honeymoon
lunettes, *f.pl.* glasses
lutte, *f.* struggle
luxe, *m.* luxury; un bateau de — luxury liner; une voiture de — luxury car
luxure, *f.* lust

M
magasin, *m.* store
magie, *f.* magic
magnanime magnanimous
magnifique magnificent
mai, *m.* May
maigre skinny
maillot, *m.* bathing suit
main, *f.* hand
maintenant now
maison, *f.* house; à la — at home; — d'importation import house
maître, *m.* master
maîtresse, *f.* mistress; — de maison lady of the house
majeur(-e) of age
mal, *m.* (*pl.* maux) pain, ache; avoir — à la tête to have a headache; faire — to hurt; — de l'air airsickness; — de mer seasickness
mal bad, badly; pas — not bad
malade sick, ill
maladie, *f.* illness
maladroit(-e) awkward
malheur, *m.* misfortune
malheureusement unfortunately
manche, *f.* sleeve; la Manche the English Channel
manchette, *f.* headline (of newspaper)
manger to eat
manière, *f.* manner, way
manifestant, *m.* (political) demon-

strator

manifestation, *f.* demonstration

manœuvrer, *f.* working, managing

manquer to lack, miss; to fail

se maquiller to put on makeup

marais, *m.* marsh, swamp

marbre, *m.* marble

marchand, *m.* (marchande, *f.*) merchant

marché, *m.* market; bon — cheap; — aux Puces flea market

marcher to walk

mardi, *m.* Tuesday

marée, *f.* tide; — basse low tide

mari, *m.* husband

mariage, *m.* marriage, wedding

marié(-e) married

se marier to get married

marque, *f.* brand

marquer to mark

mars, *m.* March

marteau, *m.* hammer

masque, *m.* mask

masse, *f.* mass

maternel (maternelle) maternal

mathématiques, *f.pl.* mathematics

matière, *f.* subject; matter

matin, *m.* morning

matinée, *f.* forenoon; afternoon performance

mauve lilac, lavender

mauvais(-e) bad

méchant(-e) mean, nasty

médecin, *m.* doctor

médicament, *m.* medication

médiéval(-e) medieval

Méditerranée, *f.* the Mediterranean

se méfier to distrust

meilleur(-e) better, best

mélange, *m.* mixture

mêler to blend, mix

membre, *m.* member

même same; even; moi- — myself

mémoire, *f.* memory; mémoires d'outre-tombe memoirs from beyond the grave

menacer to threaten

ménage, *m.* a couple; jeune — young (married) couple

ménagerie, *f.* menagerie

mener to lead

mensonge, *m.* lie

mentir to lie

mer, *f.* sea

merci, *m.* thank you

mercredi, *m.* Wednesday

mère, *f.* mother; belle- — mother-in-law

mériter to merit

merveille, *f.* marvel, wonder

merveilleux (merveilleuse) marvelous, wonderful

mésaventure, *f.* mishap

métal, *m.* (*pl.* métaux) metal

métaphysique, *f.* metaphysics

météorologique, *m.* weather report

métro, *m.* subway

metteur en scène, *m.* director (motion picture)

mettre to put, place, set; se — à table to sit down at table; se — au travail to set to work; se — en colère to get angry; se — en route to set out

meuble, *m.* piece of furniture

Mexique, *m.* Mexico

midi, *m.* noon; le Midi de la France the south of France

mieux better; il vaut — it's better; tant — ! so much the better!

mignon (mignonne) cute, delicate

milieu, *m.* surrounding, midst; au — de in the middle of

militaire military

mille a thousand

millier about a thousand

mince thin

mine, *f.* appearance

minier (minière) mining

minuit, *m.* midnight

miroir, *m.* mirror

mobilisation, *f.* mobilization

mode, *f.* fashion, method

modèle, *m.* model

moderne modern

moindre lesser, least

moins less; à — de unless; au —, du — at least; de — en — less and less

mois, *m.* month

moitié, *f.* half

moment, *m.* moment; à tout — at any moment; en ce — at the moment

monarchie, *f.* monarchy

mondain(-e) worldly

monde, *m.* world; tout le — everyone; le — entier the whole world

monnaie, *f.* money, change

monotone monotonous, dull

monsieur, *m.* sir, gentleman

montagne, *f.* mountain

monter to go up; to climb

montre, *f.* watch

montrer to show

se moquer de to make fun of

morale, *f.* moral, ethic

morceau, *m.* piece

mordant(-e) biting, scathing

mort(-e) dead

mot, *m.* word

motte, *f.* heap, lump

mouche, *f.* fly

mouchoir, *m.* handkerchief

moulin, *m.* mill; — à vent windmill

mourir to die

mouton, *m.* sheep

moyen, *m.* means; — de transport (means of) transportation

Moyen-Orient, *m.* Middle East

moyen (moyenne) average

moyenne, *f.* average

mur, *m.* wall

mur(-e) ripe

musée, *m.* museum

musique, *f.* music

mystère, *m.* mystery

N

nager to swim

nageur, *m.* (nageuse, *f.*) swimmer

naïf (naïve) naive

naissance, *f.* birth

nationalité, *f.* nationality

Nations-Unies, *f.pl.* United Nations

nature, *f.* nature; — morte still life

nausée, *f.* nausea

navet, *m.* turnip; bad movie or play

navigation, *f.* navigation, sailing

navré(-e) heartbroken

ne . . . pas not

ne . . . que only

ne . . . ni . . . ni neither . . . nor . . .

né(-e) born

nécessaire, *m.* (the) necessaries

nécessaire necessary

nécessité, *f.* necessity

négociation, *f.* transaction

neige, *f.* snow

neiger to snow

nerveux (nerveuse) nervous

neuf nine

neuf (neuve) new

neutralité, *f.* neutrality

neutre neuter, neutral

neveu, *m.* nephew

nez, *m.* nose

nid, *m.* nest

noblesse, *f.* nobility

Noël Christmas; Joyeux — Merry Christmas

noir(-e) black

nom, *m.* noun; name
nombre, *m.* number
nombreux (nombreuse) numerous
nomination, *f.* appointment
non plus neither
nord, *m.* north
Norvège, *f.* Norway
note, *f.* grade, mark, bill
notre our; le nôtre ours; Notre-
Dame Our Lady; — de la Belle
Verrière Our Lady of the Fair
Window
nouveau (nouvelle) new, different;
de — again
Nouvelle Vague New Wave (in
films)
nouvelles, *f.pl.* news
novembre, *m.* November
nuage, *m.* cloud
nuit, *f.* night
nul (nulle) none, no one, no;
nulle part nowhere
numération, *f.* numeration
numéro, *m.* number

O

obéir to obey
objet, *m.* object, thing; — d'art
work of art
obligé(-e) obliged, compelled
obscur(-e) dark, obscure
observateur, *m.* observer
obstiné(-e) stubborn
occasion, *f.* bargain, opportunity;
d'— second-hand
occulte occult, hidden
occupé(-e) busy
octobre, *m.* October
odeur, *f.* fragrance, odor
œil, *m.* (*pl.* yeux) eye
œuf, *m.* egg; une douzaine d'œufs
a dozen eggs; — dur hard-
boiled egg
œuvre, *f.* work (finished piece of
work); chef d'— masterpiece
offert(-e) given
offrir to offer
oignon, *m.* onion
oiseau, *m.* bird
ombre, *f.* shadow, shade
ombrelle, *f.* parasol
omettre to omit
oncle, *m.* uncle
onde, *f.* wave
opposé(-e) opposed, opposite
or, *m.* gold
orange, *f.* orange
orbite, *f.* orbit
orchestre, *m.* orchestra

ordonnance, *f.* prescription
ordonné(-e) orderly, neat
ordre, *m.* order; mettre en — to
straighten out, put in order
oreille, *f.* ear
oreillons, *m.pl.* mumps
organisation, *f.* organization
organiser to organize, arrange
orgueil, *m.* conceit, pride
origine, *f.* origin
ornithorynque, *m.* duck-billed
platypus
os, *m.* bone
oser to dare
ou or
où where
oublier to forget
ouest. *m.* west
outre: en outre moreover
outre-mer overseas
ouvert(-e) open
ouvrage, *m.* work, workmanship
ouvrier, *m.* (ouvrière, *f.*) worker
ouvrir to open

P

pacifiste, *m.* pacifist
paille, *f.* straw
pain, *m.* bread; petit — roll
paire, *f.* pair; — de gants pair of
gloves; — de souliers pair of
shoes
paisible peaceful
paissent (*v.* paître) graze
paître to graze
paix, *f.* peace
palais, *m.* palace
pâlir to grow pale
pancarte, *f.* placard
panne, *f.* breakdown; avoir une —
d'essence to run out of gas;
être, tomber en — to have car
trouble
pantalon, *m.* trousers, pants
pape, *m.* pope
papier, *m.* paper
papillon, *m.* butterfly
paquebot, *m.* liner, steamer
par for, by; — contre on the other
hand; — jour by the day; —
mois by the month; — semaine
by the week; — terre on the
ground
paradis, *m.* paradise, heaven
paradoxe, *m.* paradox
paraître to seem, appear; il paraît it seems
paralysé(-e) paralyzed
parapluie, *m.* umbrella

parc, *m.* park
parce que because
parcourir to travel through; to run
through
par-dessus over, above
pardessus, *m.* topcoat
pardon excuse me
pardonner to forgive
pareil (pareille) similar, alike
parent, *m.* relative; *pl.* parents
parenthèse, *f.* parenthesis
paresseux (paresseuse) lazy
parfait(-e) perfect
parfum, *m.* perfume
parler to speak, talk
parmi among
parole, *f.* spoken word
partager to share
partenaire, *m.* partner
particulièrement especially
partie, *f.* game
partiel (partielle) partial
partir to depart, leave; à — de
from, starting with
partout everywhere
pas no, not; ne . . . — not; —
du tout not at all
passager, *m.* (passagère, *f.*) pas-
senger
passé, *m.* past
passeport, *m.* passport
passer to spend, pass; — un
examen to take an exam; se —
de to do without
passionnant(-e) exciting, thrilling
passionner to excite, thrill
pâte, *f.* dough; des pâtes macaroni products
patrie, *f.* native land, fatherland
patte, *f.* paw, foot
pauvre poor, pitiful
pauvreté, *f.* poverty
payer to pay
pays, *m.* country; — d'adoption
adopted country
paysage, *m.* landscape
paysan, *m.* peasant
pêche, *f.* peach; fishing
péché, *m.* sin
pêcher to fish
pécheur, *m.* sinner
pêcheur, *m.* fisherman
peigne, *m.* comb
se peigner to comb one's hair
peindre to paint
peine, *f.* trouble, sorrow; (à) —
hardly, barely; faire de la — à
quelqu'un to hurt someone's
feelings; prendre la — de to

take the trouble; **sous —** under penalty, at the risk (of)

peintre, *m.* painter

peinture, *f.* painting

pèlerinage, *m.* pilgrimage

pelouse, *f.* lawn, turf, green

pendant during, while, for; **— que** while

pendre to hang

pendule, *f.* clock

pensée, *f.* thought

penser to think

pension, *f.* boarding house

pente, *f.* slope

perdre to lose

père, *m.* father

périmé(-e) out-of-date

période, *f.* period

permettre to permit

permis de conduire, *m.* driver's license

perroquet, *m.* parrot

persister to persist

personnage, *m.* character (in a book, play)

personne nobody

personnel (personnelle) personal

petit(-e) small

peu little, few; **à — près** about, nearly; **un —** a little

peuple, *m.* people, nation

peur, *f.* fear, fright, dread

peut-être perhaps, maybe

pharmacie, *f.* pharmacy, drugstore

philosophe, *m.* philosopher

photo, *f.* photograph

phrase, *f.* sentence

physique, *f.* physics

pièce, *f.* room; **— de théâtre** play

piéton, *m.* pedestrian

pique-nique, *m.* picnic

pire worse, worst

pirogue, *f.* canoe, long boat

piscine, *f.* pool

pitié, *f.* pity

pittoresque picturesque

placard, *m.* closet

place, *f.* city square, seat, room for

plafond, *m.* ceiling

plage, *f.* beach

plaindre to pity; **se —** to complain

plainte, *f.* complaint

plaire to be attractive to; **se — à** to take pleasure in

plaisance, *f.* pleasure; **château de —** residential chateau

plaisanter to joke, kid

plaisanterie, *f.* joke

plaisir, *m.* pleasure; **faire — à** to please, make (someone) happy

plaît : s'il vous plaît please

plan, *m.* outline, blueprint, plan

plat, *m.* dish

plat(-e) flat

platane, *m.* plane tree, sycamore

plâtre, *m.* plaster

plein(-e) full

pleurer to cry

pleut : il pleut it is raining

pleuvoir to rain

pli, *m.* fold, crease

pluie, *f.* rain

plume, *f.* feather; pen

pluriel, *m.* plural

plus more; **ne . . . — no** longer; **non —** neither

plusieurs several

plutôt rather

poche, *f.* pocket, bag

poêle, *f.* skillet, pan

poignard, *m.* dagger

poire, *f.* pear

pois, *m.* pea, peas; **petits —,** *m.pl.* green peas

poisson, *m.* fish; **— rouge** goldfish

poitrine, *f.* chest

poivre, *m.* pepper

poivron, *m.* bell pepper

policier, *m.* detective; **roman —** detective story

poliment politely, civilly

politique, *f.* politics

Pologne, *f.* Poland

pomme, *f.* apple; **— de terre** potato

pompe, *f.* pomp

pompeux (pompeuse) pompous

pont, *m.* bridge; **— levis** drawbridge

port, *m.* port, harbor

porte, *f.* door

portefeuille, *m.* wallet

porter to wear, carry

portière, *f.* door (of a car)

poser to ask

possessif (possessive) possessive

possibilité, *f.* possibility

poste, *f.* postoffice

potage, *m.* soup

potager : jardin potager vegetable garden

potier, *m.* potter

poudre, *f.* powder

poule, *f.* hen

poulet, *m.* chicken

poumon, *m.* lung

poupée, *f.* doll

pour for, to, in order to; **— que** so that

pourboire, *m.* tip

pourcent, *m.* percent

pourquoi why

poursuivre to pursue

pousser to push; to grow

poussière, *f.* dust

pouvoir to be able, can

pouvoir, *m.* power

pratiquer to practice

pré, *m.* meadow; **— salé** salt meadow

précaire precarious, unstable

précipitamment hurriedly

se précipiter to dash

précis(-e) precise, exact

préciser to specify

prédire predict, prophesy, forecast

préférer to prefer

préhistorique prehistoric

premier (première) first; **— étage** first floor

prendre to take

se préoccuper to attend to a matter

préparatifs, *m.pl.* preparations

préparer to prepare

près de near; **à peu près** just about, nearly

présenter to present, introduce

presque almost

pressant(-e) pressing, urgent

pressé(-e) in a hurry

prêt(-e) ready

prêter to loan, lend

preuve, *f.* proof, evidence

prévoir to foresee, gauge, provide for

prier to pray

primaire primary, current

principe, *m.* principle

printemps, *m.* spring; **au —** in the spring

prise, *f.* hold; taking

privé(-e) private

prix, *m.* value, worth, cost, prize

probablement probably

problème, *m.* problem

procédé, *m.* proceeding, dealing, process, method

procès-verbal (P.V.), *m.* traffic ticket

prochain(-e) next

produire to produce

produit, *m.* product; **produits de beauté** cosmetics; **produits lai-**

tiers dairy products
professeur, *m.* teacher, professor
profiter de to take advantage of
professionnel (professionnelle) professional, vocational
programme, *m.* programme; platform
progrès, *m.* progress
progressiste progressive
projet, *m.* project, plan, scheme
promenade, *f.* walk
se promener to take a walk
promesse, *f.* promise, assurance
promettre to promise
prononcer to pronounce, utter
propagande, *f.* propaganda, publicity
propos : à propos by the way, at the right time
propre clean; own
propriétaire, *m. and f.* proprietor, owner, landlord
prospérité, *f.* prosperity
protéger to protect
protéine, *f.* protein
protester to challenge, protest
protocole, *m.* protocol, formalities
prouver to prove
provisions, *f.pl.* reserves
psychiatre, *m.* psychiatrist
psychologique psychological
publier to publish
puis then; puisque since
puissance, *f.* power
punir to punish
punition, *f.* punishment
pur(-e) pure, fresh

Q

qualifié(-e) qualified
qualité, *f.* quality
quand when; — même just the same, nevertheless
quant à as for, as to
quantité, *f.* quantity
quarantaine, *f.* (about) forty
quarante forty
quart, *m.* quarter; un — d'heure a quarter of an hour
quartier, *m.* neighborhood, district
quatre four
quatre-vingts eighty
quatre-vingt-dix ninety
que ? qu'est-ce que c'est what? what is it?
que that, which, than; ne . . . — only
quel (quelle) what, which
quelques a few; quelquefois

sometimes; quelque part somewhere; — -uns a few
querelle, *f.* quarrel
queue, *f.* tail, waiting line; faire la — to stand in line
qui who, whom
quitter to leave
quoi what

R

racheter to buy back
racine, *f.* root, stem
raconter to tell, relate
radeau, *m.* raft
radiateur, *m.* radiator
radis, *m.* radish
raffiné refined
rafraîchir to cool, refresh
rafraîchissements, *m.pl.* refreshments
raisin, *m.* grape
raison, *f.* reason; avoir — to be right
raisonnable reasonable
raisonnement, *m.* reasoning
ramener to bring back
rameur, *m.* oarsman
rang, *m.* row, rank
rapide fast
se rappeler to recall, remember
rapport, *m.* report, relationship; se mettre en — avec to establish contact with
rapporter to report back
rapprocher to bring closer
raser to shave; se — to shave oneself
rasoir, *m.* razor
ravi(-e) delighted
ravissant(-e) lovely
rayon, *m.* department (in a store)
réaliser to effect; to realize
réalité, *f.* reality; en — in fact
récapituler to recapitulate
récemment recently
recette, *f.* recipe
recevoir to receive, get
récit, *m.* narration, story
recommander to recommend
recommencer to begin again
récompensé(-e) rewarded
se réconcilier to make up
reconnaître to recognize
réel (réelle) real, actual
réfléchir to think over, reflect
refléter to reflect
réforme, *f.* reform
réfrigérateur, *m.* refrigerator
refuser to refuse

regard, *m.* glance, look
regarder to regard, consider
régime, *m.* diet; être au — to be on a diet
registre, *m.* register
règle, *f.* rule
règlement, *m.* regulation
règne, *m.* reign, kingdom
régner to rule
regretter to regret, miss
reine, *f.* queen
relire to read again
remarquable remarkable
remerciements, *m.pl.* thanks
remercier to thank, decline
remettre to put off; to give back
remonter to wind up; to go back up; le saumon remonte la Loire the salmon swims up the Loire
remords, *m.* remorse
remplacer to replace
remplir to fill
renard, *m.* fox
rencontre, *f.* meeting, encounter
rencontrer to meet
rendez-vous, *m.* appointment, date
se rendormir to fall asleep again
rendre to give back, return; to make; se — à to go to; se — compte de to realize
renforcer to strengthen
renoncule, *f.* buttercup
renseignement, *m.* information
rentrer to return, go back
repas, *m.* meal, feeding
répéter to repeat
répétition, *f.* repetition; rehearsal
réplique, *f.* reply
répondre to answer
réponse, *f.* answer
repos, *m.* rest
se reposer to rest
représentant, *m.* agent, representative
république, *f.* republic
réserver to reserve, set aside, save
réservoir, *m.* tank, container
résidence, *f.* residence
respecter to respect
respirer to breathe
responsabilité, *f.* responsibility
ressembler to resemble, look like
reste, *m.* rest; *pl.* leftovers
rester to remain, stay; il ne — plus qu'à . . . all that's left to do is . . .
résultat, *m.* result
résumé, *m.* summary
retard : être en retard to be late

retour, *m.* return; être de — to be back

retourner to return, go back; se — to turn around

réunir to assemble

réussir to succeed

rêve, *m.* dream

réveil, *m.* awakening; alarm clock

se réveiller to awaken

revenir to come back

rêver to dream

rêveur, *m.* (rêveuse, *f.*) dreamer

revoir to see again; au — good-bye

se révolter to revolt, rebel

révolutionnaire revolutionary

revue, *f.* review, magazine

rez-de-chaussée, *m.* ground floor

rhétorique, *f.* rhetoric

rhum, *m.* rum

rhume, *m.* cold

rhumerie, *f.* rum distillery

riche rich

rideau, *m.* curtain; — de fer iron curtain

ridicule ridiculous

rien . . . ne nothing; — . . . que nothing but

rire to laugh

risque, *m.* risk

rive, *f.* bank

rivière, *f.* river

robe, *f.* dress, gown; — de bal ballgown; — du soir evening dress

roi, *m.* king

rôle, *m.* role, part

roman, *m.* novel

romanche, *m.* Romansch

rond(-e) round

rose pink

rôti, *m.* roast

rouge, *m.* red; — à lèvres rouge

rougeole, *f.* measles

rougir to blush

route, *f.* road; se mettre en — to get going

roux (rousse) redhaired; russet

royaume, *m.* kingdom

ruban, *m.* ribbon, band

rue, *f.* street

ruisseau, *m.* brook

ruisselant(-e) dripping wet

rumeur, *f.* rumor

russe, *m.* Russian

Russie, *f.* Russia

S

sable, *m.* sand

sac, *m.* handbag

Sacré-Cœur, *m.* Sacred Heart

sacrifier to sacrifice

safran, *m.* saffron

sage well-behaved

saison, *f.* season

salade, *f.* salad; — de fruits fruit salad

salaire, *m.* salary, earnings

sale dirty

salir to dirty

salle, *f.* room; — à manger dining room; — d'attente waiting room; — de bain bathroom; — de séjour living room

samedi, *m.* Saturday

sang, *m.* blood; de sang-froid in cold blood

sangloter to sob

sans without; — cesse all the time; — doute without a doubt

santé, *f.* health

sapin, *m.* pine tree

sarcastique sarcastic

satisfaire to satisfy

satisfait(-e) pleased

saumon, *m.* salmon

sauvage wild, savage

sauver to save

savoir to know, know how

savon, *m.* soap

scandinave Scandinavian

scène, *f.* scene, stage

sceptique skeptical

sciences politiques, *f.pl.* political science

scientifique scientific

séance, *f.* session

sec (sèche) dry

sécurité, *f.* security, safety

séduisant(-e) seductive, attractive

seigneur, *m.* lord

sel, *m.* salt

semaine, *f.* week

semblable similar

sembler to seem; il me semble it seems to me

semestre, *m.* semester, term

sénat, *m.* Senate

Sénégal, *m.* Senegal

sens, *m.* meaning

sensationnel ! great!

sentiment, *m.* feeling

sentir to feel; to smell; se — bien to feel well; se — mal to feel badly

séparer to separate

sept seven

septembre, *m.* September

sérieux (sérieuse) serious

serpent, *m.* snake; — à sonnettes rattlesnake

serpenter to meander

serrure, *f.* lock

sert (*v. servir*): on le sert it is served

serveuse, *f.* waitress

serviette, *f.* briefcase; napkin; towel

servir to serve, wait on; se — de to make use of

seul(-e) alone; only

seulement only

sévère stern

sexe, *m.* sex

si so, if

siècle, *m.* century, age, period

siège, *m.* seat

signe, *m.* sign

signer to sign

signifier to mean

silencieux (silencieuse) silent

sincérité, *f.* sincerity

sinon otherwise, except

situation, *f.* position, job; situation, location

ski, *m.* ski, skiing; faire du— to go skiing

six six

sœur, *f.* sister; belle- — sister-in-law

soi oneself

soif, *f.* thirst

soir, *m.* evening

soirée, *f.* evening party

soit . . . soit either . . . or

soixante sixty

soixante-dix seventy

soldat, *m.* soldier

soleil, *m.* sun

solennel (solennelle) solemn, serious

solidarité, *f.* solidarity

sommeil, *m.* sleep; avoir — to be sleepy

son, *m.* sound; Son et Lumière Light and Sound Show

sonner to ring

sortir to leave, go out

sot (sotte) silly, foolish

soucoupe volante, *f.* flying saucer

soudain suddenly, sudden

soufflé, *m.* breath

souffrant(-e) feeling ill

souffrir to suffer, endure

souhaiter to wish

soulier, *m.* shoe

souligner to underline
soupe, f. soup
soupir, m. sigh
source, f. source; prend sa — has its source, springs from
sourd deaf
sourir to smile
souris, f. mouse
sous under, beneath, below
sous-marin, m. submarine
sous-sol, m. cellar, basement
soustraction, f. subtraction
soustraire to subtract
se souvenir (de) to remember; je me souviens I remember
souvenir, m. remembrance
souvent often
spaghetti, m.pl. spaghetti
se spécialiser to specialize
splendide splendid, brilliant
spirituel (spirituelle) witty
sport, m. sports, games; — d'hiver winter sports
sportif (sportive) sport
star, f. star; — de cinéma movie-star
station, f. station, stop; — d'essence gas station; — de sports d'hiver winter resort
stationner to park (a car)
stylo, m. pen
subjectif (subjective) subjective
subjonctif, m. subjunctive (mood)
substantiel (substantielle) substantial
succéder to follow after, occur after
succès, m. success
successivement successively
sucre, m. sugar
sud, m. south
Suède, f. Sweden
suffire to be sufficient
Suisse, f. Switzerland
suite, f. continuation, rest; ainsi de — and so forth; de — in succession
suivant(-e) following
suivre to follow
sujet, m. subject
superbe superb
superlatif, m. superlative
supermarché, m. supermarket
suprême supreme
sur on, towards
sûr(-e) sure
surpris(-e) surprised
surréaliste surrealist
surtout especially

suspendre to hang
suspendu(-e) suspended
symbolique symbolic
sympathique (coll. sympa) like-able
symptôme, m. symptom
syndicat, m. union
systématique systematic
système, m. system

T
tabac, m. tobacco
table, f. table
tableau, m. picture, painting; blackboard
taille, f. size; waist; height
tandis que while
tant so much, so many; — mieux ! so much the better! — pis ! so much the worse!
tante, f. aunt
taquiner to tease
tard late
tarte, f. pie, tart
tas, m. a lot, a heap
tasse, f. cup
teint, m. complexion
téléphone, m. telephone
téléphoner to telephone
télévision, f. television
témoin, m. witness
température, f. temperature
temps, m. time; weather; quel — fait-il ? what is the weather?
tendance, f. tendency
tendre to extend
tendre tender, soft, loving
tendresse, f. tenderness
ténèbres, f.pl. darkness
tenir to hold, keep; — au courant to keep informed
tentation, f. temptation
terme, m. term
terminaison, f. ending
terminer to end
terrasse, f. terrace
terre, f. earth, ground; par — on the ground, on the floor
terreur, f. terror
terrine, f. pot, earthenware vessel
tête, f. head; en — heading; — -à- —, m. private interview, confidential conversation
texte, m. text
thé, m. tea
théologie, f. theology
théorie, f. theory
thon, m. tuna
tiens ! well!

tigre, m. tiger
timide shy
tirer to draw, pull; to shoot
tiret, m. dash
tireuse de cartes, f. fortune-teller
tiroir, m. drawer
titre, m. title
toile, f. canvas, linen
toilette, f. outfit; dress; faire sa — to get dressed
toit, m. roof
tolérer to tolerate
tomate, f. tomato
tombeau, m. tomb
tomber to fall; — amoureux de to fall in love with
tort, m. wrong; avoir — to be wrong
tortue, f. turtle
tôt early; — ou tard sooner or later
total(-e) total, complete, entire
toucher to touch; — un chèque to cash a check
toujours always
tour, m. turn; trick; potter's wheel; faire le — du monde to go around the world
tour, f. tower
touriste, m. tourist
touristique touristic
tout all, any; — à coup suddenly; — à fait quite, altogether; tout de suite right away; — seul all alone
toxique toxic, poisonous
traditionnel (traditionnelle) traditional, customary
traducteur, m. translator
traduction, f. translation
traduire to translate
train, m. train; être en — de to be in the act of
traînant dragging
traîner to drag
traitement, m. treatment
traiter to treat
traître treacherous
tranchée, f. trench
tranquille quiet, peaceful; être — to have peace and quiet; laisser — to leave alone
transatlantique transatlantic
travail, m. work, labor
travailler to work
travers (à) across
traversée, f. passage, crossing
traverser to cross
tréma, m. dieresis

tremblement de terre, *m.* earthquake
trembler to tremble
trente thirty
trésor, *m.* treasure, treasury
tribu, *f.* tribe
tricot, *m.* sweater, knit garment
trimestre, *m.* quarter, term, trimester
tristesse, *f.* sadness, melancholy
trois three
se tromper (de) to be mistaken
trompette, *f.* trumpet
trop too much, too many
trou, *m.* hole
troupe, *f.* band, company
trouver to find
tué(-e) killed
tuer to kill
tuile, *f.* tile
turc, *m.* Turkish
Turquie, *f.* Turkey
tutoyer to say **tu** (use informal address)
typique typical

U
ulcère, *m.* ulcer, sore
un one, a
uniforme, *m.* uniform
unité, *f.* unity
universellement universally
universitaire (of a) university
université, *f.* university
urbain(-e) urban
usage, *m.* use, practice
user to use
usine, *f.* factory
utile useful

V
vacances, *f.pl.* vacation
vache, *f.* cow
vague, *f.* wave
vaincre to conquer
valeur, *f.* value
valise, *f.* suitcase
valoir to be worth; **il vaut mieux** it is better
valse, *f.* waltz
vanille, *f.* vanilla

vapeur, *f.* steam
varicelle, *f.* chickenpox
varier to vary
variété, *f.* variety
vedette, *f.* (movie) star
véhicule, *m.* vehicle
veille, *f.* eve
veine, *f.* vein; **avoir de la —** to be lucky
vendange, *f.* grape harvest
vendeur, *m.* (vendeuse, *f.*) salesman, saleswoman
vendre to sell
vendredi, *m.* Friday
vengeance, *f.* revenge
venger to avenge
venir to come
vent, *m.* wind
vente, *f.* sale
ver, *m.* worm
vérifier to verify
vérité, *f.* truth
vermicelle, *m.* vermicelli (noodle)
vernissage, *m.* varnishing
verre, *m.* glass
vers, *m.* verse, poetry
vers toward
vert(-e) green; unripe
verticalement vertically
veston, *m.* jacket, coat
vêtements, *m.pl.* clothes
vétérinaire, *m.* veterinary
vêtu(-e) clad, dressed
veuf, *m.* (veuve, *f.*) widower, widow
veut dire means
viande, *f.* meat
victime, *f.* victim
victoire, *f.* victory
vide empty; blank
vie, *f.* life
vif (vive) bright, lively
vieux (vieille) old; **mon —** my friend
villa, *f.* villa; house in a resort
ville, *f.* town; **en —** in town; la **Ville lumière** City of Lights
vin, *m.* wine
vingt twenty
vingtaine, *f.* (about) twenty

visage, *m.* face
visite, *f.* visit
visiter to visit
vite swift, rapid; (*adv.*) quickly
vitesse, *f.* speed; **à toute —** at top speed
vitrail, *m.* (*pl.* vitraux) stained glass window
vitre, *f.* window pane
vivant(-e) alive, living
vive ! long live!
vivre to live; **— de** to live off
vocabulaire, *m.* vocabulary
vocation, *f.* calling
voici here is, here are
voilà here, there is; here, there are
voile, *f.* sail
voir to see; **se voit** is seen, shows
voisin, *m.* (voisine, *f.*) neighbor
voiture, *f.* car; **— caravane** trailer; **— de sport** sports car
voix, *f.* voice
vol, *m.* flight; robbery
volant, *m.* steering wheel
voler to fly; to steal; **— le trésor royal** to pilfer the royal treasury
volontaire, *m.* volunteer
volonté, *f.* will
voudrais : je voudrais I would like
vouloir to want, wish; **— bien** to accept, be willing; **— dire** to mean; **je voudrais** I would like
voyage, *m.* journey, trip; **— de noces** honeymoon
voyager to travel
voyageur, *m.* (voyageuse, *f.*) traveler
voyelle, *f.* vowel
vrai(-e) true, real
vraiment truly, really
vraisemblable likely
vue, *f.* view

Y
yeux, *m.pl.* eyes (*sing.* œil)

Z
zoo, *m.* zoo
zut ! darn it!

Index

phrase avec les — pronominaux réfléchis 349; emploi des — de mouvement 258; futur des — réguliers et irréguliers 264; imparfait des — d'état d'esprit 237; — irréguliers 134, 135; — irréguliers du 2ème groupe 190; — irréguliers du 3ème groupe 196, 204–205; **voir, croire, vouloir, pouvoir** 212; — de mouvement 256–257; passé et la construction de deux — 244; passé composé des — du Ier groupe 226, 234, — réguliers et irréguliers 237; — de mouvement 250, 257, 283; place des pronoms avec deux — 244; — pronominaux idiomatiques 375–376, 382–383; — pronominaux réfléchis 348; — pronominaux réciproques 367–368, 370; — pronominaux à sens passif 376, 383; — pronominaux avec **avant de, après s'être** 360; — qui ont un subjonctif irrégulier 452, 456–457; temps des — au discours direct et indirect 300; temps des — pronominaux 361–362; — en-**ir** formés sur des adjectifs 190; — qui ont une racine irrégulière 270; — utiles pour le discours indirect 309

voir 218

voudrai : je —, je — **bien** 83

vouloir 218–219

y (pronom indirect) 169, 175–176; emploi de — 176, place de — 176, 220